S0-CAT-189

saggistica

Beppe Grillo

Tutte le battaglie di Beppe Grillo

Illustrazioni di
Vauro

Per informazioni sulle novità
del Gruppo editoriale Mauri Spagnol visita:
www.illibraio.it
www.infinitestorie.it

TEA - Tascabili degli Editori Associati S.p.A., Milano
Gruppo editoriale Mauri Spagnol

www.tealibri.it

Copyright © 2007 Casaleggio Associati srl, Milano
Edizione su licenza della Casaleggio Associati srl

Prima edizione Saggistica TEA maggio 2011

Sommario

Le battaglie del blog

"Combattere una battaglia è bello. Che si perda o che si vinca rimane il gusto di averci provato. Stare a guardare le porcherie della vita che ci scorrono accanto e non fare nulla, non dire nulla, è avvilente. Toglie linfa al nostro organismo. Diventiamo un po' più verdi, un po' più grigi, un po' più neri, assumiamo i colori di una televisione disturbata. E qualche volta "saltiamo". Spariamo al vicino di casa. Facciamo a pezzi la famiglia. Buttiamo massi da un ponte autostradale. È l'autorepressione che ci lavora dentro. Giorno dopo giorno. Telegiornale dopo telegiornale. Le battaglie è meglio vincerle, certo, ma per farlo bisogna impegnarsi un secondo in più dell'avversario. Vivere per quel secondo in più è l'obiettivo del cittadino combattente. In questi tre anni ho combattuto più battaglie del generale Patton nella seconda guerra mondiale. Per Patton era più facile, lui doveva solo affrontare i nazisti e avanzare verso est. In Italia è più complicato, i nemici sono inestricabili, così integrati con la realtà da confondersi con essa".

Parlamento Pulito

Il pregiudicato Previti si è dimesso nel luglio 2007, un attimo prima di essere cacciato dal Parlamento. Corruttore di giudici, evasore fiscale dichiarato, servo del suo padrone prescritto. Ne rimangono altri 24 di pregiudicati, di condannati, di onorevoli wanted. La mia battaglia per ripulire il Parlamento, almeno da quelli che si sono fatti beccare, è iniziata il 7 giugno 2005. Scrissi nomi e condanne sul blog. La reazione dei lettori fu di stupore: Dell'Utri, Frigerio, Vito pregiudicati? Sgarbi condannato? Gli stessi a cui i giornalisti pulivano le scarpe nei talk show televisivi? Nelle schede elettorali accanto al loro nome non c'era scritto nulla. Solo il partito. Di solito era Forza Italia. Un nome che vale un bollino penale di certificazione. Su 24 pregiudicati, ben dieci sono di Forza Italia, la casa circondariale delle libertà. Decisi di fare una raccolta firme e inviarle a Barroso, allora presidente della Comunità Europea. Ne arrivarono 14.000 in pochi giorni che gli inviai in un cd. Chiesi di incontrarlo. Mi fece rispondere da un funzionario. Risposta tecnica, nessuna presa di posizione. Un piccolo burocrate.

Fallita la via europea alla liberazione italiana dai malfattori, cambiai strada. Lanciai una sottoscrizione sul blog per pubblicare nomi-cognomi-reati sui quotidiani nazionali. Pensavo che bastasse pagare dato che le informazioni erano vere e soprattutto pubbliche. Sbagliavo. Non un solo quotidiano nazionale accettò. Si manifestò la famosa indipendenza dei giornali dalla notizia. Infatti, o leggi il giornale, o ti cerchi la notizia. Non hai alternative.

Bussai alla porta di testate internazionali. Le porte rimasero chiuse per due mesi finché accettò l'*International Herald Tribune* che pub-

blicò l'appello al mondo il 22 novembre 2005 per 48.275 euro più Iva. All'estero non volevano crederci. Loro i pregiudicati li tengono in galera. La *Bbc world service* gli dedicò una trasmissione. Il segretario della *Gandhi Peace Foundation* mi inviò una lettera di congratulazioni. Scrisse che il mio messaggio era stato ripreso da tutti i giornali indiani. Mi spiegò che in India avevano lo stesso problema. Una volta lì i criminali finanziavano i politici e ora entravano direttamente in politica. Undici di questi erano però stati cacciati dal Parlamento e mi augurava lo stesso per i nostri.
Tutti i giornali italiani furono costretti a riprendere la notizia. Alcuni parlamentari minacciarono querele. Altri dissero alla radio, in televisione, al giornalista di turno inginocchiato a fare un servizio (o un pompino, è uguale) che non si sarebbero fatti giudicare da un comico (il pregiudicato può giudicare il comico, ma il contrario non è possibile), che non bisogna confondere la politica con la giustizia (che, infatti, in Italia non hanno nulla in comune), che il loro reato non è così grave... Pomicino mi telefonò a casa per spiegarmi le sue tangenti e le sue corruzioni, roba senza importanza...
Nel 2006 ci furono nuove elezioni e un vento di speranza. Ma prima arrivò la legge elettorale dei porci della maggioranza di centrodestra. La definirono loro stessi legge "porcata". La legge cancellò il risultato del referendum elettorale del 1993 e l'elezione diretta del candidato. Mentre io proponevo la fedina penale del candidato nella scheda elettorale, i nostri dipendenti cancellavano il candidato dalle votazioni. Nel 2006 i pregiudicati se li sono scelti direttamente i segretari di partito. I risultati furono un vertiginoso incremento dei pregiudicati e un boom di quelli definiti da Marco Travaglio "diversamente onesti": indagati, imputati, condannati in primo o secondo grado, prescritti. Il totale arrivò a 82.
Meglio di Scampia a Napoli. Quando un deputato arriva a Scampia la gente si chiude in casa.
Per proteggere i "diversamente onesti" la categoria più presente in Parlamento è quella degli avvocati, sono lì per cambiare le leggi a favore dei delinquenti.
Due anni dopo ho deciso di passare alle maniere forti. Sono andato al Parlamento europeo a Bruxelles per denunciare i nostri pregiudicati. Ho lanciato il V-day l'otto settembre 2007. Un giorno per raccogliere 50.000 firme per una legge di iniziativa popolare per un Parlamento

Pulito in tre punti: no ai parlamentari condannati, solo due mandati, votazione diretta del candidato. Ho depositato la richiesta in Cassazione. Il suo Presidente in corridoio mi ha detto di essere d'accordo con me, ma di non dirlo a nessuno. La Corte dei Conti ha poi dichiarato che la legge serve per combattere la corruzione.
Ho inviato una mail a tutti i senatori e deputati. Mi hanno risposto in 200, molti sono d'accordo. Persino Scajola. Ho fatto un documento e l'ho pubblicato sul blog. È arrivato ed è passato l'8 settembre. C'è ora una maggiore consapevolezza nei cittadini. Chi ha sbagliato non può pagare per sempre, ma non può neppure rappresentarci. Prima dei pregiudicati, in lista per il Parlamento ci sono milioni di italiani onesti.

Val di Susa

In un clima prenatalizio, il 5 dicembre 2005, la polizia attaccò un presidio di cittadini a Venaus in Val di Susa. Furono distribuite sante manganellate alle donne e agli uomini, ai ragazzi, ai preti e ai sindaci. Tutti pericolosi no global che si opponevano alla distruzione della loro valle.
I valsusini stavano mangiando polenta e bevendo vino quando, senza lo squillo di avvertimento della tromba, secondo i testimoni, nella notte i celerini caricarono. Ragazzi agli ordini di Pisanu, un piduista amico di Moggi, reclutato dall'allievo del Venerabile Licio Gelli, il famoso psiconano di Arcore.
Pisanu aveva preso alla lettera Emmenthal Lunardi, quello che ha detto che con la mafia bisogna convivere. Lunardi il tunnel lo voleva fare a ogni costo, del resto è il suo mestiere, e invocò l'azione di polizia.
Il tutto per un buco nella montagna di 53 chilometri. Un buco che co-

sterà almeno 12 miliardi di euro, ma le cifre stanno correndo verso i 30 miliardi. Un buco finito tra 15 o 20 anni quando potrebbe non servire più. Ma anche oggi, se fosse finito e impacchettato, non servirebbe a nulla.

Il blog lo ha spiegato con testimonianze e dati, mai confutati di, tra gli altri: Beppe Giunti, francescano della Val di Susa, il Movimento No Tav, Angelo Tartaglia del Politecnico di Torino, Marco Ponti del Politecnico di Milano, i sindaci della Val di Susa per voce di Barbara Debernardi, il sindaco di Condove, la rivista *il Mulino* di Bologna, la società Sitaf.

Tutte campane a morto per un progetto che serve, in apparenza, solo a ingrassare le aziende costruttrici collegate ai partiti. I Ds in particolare ne hanno fatto un caso personale. Chiamparino se potesse andrebbe lui a picconare. Per la Bresso e Fassino è un chiodo fisso. Una mozzarella arriverebbe in poche decine di ore a Kiev da Lisbona passando per la stazione di Porta Nuova di Torino. Fondamentale per lo sviluppo piemontese.

Elio Catania (presidente delle Ferrovie dello Stato, poi premiato per la montagna di debiti della sua gestione con milioni di buonuscita) era entusiasta. I pendolari d'Italia che viaggiano in ritardo cronico su treni puzzolenti lo sono un po' meno.

I politici hanno anche cercato di comprare con qualche centinaio di milioni di euro di stanziamenti i comuni della valle. Si dice che abbiano pure promesso posti da deputati ai sindaci. La risposta è stata sempre un vaffanculo valsusino.

Il 17 dicembre 2005 ci fu una manifestazione contro la Tav a Torino. Centomila persone in una giornata di sole. Famiglie con le carrozzine piene di neonati no global e tanto vin brulé. Io c'ero sul palco. I politici no. Erano scappati di fronte ai loro dipendenti.

Con Prodi la situazione è cambiata. Nel senso che è uguale a prima, ma invece delle manganellate il governo usa il Valium. Prodi parla, Di Pietro media, la Tav si fa. Sì, si fa. Si deve fare. Guardatemi negli occhi. Chiudete gli occhi.

Prodi è un pitone un po' sonnacchioso, ma i valligiani, pur apprezzandone la non violenza, rimangono della loro opinione. Il tunnel non serve: parlano i fatti. L'attuale linea ferroviaria Torino-Modane è utilizzata solo al 38%; il collegamento ferroviario Torino-Lione è stato soppresso per mancanza di passeggeri; il flusso delle merci è in calo da anni.

Il costo del tunnel è a carico dei contribuenti, lo paghiamo con le nostre

tasse, la Comunità Europea ci metterà di suo forse il 10%.
Le montagne del traforo contengono amianto, 500 camion al giorno pieni di detriti dei cantieri viaggerebbero sulle strade della Valle per 20 anni.
La linea è giustificata economicamente solo se transitano 40 milioni di tonnellate di merci all'anno per un totale di 350 treni al giorno, uno ogni 4 minuti alla velocità di 150 km/h, alternati a treni passeggeri a 300 km/h. Una follia.
Neppure di fronte all'evidenza i partiti e i loro servi dei media hanno cambiato idea. Segno evidente che sono tutti in torta. Ma il tunnel non si farà mai. Dovrebbero militarizzare la Valle e al primo morto cadrebbe il governo.
Si arriverà a un compromesso all'italiana, si dirà che qualcosa è stato fatto, si liquideranno con qualche centinaio di milioni alcune aziende. Chiamparino e la Bresso saranno confinati in un rifugio alpino servito da potenti mulattiere.
La Val di Susa rappresenta un cambiamento in Italia. Mai avvenuto prima e con cui la politica dovrà fare i conti. Non si possono più imporre decisioni alle comunità locali. Vanno prima spiegate o, in mancanza di spiegazioni, andarsene a fanculo.

Gi scheletri dell'Unipol

UNIPOL-BNL
DUBBI SULL'OPERAZIONE
MASSIMO, SEI PROPRIO SICURO CHE ANCHE PER SCALARE UNA BANCA SERVA IL PASSAMONTAGNA?
BN
VAURO

L'Unipol è un armadio con una collezione di scheletri. Ossa prêt-à-porter per tutte le stagioni. Sartoria Consorte. Guido Rossi dichiarò a suo tempo che Palazzo Chigi era diventato una merchant bank. Era il tempo delle mele Telecom, svenduta a debito da D'Alema ai furbetti del quartierino Gnutti e Colaninno. Gente di sua piena fiducia. Baffino è il nuovo Andreotti, se tre indizi facessero una prova entrambi avrebbero una decina di ergastoli. Il vizio di occuparsi di affari e non di politica i Ds ce l'hanno

nel sangue. D'Alema lo si può e si deve capire. Se un cantante di navi da crociera come Berlusconi era diventato uno degli uomini più ricchi del pianeta e aveva fondato un partito, lui che, secondo Livia Turco, è molto più intelligente di tutti, che cosa doveva fare? Stare a guardare? Sentenze contro il vertice Ds non ce sono. È meglio chiarirlo subito per evitare querele. Solo intercettazioni, il cui contenuto mette tenerezza, sembrano: "I soliti ignoti" con Totò di tanti anni fa.
L'affaire Unipol scoppia nell'estate del 2005, insieme a Bpl-Antonveneta e alla scalata del gruppo Rcs, che, lo ricordo, possiede il *Corriere della Sera*, da parte di Ricucci, un odontotecnico prestanome. Tre episodi legati tra loro. Una spartizione all'italiana della finanza e dei giornali tra destra e sinistra, al di fuori di qualunque regola di mercato. L'inciucio fatto Sistema.
A fine 2005 Consorte, presidente di Unipol è indagato per aggiottaggio mentre sta scalando la Bnl. Qualche mese prima Fiorani cinguettava: «Gianni, io mi sento sangue del tuo sangue... tu sai che io sono sempre pronto e disponibile e lavoro anche un po' sott'acqua come tu hai capito bene...» e Gianni tubava: «Giampi devi fare due o tre pensate su un presidente di prestigio *(di Bnl, ndr)*... che poi noi dovremmo avvicinare».
Qualcuno nei Ds cominciò a vergognarsi. Cesare Salvi dichiarò a proposito della finanza rossa «...non si può fare con Consorte e l'Unipol. È stato un errore pensare di poter competere su quel terreno e qualcuno dovrà renderne conto».
Fassino è torinese, mi ricorda un grande comico scomparso, Macario. Quando si tratta di dire una scempiaggine, Pierin non delude mai, la dice sempre. Il suo: «Allora abbiamo una banca», passerà alla Storia come l'«Obbedisco!» di Garibaldi.
Dopo un po' Consorte si dimise insieme al tesoriere Sacchetti e per l'Unipol la Bnl tramontò. La fratellanza del management Unipol con il vertice Ds era un dato di fatto. Come potevano non sapere? Può anche essere, ma in tal caso Fassino doveva dare le dimissioni per incapacità manifesta.
Nel 2006 le elezioni politiche furono perse dallo psiconano e dai servizi segreti. Prodi si insediò. Iniziarono le nomine per gli incarichi costituzionali. D'Alema con le intercettazioni, che lo riguardavano, non ancora pubblicate era una mina vagante. Lui partecipava sempre. Lo schivammo alla presidenza della Camera con la nomina di Bertinotti. La

presidenza della Repubblica, dopo il rifiuto di Ciampi, era però vacante. Scrissi, più di un anno prima della pubblicazione delle telefonate con Consorte sui giornali, una lettera aperta a D'Alema:
«Egregio dipendente Massimo D'Alema,
è mezzanotte, il nuovo presidente della Repubblica non è stato ancora eletto dopo due giorni di votazioni e io non riesco a prendere sonno. Non ci riesco perchè ho l'incubo che lei possa essere eletto senza aver fatto chiarezza sulle intercettazioni che potrebbero riguardarla. Intercettazioni di cui ormai si parla, si insinua, si mormora da mesi. Le chiedo una semplice risposta a questa altrettanto semplice domanda: "Esistono delle intercettazioni telefoniche di conversazioni compromettenti tra lei e Consorte sulla scalata alla Bnl da parte dell'Unipol?"
Io spero, come credo molti elettori del centro sinistra, che la risposta sia un irrevocabile no.
Una non risposta autorizzerebbe a pensare che queste intercettazioni esistano e che, Dio non voglia, ne possano essere entrati in possesso esponenti del centro destra.
Ora la lascio e provo a dormire.
Buonanotte».
D'Alema non fu eletto. Tirai un sospiro di sollievo. Un anno dopo, puntualmente, le intercettazioni vennero fuori. Prodi nel frattempo aveva spedito il nocchiere rosso, il Caronte della sinistra, all'estero nominandolo capo della Farnesina.
L'estate del 2007 fu entusiasmante. A giugno gli italiani dimenticarono tutti i loro problemi grazie alle scempiaggini di D'Alema, con il suo «Facci sognare», e di Fassino che mormorava: «Io sto abbottonatissimo». Il vice capogruppo dell'Ulivo Nicola Latorre trasformò in certezze i sospetti degli italiani sul segretario dei Ds rivelando che non capiva un tubo.
D'Alema si inquietò: «La vicenda è grave dal punto di vista culturale. Primo: è arrivato il momento di recuperare una questione di principio per cui non si danno in pasto ai giornali telefonate senza rilievi penali. Secondo: tutto il mondo politico parla con imprenditori e uomini della finanza. È normale. Se trovassero tutti i miei colloqui con industriali italiani ci potrebbero riempire un libro. Se questi colloqui non configurano un reato, non si può mettere tutto su Internet».
Travaglio, puntuale come la ghigliottina, mi scrisse:
"Caro Beppe, un anno fa ti inviai un post sull'autocandidatura di Massi-

mo D'Alema al Quirinale, sostenuta dagli ottimi Dell'Utri, Confalonieri, Ferrara, Feltri e Cirino Pomicino. Mi permettevo di ricordare che era un tantino azzardato eleggere presidente della Repubblica un tizio che, solo un anno prima, partecipava telefonicamente a una scalata bancaria con l'amico Consorte e tutta la consorteria. Osservavo pure che, prima o poi, quelle telefonate intercettate sarebbero venute fuori e forse qualcuno avrebbe potuto giudicarle incompatibili con la condotta che dovrebbe tenere un presidente della Repubblica.
Fortunatamente l'autocandidatura, pur così autorevolmente sostenuta, sfumò. Così oggi, almeno, non dobbiamo porci il problema delle eventuali dimissioni del capo dello Stato (ammesso e non concesso che la parola "dimissioni" alberghi ancora nel dizionario della politica italiana). A furia di sentir palare di «fughe di notizie» (inesistenti: le telefonate non sono più segrete) e di «attacco alla democrazia» (che Unipol abbia scalato anche quella?), a furia di sentir ripetere che «le intercettazioni non hanno rilevanza penale» (invece ce l'hanno, altrimenti i giudici non le avrebbero trascritte), stiamo perdendo il senso dell'orientamento. Per fortuna qualcuno ancora riesce a orientarsi nelle fumisterie politichesi e ad andare al sodo, cioè ai fatti.
Il D'Alema telefonico, come peraltro quello pubblico, si candida alla successione di Bettino Craxi: stessa concezione del rapporto politica-economia, stesse frequentazioni con affaristi senza scrupoli, stesso spregio per il libero mercato (quello vero), stessi attacchi alla magistratura milanese, stesso disprezzo per la stampa libera (le rare volte che vi si imbatte), stessa predilezione per le reti Mediaset quando si tratta di lanciare proclami obliqui al Paese (vedi l'autointervista dell'altra sera al Tg5).
In più, le intercettazioni aggiungono alcuni succulenti particolari. D'Alema parlò con Vito Bonsignore, eurodeputato Udc, pregiudicato per corruzione e detentore di un pacchetto del 2% di azioni Bnl, perché si alleasse con Consorte e la consorteria, ben sapendo che don Vito avrebbe preteso una contropartita politica. Consorte, tramite l'uomo di mano Latorre, voleva che D'Alema facesse un'analoga telefonata all'ingegner Caltagirone, editore del Messaggero e del Mattino nonché suocero di Casini: non sappiamo se poi D'Alema l'abbia fatta, ma sappiamo che il giorno dopo Caltagirone cedette.
Consorte esultava con D'Alema perché «prendiamo la Bnl a un anno dalle elezioni» e D'Alema non gli domandava che cosa c'entrasse la Bnl

con le elezioni. Evidentemente lo sapeva benissimo. Di fronte a queste vergogne, D'Alema e i dalemini ripetono a macchinetta che «non c'è nulla di penalmente rilevante» e «non abbiamo conti all'estero», come se il fatto di non essere imputati o in galera fosse un requisito sufficiente per fare politica. E come se Fassino, un paio di mesi fa, non avesse inserito Craxi - che era penalmente rilevante e aveva almeno tre conti all'estero - nel Pantheon del nuovo Partito Democratico. Naturalmente, quando nel Pantheon arriverà anche D'Alema, Craxi farà le valigie in nome della questione morale.

Clementina Forleo chiese nel luglio del 2007 di poter utilizzare le intercettazioni del trio diessino Latorre-Fassino-D'Alema insieme a quelle di tre parlamentari di Forza Italia nel processo Unipol. Il Parlamento insorse contro il delitto di lesa maestà. Vi furono poche lodevoli eccezioni, tra cui quella di Antonio Di Pietro. Mastella, il ministro di Casta e Ingiustizia, scrisse a Prodi: «Caro Romano, se Di Pietro ritiene che i nostri colleghi di governo abbiano avuto atteggiamenti criminosi, dovrebbe dimettersi». Lui, non i potenziali indiziati... A Regina Coeli e a San Vittore applaudono ancora. Napolitano se la prese con la Forleo: «Lancio un richiamo a non inserire in atti processuali valutazioni e riferimenti non pertinenti».
Tutto, invece, era pertinente. Dal 2003 i giudici devono chiedere il permesso al Parlamento per le telefonate intercettate in cui compare un parlamentare. Celementina Forleo chiese il permesso con due ordinanze depositate nella cancelleria del Tribunale a disposizione degli indagati e dei loro avvocati. Le ordinanze cessarono quindi di essere segrete. Gli avvocati ne ebbero copia. Senza nessun reato le diedero ai giornalisti. Senza nessun reato i giornalisti raccontarono tutto agli italiani.
La scalata alle banche e alle case editrici dei parlamentari con i furbetti del quartierino fallì solo grazie alle intercettazioni. La soluzione politica? Vietarle definitivamente! È a questo importante disegno di legge che sta lavorando Mastella sul panfilo di Della Valle. Ha assunto come consulenti Dell'Utri e Previti pareggiati a sinistra da D'Alema e Latorre. La Bicamerale degli affari lavora sempre a tempo pieno, la politica è ormai marginale, un pretesto. Alcuni magistrati sono però incorreggibili e cocciuti, hanno la pretesa di far rispettare le leggi. Basterà, per i politici, cambiare le leggi per far tornare i conti.

L'oro azzurro

Nel 1992 la legge Galli avvia la privatizzazione dell'acqua in Italia. Un diritto viene trasformato in prodotto. Nascono subito 92 società a capitale misto: pubblico e privato. Con due obiettivi: il profitto e la creazione di posti di lavoro inutili, ma ben pagati. Nuove società, nuove poltrone, nuove nomine politiche. Un buen retiro per i deputati trombati alle elezioni. E poi, dietro l'angolo, la quotazione in Borsa, i dividendi, le stock option per i dirigenti.
L'oro azzurro. 30.000 persone ogni giorno muoiono nel mondo per la mancanza d'acqua. L'acqua è vita e la speculazione sulla vita è immorale, ma estremamente redditizia. Chi può farne a meno? L'Acea, la società che fornisce l'acqua alla città di Roma, ha dichiarato di aver aumentato i suoi profitti del 30% nel 2006. Il profitto sull'acqua? Nessuno protesta, i politici applaudono, i cittadini pagano.
Nel 2006 il giro di affari dell'acqua in Italia è stato di cinque miliardi di euro. La pioggia del cielo trasformata in denaro. Le nuove nozze di Cana con l'euro al posto del vino. Le guerre in futuro non si combatteranno per il petrolio, ma per l'acqua. Se non ci credete, provate a bere un litro di petrolio. Un miliardo di persone non ha accesso all'acqua potabile. Quasi due milioni di bambini muoiono ogni anno per l'acqua inquinata. Problemi degli altri? Ancora per poco.
La crisi idrica è una realtà in alcune regioni italiane. Il cambiamento climatico sta riducendo la disponibilità di acqua anche da noi. Nel frattempo ci stiamo preparando al peggio. Abbiamo gli acquedotti più bucati d'Europa, il 30% di perdite in Emilia Romagna, il 50% in Puglia. L'inquinamento di ogni possibile corso d'acqua, fiume, torrente, rivo. Comuni senza depuratori e scarichi di industrie e di privati a cielo

aperto senza che nessuno intervenga.
Beviamo, però, molta acqua in bottiglia. Siamo primi in Europa con 170 litri d'acqua all'anno contro una media di 85 litri. Un primato che ne determina un altro: cinque miliardi di bottiglie di plastica trasformate in combustibile per gli inceneritori e diossina per i polmoni.
L'acqua è politicizzata, carburante per i partiti. Più è privata, più costa e più amministratori pubblici possono abbeverarsi.
Nicky Vendola, presidente della Regione Puglia, nominò Riccardo Petrella presidente dell'acquedotto pugliese. Petrella, oltre a essere un galantuomo, è uno dei massimi esperti europei di acquedotti. Durò qualche mese, poi si dimise per disperazione. Le lobby erano più forti.
Nei miei tour ho affrontato spesso il problema dell'acqua. Nel 2005 a Napoli sul palco, insieme a me, c'era padre Alex Zanotelli, uno degli uomini più buoni che conosco. Fu fortemente sconsigliato di parlare della privatizzazione dell'acqua dagli organizzatori. E il mio intervento sulla svendita dell'acqua dei 136 comuni dell'Ato2 (Ambito territoriale ottimale) della Campania fu interrotto per motivi di ordine pubblico.
Regnava Bassolino, l'artefice del Rinascimento Napoletano e della spazzatura vista mare.
La gestione dell'acqua deve rimanere pubblica.. I cittadini devono poter decidere sull'acqua. Nessun altro può essere delegato. Il costo delle bollette e la qualità dell'acqua non hanno avuto alcun beneficio dalle privatizzazioni, dal fritto misto privato/pubblico/partiti.
Se una parte del pianeta muore di sete, la produzione mondiale, è il caso di dirlo, è invece un torrente in piena. Per produrre una tazza di caffé servono 140 litri d'acqua, per un paio di jeans 11.000 litri, per un'automobile 400.000 litri. Senz'acqua la produzione mondiale si ferma. Senz'acqua si tirano però anche le cuoia.
L'acqua è il business del futuro, la preda più ambita delle concessionarie e delle multinazionali. Le fontanelle d'acqua si pagheranno a gettone. Si darà da bere agli assetati, purché paghino.

Vaghe stelle della Borsa

LEZIONE DI FINANZA.
PER GUADAGNARE IN BORSA
NON BASTA AVERE CULO
BISOGNA ANCHE SAPERLO VENDERE AL PREZZO PIÙ ALTO E POI RICOMPRARSELO A QUELLO PIÙ BASSO!
VAURO 07

«In Borsa si possono investire tutti i soldi che si possono perdere». Chi è al corrente di questa verità può dilapidare il suo Tfr o l'eredità dei nonni in letizia comprando azioni, obbligazioni e fondi. Gli altri, quelli che credono ancora a Babbo Natale e a Cesare Geronzi, beh, per loro non c'è speranza. «Questo mercato non è un vero mercato, ma è un suk e chi lo invoca è in malafede». Lo ha detto Guido Rossi che delle aziende italiane sa tutto. È l'Andreotti dell'economia. Il suo Totò Riina è stato Tronchetti Provera, detto il tronchetto dell'infelicità. Rossi, dopo l'ultimo bacio di addio a Palazzo Mezzanotte, non si è più rimesso e vende granaglie per i piccioni ai turisti in Piazza del Duomo a Milano.

La Borsa è una grande famiglia. Un club esclusivo. I consiglieri di amministrazione si conoscono tra loro come vecchi amici. E hanno il dono dell'ubiquità. Sono presenti sia nelle aziende clienti che in quelle fornitrici. Vendono e comprano da sé stessi. Uno spettacolo di conflitto di interessi. La mattina timbrano il cartellino nell'azienda azionista e il pomeriggio in quella controllata.

Se chiudesse la Borsa se ne accorgerebbe solo il salotto buono. Quello che attraverso pochi decimali di proprietà e le scatole cinesi decide tutto. È la Mappa del Potere. Quello vero che si fa portare la colazione a letto da Palazzo Chigi.

Il banco vince sempre. I piccoli azionisti non hanno rappresentanza e su ogni transazione vigila la Consob. Spesso si distrae come per Parmalat o per Cirio o per la Banca Popolare di Lodi, ma Lamberto Cardia, il suo presidente, è sereno. Infatti, lui non rischia mai nulla.

Le banche sono ovunque nelle società quotate in Borsa. Presidiano i loro clienti con quote di proprietà. Le banche possiedono quote di aziende di cui vendono i bond, in pratica le cambiali delle aziende indebitate. Se un'azienda è vicina alla bancarotta la banca può vendere bond ai suoi clienti, bond marci per diminuire le sue perdite. È un vero incesto finanziario, che ho definito come: «Rapporto di partecipazione diretta da parte delle banche nelle imprese e/o delle imprese nelle banche. Tale rapporto ha come effetto collaterale la sodomia di massa esercitata su soggetti muniti di partecipazione azionaria. L'incesto finanziario è quindi un atto contro natura il cui sviluppo erettile si manifesta all'esterno della coppia che lo esercita. I soggetti esterni, sempre passivi, di tale atto maturano nel tempo segni evidenti dell'abuso subito e tendono ad organizzarsi in gruppi di protesta. Un ulteriore effetto collaterale è la formazione spontanea di debiti aziendali sotto forma di bond che il soggetto bancario della coppia veicola sui soggetti esterni, sempre passivi».
Nel mio blog è presente una mappa della Borsa italiana con tutte le connessioni e gli incesti. È una Borsa a luci rosse, sconsigliata ai risparmiatori deboli di cuore. Si possono vedere immediatamente i consiglieri che ricoprono più cariche nelle più audaci posizioni del Kamasutra. Usatela e capirete perchè è più sicuro giocare alla roulette o al gioco delle tre tavolette che comprare azioni.
Qualche numero e qualche nome dell'orgia. A luglio 2007 i consiglieri con almeno tre cariche in diverse aziende erano NOVANTOTTO. E i recordman con almeno cinque cariche, dei grandi lavoratori a gettone, erano TRENTANOVE. I consiglieri sono di norma espressione di gruppi di potere, quelli che stringono tra loro il cosiddetto "patto di sindacato" che permette di controllare il 100% delle aziende con il 15/20% della proprietà.
In Borsa si quotano per chiedere soldi, non per remunerare i nostri capitali. E in Borsa si quotano soprattutto i bisogni primari: acqua, luce, gas, telecomunicazioni, autostrade, svenduti a debito dallo Stato ai soliti noti. I nomi sono sempre quelli. Benetton, Agnelli, Tronchetti, De Benedetti, Berlusconi, Marzotto, Caltagirone, Colaninno, Puri Negri, Doris.
La criminalità organizzata un tempo, ma forse ancora oggi, vendeva l'acqua dei pozzi. I moderni capitalisti all'italiana vendono i servizi di prima necessità a peso d'oro dopo averli quotati in Borsa. Se qualcuno

pone delle obiezioni usano la loro parola magica: "Mercato!". Evocati dalla forza della parola appaiono subito in soccorso il Capezzone e la Bonino e un commissario della Comunità Europea. Una volta i radicali facevano lo sciopero della fame, oggi mangiano, scusate, incassano finanziamenti elettorali, come è avvenuto nel 2006 con la società Autostrade. Non lo sapevate? Con l'incasso del vostro pedaggio autostradale Gilberto Benetton ha finanziato i partiti prima delle elezioni 2006. Bipartisan, sia destra che a sinistra. E' tutto regolare. Solo un piccolo sovrapprezzo per la democrazia. Però qualcosa non mi torna. Il mercato esiste se c'è la concorrenza, ma se devo andare a Roma da Genova posso scegliere l'autostrada? I beni dello Stato, quindi di tutti noi, costruiti da generazioni di italiani, sono diventati l'ultima risorsa dei nostri industriali, loro amano chiamarsi così... Quando anche i monopoli naturali saranno stati spolpati, smembrati, venduti, acquistati a prezzi di saldo da società straniere, la nostra Borsa chiuderà. Sarà un gran giorno per l'economia italiana e per i risparmiatori.

Le Primarie dei cittadini

Pensai alle Primarie dei cittadini prendendo in mano il programma dell'Unione nel 2006. Non riuscii a leggerlo fino in fondo. Nessun italiano sano di mente c'è riuscito. Lo psiconano aveva fatto meglio. Si era esibito qualche anno prima in televisione con il patto con gli italiani. Pochi punti, ma irraggiungibili. Spiegati alla lavagna del maggiordomo Vespa. Feci una riflessione: noi siamo i datori di lavoro. I parlamentari sono nostri dipendenti. Indisciplinati, ma per colpa nostra. Per fare un buon lavoro avevano bisogno delle istruzioni. I cittadini che scrivevano nel mio blog e

esperti italiani e mondiali che conoscevo scrissero il miglior programma di governo che abbia mai visto. Energia, sanità, informazione, economia: migliaia di contributi, di suggerimenti, di commenti riassunti in poche cartelle. Il frutto delle primarie dei cittadini fu pubblicato sul blog poco prima delle elezioni del 9 aprile 2006. Alcuni politici diedero la loro adesione. Scrissero sul blog Pecoraro Scanio, Antonio Di Pietro, Fausto Bertinotti, Marco Pannella, Marco Cappato. I leader dei partiti minori, quelli che non contano nulla. Forse per convenienza, forse per convinzione. Vinse le elezioni Valium Prodi. Chiesi un appuntamento a Palazzo Chigi per presentargli le indicazioni delle nostre primarie. Lo ottenni. Mi comprai un vestito nuovo per l'occasione e partii per Roma. Misi in una cartellina 10 fogli con le proposte. Negli uffici le persone che mi riconoscevano affrettavano il passo. Tutti in vestito grigio, con lo sguardo basso. Nell'ufficio della Presidenza del Consiglio mi sedetti a un tavolo ovale di fronte a Prodi. Lui sorrise, prese la cartellina e iniziò a leggere piano. Il rumore indistinto che usciva dalle sue labbra sapeva di rosario, di sedativi, di rose appassite, di digestione pesante e anche un po' di crisantemo. Leggeva e sorrideva. Stringeva gli occhi e sorrideva. Io spiegavo, spiegavo. Punto per punto. Lui guardava nel vuoto. "Si concentra", mi spiegò Sircana, il suo portavoce. Dopo due ore, stremato, mi addormentai su un divanetto. Prima di lasciarmi andare capii che aveva ragione Prodi, che non c'era nulla di cui preoccuparsi, che l'Unione era bella e se qualcosa non avesse funzionato la colpa era dei cittadini. Mi risvegliai in macchina mentre mi riportavano a casa. Mia moglie mi chiese come era andata. Strinsi gli occhi, le sorrisi e le dissi: "Va tutto bene, cara". Tempo dopo chiesi a Prodi di restituirmi la cartellina con caratteri in oro, l'avevo pagata 15 euro, e di dare le dimissioni. Insieme al programma gli avevo infatti consegnato una raccomandata a mano preparata dal mio commercialista contenente una lettera di licenziamento nel caso non avesse considerato con la dovuta attenzione le Primarie dei cittadini. L'indulto, il mantenimento delle leggi ad hoc, la mancata riforma del sistema radiotelevisivo, un numero di ministri e sottosegretari da fare invidia a Craxi, un debito pubblico inarrestabile, la nomina di due condannati in via definitiva alla Commissione antimafia, Mastella alla Giustizia... Potrei continuare, ma mi manca lo stomaco. Il Governo arrivò alla sua prima crisi. Tutta interna, di poltrone. La crisi richiese una svolta. Una posizione ferma. Prodi fu inflessibile con i suoi alleati. Buttò nel cesso il Programma dell'Unione. Quello per

cui era stato eletto. Mise dodici punti nero su bianco. Le cantò chiare. Punti "non negoziabili".
Per la scuola chiese: "Un impegno forte per la cultura, scuola, università, ricerca e innovazione".
Per il sud: "Attenzione permanente e impegno concreto a favore del Mezzogiorno, a partire dalla sicurezza".
Per la previdenza: "Riordino del sistema previdenziale con grande attenzione alle compatibilità finanziarie e privilegiando le pensioni basse e i giovani. Con l'impegno a reperire una quota delle risorse necessarie attraverso una razionalizzazione della spesa che passa attraverso anche l'unificazione degli enti previdenziali".
Se Mosè avesse scolpito le tavole della Legge con la stessa chiarezza il mondo sarebbe preda del caos. I segretari di partito accettarono convinti. Con punti così vincolanti potevano stare tranquilli e continuare a farsi i c...i loro.
Su una questione Prodi fu più preciso. Puntiglioso. Sulla comunicazione. Ben 2 dei 12 punti furono dedicati a Sircana. Il suo portavoce che "... per dare maggiore coerenza alla comunicazione, assume il ruolo di portavoce dell'esecutivo" e: "...al Presidente del Consiglio è riconosciuta l'autorità di esprimere in maniera unitaria la posizione del governo in caso di contrasto". Si deduce che fino ad allora Sircana parlava a titolo personale, non dell'esecutivo e, soprattutto, che in caso di contrasti taceva. Quindi sempre. Sircana ringraziò pubblicamente, prese la macchina e portò la sua voce a un transessuale che batteva su un marciapiede di Roma. Da allora gli è stata tolta la parola, lo si vede triste camminare a testa bassa, e delle intenzioni di Prodi l'italiano non sa più nulla.
Le Primarie dei cittadini sono state un primo esempio di democrazia diretta. Hanno partecipato, letto, discusso, commentato almeno due milioni di persone sul blog. Prodi poteva fare di più oltre a ricevermi? Probabilmente no. Lui, come il resto del Parlamento, è espressione della politica della delega, del compromesso, delle zone grigie, della mediazione. La Rete è partecipazione diretta, luce che disinfetta, volontà e coscienza dei cittadini, vera vita pubblica. Troppo per questa classe politica che ne verrà travolta.

Fazio vattene!

ANTONIO FAZIO-
UNA VITA DI DEVOZIONE
ALLA MADONNA
E QUANDO È STATO COSTRETTO A DIMETTERSI...
...PRETENDEVA CHE GLI RIMBORSASSI TUTTI I CERI CHE MI AVEVA ACCESO PRIMA!

«Vieni domani, ma passa come al solito da dietro». Sembrano le parole di due teneri amanti, o di due ladri. Fazio e Fiorani, l'arbitro e il giocatore. Il Governatore della Banca d'Italia e il capo della Banca Popolare di Lodi, quello che rubava anche ai morti. Le intercettazioni delle telefonate delle due tortorelle e quelle di un folto gruppo di futuri galeotti vennero fuori a inizio estate 2005. I giornali le pubblicarono. Il capo del governo si chiamava Berlusconi, dalla Sardegna ruggì in televisione che era uno scandalo. Non si riferiva al furto con destrezza della Banca Antonveneta agli olandesi di Abn Amro. E neppure allo sputtanamento mondiale del nostro sistema finanziario da parte di Fazio, devoto dell'Opus Dei. Era turbato dalle intercettazioni che ledevano la privacy familiare, come quelle tra Ricucci e la Falchi. Promise che avrebbe scritto la nuova legge di suo pugno.
Il ministro della Giustizia, l'ingegner Castelli, aprì un'azione disciplinare su Clementina Forleo, casualmente il gip di Milano per Bpi-Antoveneta, per un diverbio con alcuni agenti che avevano fermato un immigrato a Milano. La stessa Clementina fu messa sul banco degli imputati nel 2007 per aver chiesto al Parlamento l'utilizzo delle intercettazioni del trio D'Alema, La Torre, Fassino per il processo Unipol.
Fazio fu sostenuto da entrambi gli schieramenti che ne ricevevano in modo bipartisan i favori e si guardò bene dal dimettersi. Io proposi di togliergli la pensione. Lui mise sotto indagine due funzionari della Banca d'Italia: Clemente e Castaldi che si erano opposti alla fusione Bpi-Antoveneta avvisando i magistrati. Chiesi le dimissioni di Fazio. Lo so, mi stavo montando la testa, sono solo un comico. Per questo mi rivolsi al popolo della Rete e lanciai una sottoscrizione pubblica per denunciare Fazio. Informazione pubblicitaria, costo 15.000 euro più Iva,

pagina intera della Repubblica. In pochi giorni risposero 1.500 persone, alcuni versarono 2 euro, altri 5 euro. Qualche milione di italiani lesse questo testo:

Fazio vattene!

«È trascorso un mese da quando i giornali hanno pubblicato le telefonate fra il governatore della Banca d'Italia e alcuni protagonisti italiani della scalata alla Banca Antonveneta. E' trascorso un mese da quando la comunità internazionale ha avuto, dalla viva voce del governatore, la prova che in Italia il capitalismo, il mercato, la libera concorrenza sono finti.
L'"arbitro" Antonio Fazio gioca con una delle squadre in campo, la Banca Popolare Italiana di Lodi. L'altra, Abn Amro, non ha santi in paradiso, dunque ha perso la partita prima ancora di giocarla. L'"arbitro" Fazio (con la collaborazione della sua signora) coccola il lodigiano Gianpiero Fiorani, lo invita in Bankitalia ("passando dal retro"), cestina i rapporti negativi dei suoi stessi ispettori interni sul suo amichetto "lumbard". Lo stesso sospetto aleggia su altre scalate, da quella dell'Unipol alla Bnl, a quella dei "furbetti del quartierino" Ricucci & C. alla Rcs-Corriere della sera.
Dietro il paravento di un'anacronistica e sciovinistica difesa dell'"italianità" delle banche, Fazio ha reso ridicola e inaffidabile l'Italia agli occhi del mondo. Finché resterà in servizio un "arbitro" così, nessuno verrà più a investire in Italia. Ma intanto un bel pezzo del governo difende Fazio & C. Un bel pezzo dell'opposizione balbetta e si barcamena. Centinaia di imprenditori e banchieri sempre pronti a spiegarci il libero mercato tacciono, con le lodevoli eccezioni del presidente di Confindustria Luca di Montezemolo e pochi altri.
Il premier Silvio Berlusconi annuncia una legge per impedire le intercettazioni per i reati finanziari e mandare in galera i giornalisti che pubblicano quelle già fatte. Fazio è ancora al suo posto e non ha alcuna intenzione di andarsene. Anzi, chiede un'ispezione interna contro gli ispettori di Bankitalia che hanno fatto il loro dovere, opponendosi alle sue manovre e dicendo la verità ai magistrati.
Il blog beppegrillo.it, a nome di migliaia di cittadini, con un atto di democrazia diretta autofinanziato, chiede al governatore Fazio di andarsene a casa. Un uomo così mediocre non può e non deve più ricoprire

ùn incarico così cruciale. La smetta di screditare, con la sua presenza alla Banca d'Italia, l'Italia e gli italiani».

Castelli commentò: «Il pericolo è quello di assistere ancora una volta alla supplenza del potere politico da parte di altri poteri presenti nel Paese: la stampa, la magistratura, poteri economico-finanziari ben identificati e, dulcis in fundo, comici aspiranti maitres à penser».
La casa circondariale della libertà e i Ds non ci pensavano proprio a cacciare Fazio.
Al Ministro dell'Economia Domenico Siniscalco nel settembre del 2005 venne il vomito e si dimise con queste parole: "Fazio è quel mostro istituzionale, extra repubblicano, perchè qualcuno gli permette di esserlo".
In Vaticano Fazio era un eroe, acclamato dal prescritto Andreotti e dal gelataio Buttiglione.
Vennero in nostro aiuto, come è avvenuto altre volte nella nostra Storia, gli stranieri. Charlie McCreevy della Commissione Europea per i mercati interni annunciò a novembre 2005 un'azione legale contro Fazio per abuso di potere per aver favorito la Banca Popolare di Lodi contro l'Abn Amro. Fazio rimase impassibile al suo posto, i cialtroni del Governo e dell'opposizione pure. Erano infatti tutti, o quasi, in torta, Fazio era il Gran Maestro Pasticciere. Un uomo che era stato persino predetto Presidente della Repubblica come in seguito accadde a D'Alema, un altro celebre intercettato. Fazio si permise ancora di dire: «Io non mi dimetto. Ho la coscienza serena».
Prima di Natale pubblicai i nomi delle banche proprietarie della Banca d'Italia che stranamente non appartiene allo Stato, ma a enti privati.
Il Consiglio Superiore della Banca d'Italia era formato da uomini di fiducia nominati dai vari Profumo, Passera, Geronzi. Loro potevano e dovevano sfiduciare Fazio. Elencai i loro nomi e le loro professioni sul blog perchè gli italiani sapessero a chi dovevano la permanenza di Fazio. Chi decideva della Banca d'Italia era un gruppo di emeriti sconosciuti: fisici, editori, armatori, tributaristi, imprenditori, avvocati. Un gruppo di teste di legno.
Fazio mollò prima che il Consiglio si riunisse. Forse è stato un caso, forse no. Comunque è stata una battaglia vinta anche dalla gente, dalla Rete contro la politica degli affari. Ogni tanto, anche in Italia, succede.

Indulto selvaggio

Questa è la storia di una battaglia persa dal blog e dai cittadini italiani derubati, uccisi, stuprati da parte degli indultati da Ceppaloni. E anche dagli elettori del centrosinistra presi per i fondelli dai figuranti della politica, dai paraculi delle tangenti, dagli intercettati in corso di reato.

Il 9 aprile 2006 il centrosinistra vinse le elezioni. Si era presentato con un programma denso, di centinaia di pagine. In nessuna di queste era citato l'indulto come priorità di governo. Prodi non si era neppure espresso sui nomi dei ministri prima di vincere. Se lo avesse fatto avrebbe perso. Nessun elettore del centrosinistra sano di mente avrebbe infatti accettato Clemente Mastella da Ceppaloni come Ministro della Giustizia. Neppure lo psiconano aveva osato tanto, lui si era fermato a Castelli. Mastella invocò il Papa, Prodi inghiottì il rospo, Di Pietro minacciò, Forza Italia e Ds esultarono in silenzio, Bertinotti pianse di commozione. Mastella mandò a dire attraverso i giornali che non mi dovevo permettere di offendere un uomo con il suo passato e con i suoi principi. Una minaccia neppure tanto velata da parte del Ministro della Giustizia a un comico che criticava l'indulto. Sul passato del ceppalonico non c'è niente da dire, sappiamo tutto di lui e cioè che bivacca a nostre spese in Parlamento dal 1976. L'indulto fu votato nel mese di agosto con la gente in vacanza. Volevano fare una sorpresa.

Le carceri si svuotarono, in alcune rimasero solo i muri e i secondini. Quanti uscirono non si saprà mai, ma i dati più attendibili sono tra i 25.000 e i 30.000 detenuti. Molti delinquenti ripresero subito a delinquere, ma, soprattutto, coloro che in carcere dovevano andarci rimase-

ro fuori. Era questo il vero obiettivo dell'inciucio parlamentare.
Il giudice Gerardo D'Ambrosio disse: «Beneficeranno dell'indulto anche i colpevoli non ancora scoperti per reati commessi fino al 2 maggio 2006: chiunque sarà processato nei prossimi tre anni parte con un bonus di -3 in tasca. Salvo che abbia commesso delitti gravissimi, puniti in concreto con più di sei anni, già sa che non finirà in carcere né prima né dopo la sentenza definitiva». L'indulto serviva per le inchieste in corso, quelle che vedevano coinvolti politici e amministratori pubblici. La fretta con cui governo e opposizione avevano approvato la mastellata era più di una prova.
Di Pietro non si dava pace e si dimise, ma solo per qualche ora, da Ministro per andare davanti a Montecitorio con il megafono. Un membro del Governo che megafonava i suoi colleghi in maniche di camicia non si era mai visto prima. Di Pietro inserì i nomi di tutti i deputati e i senatori che avevano votato per l'indulto nel suo blog. Fausto Bertinotti deplorò l'episodio, Dario Franceschini volle le scuse, Casini, insieme a tutta la casa circondariale delle libertà, chiese le dimissioni di Di Pietro. I nostri dipendenti si schermivano, non volevano si sapesse chi di loro era responsabile di un atto di bontà. L'indulto era un atto privato con mezzi pubblici, i cittadini dovevano starne fuori.
Gli elettori dell'Ulivo non capirono. Migliaia di tessere furono stracciate, il sito dell'Ulivo fu sospeso per eccesso di insulti. L'indulto costerà qualche milione di voti all'Ulivo nelle prossime politiche. Nelle amministrative del 2007 li hanno già persi e nel Nord i loro assessori sono diventati più rari dei canguri bianchi.
Travaglio scrisse al blog e spiegò l'indulto con il suo stile a metà tra Robespierre e una sega elettrica. Ne riassumo una parte.

«L'indulto ha inserito molti reati, quelli contro la pubblica amministrazione, quelli finanziari, societari e fiscali, gli omicidi colposi per le "morti bianche" sul lavoro per i quali sono detenute poche decine di persone.
Il precedente indulto (il cosiddetto indultino) risale a due anni fa: scarcerò circa 6 mila persone, col risultato che dopo pochi mesi la popolazione carceraria non solo era tornata quella di prima, ma era addirittura aumentata. La prova del fatto che pensare di risolvere l'affollamento delle carceri mandando a casa i delinquenti è pura follia.
Non si è cancellata la ex Cirielli e non si è modificata la Bossi-Fini, inve-

ce dell'indulto. La ex Cirielli allunga le pene per i recidivi, la Bossi-Fini impone l'arresto dei clandestini che non lasciano l'Italia dopo l'espulsione (anche se non commettono alcun delitto): arresto che non porta mai a lunghi periodi di detenzione, perché l'arrestato viene subito scarcerato in quanto la pena prevista è minima e non giustifica la custodia cautelare.
All'indulto di tre anni allargato a corrotti & furbetti esistevano varie alternative, che avrebbero liberato ugualmente migliaia di detenuti, ma senza dover ricorrere alla maggioranza dei due terzi, cioè senza dipendere dal "ricatto" di Forza Italia. Per esempio una legge ordinaria che depenalizzasse (con maggioranza semplice, 50% più uno) la Bossi-Fini, o abolisse la ex Cirielli, o trasferisse in strutture sanitarie vigilate i detenuti malati o in comunità i tossici colpevoli di piccolo spaccio. Oppure, volendo proprio ricorrere all'indulto con maggioranza dei due terzi, si poteva "scontare" un anno di pena, e non tre, a tutti i condannati: avrebbe liberato 11.500 persone, e non avrebbe salvato platealmente dal rischio di finire in galera i vari furbetti del quartierino, Tanzi, Cragnotti, per non parlare di Berlusconi, Confalonieri e famiglia (imputati per i diritti Mediaset).
Infine, le pene saranno del tutto virtuali. Se un rapinatore viene condannato a 10-12 anni e gliene abbuonano tre, qualche anno di galera se la fa. Ma se un colletto bianco viene condannato a tre anni e gliene abbuonano tre, non paga nemmeno per un giorno».

Un anno dopo l'indulto più del 20% degli ex-detenuti è tornato in carcere e, per farlo, ha necessariamente dovuto delinquere contro cittadini italiani, di solito incensurati. Napoli e Milano hanno visto il ritorno di criminalità organizzata a livelli ormai dimenticati. La criminalità comune, secondo tutti i sondaggi. È il problema più sentito dagli italiani.
Rimane un'istantanea nella memoria: Mastella che si fa fotografare nell'estate del 2006 in carcere, sorridente, con un gruppo di detenuti. Tutti sembravano più onesti di lui.

Riprendiamoci Telecom

Tronchetti Provera. Qualcuno si ricorda ancora di lui? Un uomo che è stato il simbolo dei finanzieri con le pezze al culo della Seconda Repubblica. Dei capitani coraggiosi con i soldi degli altri. Delle aziende pubbliche, quindi di proprietà degli italiani, questo e non altro vuol dire pubbliche, cedute a debito. Un meccanismo da magliari, applicato sia dal centrodestra che dal centrosinistra: chi compra indebita l'azienda che compra per comprarla. Sembra uno scioglilingua, invece, più prosaicamente, è la morte dell'azienda che può solo sognarsi gli investimenti, le acquisizioni, lo sviluppo. Deve vendere, tagliare, scorporare, licenziare per rientrare dal debito. E alla fine i compratori-manager gonfi di stock option se la filano all'inglese o alla tronchettiprovera in barca a vela. Il titolo di Telecom è arrivato a due euro, quando si arresterà questa caduta non si può sapere. Forse al valore di un euro e con lo spettro della disoccupazione di massa per la più grande azienda del Paese arriverà un cavaliere bianco straniero che la comprerà per due lire.

Nel 2005, quando parlavo di Telecom, del suo indebitamento di quasi 50 miliardi di euro, delle cessioni di rami di azienda strategici, della cancellazione dell'informatica, mi guardavano con una certa compassione, quasi caritatevole.

I media, e il governo, erano schierati con il tronchetto, il nuovo Agnelli, che elargiva pagine di pubblicità, e quindi soldi, a piene mani. Celebre un articolo/intervista del *Corriere della Sera* del 14 marzo 2005 dal titolo: *Telecomunicazioni, concorrenza vera*. Una concorrenza vera con l'80% delle linee fisse, inclusa l'interconnessione, gestite da Telecom

Italia? Un'azienda che, grazie al monopolio della dorsale e alla posizione dominante sui servizi, faceva quello che voleva. Telecom proponeva l'Adsl in Francia a 15,95 euro al mese con una linea a 8 megabit, mentre in Italia la stessa la faceva pagare 36,95 euro a 1,2 megabit.
Tronchetti non faceva tutto da solo, era validamente assistito da uno stuolo di manager, quasi tutti di provenienza Pirelli. Manager che avevano due qualità: erano fedelissimi e pagatissimi. Gli stipendi dei top manager Telecom sono stati insuperati per anni in Europa nelle aziende del settore. Un primato italiano insieme agli stipendi dei parlamentari.
Qualche voce fuori dal coro c'era, ma veniva subito bollata come vetero comunista. Gianni Rinaldini della Fiom disse: «Si è regalato a Tronchetti Provera il monopolio della telefonia fissa. Tronchetti Provera, con poche risorse si è costruito un impero ed ha vissuto, e vive, questa situazione di rendita non giocando sugli investimenti e sull'innovazione, bensì puntando esclusivamente sul rientro del debito attraverso una politica selvaggia che è arrivata fino agli installatori degli impianti».
Già, le risorse del tronchetto, il massimo esperto mondiale di scatole cinesi. Con lo 0,11% di Telecom, attraverso Mgmp-Mtp&C Sapa-GPI-Camfin-Pirelli-Olimpia, aveva il controllo di Telecom, del suo consiglio di amministrazione, dell'assemblea. Ed era contemporaneamente presidente di Telecom e azionista di Telecom. Padrone e stipendiato. Non solo, vendeva a sé stesso, a Pirelli RE gli immobili di Telecom, un patrimonio immenso. Era venditore e compratore.
Pensai che se uno come il tronchetto poteva fare l'imprenditore, allora lo potevo fare anch'io. Lui aveva lo 0,11%, io puntavo almeno all'1%, cifra tonda. Decisi di lanciare un'Opa alla genovese, una "share action", di chiedere la delega ai piccoli azionisti per rappresentarli in assemblea e cacciare a metaforici calci in culo il management.
Mi arrivarono decine di migliaia di mail e, insieme, alcune lettere della Consob che mi metteva in guardia sul rispetto del regolamento e di non produrre turbative di mercato e, comunque, preannunciava ammende.
Belìn! Proprio a me. Dopo anni di Parmalat, Unipol, Cirio, Banca Popolare di Lodi, Fiorani, Gnutti, Consorte, Tronchetti, Tanzi, Cragnotti. Proprio a me che non avevo fatto ancora niente? Le regole per poter rappresentare i piccoli azionisti sono complesse, tortuose, praticamente inapplicabili...
Il ministro Antonio Di Pietro dichiarò pubblicamente di volermi dare la sua delega. La Consob scrisse anche a lui per avvertirlo di stare molto

attento a quello che faceva. All'assemblea del 16 aprile 2007 non riuscii a rappresentare i piccoli azionisti, ma lo farò la prossima volta.
A Rozzano andai con le azioni che possedevo, mi iscrissi a parlare e dissi quello che pensavo, quello che una stampa non serva avrebbe dovuto scrivere da anni. Prima però comprai con una sottoscrizione lanciata sul blog una pagina della *Repubblica* invitando il management Telecom a togliersi dai piedi, in particolare il duo Buora-Tronchetti.
Ecco il testo del mio discorso all'assemblea:
«Una semplice analisi dei bilanci di questi anni dimostra che la privatizzazione di Telecom Italia ha spogliato la società di miliardi di euro di ricavi, di decine di migliaia di posti di lavoro e ha trasferito nelle scatole cinesi gran parte dei suoi profitti attraverso i dividendi. È facile farla, questa analisi, basta un ragioniere, non c'è bisogno della Consob o del Governo o delle società di revisione. Presunti manager con le pezze al culo hanno indebitato l'azienda con l'aiuto delle banche e nella totale assenza della Consob e dello Stato per fare esclusivamente i loro interessi. La Rete è in condizioni spaventose, servono almeno dieci miliardi di euro per i primi investimenti.
Oggi però non voglio parlare di numeri, ma di altro: dello spionaggio industriale, della Consob, delle scatole cinesi e della Borsa, la Chicago degli anni '20 di Guido Rossi. Indovinate chi è Al Capone?
Decine di migliaia di persone sono state spiate, tra questi giornalisti economici come Massimo Mucchetti per le sue analisi sulla gestione Telecom, consiglieri di amministrazione della Telecom, amministratori di aziende, come Colao di Rcs prima di essere licenziato, semplici cittadini per lettere di protesta per il malfunzionamento della rete inviate a Tronchetti e anche un comico, il sottoscritto, con un dossier "B.Grillo".
Il Tribunale del Riesame di Milano ha scritto nello scorso mese di febbraio: "La Security di Telecom-Pirelli ha avuto modo di avere a propria disposizione una risorsa tale da consentire facilmente l'acquisizione di notizie privilegiate nell'interesse del gruppo, inteso sia come ente giuridico sia come gruppo dirigente» e ha rilevato che: «La vastità dell'intrusione indebita nei segreti della vita altrui si è manifestata in una davvero allarmante trama di acquisizione di informazioni riservate da utilizzare contro importanti personaggi dell'imprenditoria, del giornalismo e della politica italiana, prima di incontri che l'alta dirigenza aveva in programma con questi personaggi".
Gli ex responsabili della sicurezza Telecom: Tavaroli, Ghioni e altri

sono in carcere. Un loro collega, Adamo Bove si è apparentemente suicidato e suo padre, Vincenzo Bove, ne attribuisce la morte alle calunnie create ad arte in Telecom.
L'alta dirigenza Telecom è qui, si chiama Carlo Orazio Buora, Marco Tronchetti Provera, Riccardo Ruggiero. A loro chiedo: "A chi rispondeva la Security? All'usciere della Pirelli? Voi dove eravate?"
Supponiamo che la dirigenza non ne sapesse nulla. Tutto può essere. Però, dopo una prova di incapacità manageriale di questo livello, il gruppo dirigente doveva essere cacciato, o dimettersi, come si usava una volta, e non farsi più vedere. Ma è ancora qui, perchè è ancora qui? Forse ci sono dei dossier sparsi per il mondo sui nostri politici? O forse perchè il deus ex machina Tronchetti era sia presidente, sia azionista di controllo della stessa società e non poteva licenziare sé stesso? Un personaggio che dispone della più grande azienda del Paese con lo 0,11 per cento delle azioni.
Io ho pensato allora che con lo 0,12 potevo impadronirmi di Telecom, licenziare il consiglio di amministrazione e poi riconsegnare ai legittimi azionisti, che rappresentano l'82% delle azioni, la società. Ho lanciato una richiesta di interesse per verificare la volontà di delegarmi da parte dei piccoli azionisti. La Consob è subito intervenuta inviandomi una serie di lettere per spiegarmi il processo da seguire e intimarmi di non fare errori. Ho ricevuto migliaia di adesioni, ma l'iter è così burocratico e complesso che non sono riuscito a rappresentarli in questa assemblea. Voglio rassicurare però la Consob che ci riuscirò per la prossima, che a lei piaccia o meno. Cos'è la Consob? Dov'era la Consob in questi anni? Parmalat, Cirio, Banca Popolare di Lodi e i conflitti di interessi palesi tra società con gli stessi consiglieri di amministrazione che comprano e vendono da sé stessi come è successo tra Telecom Italia e Pirelli Real Estate con la cessione di immobili. Lamberto Cardia, presidente della Consob, esisti davvero? Dove sei oltre che nelle lettere che invii a me e a Antonio Di Pietro. Molti piccoli azionisti vorrebbero conoscerti di persona, farti qualche domanda.
La Borsa italiana è un luogo in cui si può investire tutto quello che si può perdere. Non un euro di più. Si invoca il mercato in questi giorni, ma cos'è in Italia il mercato? Un club di personaggi che vivono nei consigli di amministrazione e che decidono tutto, alcuni presenti in 5,6,7 consigli. Personaggi che hanno il controllo di grandi aziende con percentuali da prefisso telefonico. Chiedo ancora alla Consob perchè

esiste Olimpia, una scatola vuota posseduta all'80% da Pirelli? Olimpia controlla Telecom Italia. Non dovrebbe essere consolidata con tutti i suoi debiti in Pirelli? Lo spieghi a me, a un semplice ragioniere che fa il comico, caro presidente Cardia, perché non è avvenuto? Dov'è la famosa public company con cui si sono riempiti la bocca i politici? I piccoli azionisti non hanno una reale capacità di rappresentanza. Cosa intende fare il Governo a proposito? Quali leggi vuole adottare? E le associazioni di difesa dei consumatori dove sono? Sotto il tavolo ovale?
Telecom, in quanto azienda di servizi, la gestisca chi ha capitali e idee. Nessun imprenditore italiano ha insieme queste due qualità. Ma l'infrastruttura di rete è dello Stato, figlia di generazioni di italiani che hanno pagato le tasse e i canoni. Tronchetti vuole farsi pagare il premio di controllo da America Movil e da At&T e passare la mano incassando tre euro per le azioni di Olimpia quando il valore del titolo è solo di 2,3 euro. Lui incassa, i piccoli azionisti stanno a guardare.
Lo Stato dovrebbe porre dei paletti prima che avvenga questa cessione e non mi si parli ancora della sacralità del mercato. Di quale mercato? Quello del pesce è molto più rispettabile di Piazza Affari con le regole attuali. La rete va scorporata dai servizi e resa accessibile a tutti. Chi compra il 66% di Olimpia avrà il 12% delle azioni e deve contare solo il 12%. Non un decimale in più. Le scatole cinesi vanno abolite o rese fiscalmente non redditizie.
Vorrei chiudere questo intervento con un appello alla dignità della direzione di Telecom Italia: si dimetta, è il miglior servizio che può fare all'azienda e al Paese».

Il tronchetto, molto virilmente, si era dato malato all'ultimo momento e non era venuto. Che uomo! Il giorno dopo, guarito, era già in Bocconi ad ammorbare i ragazzi con la sua prosa da pescecane della finanza.
Le televisioni ripresero il mio discorso, Sky lo trasmise in diretta, alcuni giornali iniziarono a sollevare dei dubbi sul tronchetto che non era più presidente di Telecom, ma la controllava attraverso Olimpia. Dopo la cacciata di Rossi, aveva insediato Pistorio, un anziano e facondo manager che aveva condiviso tutte le sue scelte scellerate in qualità di consigliere di amministrazione.
Anche Buora e Ruggiero erano ancora lì. Tutto era cambiato perché tutto restasse come prima. Intanto il titolo scendeva, Pirelli doveva svalutare il valore delle azioni Telecom che possedeva e lo stesso doveva

fare Olimpia, miliardi di euro, non noccioline e tutti sul groppone degli azionisti della Pirelli.
E poi c'erano le intercettazioni di migliaia di persone, imprenditori, politici, gente comune, fatte dalla centrale Radar di Telecom. Il tronchetto ovviamente non sapeva nulla, anche se il deus ex machina era Giuliano Tavaroli, responsabile della sicurezza Telecom. Un fidatissimo del tronchetto che lo aveva portato con sé da Pirelli.
Tavaroli finì in carcere insieme ad altri della sicurezza e a Mancini dei servizi segreti. Bove che stava collaborando con la procura di Milano finì invece giù da un cavalcavia. Soffriva di vertigini e aveva una pistola, strano modo per suicidarsi.
L'aria si fa pesante, bisogna vendere, ma non a un prezzo di mercato. Il valore lo decidere il venditore... Intervengono le banche insieme a Telefonica per liquidare il tronchetto con un valore, incomprensibile, di 2,9 euro quando gli analisti valutavano il titolo nel medio periodo a 1,6 euro.
Dopo pochi mesi hanno già perso centinaia di milioni di euro. Chi li pagherà, gli azionisti delle banche? I titoli di Telecom Italia, di Pirelli, di Pirelli Re stanno andando a picco. Le persone spiate dalle strutture della Telecom non hanno avuto alcun risarcimento. Forse la partita non è ancora chiusa, qualche procura continua a lavorare... Intanto il tronchetto veleggia a Portofino e segue le regate di Luna Rossa in compagnia di Massimo D'Alema.

Schiavi Moderni

Cos'è uno schiavo? Se questa domanda aveva una risposta chiara qualche secolo fa, oggi non è più così. La differenza tra lavoratori e schiavi è diventata sempre più sottile. Chi lavora per pochi euro all'ora con un contratto precario e senza contributi è uno schiavo? Per me sì, è uno schiavo al passo con i tempi, uno schiavo moderno.
Il blog ha ricevuto 30mila mail di schiavi moderni. Ragazzi sfruttati, manager riciclati con partita Iva, universitari usa e getta. E tutto a norma di legge: Treu prima e legge 30 dopo, quella che l'ex ministro del lavoro Bobo Maroni con un colpo di genio intitolò a Biagi e non a sé stesso.
Le storie che ho letto sono angoscianti, ragazzi senza futuro, costretti a espatriare, sfruttati, umiliati. La colpa era delle leggi o della loro applicazione o della mancanza di lavoro o di tutto insieme? Chiesi consiglio a Joseph Stiglitz, premio Nobel per l'economia che mi scrisse una lettera:

«Caro Beppe, dall'Italia mi giungono notizie allarmanti: la legge sul primo impiego viene ritirata in Francia dopo poche settimane di mobilitazione studentesca e da voi la legge 30 resiste senza opponenti dopo anni. Permettimi allora una breve riflessione Nessuna opportunità è più importante dell'opportunità di avere un lavoro. Politiche volte all'aumento della flessibilità del lavoro, un tema che ha dominato il dibattito economico negli ultimi anni, hanno spesso portato a livelli salariali più bassi e ad una minore sicurezza dell'impiego. Tuttavia, esse non hanno mantenuto la promessa di garantire una crescita più alta e più bassi tassi di disoccupazione. Infatti, tali politiche hanno spesso conseguenze perverse sulla performance dell'economia, ad esempio una minor

domanda di beni, sia a causa di più bassi livelli di reddito e maggiore incertezza, sia a causa di un aumento dell'indebitamento delle famiglie. Una più bassa domanda aggregata a sua volta si tramuta in più bassi livelli occupazionali. Qualsiasi programma mirante alla crescita con giustizia sociale deve iniziare con un impegno mirante al pieno impiego delle risorse esistenti, e in particolare della risorsa più importante dell'Italia: la sua gente. Sebbene negli ultimi 75 anni, la scienza economica ci ha detto come gestire meglio l'economia, in modo che le risorse fossero utilizzate appieno, e che le recessioni fossero meno frequenti e profonde, molte delle politiche realizzate non sono state all'altezza di tali aspirazioni. L'Italia necessita di migliori politiche volte a sostenere la domanda aggregata; ma ha anche bisogno di politiche strutturali che vadano oltre e non facciano esclusivo affidamento sulla flessibilità del lavoro. Queste ultime includono interventi sui programmi di sviluppo dell'istruzione e della conoscenza, ed azioni dirette a facilitare la mobilità dei lavoratori.
Condividiamo l'idea per cui le rigidità che ostacolano la crescita di un'economia debbano essere ridotte. Tuttavia riteniamo anche che ogni riforma che comporti un aumento dell'insicurezza dei lavoratori debba essere accompagnata da un aumento delle misure di protezione sociale. Senza queste la flessibilità si traduce in precarietà.
Tali misure sono ovviamente costose. La legislazione non può prevedere che la flessibilità del lavoro si accompagni a salari più bassi; paradossalmente, maggiore la probabilità di essere licenziati, minori i salari, quando dovrebbe essere l'opposto. Perfino l'economia liberista insegna che se proprio volete comprare un bond ad alto rischio (tipo quelli argentini o Parmalat, ad alto rischio di trasformazione in carta straccia), vi devono pagare interessi molto alti.
I salari pagati ai lavoratori flessibili devono esser più alti e non più bassi, proprio perché più alta è la loro probabilità di licenziamento. In Italia un precario ha una probabilità di esser licenziato 9 volte maggiore di un lavoratore regolare, una probabilità di trovare un nuovo impiego, dopo la fine del contratto, 5 volte minore e fino al 40% dei lavoratori precari è laureato.
Ma se li mettete a servire patatine fritte o nei call center, perché spendere tanto per istruirli?»

Già, perchè facciamo studiare i nostri figli? Per lavori umilianti e sot-

topagati? Per farli diventare emigranti di lusso? Nulla è più importante del futuro delle giovani generazioni. Ma in Italia il dibattito è sempre focalizzato, in modo ossessivo, sulle pensioni. Sul passato. Chi pagherà queste pensioni domani? Siamo sicuri che i giovani vorranno vivere da schiavi con milioni di pensionati a carico? Io non credo.
Ho l'impressione che una frattura generazionale sia in arrivo. Giovani contro vecchi, i nuovi poveri contro i più o meno benestanti. I sommersi contro i salvati. Nel 2006 decisi di fare un libro con le testimonianze più importanti raccolte per categorie di precari, ad esempio precario pubblico e privato, call center o cervelli in fuga. Due giornalisti lessero TUTTE le testimonianze per un mese. Intitolai il libro: *Schiavi Moderni*. Dall'aprile del 2007 il libro è scaricabile in versione gratuita dal blog o acquistabile nella sua versione cartacea. Ad agosto 2007 erano state scaricate 200.000 copie, il libro più letto nel 2007 dopo "*La Casta*".
A maggio 2007 andai a Roma dal Ministro del Lavoro Damiano per esporgli il problema e chiedergli un aiuto. Mi disse, sommessamente, che era lì per caso, che avrebbe riferito a Fassino. Dopo i turisti, anche i ministri per caso...
Ci furono le prime reazioni. Mi presi del terrorista, del fiancheggiatore delle Brigate Rosse, dell'avvoltoio. Invece di discutere del merito della legge si gridava a una nuova esecuzione di Marco Biagi.
Io sono convinto che Biagi, vista l'applicazione disinvolta, all'italiana, della sua legge, l'avrebbe migliorata. Chi sta usando Biagi per non cambiare nulla? La risposta può essere non scontata. Infatti è lo Stato il primo datore di lavoro precario. Non direttamente, ma attraverso le società esterne che usa, società che fanno tutte le porcate che vogliono. Dove sono i sindacati sempre attenti agli aumenti dei dipendenti pubblici, ma incuranti delle condizioni dei precari?
All'inizio di agosto 2007 la Presidenza della Repubblica mi scrisse una lettera di apprezzamento per il libro. Ringraziai pubblicamente Giorgio Napolitano. Nei giorni successivi Napolitano fu accusato di farsi strumentalizzare e di ignorare il sacrificio di Biagi. A proposito chi gli tolse la scorta? Chi lo insultò a omicidio ancora caldo? Forse qualche carica dello Stato?
Il precariato in Italia è un problema che riguarda quasi sei milioni di persone, ma se ne parli sei un brigatista.

L'incantesimo degli inceneritori

In Italia le parole sono usate per creare incantesimi, immagini distorte, come negli specchi deformanti dei luna park. Ti cambiano la realtà. Fanno apparire le cose più magre, più belle, raddoppiate. Trasformate in un principe. Persino Casini può sembrare un politico e Mastella un Ministro della Giustizia.
Una parola semplice-semplice come inceneritore, quindi qualcosa che incenerisce, ha subìto in questi anni una trasformazione lessicale. È diventata termovalorizzatore, qualcosa che crea energia, qualcosa di buono.
Chi è contro gli inceneritori è diventato un reazionario, un no global. Non ci sono alternative agli inceneritori, anzi fanno bene alla salute, in centro città rendono l'aria pulita come sull'Himalaya. E la raccolta differenziata, che elimina anche la sola ipotesi degli inceneritori? Non serve, al massimo può arrivare al 30% dei rifiuti. Lo dice Chiamparino, il funzionario diessino sindaco di Torino. Ma Novara, tanto per dire, è quasi al 70%. Ci raccontano balle, pennivendoli e giornalisti grandi firme, politici e amministratori, pagati o disinformati.
Incontrai durante un mio tour la dottoressa Antonietta Gatti, ricercatrice dell'Università di Modena. Mi informò di avere scoperto che particelle inorganiche di dimensioni dal centomillesimo al miliardesimo di metro possono entrare nell'organismo attraverso inalazione e ingestione. Trasportate dal sangue, finiscono in diversi organi dove restano imprigionate e da dove possono innescare tutta una serie di malattie classificate finora come criptogeniche, cioè di origine ignota. Tra queste malattie ci sono parecchie forme di cancro. Queste particel-

le possono finire nello sperma e, da lì, nell'ovulo, non sappiamo ancora con quali conseguenze.
Mi disse che nel 2001 la Comunità Europea aveva finanziato la ricerca per l'acquisto di un microscopio elettronico a scansione ambientale. Che le nanoparticelle possono essere prodotte dagli inceneritori a causa delle altissime temperature di combustione e anche da altre cause, come l'esplosione di ordigni bellici. La "sindrome dei Balcani", l'insieme di malattie che ha colpito i militari ed i civili coinvolti nella guerra combattuta nella ex-Jugoslavia ha appunto questa origine.
Dalle sue ricerche erano emerse presenze di nanoparticelle in molti prodotti alimentari di grandi marche, dai biscotti alla mozzarella agli omogeneizzati: alluminio, argento, ferro, cromo, nichel, osmio, zinco, zirconio, silicio-titanio, tungsteno, piombo, bismuto, cobalto, solfato di bario, stronzio, ferro-cromo. Nessuno di questi inquinanti particolati sotto forma di nanoparticelle è biodegradabile e resta quindi nel tessuto umano per sempre. Compagni di viaggio indesiderati.
Nei miei spettacoli feci nomi e cognomi di aziende e prodotti, tutti presenti nel mio blog (per avere l'elenco inserite la parola "nanoparticelle" nel motore di ricerca). Nessuna società mi denunciò, nessuna mi chiese il dettaglio dei risultati. Ma qualcuno si mosse in modo più subdolo, perfido. Il microscopio elettronico, del costo di 350.000 euro, che consentiva di rilevare la presenza di nanoparticelle fu tolto alla dottoressa Gatti con un pretesto. No microscopio, no analisi.
Mi incazzai leggermente. Destinai l'incasso di una mia serata all'acquisto di un nuovo microscopio e lanciai una sottoscrizione attraverso il blog a favore dell'associazione Carlo Bortolani Onlus. Il 7 marzo 2007 la cifra fu raggiunta.
Nel frattempo un gruppo di professori universitari europei aveva scritto una lettera al Presidente della Commissione ambiente, salute pubblica e sicurezza alimentare del Parlamento europeo per richiedere di abbassare i limiti della pericolosità delle polveri sottili Pm 2,5 alle nanoparticelle. Nel frattempo avevo denunciato in pubbliche piazze, strapiene, la pericolosità degli inceneritori con gli amministratori asserragliati nei palazzi comunali.
Intanto la Federazione Italiana dei Medici di Medicina Generale aveva espresso la sua opinione sugli inceneritori: «Gli inceneritori di ultima generazione con le loro alte temperature nei forni contribuiscono grandemente alla immissione nell'ambiente di polveri finissime che

costituiscono un rischio sanitario ben più grave delle note polveri Pm10. L'incenerimento dei rifiuti, fra tutte le tecniche di smaltimento, è quella più dannosa per l'ambiente e per la salute umana. Gli inceneritori producono ceneri (sono un terzo del peso dei rifiuti in ingresso e si devono smaltire in discariche speciali) e immettono nell'atmosfera milioni di metri cubi al giorno di fumi inquinanti, contenenti polveri grossolane (pm10) e fini (pm2,5) costituite da nanoparticelle di metalli pesanti, idrocarburi policiclici, policlorobifenili, benzene, diossine, estremamente pericolose perché persistenti e accumulabili negli organismi viventi.

Queste "nanopolveri", sfuggendo ai filtri dell'inceneritore, non vengono nemmeno rilevate dagli attuali sistemi di monitoraggio delle emissioni degli inceneritori e non sono previste dai limiti di legge cui gli impianti devono sottostare. Inoltre a fronte di emissioni cancerogene identificate da tempo dai ricercatori (diossine, furani, metalli pesanti) gli inceneritori emettono centinaia di sostanze di cui è sconosciuto l'impatto sulla salute umana, così come risultano non ancora indagati gli effetti della combinazione di vari inquinanti.

Ogni processo di combustione produce particolato. Se è vero che la natura è produttrice di queste polveri (vulcani), è pure vero che le polveri di origine naturale costituiscono una frazione minoritaria del totale che oggi si trova in atmosfera.

È l'uomo il grande produttore di particolato, soprattutto quello più fine: più elevata è la temperatura alla quale un processo di combustione avviene, minore è la dimensione delle particelle che ne derivano.

Si tratta di particelle inorganiche, non biodegradabili né biocompatibili.

La combustione trasforma anche i rifiuti innocui, come imballaggi e scarti di cibo, in composti tossici e pericolosi, sotto forma di emissioni gassose, polveri fini, ceneri volatili e residue che richiedono costosi sistemi per la neutralizzazione e lo stoccaggio.

Perciò è opportuno che si incentivi una politica della produzione, raccolta differenziata, riciclaggio, recupero dei rifiuti. Le micro e nanoparticelle, prodotte in qualsiasi modo, una volta entrate nell'organismo innescano tutta una serie di reazioni che possono tramutarsi in malattie.

Le forme patologiche più comuni sono le neoplasie, ma ci sono anche malformazioni fetali, malattie infiammatorie allergiche e perfino neurologiche.

L'incenerimento dei rifiuti è inoltre il sistema più costoso per lo smaltimento dei rifiuti e tutti gli italiani, a loro insaputa, pagano generosi incentivi a suo sostegno. Il 7% dell'importo della bolletta elettrica che pagano è infatti devoluto, sotto forma di sussidi, anche alla costruzione degli inceneritori: basta prendere una fattura dell'Enel per leggere, sul retro, nella parte delle varie voci e costi: "Componente A3 - Costruzione impianti fonti rinnovabili" (o Cip6). La somma che compare a fianco viene devoluta ai gestori di inceneritori di rifiuti perché, la legge italiana assimila alle varie fonti energetiche rinnovabili non fossili, quali l'eolica ed il solare, quella ricavata dall'incenerimento di ogni tipologia di rifiuti urbani ed industriali. Oltre a questa fetta di incentivi prelevati dalle tasche degli utenti, i gestori degli inceneritori ricevono, da parte dello Stato, altri sussidi. L'Italia è quindi l'unico Stato europeo che finanzia l'incenerimento dei rifiuti. Tutti gli altri Stati membri (Austria, Belgio, Danimarca, Germania) impongono ai gestori di inceneritori di pagare una tassa per ogni tonnellata di rifiuti bruciati, disincentivando l'incenerimento dei rifiuti».

Questa lettera, chiarissima, riporta la vera ragione degli inceneritori, i luridi motivi del sostegno incondizionato da parte dei politici e delle municipalizzate, dei petrolieri come Garrone e Moratti e di quasi tutti i partiti, tra cui, sempre in prima linea, Forza Italia e Ds.
Il Cip6 è stato pagato con la bolletta dell'Enel dagli italiani per lunghi anni. L'obiettivo iniziale era nobile: finanziare le energie rinnovabili con qualche miliardo di euro. Energie pulite, eoliche, solari. Nella legge fu aggiunta però la parolina: "assimilate". I nostri soldi finirono allora per finanziare inceneritori di rifiuti e centrali a fonti fossili (carbone, olio combustibile, scarti della lavorazione petrolifera). Facciamo qualche nome dei beneficiari della nostra bolletta: Asm Brescia, Sarlux, Erg, Edison, ApiEnergia... Altro che rinnovabili.
Centinaia di migliaia di lettori del blog chiesero la cancellazione della parola "assimilate" dalla legge. Pecoraro Scanio ci comunicò con una lettera il 29 dicembre 2006 che la legge per l'esclusione delle fonti assimilate era finalmente passata. Vittoria? Forse.
Ci sono sempre le eccezioni, le proroghe, i Chiamparino e i Bersani, le Moratti e le Bresso. Così, per un "disguido", nel suo percorso in parlamento il testo della Finanziaria cambiò e il finanziamento agli impianti non ancora realizzati venne confermato. Il governo cercò di porci rimedio, ma il disegno di legge è ancora lì che aspetta in Senato

E poi, con Scaroni amministratore delegato dell'Eni, io non mi sento per niente tranquillo. Non per lui, ma per le sue condanne. Una, patteggiata, di due anni e tre mesi per corruzione per tangenti pagate per ottenere appalti dall'Enel in gioventù, e una del 2006, piccola-piccola, di un mese, convertita in un'ammenda di 1.140 euro, oltre a tre milioni di euro a carico dell'Enel per risarcire i danni della centrale a olio combustibile di Porto Tolle a Rovigo.

Via dall'Iraq

L'Iraq, le armi sterminio mai trovate, le migliaia di soldati morti, gli sgozzamenti, una guerra civile permanente da 50 civili iracheni uccisi ogni giorno nell'indifferenza del mondo. Questi i risultati della decisione presa da George W. Bush. Decisione militar-petrolifera. In sintonia con le sue lobby elettorali. Chi controlla il Golfo Persico controlla l'energia mondiale. E chi, allora, meglio degli Stati Uniti?
Un'ottima ragione per l'invasione dell'Iraq. Il petrolio sta finendo, ci vorrà ancora qualche anno, ma finirà. Abbiamo esaurito il 50% delle riserve del pianeta. Quelle che rimangono hanno spesso costi di estrazione proibitivi. Per un barile di petrolio possono essere necessari due barili di petrolio. Un controsenso. Ma oggi il mondo va a petrolio, le economie che lo controllano vivono, le altre muoiono. È come una pozza d'acqua che si esaurisce. Gli animali che si abbeverano sono i più forti, i carnivori, i più armati. Gli Stati Uniti.
Lo psiconano decise, contro il volere degli italiani e con la benedizione del Cardinal Ruini, di partecipare alla guerra. Era allora Presidente della Commissione degli Esteri Gustavo Selva. Non era ancora diventato famoso per aver usato un'ambulanza, come fosse un taxi, per recarsi in

uno studio televisivo, né era ancora passato alla casa circondariale delle libertà per evitare di essere cacciato dal Parlamento dopo finte dimissioni. Selva, detto confidenzialmente Belva, dichiarò al giornale *Libero*, il 23 gennaio 2005, a proposito del Presidente della Repubblica Carlo Azeglio Ciampi: «Basta con l'ipocrisia dell'intervento umanitario... abbiamo dovuto mascherare Antica Babilonia come operazione umanitaria perché altrimenti dal Colle non sarebbe mai arrivato il via libera». Il Governo mentì a Ciampi e i nostri ragazzi partirono per l'Iraq.
Iniziai da Trieste dove ero in scena con lo spettacolo Beppegrillo.it. Chiesi agli spettatori di inviare una mail a Ciampi, lo chiesi in tutte le successive città e attraverso il blog. Il testo della mail diceva:
"Caro Presidente, avendo letto della dichiarazione del Presidente della Commissione Esteri che questa è una guerra camuffata da missione di pace, le chiedo come Capo delle Forze Armate e tutore dell'articolo 11 della Costituzione, che dice che l'Italia ripudia la guerra, di far tornare immediatamente i nostri "costruttori di pace" dall'Iraq e di mandare al loro posto questo Governo di conta balle." Vennero inviate un milione di mail in pochi mesi, potevano essere ignorate? Sì, potevano essere ignorate! Forse non sono neppure state lette. Quando arrivò Napolitano, cambiai il destinatario del messaggio. Due anni dopo l'invio della prima mail finalmente tornammo a casa. Non per merito di chi aveva scritto, forse, ma mi piace credere che tutti abbiamo un po' contribuito. Le bandiere della pace erano ancora appese ad alcune finestre, annerite e tenaci. Alcuni ragazzi italiani erano già tornati da tempo dentro le bare di Stato sulla tratta Nassirya-Roma. Calipari era stato ucciso dagli alleati mentre salvava la giornalista Giuliana Sgrena. C'era stata Falluja, con il napalm americano usato sui civili e ripreso in un filmato da *Rainews24*, del cui giornalista si persero subito le tracce, e le torture sadico-sessuali di Abu Ghraib. Dall'inizio della guerra in Iraq era successo di tutto. Tranne una piccola cosa, piccola, ma molto importante. Il ritrovamento delle armi di distruzione di massa di Saddam. Se le armi erano la ragione per la guerra e invece non c'erano chi ha mentito deve essere processato per crimini contro l'umanità. Ma chi processerà George W. Bush e i suoi lacché se non la Storia?

AL PARLAMENTO CI SONO ANCHE PERSONE PER BENE
E CHE POI SI GUASTANO FREQUENTANDO L'AMBIENTE!
VAURO07

Gennaio

L'anno del cassonetto

C'è una buona abitudine a fine anno. Buttare via le cose vecchie dal balcone sulla macchina di sotto o, più sobriamente, regalarle spacciandole per nuove/antiche a qualche amico o parente o, scelta più moderna, smaltirle nella raccolta differenziata.
Casini, come sempre, ha voluto anticipare tutti (ma questa è una delle sue qualità innate) e si è riciclato, come testimoniato dalla fotografia, nella nettezza urbana senza aspettare la fine dell'anno.
Lui c'entra.
C'entrava quando ha espresso la sua solidarietà a Dell'Utri dopo la condanna in primo grado per associazione mafiosa.
C'entrava quando ha chiesto spiegazioni sulle intercettazioni telefoniche alla Procura di Milano in cui era citato anche un Caltagirone, famiglia della sua attuale compagna.
C'entrava, nel suo ruolo istituzionale di presidente della Camera, all'approvazione della legge truffa elettorale.
C'entrava in prima pagina del Corriere dell'ultimo dell'anno, dedicata a lui e alle sue dichiarazioni (che vergogna Mieli).
Non tutti sono dei galantuomini come Casinicassonetto che, come dice lui stesso, è persona altamente responsabile.
Gli altri per farsi da parte hanno bisogno di un piccolo aiuto da parte degli italiani.
Fate la vostra lista e cominciate dai nostri dipendenti, dai monopoli, dai finanzieri alla Tronchetti, dagli immobiliaristi, dai giornali, dalle televisioni.
Il 2006 può essere l'anno delle pulizie generali: diventiamo tutti operatori ecologici. Riempiamo i cassonetti.
01.01.06 15:06

Dipendenti co.co.co.

Siamo tutti preda di un incantesimo. Un incantesimo creato da noi. Ci siamo autoipnotizzati!

Abbiamo creato un gruppo di persone che parla, che fa e disfa, che influenza le nostre vite. Giornalisti che sentenziano (in base a quale competenza?), politici (ma ormai che mestiere è?), finanzieri che creano soldi (ma i soldi non si creano), ministri (senza conoscenza di ciò che gestiscono), dirigenti d'azienda (che pensano di essere loro i padroni al posto degli azionisti). Signori del nulla.
Un incantesimo malato, che premia i peggiori, quelli che non creano valore, quelli che non hanno una professione. E che fanno della politica e dell'informazione una cosa loro, privata, non un servizio.
Un incantesimo che emargina chi vuole cambiare, che fa emigrare i nostri migliori ragazzi, che ha impoverito la nazione.
Esorcizziamoli, proviamo ad annullare l'incantesimo, questa gente non ci serve, è indispensabile solo a se stessa.
L'incantesimo si può spezzare con qualche amuleto.
Incominciamo con un primo amuleto, dedicato ai nostri dipendenti: una proposta di legge popolare per ridurre a due sole legislature la possibilità di essere eletto al Parlamento, italiano o europeo.
Ovviamente con effetto retroattivo.
Basta con i pomiciniandreottimastellacasinidalemaviolanterutelli.
No ai politici a vita, sì ai dipendenti a tempo determinato.
02.01.06 15:57

H5N1: informazione diretta

La notizia più "submarine" di questo inizio 2006 è l'influenza aviaria (H5N1). Non ne parla più nessuno.
Gli italiani che hanno comprato decine di migliaia di dosi di tamiflu cominceranno a pensare che i temuti effetti dell'influenza aviaria (milioni di morti nel mondo) siano in realtà una brillante idea di marketing delle società farmaceutiche.
Il tamiflu non si trova più da nessuna parte (esaurito) e neppure notizie sull'epidemia. Che sia un caso?
Sul tamiflu non posso aiutarvi, ma sulla diffusione dell'influenza aviaria qualche informazione posso darvela.
L'ultima morte sospetta per H5N1 è avvenuta lunedì 2 gennaio 2006 all'ospedale Sulianti Saroso di Jakarta in Indonesia. La persona colpita

dalla malattia era spesso in contatto con pollame d'allevamento ed è il dodicesimo decesso di H5N1 in Indonesia.
La contabilità mortuaria è a questo punto di 75 morti per H5N1 dal dicembre 2003, tutti in Asia:
- Cambogia 4
- Cina 3
- Indonesia 12
- Thailandia 14
- Vietnam 42
Ad oggi il pericolo di pandemia dai flussi migratori degli uccelli è considerato marginale. L'influenza si diffonde con l'aereo e il pollame contaminato.
Queste informazioni si trovano in un sito che ogni giorno fornisce tutte le informazioni sull'H5N1: www.promedmail.org, usatelo per saperne di più e iscrivetevi alla sua newsletter giornaliera.
E, se la notizia che ricevete è importante, inviatela con una mail ai giornali, così, tanto per informarli, e in copia anche a Storace.
03.01.06 17:49

Niente paura, hai letto bene.

Sono scomparsi i bei manifesti che hanno allietato le nostre città nel mese di dicembre. Le mirabolanti imprese sull'economia, sull'inglese e Internet nelle scuole, sulle Grandi Opere, sul Patto con gli Italiani stramantenuto non ci sono più. Peccato.
Il mattino andando in ufficio, a scuola, o anche passeggiando con il cane, era bello leggere sui cartelloni dell'Operazione Verità le risposte degli italiani scritte con il pennarello. Commenti pacati.
Un dialogo sotto gli occhi di tutti. Vera democrazia.
Ed era anche bello quel naso da clown, spesso presente, disegnato da qualche ammiratore con un cerchio rosso su un volto pieno di fiducia, sorridente.
Di una persona che ha raggiunto tutti i suoi obiettivi, quelli che, per pudore, non ha riportato sui manifesti.
Questa manifestazione di affetto, anche se un po' burbero, nei suoi confronti lo ha fatto riflettere. Ha deciso di fare un passo indietro. Di pre-

sentarsi alle prossime elezioni in incognito, senza dare nell'occhio. E di farlo partendo da un nuovo slogan: "Italia, Forza." Accompagnato da un doveroso sottotitolo di spiegazione: "Niente paura, hai letto bene". Che il vecchio partito della 2P (niente paura, hai letto bene) non ci fosse più lo si intuiva e qualcuno, sicuramente comunista, lo sperava anche. Ma eliminare il nome del partito dai manifesti è un grande segno di umiltà, un gesto di altri tempi. Un gesto simbolico e insieme profetico. Perché non lanciare, dopo l'Operazione Verità, l'Operazione Menzogna? Una campagna sulle menzogne a cui gli Italiani si ostinano a credere: recessione, leggi ad personam, deindustrializzazione, nuove povertà e tutto il resto. Con lo stesso sottotitolo: "Niente paura, hai letto bene".
04.01.06 14:22

Il meno peggio

Marco Travaglio non è d'accordo con me su Fassino. Io rimango della mia idea: che è il meno peggio dei Ds. Gli si possono imputare ingenuità politica e ignoranza, nel senso che probabilmente non sapeva. Ed è vero che, nel suo ruolo di segretario di partito, se non sai, non sei. Ma se Fassino dovesse dimettersi per questo, il resto del Parlamento, quello dei prescritti, dei condannati in via definitiva, dei collusi con la mafia cosa dovrebbe fare? Io un'idea ce l'avrei.
"Caro Beppe, non sono d'accordo con la distinzione che fai tra D'Alema e Fassino. In attesa che i magistrati stabiliscano chi e come abbia eventualmente violato leggi, già sappiamo (dalle intercettazioni segrete, ma pubblicate dal Giornale) che Fassino non diceva la verità quando assicurava che a Consorte s'era limitato a chiedere informazioni senza intervenire nella scalata di Unipol a Bnl. Oltre a informarsi, dimenticava di informare Consorte che quel che gli stava raccontando - il "concerto" fra Unipol e i suoi alleati occulti, prim'ancora di lanciare l'Opa obbligatoria per legge - era un reato. Insomma partecipava sentimentalmente all'operazione, consigliava, tifava ("Siamo padroni di una banca... Portiamo a casa tutto...").
Esattamente come faceva il tesoriere del partito Ugo Sposetti, in evidente crisi di identità ("Noi dell'Unipol..."). Vedremo, se e quando uscirà la sua parte di chat line, che cosa diceva D'Alema.

Purtroppo, come mi capitò di dire il 14 gennaio 2004 all'assemblea dei girotondi (l'intervento integrale è sul sito www.marcotravaglio.it), al vertice dei Ds siedono personaggi che vengono da lontano e che non hanno mai voluto fare i conti con Tangentopoli. Cioè con quanto era emerso di almeno politicamente e moralmente rilevante dai processi di Mani Pulite.
Fassino, come hai giustamente ricordato, è torinese. Anche Primo Greganti, condannato tre volte (ora per corruzione, ora per finanziamento illecito) per aver foraggiato il Pci-Pds, è torinese. E chi era l'esponente più in vista del Pci-Pds torinese? Penalmente su Fassino non è mai emerso nulla. Ma politicamente? Nel 2000, quand'era ministro della Giustizia, Fassino propose - testualmente - di "depenalizzare i reati finanziari", compresa la bancarotta. Che gli era saltato in mente?
C'è una storiella che ho raccontato alla manifestazione anti-Tav: quella dell'ipermercato "Le Gru" nel comune rosso di Grugliasco. Il più grande ipermercato d'Europa. Lo costruirono le coop rosse per conto della francese Trema e dell'Euromercato (prima Montedison, poi Standa cioè Berlusconi).
Il faccendiere Alberto Milan confessò di aver pagato tangenti a politici locali, fra cui due sindaci comunisti, Ferrara e Bernardi. "Se Bernardi ha preso tangenti, io sono un cretino", dichiarò solennemente l'allora segretario provinciale Sergio Chiamparino. Due giorni dopo Bernardi confessò. E alla fine venne fuori che il segretario autoproclamatosi "cretino" aveva avuto dal faccendiere un gentile omaggio: un telefonino cellulare. Ma venne fuori che dell'affare Le Gru si era interessato anche Greganti, insieme al suo quasi-socio Aldo Brancher, allora braccio destro di Confalonieri, oggi deputato di Forza Italia e sottosegretario alle Riforme Istituzionali (quello indicato dalle carte dell'inchiesta milanese come il collettore dei versamenti di Fiorani & C. ai politici del centrodestra). E anche Fassino.
Nel 1993 il presidente di Euromercato Carlo Orlandini disse ai giudici di aver incontrato nel 1989 Fassino, allora segretario provinciale del Pci, per parlare del progetto Le Gru. E, subito dopo l'interrogatorio, mandò un fax a Fassino per dirgli quel che aveva dichiarato ai giudici. Che bisogno aveva di fare quel fax violando il segreto investigativo? E che c'entrava il segretario di un partito con un ipermercato? Qui non c'è niente di penalmente rilevante. C'è qualcosa di forse più grave: una concezione vecchia e malata della politica, che non riesce a distinguer-

si dagli affari. Di penalmente rilevante c'è invece la vicenda dell'on. Cesare De Piccoli. Nel '93, quand'era europarlamentare del Pds eletto a Venezia, di osservanza dalemiana, venne inquisito da Di Pietro per una mazzetta della Fiat: 200 milioni su un conto svizzero denominato "Accademia". Chiese al giudice di essere assolto, ma ottenne solo la prescrizione: i soldi li aveva presi, il reato c'era tutto (finanziamento illecito), ma per sua fortuna era trascorso troppo tempo. Subito dopo D'Alema lo promosse sottosegretario del suo governo, e guarda caso proprio all'Industria. Ultimamente è passato a Fassino, che l'ha eletto capo della sua segreteria. Ora è responsabile del settore economia e industria del partito. Lui di industria sì che se ne intende. O almeno di Fiat."

Marco Travaglio
05.01.06 16:49

L'aria è nostra

La presa per il c..o delle domeniche senz'auto si ripete anche in questo inizio d'anno. Al pari di un antico rito pagano, che si celebra senza ricordarsi più il perché, o di una moderna invocazione alla pioggia per pulire l'aria. Domani la camera a gas chiamata Milano si ferma, mentre gli amministratori dipendenti formigonialbertinipenati dopo aver distrutto il Bosco di Gioia, 180 alberi, un piccolo polmone di verde, uno dei pochi a Milano, si apprestano a costruire il nuovo palazzo della Regione, tre grandi grattacieli nell'area della Fiera e parcheggiparcheggiparcheggiparcheggi. Ma questi sono amministratori dipendenti o immobiliaristi? Ci sono o ci fanno?
Carlo Monguzzi, capogruppo dei Verdi in Regione Lombardia, ha dichiarato che il piano quinquennale dell'aria ha ricevuto uno stanziamento di due milioni di euro per il 2006. E solo grazie a un emendamento dei Verdi. Il piano avrebbe dovuto ricevere fondi per 600 milioni di euro, ma questi soldi andranno a finanziare il nuovo grattacielo della Regione.
Ci dicono che la colpa dell'aria inquinata è del bel tempo e del riscaldamento. Per star tranquilli dobbiamo sperare che piova, nevichi, arrivi un piccolo tsunami. Dobbiamo scegliere se morire per un cancro ai pol-

moni o di freddo e di intemperie. O, terza scelta, mandare a casa questi dipendenti, riprendendoci l'aria, la nostra aria.
A Milano non ci sono piste ciclabili, quelle esistenti, pochissime sono occupate dalle macchine in sosta. A Milano il centro è un deposito di suv, furgoni, pullman. A Milano l'autobus elettrico non esiste, gli autobus vanno a gasolio bianco, pulitopulito (con le parole ci prendono anche per il c..o). A Milano si costruiscono parcheggi, ma i parcheggi attirano le macchine. A Milano i bambini respirano in presa diretta l'ossido di carbonio dal passeggino. Qualcosa bisogna fare e non solo a Milano. Riprendiamoci l'aria. La nostra aria. Propongo un gesto simbolico per partire. Chiedo l'aiuto dei gruppi di Meetup. Ogni primo sabato del mese invadiamo le città italiane con le biciclette. Centinaia, migliaia di biciclette. Per la nostra aria.
06.01.06 14:39

Lo scoop di Padellaro

Oggi l'Unità mi ha messo in prima pagina. Dopo un lavoro di ricerca in cui ha scoperto che Il Messaggero aveva parlato della mia barca ha riportato un estratto dall'articolo di Vincenzo Cerami, che ho evidenziato in grassetto: "Poi, francamente, questo fiorire di mammole e verginelle, che si ritraggono scontrosette perché Fassino tifa per la banca delle cooperative o perché D'Alema ha la passione della barca, fa sorridere anche il più bacchettone dei veterocomunisti. Vergogna: la sinistra s'intende di finanza e di scalate, i suoi dirigenti addirittura parlano confidenzialmente con i banchieri. È immorale: banche e scalate le lascino alla destra, che è materia loro. Il politico di sinistra deve andare in giro con scarpe di pessima marca, sul pattino se gli piace il mare, e vestire povero (se ha la sfortuna di non nascere povero). Infatti la barca di Beppe Grillo non scandalizza nessuno, quella di D'Alema fa impressione".
Il problema, caro Padellaro, è che lei ha riportato in prima pagina un falso. Un falso estrapolato da un articolo di altri. Io non posseggo una barca. L'ho avuta, ma l'ho venduta la scorsa estate.
Travaglio vieni via, ne va della tua reputazione a rimanere lì. Se vuoi, vieni a scrivere nel mio blog.
06.01.06 18:51

Rapimenti (costosi?) a lieto fine

La storia si svolge sempre nello stesso modo:
- alcuni turisti italiani, di solito fuori stagione per risparmiare, partono per le vacanze - scelgono un Paese a scelta tra Iraq, Sudan, Yemen, Iran, Giordania o Siria - vengono rapiti - i giornali ne parlano per giorni in prima pagina - i rapitori dettano le condizioni - la Farnesina rassicura gli italiani - la Farnesina giura che non pagherà alcun riscatto - gli ostaggi vengono liberati - i parroci suonano le campane - gli ex ostaggi vengono intervistati dai giornali in prima pagina - gli ex ostaggi vengono fotografati con un ministro, sempre sorridente, del Paese di turno - gli ex ostaggi ritornano in Patria a bordo di un aereo dell'aeronautica militare - gli ex ostaggi vengono intervistati al loro rientro dai giornali (prima pagina) e dalle televisioni - il governo italiano esprime soddisfazione - la Farnesina giura di non aver pagato alcun riscatto.
La parola del nostro Ministro degli Esteri non può essere messa in discussione. Però, per toglierci anche il più piccolo dubbio, suggerisco una nuova regola: chi va in vacanza in Paesi a rischio si assicura contro il rapimento prima di partire. Il riscatto lo paga la sua assicurazione. Se poi non volesse assicurarsi e partire lo stesso dovrà cedere il quinto dello stipendio allo Stato che potrà pagare alla luce del sole il riscatto, e rivalersi in seguito con tutto comodo.
07.01.06 18:32

Primarie dei cittadini: energia

Fino a oggi le primarie le hanno fatte i nostri dipendenti. È arrivato il momento che le primarie le facciano i datori di lavoro. Da oggi pubblicherò una proposta su temi importanti come l'energia, i trasporti, le regole elettorali, aiutato da esperti riconosciuti, per ricevere i vostri commenti. I post saranno mantenuti visibili sulla barra di destra sotto il titolo: "Primarie dei cittadini" insieme ai vostri commenti fino alle elezioni.
Invito anche i rappresentanti dei partiti a inviare a questo blog il loro punto di vista sui diversi aspetti trattati per pubblicarlo.

Proposte per l'energia.
L'efficienza con cui si usa l'energia in Italia è molto bassa. Almeno la metà dei consumi è costituita da sprechi che si possono evitare utilizzando tecnologie economicamente mature. Riducendo gli sprechi e aumentando l'efficienza non soltanto si ottiene la massima riduzione possibile delle emissioni di $CO2$ a parità di investimenti, ma in misura direttamente proporzionale si riducono le importazioni di fonti fossili e i risparmi che si ottengono consentono di pagare gli investimenti senza ricorrere a finanziamenti pubblici.
La crescita dell'efficienza e la riduzione degli sprechi costituiscono anche il pre-requisito per lo sviluppo delle fonti rinnovabili, che, allo stato attuale, costano di più e rendono meno delle fonti fossili. Solo se si riducono gli sprechi e si accresce l'efficienza il loro contributo alla soddisfazione del fabbisogno energetico diventa significativo e si recuperano i capitali necessari a sostenerne i costi.
Il consumo delle fonti fossili che importiamo si suddivide in tre grandi voci pressoché equivalenti:
- Il riscaldamento degli ambienti
- La produzione termoelettrica
- I trasporti.
Se venisse applicata rigorosamente la legge 10/91, per riscaldare gli edifici si consumerebbero 14 litri di gasolio, o metri cubi di metano, al metro quadrato calpestabile all'anno. In realtà se ne consumano di più. Dal 2002 la legge tedesca, e più di recente la normativa in vigore nella Provincia di Bolzano, fissano a 7 litri di gasolio, o metri cubi di metano, al metro quadrato calpestabile all'anno il consumo massimo consentito nel riscaldamento ambienti. Meno della metà del consumo medio italiano. Utilizzando l'etichettatura in vigore negli elettrodomestici, nella Provincia di Bolzano questo livello corrisponde alla classe C, mentre alla classe B corrisponde un consumo non superiore a 5 litri di gasolio, o metri cubi di metano, e alla classe A un consumo non superiore a 3 litri di gasolio, o metri cubi di metano, al metro quadrato all'anno.
Nel riscaldamento degli ambienti, una politica energetica finalizzata alla riduzione delle emissioni di $CO2$, anche per evitare le sanzioni economiche previste dal trattato di Kyoto nei confronti dei Paesi inadempienti, deve articolarsi nei seguenti punti: - applicazione immediata della normativa, già prevista dalla legge 10/91 e prescritta dalla direttiva europea 76/93, sulla certificazione energetica degli edifici - definizione

della classe C della provincia di Bolzano come livello massimo di consumi per la concessione delle licenze edilizie relative sia alle nuove costruzioni, sia alle ristrutturazioni di edifici esistenti - riduzione di almeno il 10 per cento in cinque anni dei consumi energetici del patrimonio edilizio degli enti pubblici, con sanzioni finanziare per gli inadempienti - agevolazioni sulle anticipazioni bancarie e semplificazioni normative per i contratti di ristrutturazioni energetiche col metodo esco (energy service company), ovvero effettuate a spese di chi le realizza e ripagate dal risparmio economico che se ne ricava - elaborazione di una normativa sul pagamento a consumo dell'energia termica nei condomini, come previsto dalla direttiva europea 76/93, già applicata da altri paesi europei. Il rendimento medio delle centrali termoelettriche dell'Enel si attesta intorno al 38 per cento. Lo standard con cui si costruiscono le centrali di nuova generazione, i cicli combinati, è del 55/60 per cento. La cogenerazione diffusa di energia elettrica e calore, con utilizzo del calore nel luogo di produzione e trasporto a distanza dell'energia elettrica, consente di utilizzare il potenziale energetico del combustibile fino al 94 per cento. Le inefficienze e gli sprechi attuali nella produzione termoelettrica non sono accettabili né tecnologicamente, né economicamente, né moralmente, sia per gli effetti devastanti sugli ambienti, sia perché accelerano l'esaurimento delle risorse fossili, sia perché comportano un loro accaparramento da parte dei Paesi ricchi a danno dei Paesi poveri. Non è accettabile di per sé togliere il necessario a chi ne ha bisogno, ma se poi si spreca, è inconcepibile. Per accrescere l'offerta di energia elettrica non è necessario costruire nuove centrali, di nessun tipo. La prima cosa da fare è accrescere l'efficienza e ridurre gli sprechi delle centrali esistenti, accrescendo al contempo l'efficienza con cui l'energia prodotta viene utilizzata dalle utenze (lampade, elettrodomestici, condizionatori e macchinari industriali). Solo in seguito, se l'offerta di energia sarà ancora carente, si potrà decidere di costruire nuovi impianti di generazione elettrica.

Nella produzione di energia elettrica, una politica energetica finalizzata alla riduzione delle emissioni di CO2 anche accrescendo l'offerta, deve articolarsi nei seguenti punti:

- potenziamento e riduzione dell'impatto ambientale delle centrali esistenti - incentivazione della produzione distribuita di energia elettrica con tecnologie che utilizzano le fonti fossili nei modi più efficienti, come la cogenerazione diffusa di energia elettrica e calore, a partire dagli edifici più energivori: ospedali, centri commerciali, industrie con processi che utilizzano calore tecnologico, centri sportivi ecc. - estensione della possibilità di riversare in rete e di vendere l'energia elettrica anche agli impianti di micro-cogenerazione di taglia inferiore ai 20 kW - incentivazione della produzione distribuita di energia elettrica estendendo a tutte le fonti rinnovabili e alla micro-cogenerazione diffusa la normativa del conto energia, vincolandola ai chilowattora riversati in rete nelle ore di punta ed escludendo i chilowattora prodotti nelle ore vuote - incentivazione della produzione distribuita e del consumo in loco di energia termica con fonti rinnovabili (escludendo dagli incentivi la distribuzione a distanza del calore per la sua inefficienza e il suo impatto ambientale) - applicazione rigorosa della normativa prevista dai decreti sui certificati di efficienza energetica - eliminazione degli incentivi previsti dal Cip 6 alla combustione dei rifiuti in base al loro inserimento, privo di fondamento tecnico-scientifico, tra le fonti rinnovabili - incentivazione della produzione di biocombustibili, vincolando all'incremento della sostanza organica nei suoli le produzioni agricole finalizzate a ciò.

Nel settore dei trasporti occorre intervenire sia a livello tecnico, incentivando lo sviluppo di mezzi di trasporto più efficienti e meno inquinanti, sia a livello organizzativo, favorendo lo sviluppo dei mezzi di trasporto pubblici e disincentivando l'uso dei mezzi privati soprattutto nelle aree urbane fortemente congestionate.

Nei trasporti urbani il fulcro su cui fare leva è il potenziamento dei mezzi pubblici a uso collettivo e l'introduzione di mezzi pubblici a uso individuale, con motori elettrici alimentati da reti e non da batterie. Una versione più interessante, versatile e flessibile dei filobus tradizionali, improvvidamente abbandonati negli scorsi decenni, si può realizzare posizionando reti di cavi elettrici protetti sull'asfalto stradale. In questo modo si possono alimentare non solo mezzi di trasporto pubblici collettivi, ma anche flotte di automobili pubbliche a uso individuale con pagamento al consumo mediante scheda elettronica prepagata. L'effetto combinato di queste misure tecniche e organizzative può consentire di porre limitazioni sempre più rigorose al traffico privato accelerando al contempo la velocità degli spostamenti e ricostruendo la possibilità di realizzare la funzione «da porta a porta», che nelle aree urbane le automobili hanno ormai perso da tempo. A partire da queste premesse acquisiscono una utilità effettiva in termini di riduzione dei

consumi di fonti fossili e di impatto ambientale tutte le innovazioni tecnologiche finalizzate a ridurre le emissioni inquinanti delle automobili e ad accrescere il numero dei chilometri percorsi per litro di carburante.
08.01.06 16:12

"La settimana"

Può succedere che il reale diventi virtuale. Gli esempi in questo senso non mancano in Italia. L'economia è virtuale, l'innovazione è virtuale, le Grandi Opere sono virtuali, l'occupazione è virtuale.
Gli imprenditori sono virtuali, i consigli di amministrazione sono virtuali e certamente virtuali, anzi virtualissimi sono i rapporti tra i partiti e le banche. Solo l'informazione è post virtuale, ormai è trapassata, è puro spirito. In questo mondo virtuale ho pensato di rendere il blog reale. L'ho fatto realizzando un magazine stampabile: "La Settimana", che riporta i post degli ultimi sette giorni del blog con un sommario ed un mio breve editoriale. "La Settimana" sarà disponibile ogni lunedì a partire da oggi e gli abbonati al blog riceveranno una notifica della sua pubblicazione.
09.01.06 15:18

L'Albo dei Blogger

L'informazione è basata sulla fiducia. Chi non ha una reputazione può dire ciò che vuole, ma non sarà creduto. Può scrivere ciò che vuole, può usare giornali, televisioni, ma non sarà creduto. Può fare il presidente del consiglio, partecipare (ma lo dico solo per ipotesi) a due trasmissioni televisive di seguito in prima serata, essere intervistato a novanta gradi e, nonostante questo, non sarà creduto. C'è in giro una crisi di credibilità e un boom dell'incredibilità. Più le spari grosse, più pensi di essere credibile, anche se sei incredibile.
>Ma chi rende credibile l'incredibile?
I media.

>Perché lo fanno?
Perché sono posseduti da gruppi economici.

>Perché i gruppi economici possiedono i media?
Per fare meglio i loro affari.

>E i giornalisti?
I giornalisti tengono famiglia, si adeguano o, meglio, seguono la linea editoriale. Dipendono dall'editore, non dai lettori.

>E l'Albo dei Giornalisti?
Quello fa parte del passato.

>Perché?
Perché la Rete ha inventato i blogger.

>Cos'è un blogger?
Uno che scrive in Rete senza dover rispondere a nessuno, se non ai suoi lettori.

>E l'Albo dei Blogger?
È creato dai lettori. Se un blog è visitato è già nell'Albo.

>E i vecchi media?
Scompariranno, è una questione di feeling, e di link.
10.01.06 15:56

Primarie dei cittadini: energia. Pecoraro Scanio

Le primarie dei cittadini lanciate da questo blog hanno ricevuto la prima adesione da parte di un segretario di partito. Ecco le valutazioni di Alfonso Pecoraro Scanio dei Verdi sulla proposta per l'energia.
"Caro Beppe, dopo averne parlato con l'esecutivo nazionale, ti scrivo per comunicare l'adesione formale dei Verdi all'iniziativa "primarie dei cittadini" ed alle tue proposte per l'energia che, d'altronde, coincidono perfettamente con le nostre tesi ed il nostro programma. Ci impegnere-

mo affinché l'Unione le accolga e le inserisca nel proprio programma di governo nella misura maggiore possibile. Il Sole che Ride è già impegnato, in tutte le amministrazioni locali e regionali in cui è presente, ad incentivare il risparmio e l'efficienza energetica, lo sviluppo di fonti sicure, pulite e rinnovabili e la mobilità sostenibile. Queste sono da sempre nostre priorità. "

Alfonso Pecoraro Scanio, presidente dei Verdi
11.01.06 14:38

Capitani coraggiosi

Ho deciso di fare il capitano coraggioso, quello, che se un presidente del consiglio gli offre una grande azienda statale, la compra a debito con i soldi delle banche. Il debito poi lo scarica sulla società e, in seguito, se la vende, ci fa pure i soldi, la plusvalenza.
Io il coraggio ce l'ho e chiedo a questo governo di vendermi la sua quota nell'Eni e a Banca Intesa, Unicredit e San Paolo Imi di prestarmi i soldi.
Non possono dirmi di no. Lo fanno tutti. Lo hanno fatto i capitani coraggiosi con la vendita di Telecom Italia, lo ha fatto il tronchetto con la ri-vendita di Telecom Italia. Perché io no?
L'Italia è una terra di navigatori, santi e altre cose che non mi ricordo, ma anche di capitalisti senza capitali come ha scritto Newsweek.
Capitalisti con le pezze al culo che comprano le società indebitandole, che per rientrare del debito non fanno investimenti, che pensano solo al valore puntuale dell'azione in borsa, che vendono a pezzi la società per fare i risultati e alla fine, quando ci hanno guadagnato abbastanza, passano la mano.
Ebbene, io credo di essere capace di fare il capitano coraggioso senza alcun problema. Mi manca solo un dalemino.
11.01.06 17:44

C'era una volta un dipendente, anzi due

Questa sera vi voglio raccontare una storia, una bella storia: «C'erano una volta, e ci sono ancora, un aspirante sindaco di Trieste, Ettore Rosato, e un sindaco uscente, Roberto Dipiazza. C'erano una volta, e ci sono ancora, 110 ragazzi del gruppo "Beppe Grillo" di Trieste. C'erano anche una banca buona, la Banca Etica, e un'associazione anch'essa buona, la Contrada - Teatro Stabile di Trieste, che aiutarono i ragazzi, anzi i datori di lavoro! "Di chi?", chiederete voi. Del sindaco di Trieste. Questa verità era stata loro svelata da un post contenente una parola magica: la parola "dipendente". E aveva trasformato dei semplici cittadini in datori di lavoro di politici, sindaci, deputati, senatori, eccetera, eccetera, eccetera. Nessuno ci aveva pensato prima.
Queste persone erano pagate da noi, ma facevano quello che volevano loro. "Per quale motivo?", mi chiederete ancora. Perché avevano dimenticato di essere dipendenti. Erano cadute preda di un malvagio incantesimo e si credevano padroni. Ma non per presunzione, solo per ignoranza. Bastava spiegarglielo che erano dipendenti! E i bravi ragazzi di Trieste fecero proprio questo. Incontrarono i candidati sindaci, e dopo colloquio di lavoro, prima di dargli qualunque incarico, fecero firmare un documento a Rosato e a Dipiazza in cui dichiararono di essere dipendenti!»
12.01.06 18:57

Primarie dei cittadini: energia. Antonio Di Pietro

Le primarie dei cittadini lanciate da questo blog hanno ricevuto la seconda adesione da parte di un partito. Ecco le valutazioni di Antonio Di Pietro, presidente di Italia dei Valori, sulla proposta per l'energia.
"Caro Beppe, leggendo il tuo blog e dopo attenta riflessione, ho deciso di aderire con molto piacere alla tua iniziativa "primarie dei cittadini" e per questo non solo ti confermo l'appoggio di Italia dei Valori alle tue iniziative, ma ti mando anche un piccolo contributo che spiega la nostra posizione sulle fonti alternative e la questione energia, un argomento che merita i primi posti dell'agenda politica.

L'energia è necessaria per vivere e per lo sviluppo economico, sia in Italia che a livello mondiale. È la soluzione a gran parte dei problemi che affliggono i paesi del terzo mondo. Energia elettrica vuol dire infatti frigoriferi in cui conservare non solo cibo, ma i farmaci (uno dei principali problemi sanitari africani), pompe elettriche per estrarre l'acqua e depurarla, generatori per fare funzionare gli ospedali, e così via.
Allora la domanda è: come produrla? Utilizzando carbone? Metano? Nucleare? E poi: in che modo tutelare l'ambiente dal conseguente inquinamento? Fino ad ora abbiamo assistito a una contrapposizione dura tra energia e ambiente, quasi un duello mortale: le modalità di produzione di energia distruggono l'ambiente. La tutela ad oltranza dell'ambiente impedisce la soluzione a problemi vitali per milioni di vite umane.
Ultimamente però, e fortunatamente, la scienza e la conoscenza ci offrono soluzioni diverse. Occorre, in sostanza, puntare decisamente sulle fonti rinnovabili, soprattutto le cosiddette "nuove rinnovabili", quali il fotovoltaico, il solare termodinamico, l'eolico, le biomasse, il piccolo idroelettrico, l'energia mareale e maremotrice, tenendo anche conto delle "vecchie rinnovabili" come il "grande idroelettrico" e la geotermia (in cui l'Italia è particolarmente sviluppata).
Le fonti rinnovabili saranno in futuro non solo una grande risorsa ambientale ma anche una grande risorsa economica, quando la produzione del petrolio dovrà necessariamente diminuire per scarsità di prodotto, giacché a forza di pompare petrolio dalle viscere della terra, prima o poi ineluttabilmente finirà (secondo il Dipartimento dell'Energia Usa - ciò avverrà presto).
Inoltre per il momento, sarà necessario indirizzare gli sforzi e gli investimenti verso l'utilizzo della cogenerazione di elettricità e calore, e delle centrali elettriche a gas naturale (il metano) che permettono di avere i maggiori rendimenti. Sullo sfondo di tutte le proposte, occorrerà sicuramente prestare la massima attenzione a quella economia basata sull'idrogeno. L'idrogeno infatti, soprattutto se generato dalle fonti rinnovabili, potrà risolvere molti problemi del futuro: dallo "stoccaggio" delle stesse fonti rinnovabili (ovviando con ciò al problema della loro intermittenza), ai trasporti che potranno così, tramite i motori elettrici ed ibridi, abbattere le pericolose emissioni inquinanti.
In questa ottica è molto importante anche la ricerca di base, soprattutto nel campo delle nanotecnologie applicate, ad esempio, alle fonti rinno-

vabili, principalmente il fotovoltaico che sfrutta una risorsa, il sole, di cui l'Italia è ricca.
Quindi il programma di Governo dovrà contenere chiari investimenti in tal senso. Queste nuove tecnologie applicate, muoveranno necessariamente le molte e sofisticate leve dell'economia, producendo molti nuovi posti di lavoro e quindi reddito e nel contempo salvando il pianeta dalla catastrofe ambientale, dall'inevitabile esaurimento delle limitate risorse naturali. Solo così, con pazienza e con tenacia, potremmo trasformare il vincolo ambientale in una vera opportunità di sviluppo."

Antonio Di Pietro - dipietro@antoniodipietro.it
13.01.06 10:10

La fine delle risorse

Ho chiesto a Lester Brown, uno dei più importanti analisti dell'ambiente, fondatore del Worldwatch Institute, e definito dal Washington Post: "Uno dei più influenti pensatori del mondo", delle previsioni su quello che ci aspetta.
Ecco la sua risposta (preoccupante, belìn!):
"Mentre stiamo entrando in un nuovo anno, vorrei riflettere su come la nostra economia globalizzata sia giunta, dal punto di vista ambientale, a una soglia oltre la quale non sia più sostenibile dalla Terra. Mentre tutto questo è sempre stato ben chiaro agli ecologisti, quanto sta accadendo in Cina lo ha chiarito anche agli economisti.
La Cina ha superato abbondantemente gli Stati Uniti nel consumo di tutta una serie di risorse di base, come il grano, la carne, il carbone, l'acciaio con la sola eccezione del petrolio. Qualora l'economia cinese dovesse continuare a espandersi al ritmo dell'8 per cento l'anno, il reddito per abitante raggiungerà quello americano nel 2031. A quel punto i cinesi, che saranno oltre un miliardo e quattrocentocinquanta milioni, consumeranno risorse quali petrolio e carta in quantità ben maggiori di quanto il mondo non ne stia producendo al momento.
Si rischia l'esaurimento del petrolio e delle foreste a livello mondiale. Il modello economico occidentale - basato su carbone, benzina, automobile, rifiuti - non funzionerà in Cina. E se non funzionerà in Cina non

funzionerà neanche in India che, nel 2031, avrà una popolazione ancor più importante di quella cinese. Né tanto meno funzionerà per gli altri tre miliardi di abitanti dei Paesi in via di sviluppo che puntano anch'essi all'"american dream".
Ciò è tanto più vero per le economie dei paesi sviluppati che si troveranno a dover agire in un mondo sempre più integrato, nel quale dovranno anch'esse competere per gli stessi petrolio, grano e acciaio. La sostenibilità dello sviluppo economico dipende dunque dal passaggio a un modello economico basato sull'energia rinnovabile, sul riciclo e sul riuso dei materiali nonché su un sistema diversificato di trasporto. "Business as usual" - il piano A - non ci può condurre verso il futuro al quale vogliamo puntare.
È il momento di passare al piano B, e di incominciare a costruire una nuova economia ed un nuovo mondo. Il piano B si compone di tre parti:
1. una ristrutturazione dell'economia globale in modo da consentire la sostenibilità della nostra civiltà;
2. un gigantesco sforzo per sradicare la povertà, stabilizzare la crescita della popolazione, riportare la speranza;
3. un enorme sforzo per ridare un equilibrio al sistema terrestre.
Esempi di questo nuovo modello possono essere visti nelle fattorie alimentate ad energia eolica, in Europa, nei tetti giapponesi tappezzati di pannelli solari, nella quantità in rapida crescita di macchine ibride negli Stati Uniti, nella riforestazione in Corea del Sud, e nelle strade dedicate alle biciclette di Amsterdam.
Praticamente tutto ciò che ci serve per costruire il nuovo modello economico è stato fatto, o abbozzato, in uno o più Paesi. Tutte queste considerazioni sono state approfondite e discusse nel mio nuovo libro: Plan B 2.0, che può essere liberamente scaricato a www.earth-policy.org".

Les Brown
13.01.06 17:21

Primarie dei cittadini: energia. Fausto Bertinotti

Le primarie dei cittadini lanciate da questo blog hanno ricevuto un'ulteriore adesione da parte di un partito. Ecco le valutazioni di Fausto Bertinotti, segretario di Rifondazione Comunista sulla proposta per l'energia.

"Caro Beppe, permettimi di ringraziarti pubblicamente per le iniziative che da anni ti vedono promotore e per l'interesse che le stesse suscitano tra le cittadine e i cittadini. Tu, fammelo dire, richiami ciascuno di noi alla quotidianità, ai suoi problemi, alle sue contraddizioni. E da te giungono proposte concrete su argomenti altrettanto concreti cui occorre dare risposte immediate e certe, arrivando al coinvolgimento di tutte e tutti noi. È qui, per quanto ci riguarda come Partito della Rifondazione Comunista e come forza di sinistra impegnata nella ricerca di "un altro mondo possibile", che da te proviene il sostegno ad un'idea innovativa che si sta diffondendo nella società: quella della partecipazione e del coinvolgimento democratici e popolari alle decisioni che riguardano la vita della collettività, la politica, l'economia, il fare concreto di ogni giorno. Tu parli di primarie dei cittadini e io ti dico che questa è una strada per dare un segno di grande discontinuità con il passato, la strada per dare voce a tutte e tutti, la strada per cambiare davvero in direzione della più ampia condivisione e partecipazione democratiche. Sempre siamo stati favorevoli, e sempre lo saremo, ad ogni forma, la più allargata possibile, di democrazia partecipata.

E veniamo all'energia. Dalle pagine del tuo sito, caro Beppe, proponi non soltanto punti di programma altamente dettagliati e condivisibili, ma sostieni anche elementi di forte discontinuità tanto attesa rispetto alle politiche del passato. E questo a mio giudizio è uno degli elementi che più caratterizzano le proposte di Rifondazione Comunista tanto in tema di energia, quanto sugli altri versanti.

E per questo le tue proposte vanno sostenute e incoraggiate. Senza dilungarmi ulteriormente, su pochi aspetti vorrei soffermare l'attenzione di chi ci legge: energia pulita, risparmio energetico, tutela e rispetto del territorio, qualità della vita di cittadine e cittadini, trasporti pubblici efficienti, non inquinanti e a servizio di tutte e tutti. Secondo, quanto anche da noi sostenuto, che può esistere un altro modello di sviluppo

ed un altro modello di vita.
Certo che insieme ci impegneremo per dare sostegno e forza a questi progetti, ti invio i miei più cordiali saluti".

Fausto Bertinotti
14.01.06 14:16

Italiani a pecorella

Se dura ancora qualche mese questo governo abolirà il codice penale. La sua ultima trovata è la legge "Pecorella" approvata in Parlamento. La legge stabilisce che, in caso di assoluzione dell'imputato, il Pubblico Ministero non può più ricorrere in appello, ma solo in Cassazione. L'imputato condannato, invece, conserva il diritto di fare appello e, se lo perde, può ancora rivolgersi alla Cassazione. La limitazione dei poteri del Pm è una grave violazione della parità delle parti nel processo, sancita dalla Costituzione.
Per capirci, pensiamo a una partita di calcio fra la squadra della Boccassini e la squadra di Previti. Se alla fine del primo tempo vince la Boccassini, Previti può giocare il secondo tempo e i tempi supplementari. Se invece nel primo tempo vince Previti, per rifarsi la Boccassini avrà solo i supplementari, niente secondo tempo.
Se davvero succedesse questo nel campionato di calcio ci sarebbero le barricate. Anche Mediaset scenderebbe in piazza perché potrebbe trasmettere solo un pezzo della partita. Ma quel che è impensabile per un gioco è la nuova realtà del processo italiano.
Altro effetto della legge "Pecorella", che si verifica sempre, anche quando c'è stato appello dell'imputato, è la trasformazione del giudizio di Cassazione (che dovrebbe decidere esclusivamente sulla buona applicazione della legge) in un terzo grado di giudizio di "merito", ossia di riesame dell'intera attività processuale svolta in precedenza.
Questo significa:
- stravolgimento del ruolo della Cassazione - aumento della durata, già vergognosa, dei processi - moltiplicazione dei ricorsi strumentali e dilatori - ingestibilità della Cassazione, che alla fine scoppierà.
Se combiniamo tutto questo con la riduzione dei termini di prescrizio-

ne (legge ex Cirielli), possiamo tranquillamente dire che gli effetti della legge "Pecorella" saranno sconvolgenti.
Chicca finale: il Commissario europeo dei diritti umani Alvaro Gil-Robles ha scritto, il 14 dicembre 2005, oltre 60 intense pagine contro l'amministrazione della giustizia in Italia.
Ps: Il nano portatore di prescrizioni si è recato in tribunale per testimoniare. Tutti si sono stupiti perché non ha detto nulla. Belìn, ha fatto bene: se diceva qualcosa lo arrestavano per falsa testimonianza.
14.01.06 16:01

Editoria di Stato

Avete mai sentito parlare dei contributi pubblici (nostri soldi) all'editoria? Si tratta di finanziamenti dati a giornali e riviste, alcune dai nomi incredibili come: *Il campanile nuovo* o *Il mucchio selvaggio*. I contributi per il 2003 sono stati resi pubblici, ne cito alcuni, *La Padania*: quattro milioni di euro; *L'Unità*: sei milioni e ottocentomila euro; *Il Foglio*: tre milioni cinquecentomila euro; *Opinioni Nuove - Libero Quotidiano*: cinque milioni trecentomila euro; *Avvenire*: cinque milioni novecentomila euro; *Il Manifesto*: quattro milioni quattrocentomila euro; *Sportsman - Cavalli e Corse*: due milioni cinquecentomila euro.
C'è tutta una casistica di giornali e riviste che possono accedere ai contributi:
- organi di movimenti politici
- quotidiani editi da cooperative già organi di movimenti politici
- quotidiani e periodici editi da cooperative di giornalisti
- periodici di enti morali - eccetera, eccetera.

La legge finanziaria 2006 23/12/2005 n. 266 ha reiterato i finanziamenti anche per il 2006. Io non sono d'accordo con questa legge. Il giornale lo voglio pagare in edicola, non con le tasse. I direttori dei giornali non devono essere dipendenti dei nostri dipendenti (quelli che si chiamavano politici). Basta con l'informazione assistita. Chiunque è capace di fare l'editore con i soldi degli italiani.
15.01.06 18:24

Latte alla spina

A Roncadella, alle porte di Reggio Emilia, a ottobre è stato inaugurato in un'azienda agricola il primo distributore automatico dell'Emilia Romagna di latte appena munto.
Latte prodotto da mucche alimentate con prodotti no Ogm. Il prezzo del latte fresco è di 1 euro al litro (30 centesimi in meno che nei supermercati a parità di prodotto). Arrivi con la tua bottiglia di vetro carichi e via! Puoi anche fare "cariche" da 25 centesimi e 50 centesimi. Dopo 24 ore il latte non distribuito è riutilizzato per fare la ricotta e altri formaggi. Peccato che in Emilia Romagna la legge regionale consente questi distributori solo presso le aziende agricole e non, come ha chiesto la Coldiretti, anche in supermercati, negozi, scuole, mense come avviene in Lombardia e nei Paesi del Nord Europa.
La durata del latte fresco è di due giorni se lo tieni in frigo e dopo, portandolo a bollitura, lo puoi bere per altri due. È una grande idea: si eliminano i rifiuti con l'uso di bottiglie di vetro e si abbassano i prezzi.
Latte fresco alla spina fatto vicino a casa, mucche no Ogm, riduzione dei camion da una parte all'altra dell'Italia.
Partiamo dalle cose semplici, le rivoluzioni si fanno anche così, con nuove leggi regionali per avere latte fresco, sano e a basso prezzo.
Inizierei dalla Regione Liguria, così posso risparmiare subito qualcosina.
16.01.06 18:47

Miracolo a Milano

Fo sindaco di Milano sarebbe un miracolo.
Una di quelle cose che succedono ogni tanto nella vita, una cosa bella.
Uno squarcio di luce nello smog, nella politica-economia, nell'apatia, nella mancanza di coraggio.
Un'alternativa al candidato intercambiabile di destra e di sinistra.
Al candidatopatinatoordinatoligioalpartito.
Alla candidatapatinatatruccataligiaalpartito.
Ai grattacieli e ai parcheggi.

I miracoli stanno già avvenendo nel mondo, in Cile con l'elezione della Bachelet e in Liberia con l'elezione di Ellen Johnson Sirleaf.
Milano deve tornare a sorprendere, a farci sognare.
Fo è una persona onesta e l'onestà deve essere la discriminante per le scelte politiche oggi in Italia.
Non ce ne restano altre.
Con Fo abbiamo la possibilità di entrare in Europa, di fare di Milano una città europea, con le biciclette per le strade, con i parchi per i bambini, con il ritorno alla gioia di vivere, con le mostre, con il cittadino al centro di ogni scelta per l'acqua, l'energia, la rete.
Fo fa paura alla destra e ai suoi immobiliaristi, alla sinistra e ai suoi equilibri interni di potere ammuffito.
Fo fa paura.
Di Fo non si parla.
Allora ne parlo io, attraverso le sue parole, con il suo bellissimo discorso elettorale:
"Io non sono un moderato", che vi invito a diffondere.
17.01.06 16:59

Metalmeccanici: dieci euro in comode tranche

Il contratto dei metalmeccanici è fermo da un anno.
Da quando ero bambino è sempre fermo! È uno dei misteri dell'universo. Il contratto dei metalmeccanici è fermo perché i sindacati chiedono un aumento di 100 euro e la Federmeccanica vuole riconoscere 94,5 euro. Il contratto dei metalmeccanici è fermo perché i sindacati vogliono un'integrazione di 25 euro per i lavoratori che non hanno contrattazione sindacale e quindi con stipendi bassi e la Federmeccanica ha offerto una integrazione di 10 euro in comode tranche annuali. UN MILIONESEICENTOVENTIQUATTROMILASEICENTO PERSONE chiede da un anno un aumento ridicolo.
Non si chiude la trattativa per CINQUE EURO E CINQUANTA di differenza. A una richiesta integrativa di 25 euro per chi ha uno stipendio di pura sussistenza si risponde con DIECI EURO in comode tranche annuali.
I metalmeccanici, una delle poche categorie che lavora in Italia, che ha

di fronte esempi di arricchimento con le leggi dello Stato.
I metalmeccanici, una delle poche categorie che stringe la cinghia e produce cose vere, solide, che si possono toccare, non l'industria del nulla della finanzapubblicitàmedia.
I metalmeccanici si sono rotti e ieri hanno bloccato treni e autostrade in tutta Italia. No! Questo non si deve fare.
Propongo un'alternativa: l'istituzione di un'Authority che valuti i guadagni dei finanzieri, dei capitalisti senza capitali, dei manager in questi anni. Se le loro aziende si sono sviluppate e hanno creato occupazione i loro guadagni saranno confermati. In caso contrario, si farà un piccolo esproprio dei loro guadagni per il rinnovo di questo contratto e di quelli futuri. Basterebbe solo il tronchetto, in comode tranche annuali.
18.01.06 15:15

Divertitevi!

Esiste un archivio fotografico mondiale che sta crescendo alla velocità della luce.
Chiunque può inserire le sue fotografie.
E si può, con il programma Retrievr, disegnare una qualunque immagine, per esempio un bambino e vedere subito le fotografie simili nell'archivio.
È bellissimo, provate a farlo.
Ps: usate i colori!
18.01.06 19:23

Il nonno preverbale

Chi ha un nonno sordo d'ora in poi dovrà chiamarlo nonno preverbale in conformità alle recenti disposizioni governative.
La sordità è abolita per legge, ora c'è la preverbalità.
Poco importa se i sordi non sono d'accordo e vorrebbero essere chiamati sordi, privi di udito. I sordi in Italia sono tanti, sia affetti da sordità totale che parziale. Ed è, con tutta evidenza, a questi ultimi che si rivolge la pubblicità televisiva che fa esplodere i decibel durante le

interruzioni dei programmi (ma non era vietato?).
Il preverbalismo è un significativo passo avanti, una nuova frontiera: i ciechi potranno essere chiamati pre-vedenti, i paralitici pre-motori, gli impotenti pre- (beh, qui fate un po' voi...). I sordi chiedono di poter comunicare, di essere integrati nel lavoro, nella scuola. Non chiedono pietismo lessicale. I sottotitoli dovrebbero essere obbligatori per legge nei programmi televisivi e nei film (il dvd del mio spettacolo 2006 sarà sottotitolato in Italiano). E, sempre per legge, gli apparecchi acustici dovrebbero essere gratuiti per i bambini parzialmente sordi e per chi non può permetterseli. I sordi profondi parlano tra loro con il linguaggio dei segni, un linguaggio che, per capacità espressive, non ha nulla da invidiare alla parola e che potrebbe essere equiparato ad una qualsiasi lingua come l'inglese.
Sono sordi, non pre-verbali. I sordi non devono vergognarsi di nulla, non devono essere derisi da pubblicità vergognose (che ho visto) in cui vengono ritratti con orecchie da asino per pubblicizzare una marca di apparecchi acustici, né invogliati a comprare protesi sempre più miniaturizzate e costose solo per non farsi notare.
E poi, dobbiamo guardare avanti. Con l'inquinamento acustico, i sordi prossimi venturi saremo noi ed i nostri figli. Dovremmo imparare noi il linguaggio dei segni: diventeremo tutti postverbali.
19.01.06 15:10

Matrioske

Scusate oggi sono volgare, anche se con i "puntini puntini":
non me ne frega un c...o della par condicio o della impar condicio!
Lasciamo che i nostri dipendenti parlino, straparlino, si ingozzino di spazi televisivi, cartelloni, giornali, isoradio, interviste in terza pagina con il richiamo in prima. Che si indignino, che controbattano, che precisino e puntualizzino. Che facciano il loro mestiere di professionisti dell'insulto, dell'attacco personale, del teatrino dei pupi in cui a turno si scambiano il bastone.
E tutto questo senza dire nulla di energia, innovazione, trasporti, salute, economia. Senza proporre niente in modo chiaro e verificabile dai cittadini. L'informazione è contenuto, i media sono i contenitori.

Questi sono diventati loro stessi i contenitori: vuoti a perdere senza contenuto. Sono diventati loro il prodotto, come Mike Bongiorno quando faceva la pubblicità del prosciutto Rovagnati. Matrioske che contengono matrioske. Dopo fassinodalemabondi, trovi berlusconirutellicasini, e poi finigiovanardicalderoli e poi lunardimaroniviolante, fino allo sfinimento. Nelle matrioske vorrei trovare solo il programma di governo, magari letto da un'annunciatrice televisiva.
I nostri dipendenti, al massimo, dovrebbero passarle i fogli.
20.01.06 15:40

Stanca express

Al termine del suo glorioso quinquennio alla guida del Ministero dell'Innovazione Stanca ha gettato la spugna. Ha capito che gli italiani, distratti dal digitale terrestre, vessati dai costi di connessione tra i più alti nel mondo e spesso neppure raggiunti dalla Adsl, non si erano ancora digitalizzati. Come fare per ovviare a questa incresciosa situazione? Semplice, informandoli della rivoluzione digitale con un libretto: "L'innovazione digitale per le famiglie" di 48 pagine che sarà inviato a 16 milioni di famiglie italiane. Naturalmente per posta, altrimenti come farebbero le famiglie a riceverlo?
Non sono collegate alla Rete.
Altrimenti lo leggerebbero comodamente dal pc come potete fare voi.
Usare la carta per spiegare il digitale è come mandare una missiva a cavallo ai tempi dell'automobile.
Quanto costerà inviare 48pagineX16milionidifamiglie?
SETTEMILIONIDUECENTOSETTANTAMILAEURO, pari a 45 centesimi a copia per stampa, imbustamento e invio.
Ma scusate, c..o!, non era meglio dotare le scuole italiane con qualche decine di migliaia di pc con quei soldi?
Il libretto è accompagnato da un pezzo comico del portatore nano di Internet: "Il governo sta promuovendo la rivoluzione digitale attraverso una serie di iniziative senza eguali in Europa, a partire dall'insegnamento dell'informatica sin dal primo anno di scuola, sino alle agevolazioni per l'acquisto di computer e accessi alla larga banda".

Facciamo il nostro dovere di cittadini, aiutiamo le casse dello Stato:
1 - scarichiamo il libretto dalla Rete ed evitiamo questo costoso spreco di carta
2 - inviamo un'email a Stanca all'indirizzo: L.Stanca@governo.it chiedendogli di non inviarci nulla per posta
3 - facciamo una colletta per regalare un pc a Stanca, digitalizziamolo!
21.01.06 22:04

Parlamento Pulito in India

Anupam Mishra segretario della Gandhi Peace Foundation di New Delhi in India mi ha scritto questa mail sull'iniziativa "Parlamento Pulito":

"Caro Shri Beppe Grillo, siamo venuti a conoscenza del suo brillante annuncio sull'*International Herald Tribune* il 22 novembre scorso durante un nostro viaggio a Parigi. A nome dell'organizzazione Gandhi Peace Foundation ci congratuliamo per un'azione così coraggiosa.

Anche noi abbiamo rilevato quanto espresso nella sua pagina dell'Herald. C'è stato un periodo in cui i criminali finanziavano i politici, ora entrano direttamente in politica e nei Parlamenti.
Si fanno eleggere e ci rappresentano. Ma in seguito non disponiamo di alcuno strumento per scacciarli dai templi della democrazia.
Recentemente il nostro Paese ha avuto un'occasione unica per farlo.
Undici parlamentari sono stati ripresi da una telecamera nascosta di un canale di news mentre prendevano tangenti per interpellanze parlamentari.
Gli undici parlamentari rappresentano quasi tutti i maggiori partiti presenti in Parlamento. Per questa ragione tutti i partiti si sono interessati al caso e hanno preso la drastica decisione di espellerli dal Parlamento.
È la prima volta nella storia che siamo riusciti a eliminare dei politici corrotti con un atto di giustizia immediato.
Ovviamente, ci sono molti altri criminali e politici corrotti in Parlamento, ma speriamo che iniziative come la sua portino dei cambiamenti. Abbiamo fatto circolare il suo ispirato annuncio ad alcuni canali

di news e giornali indiani di 8 Stati con 20 differenti edizioni. Tutti ne hanno dato notizia.
Ancora grazie per questo piccolo grande passo nella direzione dello sviluppo dei valori democratici."

Anupam Mishra
Secretary
Gandhi Peace Foundation
22.01.06 17:08

New entry in Parlamento Pulito

C'è una new entry nella lista di Parlamento Pulito.
In realtà è vecchia, ma star dietro a tutti i condannati in via definitiva presenti in Parlamento non è facile.
Si chiama Rocco Salini.
Marco Travaglio ne ha dato una descrizione in un pezzo di BANANAS sull'*Unità* lo scorso settembre che mi ha inviato.
Mi si chiede sempre per chi votare.
Vorrei suggerirvi invece per chi non votare:
per tutti quei partiti che avranno nelle loro liste elettorali un condannato in via definitiva.
La lista ormai la sapete.

Salini & tabacchi di Marco Travaglio
"...Perché forse non tutti sanno chi è il suo ultimo acquisto (di Mastella *ndr*).
Rocco Salini da Teramo era il presidente DC della giunta regionale abruzzese, arrestata in blocco (presidente e 10 assessori) nel '92 per uso disinvolto di 450 miliardi di fondi europei. Gli assessori furono assolti dall'abuso d'ufficio, anche perché nel frattempo era stato per metà depenalizzato. Ma l'ex presidente Salini no: lui aveva anche il falso ideologico, e si eran dimenticati di depenalizzarlo: così fu condannato in Cassazione a un anno e 4 mesi.
Ora, siccome la legge proibisce ai pregiudicati di fare i consiglieri comunali, provinciali e regionali, ebbe una grande idea: entrare in Par-

lamento (la legge, fatta dai parlamentari, non proibisce ai pregiudicati di fare i parlamentari).
Si rivolse a Forza Italia e la pratica andò a buon fine.
Nel 2001 il condannato Salini entrò trionfalmente a Montecitorio con la sua bella casacca azzurra. Ma vatti a fidare degli amici: nella lista dei ministri il suo nome non c'era, e neppure in quella ben più nutrita dei sottosegretari. Posti di sottogoverno? Nemmeno.
Solo una misera presidenza della commissione d'inchiesta sull'uranio impoverito, dalla quale si dimise sdegnosamente quasi subito. Spazientito dalla snervante attesa, ai primi del 2005 fondò una lista tutta sua, il Terzo Polo, per le regionali in Abruzzo. Contro la sinistra e contro la destra.
Bellachioma, messo in allarme dai forzisti abruzzesi per il pericolo mortale di perdere, oltre ai suoi, pure i voti di Salini, provvide immantinente al recupero in extremis. E aggiunse una poltrona (la novantaduesima) al suo già accogliente governo.
L'11 marzo Salini giurò da solo come sottosegretario alla Salute: si era sempre definito "un medico di campagna", non avrebbe stonato troppo. Intanto il Terzo Polo spariva dalle liste e i suoi presunti voti marciavano compatti con quelli della Cdl. Non troppi, a giudicare dai risultati: nonostante il fondamentale apporto, il centrodestra perse pure l'Abruzzo. Il Presidente Imprenditore, molto attento al rapporto qualità-prezzo, s'accorse del bidone.
E il 22 aprile, compilando la lista del Bellachioma-bis, cancellò il nome di Salini. Tornato forzista semplice, dopo aver riassaporato per ben 41 giorni le delizie della poltrona, Salini prese cappello: "Che ineleganza, lo trovo scorretto anche dal punto di vista umano ed etico. Ho chiamato Bondi, ma era da Berlusconi. Ora sto cercando Letta. Mi devono spiegare perché". Ma quelli, quando vedevano il suo numero sul display, mettevano giù. Così il sottosegretario usa e getta riprese a transumare. A "guardarsi intorno", come si dice in questi casi. E, come direbbe Metastasio, "ovunque il guardo io giro, Mastella io ti vedo". Così, dopo un comprensibile tormento interiore durato alcuni secondi e dopo trattative particolarmente accurate con Clemente vista la "sola" appena patita, raggiunse l'accordo. Trasloco armi e bagagli nell'Udeur. Ora i maligni sospettano che, in cambio, abbia avuto la garanzia di un collegio sicuro. Ma son cose inimmaginabili, nel partito della questione morale."
23.01.06 19:06

Dipendenti trasparenti

Ho citato spesso nel mio spettacolo dello scorso anno www.wikipedia.org, l'enciclopedia più grande del mondo.
Wikipedia è creata attraverso liberi contributi di tutti. La versione italiana ha raggiunto 133.000 voci dalle 40.000 del mio post di maggio 2005.

Wikipedia è stata proibita in Cina, non ancora in Italia.

Si può trovare di tutto, perfino lui, sì proprio lui, quello che non vuole sciogliere le Camere perché non ha ancora finito i compiti e ha paura di essere bocciato.
Qui vi do l'indice, tutto sommato abbastanza completo, delle sue gesta che potete leggere nella sezione a lui dedicata.

Indice
> 1 Note familiari
> 2 Formazione
> 3 Altre note biografiche antecedenti la carriera politica
> 4 Attività imprenditoriale
> 4.1 Edilizia
> 4.2 Televisioni
> 4.3 Editoria
> 4.4 Altro (Commercio, Milan)
> 5 Attività politica
> 5.1 La discesa in campo
> 5.2 La questione dell'ineleggibilità
> 5.3 Campagna elettorale ed elezioni del 1994
> 5.4 Cenni generali
> 5.5 Governi presieduti
> 6 Conflitto di interessi e "Par Condicio"
> 7 Il "berlusconismo"
> 8 Televisione
> 8.1 La legge Gasparri e Retequattro
> 9 Come Berlusconi viene visto dall'opinione pubblica

> 9.1 All'estero
> 9.1.1 Gran Bretagna
> 9.1.2 Stati Uniti d'America
> 9.1.3 Svezia
> 10 Procedimenti giudiziari a carico di Berlusconi
> 10.1 Procedimenti conclusi con un'assoluzione
> 10.2 Procedimenti nei quali è stato giudicato colpevole, ma i reati commessi sono coperti da amnistia
> 10.2.1 Dichiarazioni sulla P2
> 10.2.2 Falso in bilancio nell'acquisto di terreni
> 10.3 Procedimenti nei quali ha goduto della prescrizione per i reati oggetto d'accusa
> 10.3.1 Processo All Iberian 1 (tangenti a Bettino Craxi)
> 10.3.2 Lodo Mondadori
> 10.3.3 Processo SME Capo di accusa A
> 10.4 Procedimenti conclusi con una condanna
> 10.5 Procedimenti in corso
> 10.5.1 Processo Sme-Ariosto (capo A, tangente al giudice R. Squillante)
> 11 Voci correlate
> 12 Bibliografia e riferimenti
> 13 Collegamenti esterni
> 13.1 Biografie
> 13.2 Siti dedicati
> 13.3 Articoli e opuscoli
> 13.4 In inglese

È un lavoro importante, che merita di essere sviluppato e approfondito.
Ed esteso a tutti i segretari di partito.
Proviamo a farlo. È un'operazione di trasparenza.
24.01.06 15:13

Il monaco di Monza

L'Espresso di questa settimana scrive, a proposito di Telecom, che "Grillo aveva avvertito tutti", che "Grillo ha anticipato il motivo con cui

gli analisti finanziari hanno spiegato l'ondata di vendite del settore delle telecomunicazioni".
Belìn, e io che lo dicevo solo per scherzo!

Ieri, a Milano, nella sede di Banca Intesa, si discuteva di un tema centrale per noi cittadini: "Sviluppo o declino: il ruolo delle istituzioni". Erano presenti i dipendenti Rutelli, Fassino e Follini. E con loro il tronchetto dell'infelicità che ha rilasciato queste appassionanti dichiarazioni:

"Vorrei che si evitasse di confondere e accostare tra loro persone che non hanno né storie, né valori, né responsabilità in comune".

La sottile allusione era rivolta a Gnutti che era consigliere, insieme a lui, in Olimpia, e a Consorte, consigliere, insieme a lui, in Telecom e che, quindi, condividevano, almeno in queste società, una responsabilità in comune. O non lo sapeva?

"Chiariamo una volta per tutte: c'è stata una Telecom pre-acquisizione da parte della Pirelli e una post-Pirelli".

Su questo non si può che essere d'accordo. Infatti, sempre secondo l'Espresso, il debito della società è arrivato oggi a 42 miliardi di euro. Questo dopo aver venduto Seat PG, Telespazio, Finsiel, gli immobili, eccetera, eccetera.
Di quanto è salita l'occupazione nel gruppo da quando c'è il tronchetto? Quanti erano invece gli occupati sotto la gestione di Colaninno?

"Appena ci siamo messi al lavoro per risanare abbiamo trovato anche spiacevolissime sorprese"
"Immaginavamo che certe minusvalenze fossero solo errori gestionali".

Minusvalenze? Sorprese? E noi che pensavamo che avesse fatto un'approfondita analisi prima di comprare la Telecom, invece no. Che sorpresa!

"Di questi compagni di viaggio che mi sono trovato ad avere, e certo non ho cercato, intanto si occuperanno gli avvocati".

Ma il compagno di viaggio Gnutti chi lo ha cercato e ricercato? Che irriconoscente! È proprio vero che gli amici si vedono nel momento del bisogno.

Il tronchetto furioso ha poi concluso:
"È il momento che chi, in politica, si è sempre regolato con onestà si separi in modo netto dai disonesti".

E qui, come la Monaca di Monza con lo sciagurato Egidio, Fassino sorrise e, sventurato, lo applaudì.

Prima applaudiva Consorte...
25.01.06 18:06

Energia pulita, informazione sporca

Non ci sono più i correttori di bozze di una volta.
Ve ne siete accorti?
I giornali contengono refusi, imprecisioni, errori di ortografia.
Bisogna capirli questi editori, questi giornalisti.
È gente che lavora tutti i giorni, anche i festivi, per tenerci informati.
Non si può pretendere sempre la precisione.

Succede anche nei sondaggi. Fanno una domanda quando ne pensano un'altra: quella opposta. E quando se ne accorgono è troppo tardi: il giornale è già in stampa.
La Repubblica di oggi, preoccupata per l'emergenza gas, consulta i cittadini con un sondaggio a pagamento via sms, 0,3098 euro Tim; 0,30 euro Vodafone e Wind, Iva inclusa.

La prima domanda richiede un'attenta riflessione:
"È giusto puntare sui risparmi di energia da parte delle famiglie e delle aziende?"

E dopo la prima domanda, che ci spinge giustamente a risparmiare, passiamo alla domanda numero due:

"Bisogna optare con decisione per le fonti alternative, compreso il nucleare?"
L'errore è solo in quella parola: "compreso".
Ma è chiaro che volevano dire: "escluso", lo sanno tutti che il nucleare non è un'energia alternativa.

O forse no? E quella domanda è l'ennesima presa per il c..o per far dire, a pagamento, agli italiani che vogliono il nucleare?

A questo punto aggiungerei una terza domanda al sondaggio, così, per farne capire le motivazioni:
"È altamente probabile che Il Gruppo Editoriale l'Espresso abbia interessi legati al nucleare, energia che considera alternativa alle energie alternative?"

Le primarie dei cittadini: energia. Le vostre indicazioni.
Oggi faccio il riepilogo delle vostre (tante) indicazioni sul programma dell'energia per le Primarie dei Cittadini.

Ringrazio Pecoraro Scanio, Di Pietro e Bertinotti per aver espresso la loro posizione.
Nei vostri commenti è stata ribadita molte volte l'esigenza di sviluppare le fonti rinnovabili e l'adozione di incentivi per permetterlo.
Per esempio con i certificati di efficienza energetica, multando chi vende energia se non diminuisce il CO_2 nel corso degli anni.
Ho raccolto i vostri suggerimenti per argomento (alcuni si riferivano agli stessi problemi) e li ho inseriti nel documento iniziale.
Il documento è allegato.
27.01.06 17:32

Incantesimi

Le dittature oggi si impongono con il controllo delle informazioni e della Rete. Le armi sono diventate inutili.
Se i cittadini sapessero la verità alcuni governi durerebbero cinque minuti.

Il controllo si ottiene con accordi economici con le società di tecnologia americane, con Yahoo!, Google, Microsoft.
Accordi che consentono alle dittature il controllo sui cittadini e alle società di fare soldi e di conquistare mercati.

Queste società sono quotate in Borsa negli Stati Uniti. Rispondono alle leggi scritte dell'economia e a quelle non scritte dell'etica e della morale di uno Stato democratico.
Leggi che però valgono solo a casa loro.

Fuori forse.
Dipende da quanto pagano.
In Cina ad esempio pagano bene!
E si possono vendere tecnologia e repressione incassando alti dividendi.
Come Google che ha accettato di eliminare i riferimenti all'indipendenza di Taiwan, a Tienanmen e al movimento Falun Gong, insieme ai servizi di chat, blog e mailing.

Simili alla strega di Biancaneve queste società tecnologiche si guardano allo specchio della loro linda società dominata dal capitale e si vedono belle, bellissime.
Come la loro pubblicità incantata.
Le mele rosse e lucenti le vendono fuori dal loro castello.
Mele rosse avvelenate, da vere esportatrici di democrazia.
Meglio ancora che in Iraq con le armi.
28.01.06 16:36

Oscuriamo la Cina!

In Rete sta girando lo slogan: "FATE SKYFO" indirizzato a Sky di Murdoch che ha chiesto la chiusura di due portali: coolstreaming.it (80.000 utenti) e calciolibero.com.
I portali sono stati chiusi dalla Guardia di Finanza e i gestori dei siti inseriti nel registro degli indagati per violazione delle norme sui diritti d'autore per aver consentito la visione delle partite del campionato italiano di serie A e di serie B.

Le partite sono in realtà rese visibili da siti cinesi.

Come funziona il sistema:
il canale televisivo cinese Cctv trasmette in chiaro in Cina le partite;
Synacast, società di capitali cinese, invia il segnale su Internet, sembra in accordo con Cctv.
Risultato: le partite del campionato italiano comprate da Cctv sono in rete e si possono vedere in tutto il mondo con applicazioni p2p, applicazioni che consentono lo scambio di informazioni in rete.
È chiaro che bloccare due siti italiani non serve a nulla.

Bisogna allora oscurare la Cina.
Ed è questo che sembra stia avvenendo con delle richieste agli Internet provider italiani.
Se poi le partite fossero messe in rete anche dalla Mongolia e da Taiwan si oscureranno pure quelle nazioni?
È come se Mediaset comprasse delle partite di baseball americano e chiedesse all'FBI di oscurare Cuba per impedire di vederle sulla Rete.

I governi sono ormai superati dalle multinazionali.
29.01.06 20:41

PalaSanVittore

Divo Gronchi, direttore generale di Banca Popolare Italiana, ha segnato, ed era ora, una forte discontinuità con la gestione Fiorani.

Lo ha fatto sabato scorso proponendo un nuovo e superdotato consiglio di amministrazione, forte di ben 16 membri, di cui due in continuità con il glorioso recente passato della banca.
Infatti, due nuovi membri, Guido Duccio Castellotti e Giorgio Olmo erano già consiglieri durante la gestione Fiorani.

Ricordo che i consiglieri di amministrazione, oltre a prendere un po' di soldi, hanno il compito di vigilare sulla società e responsabilità assimilabili a quelle dell'amministratore delegato.

Ora, Fiorani è in galera da quasi cinquanta giorni e questi suoi ex compagni di avventura sono rieletti?

Ma dove sono consobbancaditaliaborsaitalianaabi?
E a che cosa servono queste istituzioni se non garantiscono le regole del gioco e gli investitori?

Un consiglio a chi possiede azioni della Bpi: vendetele e al più presto se non cambiano i due consiglieri.

L'elezione dei nuovi membri, tra cui Castellotti, è avvenuta a Lodi al PalaCastellotti.
Di questo passo la prossima la faranno al PalaSanVittore.
30.01.06 17:41

La vivisezione è inutile

Ammetto che quando penso alla vivisezione animale mi vergogno della specie umana e mi sento solidale con l'agente Smith di Matrix quando dice che gli uomini non sono mammiferi, ma virus.
Io vorrei abolire la vivisezione animale per legge.
L'obiezione che viene fatta è: "La vivisezione è utile, meglio loro di noi".
Vorrei vedere se qualcuno vivisezionasse il vostro gatto o il vostro cane come reagireste a queste parole.

Comunque, la vivisezione è inutile e non lo dice un comico, ma la rivista *Nature*, uno dei punti di riferimento della scienza mondiale, che ha pubblicato il 10/11/2005 un articolo con le dichiarazioni di alcuni scienziati:

" - I test di tossicità che abbiamo utilizzato per decenni sono semplicemente cattiva scienza. Oggi abbiamo l'opportunità di incominciare da zero e di sviluppare dei test basati su prove evidenti, che forniscono una reale opportunità per la tossicologia di diventare infine una scienza rispettabile.

- È stata riconosciuta la cattiva qualità della maggior parte dei test su animali, che non sono mai stati sottoposti ai rigori della validazione oggi imposta ai metodi alternativi in vitro. La maggior parte dei test su animali sovrastimano o sottostimano la tossicità, o semplicemente non sono in grado di fornire dati precisi sulla tossicità riferita all'uomo (il 75% dei test su animali vengono fatti per prove di tossicologia, ndr)

- I test di tossicologia embrionale fatti su animali non sono affidabili per la previsione nell'uomo: quando scopriamo che il cortisone è tossico per gli embrioni di tutte le specie testate, eccetto quella umana, cosa dobbiamo fare?"

È in discussione a Bruxelles la proposta REACH per la valutazione e regolamentazione delle sostanze chimiche immesse nell'ambiente, che sono causa, è stato stabilito, di circa un milione di morti premature nella Ue (cancro, malattie degenerative come Alzheimer, Parkinson, sclerosi multipla).
Ho deciso di sostenere il Comitato Scientifico Equivita (già Comitato Scientifico Antivivisezionista), che chiede di inserire nella bozza REACH il divieto di usare sperimentazione animale per valutare la tossicità delle sostanze.
La sperimentazione su animali consente alle industrie di ottenere qualsiasi risposta desiderino (cambiando la specie animale usata) e di evitare la responsabilità civile sostenendo che il modello animale non consente "la certezza della prova".
Esistono metodi di indagine predittivi per l'uomo come la tossicogenomica, già inserita nel testo di REACH come scelta possibile. La tossicogenomica studia la reazione del genoma della cellula umana con risultati 100 volte più veloci e più economici.

Chiudo questo lungo post con una frase di Albert Einstein: "Vivisezione. Nessuno scopo è così alto da giustificare metodi così indegni".

Ps: Ho incontrato a Lugano Hans Ruesch, un novantenne giovanissimo, fondatore del movimento antivivisezionista e autore del libro: "Imperatrice Nuda". Lo saluto con affetto dal blog.
31.01.06 14:36

Febbraio

Primi in Europa per l'amianto

Forse non tutti sanno che il comune di Paese in provincia di Treviso ospita la più grande discarica d'amianto d'Europa. Lo smaltimento dell'amianto ha un costo superiore a 50 milioni di euro all'anno.

La discarica è stata autorizzata nel 2004 dalla provincia di Treviso senza la Valutazione di Impatto Ambientale (Via) nonostante sia obbligatoria per tutte le nuove discariche e per i rinnovi di quelle vecchie.
La discarica ha una capacità di 460.000 metri cubi d'amianto e si trova a poche centinaia di metri da centri abitati.

Le fibre di amianto sono quasi invisibili, così sottili che ce ne vogliono 335.000 per fare il diametro di un capello, e causano il mesotelioma pleurico, altrimenti detto cancro ai polmoni.
L'incubazione può durare fino a 40 anni e il picco della mortalità è previsto tra il 2013 e il 2015.

Vista la situazione senza speranza della provincia di Treviso ne approfitterei per costruirvi qualche inceneritore e una discarica di scorie nucleari. Ovviamente senza la valutazione di impatto ambientale, come da tradizione locale.

Per gli altri cittadini un consiglio: se il vostro vicino ha un tetto d'amianto sul garage non denunciatelo.
Se lo fate, oltre a inalare polveri sottili all'atto della rimozione, le farete inalare a tutta l'Italia direttamente dal Tir diretto a Treviso.
01.02.06 19:22

La guerra dei media

Wikipedia, la più grande enciclopedia del mondo, ha oscurato il Congresso degli Stati Uniti.
Gli ha bannato l'IP. Lo ha fatto per evitare che i senatori rimuovessero informazioni sgradite che li riguardavano.

Marty Meehan, un senatore repubblicano, si è distinto in questa guerra moderna contro l'informazione, detta anche "edit war".
Per sei mesi ha utilizzato il suo staff e le linee del Senato (tutti soldi pubblici), per cancellare notizie, come la promessa (non mantenuta) di lasciare l'incarico dopo otto anni e la spesa per la sua campagna elettorale, superiore ad ogni altro senatore.

Wikipedia non è la verità, ma ci si avvicina molto. E più si avvicina più è attaccata.

Oggi è al 19° posto nel mondo per numero di visite e ha tre milioni di articoli, è sei volte più grande dell'Enciclopedia Britannica.

La settimana scorsa la Cina ha oscurato Wikipedia per motivi politici; la Guardia di Finanza (su richiesta di Sky) ha chiesto ai provider italiani di oscurare la Cina per impedire la visione di partite di calcio di serie A su Internet; il Giappone ha proibito ai suoi atleti di aggiornare i loro blog nel periodo olimpico per non danneggiare i media giapponesi.

La censura è l'unico strumento rimasto a questa economipoliticainformazione paleolitica.
Ridotta a un gruppo arrancante di intermediari senza valore aggiunto.
Che intercettano soldi, rappresentanza e verità.

Ma quanto potranno andare avanti?
Ormai gli sono rimasti solo le balle e la censura.
02.02.06 18:08

Solo chi prolifera può proliferare

Cina, Russia, Francia, India, Pakistan, Gran Bretagna e Stati Uniti dispongono di ordigni nucleari.
Ufficialmente.
Israele ne dispone.
Ufficiosamente.
Facciamo un test.

Ci sono delle dittature tra le nazioni del club delle atomiche?
E queste dittature potrebbero usare ordigni nucleari per scopi aggressivi?
Io penso di sì, e non credo che chi possiede armi atomiche sia legittimato a decidere chi può averle e chi no.
Al massimo può proporre che nessun Paese le abbia.
Su questo sarei d'accordo.

Mi sembra quindi una barzelletta che i cinque Paesi membri permanenti (Cina, Russia, Francia, Gran Bretagna e Stati Uniti) abbiano deciso di deferire l'Iran al Consiglio di sicurezza ONU per il suo programma nucleare.
E che chiedano all'Iran di "Ripristinare la sospensione delle attività collegate all'arricchimento dell'uranio".

Perché non chiedono invece alla Cina di distruggere tutte le sue atomiche? Alcuni mesi fa il generale cinese Zhu in una intervista concessa a *Wall Street Journal*, *Financial Times* e *New York Times* dichiarò che un conflitto locale per Taiwan potrebbe trasformarsi in una guerra nucleare.

Ma forse per entrare nel club delle atomiche bisogna avere alcune buone qualità che ancora mancano all'Iran. Come, ad esempio, essere membro permanente dell'Onu, o una superpotenza o, meglio ancora, alleato degli Stati Uniti.

Ed è giusto così, infatti, in base al Trattato di non proliferazione nucleare, può proliferare solo chi ha già proliferato.
03.02.06 20:07

Il Tutankamon di Arcore

Il mausoleo Cascella, che prende il nome dal celebre scultore Pietro Cascella, è collocato in un piccolo bosco all'interno di un parco privato di Arcore, non lontano da una strada pubblica.
Il mausoleo ha 24 posti attrezzati per l'eterno riposo ed è adornato da

statue di marmo per un peso complessivo di 100 tonnellate ispirate al dipinto *Guernica* di Picasso.

È visitabile, anche in gruppi, ma solo su prenotazione.

Per ora è vuoto, in quanto la legge non consente la costruzione di tombe a meno di 300 metri dalle strade.
E, probabilmente per questo motivo, è stato registrato come "deposito per materiale inerte".

Nel mausoleo c'è posto per i familiari stretti e per vecchi musicisti che suonavano con lui sui piroscafi.
Ma nessuno lo vuole occupare, sia pure abusivamente.
L'abusivismo non sarebbe un problema. Su una legge ad personam post mortem il popolo italiano darebbe il suo consenso.
Sarebbe solo un piccolo condono tombale.

La verità è che amici e familiari, inclusa la vecchia madre, cercano di spostare il più in là possibile la data dell'addio terreno per non essere sepolti in un deposito per materiali inerti.
Anche i morti hanno la loro dignità da difendere.
04.02.06 15:08

Vergogne d'Italia

Ieri Pierferdinando Casini ha rilasciato delle gravi dichiarazioni su Antonio Di Pietro in televisione.
Dichiarazioni quasi ignorate dai giornali.
Antonio Di Pietro mi ha inviato questa lettera che pubblico.
Invito Pierferdinando Casini, se lo ritiene, ad una replica su questo blog.

"Caro Beppe, il Presidente della Camera dei deputati, On. Casini, ha fatto sapere ieri, tramite i tg nazionali che "Antonio Di Pietro è una vergogna per la magistratura e per la politica" alludendo al fatto che io, da magistrato, ho svolto l'inchiesta Mani Pulite e da politico continuo a denunciare l'inopportunità e l'assurdità che vengano continuamente candidate e mandate in Parlamento persone condannate ed inquisite (anche del suo partito, Udc).

Se davvero io sono una vergogna per gli italiani, sono pronto a farmi da parte ed anche ad espatriare, se necessario, per evitare ulteriori imbarazzi.

È bene però che siano gli italiani stessi a dire cosa pensano al riguardo perché ho la netta sensazione che le affermazioni di Casini, seppur provenienti dalla terza carica dello Stato, non corrispondono al comune sentire della gente o dei cittadini.

Faccio subito una premessa: nell'Udc, di cui Casini è leader indiscusso, attualmente militano e ne sono dirigenti un esercito di condannati o rinviati a giudizio per reati gravi.

A puro titolo esemplificativo ricordo:
il Presidente della regione Sicilia, Cuffaro (rinviato a giudizio per favoreggiamento alla mafia ed altro), il Consigliere Regionale siciliano Borzachelli (anch'egli per favoreggiamento mafioso), Vito Bonsignore (eurodeputato condannato definitivamente per tentata corruzione), il suo "padre politico" Arnaldo Forlani (condannato per illecito finanziamento proprio nell'inchiesta Mani Pulite), Calogero Sodano (senatore, condannato per abuso d'ufficio in cambio di favori elettorali) e così via.

Chiedo allora e vorrei sapere:

- Sono una "vergogna" per il Paese i ladri, i corrotti, gli evasori fiscali, i mafiosi o chi - come me - li ha scoperti con l'inchiesta Mani Pulite?

- Sono una "vergogna" i politici condannati che vogliono stare in Parlamento (e quei leader di partito che - come Casini - li candidano e ricandidano) o coloro che - come me - denunciano da sempre questa anomalia tutta e solo italiana?

Ecco, caro Beppe, vorrei sapere da te e dai tuoi amici del blog cosa ne pensate al riguardo in modo da potermi regolare per il futuro.

Sono raggiungibile sul mio blog www.antoniodipietro.com
Grazie di cuore!"

Antonio Di Pietro
05.02.06 18:03

Le mani di Dio

I miei figli vanno a catechismo. Qualche domenica accompagno la mia famiglia a messa alla chiesa di Sant'Ilario.
Non sono un cattolico osservante, posso definirmi un credente, un simpatizzante di Gesù.
È un fatto mio, privato.
Se credessi a Odino o a Buddha sarebbe comunque qualcosa che riguarda solo me.

Quello in cui credo non deve interferire con lo Stato, le istituzioni, le leggi, la stampa, le vignette satiriche, i partiti, le scienze. Insomma con tutto il resto.

Durante il mio spettacolo "Incantesimi" ho fatto vedere una breve scena di *Submission*, il film per cui è stato ucciso Theo Van Gogh e che chiunque può vedere in Rete con un un'applicazione p2p, come eMule o Kazaa.
L'ho fatto per affermare la libertà di espressione, quella che non sta bene agli integralisti di ogni religione.
Fosse per me abolirei l'otto per mille, i crocifissi nei luoghi pubblici, i simboli religiosi nei partiti, l'uso della fede a scopi elettorali, personali, economici.
Abolirei ogni influenza di mullahcardinalirabbini sullo Stato e punirei con leggi molto severe l'incitamento all'odio religioso.

Non riesco a credere, anche sforzandomi parecchio, che esistano popoli eletti (gli altri cosa sono?), popoli da sottomettere alla propria religione, che un Dio giustifichi la violenza dell'uomo sull'uomo. No, non riesco a crederci.

Ma adesso? Beh, spero che i musulmani abbiano un minimo di senso dell'umorismo (per la mia incolumità, belìn) e che il cardinal Ruini abbia il senso del ridicolo e si astenga da dichiarazioni elettorali (per l'incolumità degli italiani).
06.02.06 17:34

Il risparmio tradito

Il risparmio è sacro!
Si risparmia per essere risparmiati, ma le banche non risparmiano niente e nessuno.
Vale la pena di risparmiare in Italia? Uno fatica per mettere da parte qualcosa e subito gli si avventa sopra un esercito di mangiasoldi.

La situazione è davvero brutta. La maggior parte dei risparmiatori è ormai nelle mani del risparmio gestito.
Che è un'enorme macchina costruita e perfezionata dalle banche con la benedizione di Antonio Fazio.

I numeri parlano chiaro. Dare in gestione i propri soldi significa rimetterci. Lo confermano i dati del 2005, con i fondi obbligazionari che hanno fruttato l'1,7% in meno dei Buoni Poliennali del Tesoro (BTP), ed i fondi azionari con il 5,6% in meno delle azioni delle aziende italiane quotate.

Purtroppo è così da vent'anni. Anche senza Bertinotti gli italiani pagano già una patrimoniale. Ma anziché lo Stato, la incassano banche, gestori, venditori d'investimenti.

È tutto vero, e la gravità dei danni provocati dal risparmio gestito è documentata al Dipartimento di Matematica dell'Università di Torino. Persino l'ufficio studi di Mediobanca ripete da anni che i fondi comuni hanno reso regolarmente meno dei Bot.

Quindi non c'è motivo di indugiare. Ogni momento è buono per salvare il salvabile, disinvestendo fondi e gestioni. Ogni momento va bene per togliersi da dosso un groviglio di sanguisughe.

Per andare sul sicuro ci sono i titoli di Stato indicizzati all'inflazione (i Btpi o le Oatei francesi), osteggiati dalle banche. Maggiori informazioni su di essi e su altre soluzioni si possono trovare all'indirizzo http://www.dm.unito.it/personalpages/scienza/investimento.htm

Anche i Buoni postali fruttiferi ordinari non sono da buttare via. Non danno il brivido della finanza, ma garantiscono sempre quanto versato. Da evitare invece le altre proposte delle Poste che stanno copiando i prodotti bancari.
Belìn, una consulenza finanziaria gratis da un genovese, cosa volete di più?
07.02.06 18:24

Il nuovo proibizionismo

La legge sulle droghe sta dilagando e ha prodotto in Parlamento questo istruttivo dibattito:

Dall'intervento del 3 febbraio 2006, alla Camera dei Deputati della dipendente Tiziana Valpiana:

"Qualcuno ha già asserito prima come il provvedimento in questione sia stato posto talmente male da rischiare di far mettere fuori legge la vite e il tabacco. Il motivo per cui nelle precedenti leggi le sostanze vietate erano nominate una per una, in base ad elenchi invece che a criteri, consisteva nell'evitare il paradosso che sostanze come l'alcol da vite o il tabacco venissero poste fuori legge.
Non c'è, infatti, alcun dubbio che l'alcol, così come enuncia il testo della legge, produca effetti sul sistema nervoso centrale e abbia capacità di determinare dipendenza fisica o psichica dello stesso ordine o di ordine superiore a quello delle altre droghe, come insegnano la farmacologia l'epidemiologia e, purtroppo, i dati sulla mortalità.

Quanto alla vite, in particolare, non c'è dubbio che sia una pianta e

che da essa si ricavi il vino che, come tutti sanno, contiene a sua volta un principio attivo, l'alcol, che, nei casi più rari, provoca allucinazioni ma, più frequentemente, come è scritto nelle vostre norme, distorsioni sensoriali. Tutti sappiamo che quando beviamo un bicchiere di troppo, vediamo doppio, camminiamo a zig zag, abbiamo i riflessi sicuramente rallentati e modificati.
Non possiamo fare delle battute su questo aspetto perché se qualche fanatico denuncerà i produttori di vino sarà dura per un magistrato trovare il modo di non condannare costoro ad almeno sei anni di reclusione.
In questo caso, ritengo che chi beve del vino dovrebbe perseguire le norme che voi avete qui inserito e dichiararsi alcolista, così, invece che in galera, potrà essere accolto in una delle comunità da voi sostenute, aiutate e richieste".
Dall'intervento del 3 febbraio 2006, alla Camera dei Deputati del dipendente Alfredo Mantovano, rappresentante del Governo:

"Una rilettura delle norme consentirebbe inoltre di evitare di dire cose assolutamente distanti dalla lettera della legge come quelle che sono state sostenute anche questa mattina a proposito della punizione che la nuova legge stabilirebbe per la detenzione o l'uso o la diffusione di alcolici. Questa affermazione, assolutamente sbagliata, si fonderebbe sul nuovo articolo 14 del testo unico. In realtà, questo articolo 14 è vero che alla lettera a), punto 4, ritiene illecita ogni altra sostanza - questa è la dizione letterale - che produca effetti sul sistema nervoso centrale e abbia capacità di determinare dipendenza fisica o psichica nello stesso ordine o di ordine superiore a quelle precedentemente indicate. Ma questa indicazione non può essere assimilata ad una punizione dell'alcol perché si ritrova in un articolo che ha come rubrica «criteri per la formazione delle tabelle» e le tabelle sono quelle relative alle sostanze stupefacenti e che al comma 1 inizia con le seguenti parole: "La inclusione delle sostanze stupefacenti o psicotrope nelle tabelle di cui all'articolo 13 è effettuata in base ai seguenti criteri". Quindi, lì si sta parlando di droga e non di alcol. Come si fa a sostenere il contrario?"

Non si capisce nulla, forse Mantovano ha bevuto o ha fumato perché la legge (comma 1) parla proprio di "sostanze stupefacenti o psicotrope". Il famoso Rapporto Roques ha esaminato le sostanze dal punto di vista neurobiologico, dimostrando come le droghe più pericolose siano l'eroina, la cocaina e l'alcol, nessuno può negare che l'alcol sia una sostanza psicotropa.

Questa legge sancirà l'illegalità della produzione e del consumo del vino, della birra e degli altri alcolici.
Un nuovo proibizionismo.
È talmente grossa che nemmeno chi l'ha proposta vuole ammetterlo.
Ma è vero che l'alcol in Italia fa quarantamila morti ogni anno, mentre tutte le altre droghe illegali messe insieme ne fanno cinquecento, quindi forse, per una volta e senza volerlo, il governo ha ragione.
08.02.06 18:01

I vampiri della telefonia

Che la telefonia, fissa o mobile, diventerà gratuita l'ho già detto. E anche che i prezzi delle compagnie telefoniche sono in realtà di cartello. E che la nostra Authority per le telecomunicazioni dovrebbe darsi una mossa. E che i prezzi praticati in Italia sono tra i più alti d'Europa. E che il costo delle ricariche telefoniche (CINQUE EURO!) dovrebbe essere azzerato.

Tutte cose che sapete già e che vi fanno inc..zare ogni volta che ricevete una bolletta telefonica o vedete la pubblicità (pagata da voi) di megangaledesicaadriana.

Lo scorso anno dissi che si poteva telefonare con pochi centesimi all'estero, dall'Australia all'Argentina, con Skype, un programma Voip installabile sul vostro pc.

Oggi esiste VoipStunt un'alternativa ancora più conveniente, nel senso che, dopo aver pagato 10 euro e le tasse, si può telefonare per tre mesi senza limiti nella maggior parte dei Paesi nel mondo ed anche in Italia. 3,33 euro al mese per telefonare 24 ore al giorno tutti i giorni per tre mesi sulle linee fisse.
Telefonare costa sempre meno, tra un po' non costerà più nulla.

È così, è dimostrato.
Ma se è così, perché dobbiamo pagare il canone e cifre mostruose agli operatori telefonici, tra cui il tronchetto?
E perché di questo enorme risparmio per gli italiani non viene data notizia in prima serata, in prima pagina?
Risparmiate e fateli fuori!
09.02.06 19:47

L'incantesimo degli inceneritori

Ieri sera ero a Trento per parlare dell'inceneritore insieme a degli esperti come Bettini, Masullo, Montanari, Zecca, Nervi e Pallante.

Dico subito che gli inceneritori, chiamati termovalorizzatori solo in Italia, l'ennesimo incantesimo delle parole, non servono; che sono un'invenzione di 40 anni fa; che per ogni chilogrammo di materiale bruciato, un terzo dello smaltito diventa cenere, rifiuto tossico nocivo; che non fanno risparmiare energia, ma il contrario e quindi non convengono; che l'Italia è l'unico paese a finanziare gli inceneritori con i soldi pubblici; che più alto è il calore generato, più le polveri diventano sottili e nocive e tumorali; che la raccolta differenziata li rende inutili; che il riuso dei contenitori come le bottiglie di vetro e di plastica li rende inutili; che va inserita una tassa ecologica sui contenitori usa e getta alla fonte, quindi al produttore; che bisogna ridurre i consumi; che bisogna incrementare la produzione di energia da fonti rinnovabili; che le prime nazioni, come la Germania, che hanno costruito gli inceneritori li stanno dismettendo; che la produzione di energia va delocalizzata.

Gli inceneritori non starebbero neppure in piedi economicamente, non esisterebbero, se non li finanziasse lo Stato, che gli passa 180 lire per ogni kWh prodotto, in quanto li assimila alle energie rinnovabili.

Chi dice no agli inceneritori, chi non li associa all'idea di progresso è arruolato dai media nel popolo dei no.
E, subito dopo, alla schiera dei no global, dei contestatori, degli anarco-insurrezionalisti (termine usato 100 volte al giorno dal dipendente

Pisanu).
E hanno ragione.
Infatti oggi i cittadini, se correttamente informati, diventano noglobalcontestatorianarcoinsurrezionalisti e sono fieri di esserlo.
E non vogliono inceneritori tra i co..ni.
10.02.06 19:08

Il sonno della ragione

L'informazione di regime sta, suo malgrado, tracimando. Ogni giorno riceviamo informazioni di politici corrotti, di leggi scritte per i delinquenti, di banchieri che pagano mazzette ai parlamentari, di recessione del Paese.
Ma ormai siamo anestetizzati. Se il sonno della ragione genera mostri, qui sono i mostri ad aver generato il sonno della ragione. Qualcuno si è impadronito del Parlamento e dello Stato nell'indifferenza generale.

Ascoltiamo una voce del passato per capire il nostro presente.

"Una sola preoccupazione spinge a costruire programmi nuovi o a modificare quelli che già esistono: la preoccupazione dell'esito delle prossime elezioni. Non appena nella testa di questi giullari del parlamentarismo balena il sospetto che l'amato popolo voglia ribellarsi e sgusciare dalle stanghe del vecchio carro del partito, essi danno una mano di vernice al timone. Allora vengono gli astronomi e gli astrologhi del partito, i cosiddetti esperti e competenti, per lo più vecchi parlamentari che, ricchi di esperienze politiche, rammentano casi analoghi in cui la massa finì col perdere la pazienza, e che sentono avvicinarsi di nuovo una minaccia dello stesso genere. E costoro ricorrono alle vecchie ricette, formano una "commissione", spiegano gli umori del buon popolo, scrutano gli articoli dei giornali e fiutano gli umori delle masse per conoscere che cosa queste vogliano e sperino, e di che cosa abbiano orrore. Ogni gruppo professionale, e perfino ogni ceto d'impiegati viene esattamente studiato, e ne sono indagati i più segreti desideri.

Le commissioni si adunano e rivedono il vecchio programma e ne foggiano le loro convinzioni come il soldato al campo cambia la camicia quando quella vecchia è piena di pidocchi. Nel nuovo programma, è dato a ciascuno il suo. Al contadino la protezione della agricoltura; all'industria quella dei suoi prodotti; il consumatore ottiene la difesa dei suoi acquisti; agli insegnanti vengono aumentati gli stipendi; ai funzionari le pensioni. Lo Stato provvederà generosamente alle vedove e agli orfani, il commercio sarà favorito, le tariffe dei trasporti saranno ribassate, e le imposte, se non verranno abolite, saranno però ridotte.

Talvolta avviene che un ceto di cittadini sia dimenticato o che non si faccia luogo ad una diffusa esigenza popolare. Allora si inserisce in gran fretta nel programma ciò che ancora vi trova posto, fin da quando si possa con buona coscienza sperare di avere colmato l'esercito dei piccoli borghesi e delle rispettive mogli, e di vederlo soddisfatto. Così, bene armati e confidando nel buon Dio e nella incrollabile stupidità degli elettori, si può iniziare la lotta per la riforma dello Stato.

Ogni mattina, il signor rappresentante del popolo si reca alla sede del Parlamento; se non vi entra, almeno si porta fino all'anticamera dove è esposto l'elenco dei presenti. Ivi, pieno di zelo per il servizio della nazione, iscrive il suo nome e, per questi continui debilitanti sforzi, riceve in compenso un ben guadagnato indennizzo.

Dopo quattro anni, o nelle settimane critiche in cui si fa sempre più vicino lo scioglimento della Camera, una spinta irresistibile invade questi signori. Come la larva non può far altro che trasformarsi in maggiolino, così questi bruchi parlamentari lasciano la grande serra comune ed, alati, svolazzano fuori, verso il caro popolo.
Di nuovo parlano agli elettori, raccontano dell'enorme lavoro compiuto e della perfida ostinazione degli altri; ma la massa ignorante, talvolta invece di applaudire li copre di parole grossolane, getta loro in faccia grida di odio. Se l'ingratitudine del popolo raggiunge un certo grado, c'è un solo rimedio: bisogna rimettere a nuovo lo splendore del partito, migliorare il programma; la commissione, rinnovata, ritorna in vita e l'imbroglio ricomincia. Data la granitica stupidità della nostra umanità, non c'è da meravigliarsi dell'esito. Guidato dalla sua stampa e abbagliato dal nuovo adescante programma, l'armento proletario e quello borghese ritornano alla stalla comune ed eleggono i loro vecchi ingannatori.

Con ciò, l'uomo del popolo, il candidato dei ceti produttivi, si trasforma un'altra volta nel bruco parlamentare e di nuovo si nutre delle foglie dell'albero statale per mutarsi, dopo altri quattro anni, nella variopinta farfalla".
11.02.06 19:16

Gelli sdoganato!

Nell'archivio di Stato di Pistoia è stata aperta la porta blindata della stanza dedicata a Licio Gelli, che ha donato parte del suo archivio, trasferito dalla sua abitazione di Villa Wanda. È un archivio straordinario con lettere di Torquato Tasso, Napoleone Bonaparte, Giuseppe Garibaldi, Adolf Hitler, Giuseppe Verdi e, perfino, dell'ex piduista Maurizio Costanzo.

Insomma, un vero ben di Dio per gli storici e per gli esperti di archivistica.

Che ieri hanno presenziato ad una cerimonia nel Palazzo dei Vescovi di Pistoia. Non ha voluto mancare Linda Giuva, docente di archivistica e moglie di Massimo D'Alema, che ha letto una relazione.
Al termine, Licio Gelli le ha indirizzato poche, ma toccanti parole: "Brava, molto brava. Grazie, grazie ancora".
All'entusiasmo del Venerabile è seguita una stretta di mano della signora Giuva, insieme ad un sorriso ed un grazie.

I soliti disturbatori, sicuramente no global, hanno protestato fuori dal Palazzo.
Il sindaco invece non si è fatto vedere, anche se il Comune ha patrocinato la cerimonia.

Mi aspetto per la par condicio una visita a Villa Wanda di Veronica Lario per incontrare il vecchio amico di famiglia.
E, per i Ds, propongo un nuovo slogan:
"Gelli, santo subito!"
12.02.06 17:15

Primarie dei Cittadini: energia. Marco Pannella

Marco Pannella mi ha inviato questa lettera sulle Primarie dei Cittadini sull'energia. In realtà è dedicata all'eccessiva natalità e ai pericoli che ne derivano per il nostro futuro.
È chiaro che siamo due tipi diversi. Se dipendeva da lui ci saremmo già estinti, se fossero tutti come me, che ho sei figli, saremmo 25 miliardi...

"Caro Grillo, tu conosci quanto mi siano propri ispirazioni, obiettivi, urgenze che proponi e che tanta presa di coscienza, di dibattito e di consenso stanno suscitando; a cominciare dalle fonti rinnovabili per andare alla riduzione degli sprechi, al far tesoro della spazzatura che sommerge e inquina il mondo, alla promozione ed alla tutela dei produttori indipendenti. Scusami ma non ce l'ho fatta, con i casini nei quali sono stato impegnato, diciamo totalmente, a scriverti prima sul tuo documento sulle risorse energetiche.

Comunque non tutti i mali vengono per nuocere, il documento è utile, prezioso, ma (mi) urge anche "altro".
Beppe, "quanto, cosa, come consumiamo - e produciamo" è il problema che con e grazie a te si può sperare ora di affrontare; per tentare di tappare le falle aperte da decenni di politiche energetiche sciagurate, dove il petrolio è stata la benzina della corruzione dei partiti e degli Stati, della creazione e del mantenimento di dittature sanguinarie. Ma alla base, all'origine di tutto, dobbiamo chiederci e sapere: tutto questo per chi è, di chi è? Insomma "Quanti siamo?" "Energia", per chi? Quanti? per 3, 6, 9, e via crescendo, miliardi di "persone", di consumatori?

Se il nazicomunismo cinese non avesse stabilito da generazioni di nazisticamente impedire la natalità, sterminando con la forza dello Stato feti e neonati, e genitori "colpevoli", a che punto di già non saremmo? Se non imbocchiamo subito la strada di un "rientro dolce" della popolazione del pianeta da 6 miliardi di persone più o meno alla metà nell'arco di 4 o 5 generazioni, di un secolo, continueremo ad esser travolti dallo tsunami natalista, che ha visto alleati nei decenni precedenti sia i poteri fondamentalisti clericali, Vaticano in testa, sia il Potere

dell'Impero sovietico e quelli fascisti, nazisti, totalitari di ogni tipo, che hanno imposto e impongono all'umanità di procreare, di moltiplicarsi bestialmente, irresponsabilmente, condannando centinaia di milioni di bambini a morire di fame, stenti, guerre...
Insomma, una energica, immediata politica demografica di "rientro dolce" mi appare come coessenziale per realizzare politiche di risparmio energetico e di investimento sulle fonti rinnovabili per il futuro del nostro paese il documento sulle risorse energetiche. Lo ripeto: fascismo, nazismo, comunismo stalinista, fondamentalismi vaticani, talebani, e quelli nazionalisti e razzisti hanno rilanciato in questi giorni dissennate politiche nataliste. Oggi, in questi giorni, in Italia i programmi elettorali, i congressi dei partiti recitano un dogma comune: la "difesa della famiglia". E per "famiglia" intendono la riproduzione continua, intensificata, statalmente incentivata, con milioni di mancia ad ogni bebé, sovvenzioni e detassazioni alle famiglie più numerose... Non una voce si alza contro, a parte i... soliti... Radicali? Rosa nel Pugno? Margherita e Udc, Mastella e Lega trainano possenti, a rimorchio FI e in ginocchio perfino i Ds, "Verdi" e Comunisti "distratti".

La famiglia? Quale? Quali diritti sociali, "etici", politici per i suoi "costitutori", donne e uomini di ogni latitudine, colore, opinione, religione? Beppe: anche tu hai l'età per ricordare - siamo ancora in tanti - ma stiamo per essere travolti se gli "altri", i "giovani" non sanno: "Dio, Patria, Famiglia". La "bomba" non è quella "nucleare", se non in termini di rischio, di pericolo. Ma la "bomba demografica" deflagra da più di un secolo e sul suo cammino distrugge tutto: natura, umanità, pianeta, appesta il mondo e i suoi dintorni.
Lanciamo anche questo SOS, questo MayDay? Io sono pronto, da tempo a dare una mano, e di più. Dai tempi del Club di Roma, quando proponemmo Aurelio Peccei (e chi sarà mai?) a Presidente del Consiglio... Ma che disastro quella genìa di sessuofobi, di assolutisti, di disperati, di blasfemi accumulatori di ori e di poteri, di impotenti e prepotenti, sbarcati, di nuovo, da una sponda all'altra del Tevere, e che disperazione i potenti, prepotenti, impotenti di qui, che hanno loro spalancato porte e portoni del Palazzo e delle loro storie, e coscienze!".

Marco Pannella
13.02.06 17:14

CIDIELLEUNIONE

Mi domando a cosa serve protestare, argomentare, portare testimonianze di tecnici, economisti, vigili del fuoco, sindaci, cittadini della Val di Susa e perfino dei frati francescani.

Mi domando a cosa serve farsi manganellare nel sonno nelle tende, farsi spaccare la faccia dalla polizia, manifestare pacificamente con bambini e carrozzine in 100.000 nelle vie di Torino, spiegare le proprie ragioni alla triade piemontèis del traforo, al binario morto fassinobressochiamparino.

Mi domando chi oggi in Italia ci rappresenta realmente, chi vuole questa maledetta e inutile Tav in Val di Susa, chi ci guadagna se non ci guadagnano i cittadini?

Mi domando perché CIDIELLEUNIONE in apparenza in disaccordo su tutto, sulla Tav siano invece ostinatamente e ferocemente d'accordo. Questo buco nel nulla di 50 km pronto tra 15 anni costerà a tutti noi 12 miliardi di euro pagati con le prossime finanziarie, con le nostre tasse. Ma chi passerà all'incasso? Io non voglio pagarlo, non ho delegato nessuno, se lo paghino CIDIELLEUNIONE.

Mi domando perché non si investono i 12 miliardi di euro nelle ferrovie italiane allo sfascio, nella Salerno-Reggio Calabria, nella ricerca, negli ospedali, nelle scuole.

Mi domando se CIDIELLEUNIONE non sia in realtà un partito unico.

Mi domando se c'è qualche differenza tra le parole del dipendente Lunardi: "È solo un problema di ordine pubblico" e quelle dell'aspirante dipendente Prodi: "La Tav si fa. Punto e basta!". È aspirante dipendente e già vuol comandare. Parole irridenti di persone che non rappresentano più nessuno e non se ne sono ancora accorte.

Tra il peggio e il meno peggio oggi non è più facile scegliere come una

volta.
Chi è il meno peggio se Prodi spiega così il nostro futuro:
"Evidentemente la società democratica ha bisogno di democrazia, e traspare l'urgenza di una politica trasparente entro le rinnovate prospettive di un rinnovato contesto sociale".
14.02.06 12:35

Primarie dei cittadini: sanità

Fino ad oggi le primarie le hanno fatte i nostri dipendenti.
È arrivato il momento che le primarie le facciano i datori di lavoro.
Oggi pubblico una bozza di proposta sulla sanità, per cui ringrazio Partecipasalute, che sarà integrata con i vostri commenti prima di diventare definitiva.
I post saranno mantenuti visibili sulla barra di destra sotto il titolo: "Primarie dei cittadini" insieme ai vostri commenti fino alle elezioni.
Invito anche i rappresentanti dei partiti ad inviare a questo blog il loro punto di vista sui diversi aspetti trattati per pubblicarlo.

Proposte per la sanità.

- Garantire l'accesso gratuito al Servizio Sanitario Nazionale.

- Promuovere l'uso di farmaci generici e fuori brevetto, in genere più sicuri e meno costosi delle copie "di marca".

- Proibire gli incentivi economici agli informatori "scientifici" sulle vendite e perseguire, anche con nuove leggi, la corruzione dei medici.

- Separare le carriere dei medici pubblici e privati. Non consentire ad un medico che lavora in ospedale di operare anche nel privato.

- Valutare sistematicamente le liste di attesa e rendere pubblici on line i risultati ai cittadini.

- Allineare l'Italia agli altri Paesi europei e alle direttive dell'Organizzazione mondiale della sanità (Oms) nella lotta al dolore. In particolare eliminare gli ostacoli culturali e burocratici all'uso degli oppiacei (morfina e simili).

- Attuare una politica sanitaria nazionale di tipo culturale, fondata sull'informazione e la comunicazione sociale, che miri a promuovere scelte di consumo il più possibile consapevoli ed adeguate e a sviluppare l'autogestione della salute (operando sui fattori di rischio e di protezione delle malattie) e l'automedicazione semplice.

- Promuovere e finanziare ricerche sugli effetti sulla salute in particolare legate alle disuguaglianze sociali e all'inquinamento ambientale dando priorità ai ricercatori "puri".

- Introdurre, sulla base delle raccomandazioni dell'Oms, a livello di Governo centrale e regionale la valutazione dell'impatto sanitario delle politiche pubbliche, in particolare di quelle che concernono i settori dei trasporti, dell'urbanistica, dell'ambiente, del lavoro e dell'educazione.

- Monitorare gli effetti della "devolution" sull'equità d'accesso regionale alle prestazioni e ai servizi e adattare gli investimenti per strutture, tecnologie e ricerca alle disparità regionali per garantire sempre un livello adeguato di assistenza.
15.02.06 18:32

Il voto negato

Ricevo molte segnalazioni di italiani all'estero che non possono votare, vorrebbero votare, si dannano per votare, ma non possono votare.
E alla fine di trafile allucinanti, impiegati strafottenti e di una totale mancanza di informatizzazione (STANCA DOVE SEI??? STANCAAAAA!!!!) prendono la saggia decisione di non tornare in Italia, e di acquisire, se ci riescono, una nuova nazionalità.

Pubblico le lettere di una famiglia italiana dalla Gran Bretagna e di uno studente dall'Australia, il favoloso Paese di OZ.

"Carissimo Beppe, mi chiamo Riccardo e sono un cittadino italiano residente in Gran Bretagna da più un anno. Ho scritto residente, ma il termine e' improprio, visto che il mio status di residente, e i diritti conseguenti da tale status, non e' ancora stato regolamentato dalle autorità preposte a tale scopo.

Nel mese di luglio 2005 io e la mia compagna abbiamo inviato la documentazione necessaria all'iscrizione al registro degli italiani residenti all'estero (Aire), consci che i tempi richiesti da questo tipo di iter possono talvolta, visto il numero di connazionali emigrati, protrarsi per diverso tempo.
Mai avrei immaginato di trovarmi, a metà febbraio 2006 e con le elezioni politiche alle porte, protagonista di una situazione paradossale. Nel mese di dicembre 2005 sono stato contattato da un'impiegata dell'ambasciata italiana a Londra, la quale (cinque mesi dopo l'invio della documentazione richiesta) mi chiedeva (in inglese!) nuovi documenti necessari per portare a termine la mia pratica. Documenti che io e la mia compagna abbiamo spedito a ridosso delle festività natalizie.

Oggi, dopo un silenzio di quasi due mesi, dopo numerose telefonate al centralino senza risposta e nonostante ripetute email all'indirizzo preposto, un'impiegata ha finalmente risposto al telefono.
Preferirei non l'avesse fatto: le nostre pratiche sono ancora in un limbo di incertezza. La suddetta dipendente (pagata dallo Stato e tra le persone più scortesi con cui mi sia capitato di avere a che fare) mi ha accusato di aver atteso l'ultimo momento utile per iscrivermi all'Aire (sette mesi fa?) e alla mia pronta replica non ha saputo controbattere nulla più di un generico "abbiamo tantissime pratiche da sbrigare". Ha anche aggiunto che lei a quella telefonata non avrebbe nemmeno dovuto rispondere visto che la mattina l'ambasciata e' aperta al pubblico e non hanno tempo per rispondere al telefono. Lascio a te il piacere di riflettere su questa affermazione!

L'ufficio anagrafe del mio (ex) comune di residenza in Italia (Cagliari), da noi interpellato, ha confermato (cinque minuti dopo la nostra richiesta via email!) di non avere avuto contatti con l'ambasciata ne' col consolato.
Mi ritrovo, a due mesi scarsi dalle elezioni, privato del mio diritto di

voto o comunque costretto ad esercitarlo in Italia, con conseguenti spese di viaggio, che come ben saprai non sono abbordabilissime. Tutto questo ben sette mesi dopo la mia "iscrizione" al registro italiani all'estero.

È abbastanza per pensare che qualcuno, al Ministero degli Esteri, voglia di proposito rallentare la regolarizzazione di situazioni come la mia in modo da evitare potenziali voti scomodi.

Ancora una volta, nonostante il mio profondo amore per la nazione dove sono nato e vissuto per tanto tempo, le circostanze mi portano a pensare che ho fatto bene a lasciare l'Italia e la sua ragnatela clientelare e farraginosa di buchi neri burocratici.
Un sentito grazie."
Riccardo Cocco, Gran Bretagna

"Caro Beppe, ti scrivo per denunciare la situazione degli studenti italiani all'estero, cui di fatto viene negato il diritto di voto all'estero. Mi è stato infatti spiegato dal Consolato Italiano di Sydney che per votare all'estero bisogna risultare come 'residenti all'estero' (essere iscritti alle liste dell'AIRE).
Questo però è impossibile se non si ha un permesso di soggiorno permanente nel Paese straniero, mentre ovviamente quasi tutti gli studenti hanno semplicemente un visto di studio. In altre parole il voto viene garantito a chi non ha intenzione di tornare, mentre viene negato a chi probabilmente farà ritorno in Italia nel giro di pochi mesi o anni ed è all'estero per acquisire conoscenze che un giorno potrebbero tornare utili al nostro Paese.

Nonostante siano state previste numerose eccezioni (diplomatici, professori e dipendenti del Ministero degli Esteri possono votare all'estero anche se residenti in Italia), la legge si è 'dimenticata' degli studenti. Nel mio caso personale io vivo in Australia da tre anni e sto completando un dottorato. Per venire a votare in Italia dovrei fare un viaggio di circa 24 ore ad andare e 24 a tornare e dovrei spendere circa 1.500 euro. Sono perciò di fatto costretto a rinunciare al mio 'diritto' di voto e dovrò limitarmi a vedere ed ascoltare le interviste e le dichiarazioni assurde dei politici su Rai International.

Viva la democrazia!"
Francesco Ricatti, University of Sydney, Australia

Chi, in particolare se all'estero, volesse chiedere informazioni sul voto, può indirizzare una mail al Ministero degli Esteri (copia a Fini) all'indirizzo: relazioni.pubblico@esteri.it
16.02.06 15:50

GOOLAG

La Cina ha oscurato la mia immagine. Un cittadino cinese che volesse vedere Beppe Grillo, ottiene la segnalazione che la ricerca non ha prodotto risultati.
Nel resto del mondo la mia faccia invece si vede ancora.

Il governo cinese ci dà la possibilità di conoscere la sua linea politica attraverso la censura delle immagini, confrontando i risultati dei motori di ricerca.

Infatti, se inserite parole come Falun Gong, Dalai Lama o Mao Tse Tung nella versione italiana otterrete certe immagini, con quella cinese delle altre o nessuna.
Per esempio, per Dalai Lama con Google Italia appare per prima l'immagine del Dalai Lama. Nella versione cinese appare invece un arazzo raffigurante l'imperatore Shunzhi.

Il bello è che la censura è trasparente e si possono giudicare i censori.
Ma la censura in Rete è dinamica e le immagini di Google versione cinese che compaiono in questo post potrebbero già essere state modificate.

Ps: provate anche voi a trovare delle parole censurate.
17.02.06 16:58

Gli estremisti di buon senso

In campagna elettorale la verità è una "buona cosa di pessimo gusto" e chi la dice è un estremista.
Estremisti come Ferrando, che ha detto sull'Iraq e sulla Palestina cose che pensano molti italiani, e Luxuria che non mente su sé stessa.
Ferrando e Luxuria sono estremisti di buon senso.

È un rovesciamento delle parti. Il politico moderato, privo di senso comune, avalla taviraqleggeelettoraletruffaleggiadpersonamnopacs-pontesullostrettocondannatiinparlamento.

L'estremista invece non tollera il ritorno dei mostriviventi pomicinode-mitacraxijuniordemichelismartelli, vuole il ritiro delle truppe dall'Iraq, vuole abolire il precariato introdotto dalla legge Biagi, vuole il riconoscimento delle coppie di fatto senza discriminazione di sesso, spera che Ruini preghi di più e esterni di meno e tante altre cose che vogliono ormai molti italiani.

Il moderato è diventato estremista e dà dell'estremista al moderato.
E se l'estremista di buon senso protesta viene eliminato con moderazione.

Il moderato pratica la censura, decide lui cosa è giusto per i cittadini, manganella i sindaci in Val di Susa, mente (ma per il bene degli elettori), comanda ancora prima di essere eletto.
Il moderato soprattutto si indigna: la verità lo offende.
E chiama l'estremista di buon senso con nomi infamanti come: no global, giustizialista, trotskista.

Il moderato parla con i moderati, legge i giornali moderati, partecipa alle trasmissioni moderate. Vota leggi che condonano, prescrivono, assolvono, ma con grande moderazione.
E vive nel suo mondo moderato provando un piacere da veri moderati: il piacere della disonestà.
18.02.06 18:56

Italia serena

Io non me la sento di infierire su Calderoli, ha i suoi problemi, si sa, si sapeva. Non è colpa sua se ha fatto il ministro e ha inguaiato gli italiani.

La colpa è di chi l'ha nominato e che adesso, rinnegandolo, giudica le sue farneticazioni alla stregua di opinioni personali. C..o è stato un nostro Ministro a parlare!

La colpa è del direttore di Rai 1 che gli ha permesso di offendere più di un miliardo di persone su una televisione di Stato senza dire nulla.

La colpa è di un consiglio dei ministri che non ha mosso un dito per mesi, incluso un ministro degli esteri, direttamente interessato, che sa solo recarsi nelle moschee senza scarpe o nelle sinagoghe con il cappellino in testa. Pensate al casino se sbaglia e fa il contrario.
Uno che se ne esce con un manifesto dal titolo: "L'Italia serena", titolo che fa il paio con il famoso: "Più sicurezza per tutti" della Casa delle libertà provvisorie.

I governi di Danimarca e Norvegia hanno chiesto scusa per la pubblicazione delle vignette, ma hanno dichiarato che da loro la stampa è libera e il governo non può interferire.
In Italia il discorso è diverso, qui la stampa e la televisione sono per lo più governative.
Proprio come la Padania che ha come direttore politico Umberto Bossi e che oggi pubblica in prima pagina una maglietta con la scritta: "Difendiamo le nostre radici".
Dopo la canotta e il foulard anche la maglietta portasfiga.

"La nave è ormai in preda al cuoco di bordo e ciò che trasmette al microfono del comandante non è più la rotta, ma ciò che mangeremo domani". (*S. Kierkegaard*)
19.02.06 20:11

Gli schiavi moderni

"La legge Biagi ha dato risultati straordinari, ma come tutte le cose può essere migliorata ed è perfettibile". Silvio Berlusconi.

"La legge si sta rivelando efficace sopratutto nella tutela dei segmenti deboli, in particolare per l'occupazione femminile". Roberto Maroni.

"La legge Biagi favorisce occupazione permanente". Maurizio Sacconi, sottosegretario al Welfare.

"Se in Italia siamo «percentualmente al livello più basso di disoccupazione» il merito è delle «riforme coraggiose» varate dal governo sul lavoro e «in particolare quella che porta il nome di un martire che è Marco Biagi...l'alternativa non è tra contratto a tempo indeterminato e flessibilità ma tra flessibilità», che pure si deve puntare a stabilizzare, «e precarietà»". Gianfranco Fini.

Insomma sono tutti d'accordo: legge Biagi = tutela dei deboli, occupazione permanente, flessibilità e risultati straordinari.

Sarà, ma per me questa legge è un passo indietro rispetto alla schiavitù. Nel 1850 il costo di uno schiavo in America era di 1.000 dollari equivalenti a 38.000 dollari di oggi. Un investimento da tutelare. Lo schiavo doveva essere istruito per il lavoro a cui era destinato. La sua salute andava protetta nel tempo.

La legge Biagi, Co.Co.Co. e Co.Co.Pro hanno portato insicurezza e stipendi da fame. Fare lo schiavo sudista era meglio. Quello almeno poteva farsi una famiglia.
Lo slogan "Lavorare tutti, lavorare meno" è stato quasi raggiunto. L'Italia si è trasformata in una nazione di precari, di sotto-occupati e di senza lavoro. Di universitari che rispondono nei call-center a 5 euro all'ora.

Le panzane della casa circondariale della libertà sull'occupazione meritano una risposta.

Invito tutti coloro che sono vittime della legge Biagi a raccontare la loro storia con un commento a questo Post.
Le stamperò in un volume che invierò a tutti i segretari di partito.
20.02.06 17:35

L'elefante

Le parole ci condizionano. Le associazioni di parole ci condizionano. Una sola parola può evocare un gruppo di parole. Se, come ha scritto George Lakoff, un professore di Berkeley, si dice a qualcuno di non pensare all'elefante, quello ci penserà tutto il giorno e se lo sognerà di notte, magari emettendo qualche piccolo barrito nel sonno.
In questo momento l'Italia è ipnotizzata dall'elefante, parla solo dell'elefante e fa alla fine quello che desidera l'elefante: non parlare dei problemi reali, di dati, soluzioni, prospettive.

Così come l'elefante si evoca con parole come proboscide, zanne, grandi orecchie, lo stesso avviene in questa campagna elettorale con giustizia, Iraq, sondaggi, terrorismo, televisioni, grandi opere, Islam, conflitti di interesse, calcio, par condicio per citarne solo alcune.
Tutte parole legate tra loro che portano implacabilmente all'elefante.
Gli elefanti usano le associazioni di parole per affermare il contrario del loro significato, come "compassionate conservatorism" di Bush. Compassionevole? Bush?

Per sottrarsi al gioco dell'elefante, uscire dal suo recinto di parole, bisogna ignorarlo e parlare di cose concrete, di numeri, cifre, fatti.

Usare parole che non può usare, che non capisce.
Cosa ne sa un elefante delle energie alternative, delle nuove tecnologie, della lotta alla mafia, di un'amministrazione a misura di cittadino, della riduzione del debito dello Stato, dello sviluppo della Ricerca, del lavoro precario?

Sono parole che gli procurano fastidio e vanno fatte emergere in modo semplice, diretto. Parole che vanno collegate tra loro perché creino un nuovo contesto, un "frame" alternativo. Un luogo in cui la parola elefante non può più esistere.
E anche se dovesse continuare a esistere rappresenterebbe il passato, quello che forse c'era, ma adesso non c'è più.
21.02.06 17:16

Tibet medaglia d'oro olimpica

I vincitori morali delle Olimpiadi di Torino sono Palden Gyatso, Gathong Jigme e Sonam Wangdue.
Un terzetto di tibetani da podio che sta facendo lo sciopero della fame ad oltranza sotto una tenda, a Torino alla Chiesa di San Pietro in Vincoli, vicino a Porta Palazzo.
Palden Gyatso è un lama tibetano di 75 anni che ha trascorso 33 anni nelle carceri cinesi. Lui e i suoi compagni digiunano per protesta contro il genocidio della popolazione tibetana, la repressione delle libertà civili, le violazioni dei diritti umani.

Il Tibet è stato occupato dalla Cina comunista nel 1950 con deportazioni, omicidi, esili e la distruzione del patrimonio religioso e artistico tibetano. Uno scempio tale da far apparire la distruzione delle gigantesche statue di Buddha di Bamiyan da parte dei Talebani un gioco per bambini.
La Cina ospiterà nel 2008 i prossimi Giochi Olimpici, un evento nato per celebrare la pace e la fratellanza tra i popoli e divenuto oggi merchandising, multinazionali, Coca Cola.
La Cina non ha alcun rispetto per i diritti umani, perché celebrarvi i Giochi?
Il Cio a chi risponde?
La Cina ha intenzione di far partire la fiaccola olimpica proprio dal Tibet, dalla cima dell'Everest. È come se la Germania la facesse partire da Auschwitz.

Tra un lancio di curling e l'altro (il curling è il vero simbolo di queste

Olimpiadi senza entusiasmo) portate il vostro sostegno a questi tre solitari combattenti della libertà.
Lo potete fare se siete a Torino andando da loro per prendere delle bandierine del Tibet e sventolarle durante le gare, o inviando una mail di solidarietà a: torino2006@italiatibet.org.
A Torino ci sono più giornalisti che atleti, ben 3000 contro 2500. Invito anche loro a scrivere due righe.
22.02.06 17:35

Il vento del Sud

Rita Borsellino mi ha inviato una testimonianza sulla sua candidatura alla presidenza della Regione Sicilia.

"Caro Beppe, mi hai chiesto di raccontarti la storia della mia candidatura e della campagna elettorale per la presidenza della Regione in Sicilia. Sono lieta del tuo interesse e dell'opportunità che mi offri per spiegare quanto sta accadendo in questi mesi. Già con le primarie si è creata attorno al mio nome e alla mia candidatura una mobilitazione come non se ne vedevano da tempo in Sicilia. Una partecipazione popolare che ha portato alla nascita di oltre 250 comitati spontanei in tutta l'isola. Dentro le fabbriche, dentro le università, nei cantieri navali, nelle grandi città e nei piccoli centri.

E persino negli uffici della Regione dove il padrone di casa resta il governatore Cuffaro (probabile capolista al Senato per l'Udc e ricandidato dalla Casa delle Libertà anche alla presidenza della Regione nonostante sia stato rinviato a giudizio per favoreggiamento aggravato a Cosa Nostra).

Perché ho deciso di candidarmi? Perché l'entusiasmo mostrato dalla gente alle primarie nazionali in Sicilia mi ha fatto capire che nell'aria c'era voglia di cambiamento. E che dopo tanti anni di impegno in politica dentro il mondo dell'associazionismo, forse era giunto il momento di fare un passo in più. Così, davanti alle difficoltà del centrosinistra di trovare un candidato unitario per la presidenza della Regione, ho voluto mettere a disposizione la mia storia. Vedi, quello che è successo dopo è stato un entusiasmo crescente. Dopo molto, molto tempo, in Sicilia partiti e società civile organizzata sono tornati a confrontarsi ed ora sono seduti allo stesso tavolo per scrivere il programma.

Già il programma, anche per questo abbiamo scelto un metodo nuovo: lo abbiamo chiamato "cantiere". E di cantieri ne abbiamo avviati 15 sui temi più disparati: dalla sanità e il welfare alle politiche del lavoro, ai migranti.
Un po' come tu fai accogliendo proposte su singoli temi nel tuo blog. Ai cantieri partecipano sindacati, esperti, associazioni e gli stessi comitati. È un percorso di programma partecipato che non ha precedenti. E che non si fermerà fino alle elezioni, perché i risultati di questi 15 cantieri saranno poi presentati nei Comuni, in quelli che abbiamo chiamato "cantieri comunali". Nel frattempo io continuerò a fare quello che ho sempre fatto dal '92 ad oggi: ascoltare e confrontarmi con la gente. Durante le primarie ho detto che in campagna elettorale avrei cercato di raggiungere il maggior numero di comuni dell'isola. E a quella promessa voglio tenere fede.
Convinta come sono che stavolta, si può cambiare. Davvero.
Ciao e grazie."

Rita Borsellino
23.02.06 14:04

L'Industriale

Il libro del 2006 è sicuramente "L'industriale", in cui il profilo di uno dei più grandi manager che il nostro Paese abbia mai avuto è descritto con grande senso della misura ed obiettività. Nella recensione Tronchetti Provera è citato come:
"Imprenditore in grado di ristrutturare e rilanciare aziende in difficoltà" e "Ricerca, innovazione e responsabilità sociale hanno trovato spazio nella sua attività".
Se proprio devo trovare il pelo nell'uovo in questo libro è il titolo, quella parolina: industriale.

Ho sempre pensato che un industriale fosse un uomo con grandi capitali, un investitore. Uno che rischia in proprio. Insomma uno come Adriano Olivetti o Arnoldo Mondadori.

Ma il presidente di Telecom Italia, "l'Industriale", quanto possiede di questa azienda in costante declino, con un debito pari al Pil di molti Paesi e con un titolo che ha perso quasi la metà del suo valore dal 2001? Pensate un attimo prima di leggere: quanto credete che sia la proprietà di Telecom del tronchetto dell'infelicità?
Pensato? Beh, è meno!
È un pochino di più dello 0,8%.

Infatti, seguitemi, mi rendo conto che non è facile per persone sane di mente:
- Marco Tronchetti Provera & C a.p.a. possiede il 61,48% di Gruppo Partecipazioni Industriali (Gpi)
- Gpi possiede il 50,18% di Camfin
- Camfin possiede il 25,36% di Pirelli
- Pirelli possiede il 57,7% di Olimpia
- Olimpia possiede il 18% di Telecom Italia.

Con meno dell'uno per cento "l'Industriale" governa uno dei più grossi gruppi italiani.
Lo stesso gruppo che è stato multato per 115 milioni di euro per abuso di posizione dominante nel settore della telefonia.
Un Industriale senza soldi, senza risultati.
Cari azionisti, sostituitelo!
24.02.06 16:48

Ave Cesare

Il settimanale *Time* il 3 maggio del 2004 dedicava un articolo a Geronzi. Bastava leggerlo per provvedere alla sua rimozione immediata da Capitalia. Nei miei spettacoli dicevo le stesse cose su Geronzi: ho tutte le registrazioni. Oggi, quasi due anni dopo, Geronzi è stato interdetto dal suo incarico di presidente di Capitalia dalla Procura di Parma che ha

dichiarato che se le prove a suo carico per il fallimento della Parmalat fossero emerse prima lo avrebbero arrestato.
Ma benedetti giudici, siete sempre in tempo, anche se le prove sono emerse ora arrestatelo lo stesso.
Fatelo per gli italiani.

Soprattutto per quelli che hanno investito i loro risparmi in bond Parmalat nel 2003, magari, in questa decisione, amorevolmente assistiti dalle loro banche che volevano trasferire ad altri i debiti che avevano con la Parmalat.
Un dirigente di Capitalia, Andrea Del Moretto, aveva scoperto già nel 2002 come stavano le cose nella Parmalat, con obbligazioni in circolazione di circa 7 miliardi di euro contro il miliardo e 200 milioni dichiarato in bilancio.
Geronzi non fece nulla, non ritirò le linee di credito verso la Parmalat e consentì che venissero venduti per più di un anno bond con il buco dentro.

Enrico Bondi, l'attuale commissario di Parmalat, nella relazione contro Capitalia del 16 dicembre 2005, ha evidenziato che i crediti "accordati" dalle banche a Tanzi erano pari a "1.809 miliardi di lire a fronte di un fatturato di 1.677 miliardi di lire".
Per fortuna oltre ai bond ci sono anche i bondi.

Il settantenne Geronzi se ne deve andare, se ne andrà.
Ma Capitalia non è stata la sola banca nell'anno di grazia 2003 a vendere bond taroccati agli italiani nella più grande truffa legalizzata del dopoguerra.
C'erano altre banche, altri presidenti che mancano ancora all'appello...
25.02.06 17:47

Magistrati in attesa di giudizio

Il parto delle liste elettorali sta per concludersi. Leggerò i nomi dei candidati con interesse. Se ci sono dei pregiudicati ne darò visibilità su questo blog per permettere a chiunque di scegliersi il pregiudicato che desidera. Perché in democrazia è giusto che anche i pregiudicati abbiano rappresentanza.

Alcuni segretari di partito mi hanno telefonato per chiedermi da che parte sto. Per vedere che aria tira dalle parti del blog.
E io ho deciso finalmente di schierarmi, di dare la mia indicazione di voto: "non votare nessun partito con condannati in via definitiva in lista". Per aiutare i cittadini pubblicherò l'elenco dei partiti SENZA pregiudicati nelle liste.

Il dipendente Casini ha dichiarato che la magistratura deve fare pulizia al suo interno, quella stessa magistratura che la pulizia la vuole fare all'interno del partito di Casini.
Un partito piccolo elettoralmente, ma grande nel numero degli inquisiti.

Il dipendente Casini non reputa corretto che un giudice si candidi per entrare in Parlamento.
Qualunque professione va bene per lui, ma non quella del giudice.
Un pregiudicato è meglio di un giudice.
Come dargli torto? Il giudice le leggi le conosce e, quando glielo permettono, le fa pure applicare.
26.02.06 18:51

I non vedenti

La vista degli italiani sta peggiorando.
Non ci sono più quelli che vedevano lontano e pochi ormai (ma chi?) vedono da vicino.
L'italiano vede e non vede, ma se può non vede.
È un non vedente ad occhi aperti, dalla retina intatta, con le pupille dilatate.
Una degenerazione sociale, un caso di studio per gli oculisti.

L'ultimo decennio italiano sarà ricordato dagli storici come quello dei ladri e dei non vedenti.

Il non vedente italiano è educato a non vedere sin da piccolo, è una questione di sopravvivenza.
E anche di buon gusto.
Vedere Tanzi, Cragnotti, Fazio, l'elefantino (lo so non dovrei nominarlo, mi è scappato), Tronchetti, Previti, Dell'Utri, Geronzi, Calderoli, Giovanardi, Fiorani, Casini non è una bella cosa.
Meglio la cecità parziale, selettiva.
La stessa che affligge l'informazione post datata, quella che vede gli scandali solo dopo che sono diventati pubblici.

La cecità italiana è finalizzata a tirare a campare. È una cecità ottusa, chiusa in sé stessa, poco disponibile a vedere qualcosa che la disturbi.
La cecità italiana è la base e il presupposto per fare carriera, negli enti pubblici, nelle grandi banche, nei partiti.
È un dono, una capacità. Chi non ce l'ha si adegua e diventa cieco.
E chi non si adegua diventa lui il diverso, l'irragionevole, l'intollerante.
Come si permette? Come si fa a contraddire dei poveri ciechi?
Anzi, il cieco è lui, il vedente. Un disturbatore.
Del resto è meglio non vedere e andare con ottimismo verso la catastrofe.
27.02.06 19:34

Zucchero amaro

Pubblico parte della lettera di Laura, scelta tra le tante che ho ricevuto sulla chiusura dello storico zuccherificio di Casei Gerola vicino a Pavia.
Un altro scempio della politica delle sovvenzioni e dell'Europa dei trasporti contrapposta all'Europa delle produzioni locali.
Stabilimenti produttivi vengono chiusi senza informare PRIMA le popolazioni locali, in questo caso gli abitanti della provincia di Pavia.
Senza chiedere il loro consenso e proporre soluzioni alternative.
Qui ci sono migliaia di famiglie a spasso e le ragioni sono tecniche, burocratiche, corrette, europeiste, ma soprattutto incomprensibili.
La Val di Susa ha insegnato a tutti che non si possono prendere decisioni senza coinvolgere le persone, senza ascoltarle.
Lo scorso anno, anche grazie al piccolo contributo di questo blog, la

fabbrica di birra (ottima!) di Pedavena non ha chiuso.
Vediamo cosa si può fare per lo zuccherificio di Casei Gerola, uno dei migliori del mondo. Scrivetemi, mandatemi informazioni all'indirizzo info@beppegrillo.it. Nei prossimi giorni farò un salto a Casei Gerola.

"Salve, mi chiamo Laura ho 20 anni e vivo a Voghera (PV). Volevo chiederti se potevi occuparti della chiusura degli zuccherifici in Italia e in particolare volevo segnalarti l'assurdità della logica imprenditoriale. Nella mia zona c'è (o meglio c'era) lo zuccherificio a Casei Gerola, sicuramente ne hai sentito parlare ultimamente perché gli agricoltori e i dipendenti hanno bloccato l'autostrada Milano-Genova per circa 30 ore. È uno degli zuccherifici più produttivi d'Italia, il più tecnologicamente avanzato e rifornisce importanti multinazionali, senza contare le industrie farmaceutiche che necessitano di uno zucchero di alta qualità.... Avrebbe tutte le carte in regola per rimanere aperto, e invece niente, dopo l'ennesima presa in giro da parte del sig. (se così si può dire) ministro Alemanno, chiude i battenti. L'Unione Europea dà 730 euro per ogni tonnellata di zucchero non prodotta, così diventa conveniente chiudere uno stabilimento produttivo e mantenere aperto quello in gravi difficoltà e che poi chiuderà l'anno successivo!!
Ci sono 103 dipendenti, cooperative di collaborazione, 192 dipendenti stagionali (tra cui io e di questi 192 almeno un centinaio sono ragazzi di età compresa tra i 18 e i 24 anni che con la stagione si pagavano l'università senza gravare sulla famiglia), 5000 agricoltori, convinti dalla stessa società a fare investimenti e che adesso si ritrovano a pagare macchinari da un miliardo di vecchie lire, li hanno presi a rate e il debito sarebbe dovuto scendere spalmato nel tempo man mano che si portavano le barbabietole da lavorare. È l'unico stabilimento che permetterebbe la bieticultura in Piemonte e Lombardia e invece chiudendo collassa un'intera area geografica! Ti sembra giusto? A me no, è così che il governo pensa di creare nuovi posti di lavoro? Licenziando, mettendo in cassa integrazione e togliendo le prospettive ai giovani?
Come può un giovane pensare di portare avanti il lavoro dei genitori che coltivano la terra se poi la prospettiva è questa?
Grazie dell'attenzione."

Laura B.
28.02.06 17:06

UNIPOL-BNL
DUBBI SULL'OPERAZIONE
MASSIMO, SEI PROPRIO SICURO CHE ANCHE PER SCALARE UNA BANCA SERVA IL PASSAMONTAGNA?
BN
VAURO 2007

Marzo

La verità fa male

In Italia nessuno è depositario della verità, ma molti lo sono della menzogna. La buona propaganda che si faceva qualche anno fa, che diceva e non diceva, e magnificava le virtù di questo e di quello è stata sostituita dalla normale esplicita, spudorata, applaudita menzogna.

Il mentire non è più un'arte, qualcosa da celare, da nascondere, anzi, più è plateale, meglio è.
La menzogna è un atto esplicito di governo, viene ripetuta per darle corpo e sostanza con l'utilizzo di tutti gli spazi visivi: muri, giornali, televisioni.
All'appello manca solo la carta igienica da leggere sulla tazza del cesso, ma ci arriveremo presto.

La menzogna è usata come sovvertimento dell'evidenza, della statistica, della matematica.
Come affermazione e rivincita dei tromboni, dei politici, dei finanzieri, dei giornalisti sulla realtà quotidiana. Che viene sommersa e annullata da un grande nulla.
La menzogna è ormai parte integrante del buon politico, quello a cui gli italiani, ammirati da una tale impudenza, danno il proprio voto. Anche per la loro sopravvivenza, perché non potrebbero sopportare la verità sulla realtà cialtrona in cui vivono.
Ma ascoltiamo e vediamo qualche esempio.

L'ex-dipendente Giovanardi (si è dimesso in polemica con questo blog, appellandosi ai suoi elettori di Lecco) ha fatto questa obiettiva dichiarazione sui picchiatori in divisa di un marocchino a Sassuolo: "Hanno lottato a mani nude per dieci minuti per immobilizzare un personaggio pericoloso. È un incredibile linciaggio".
Guardate bene chi viene linciato.

Lo psiconano (lo so che non dovrei parlarne, ma ci casco sempre) ha rilasciato tempo fa a Santoro un'appassionante dichiarazione sull'evasione fiscale, montata magistralmente dai ragazzi del Meetup di Torino.

Ascoltatelo.

La menzogna ci ha trasformati in un Paese virtuale, ormai vaccinato contro la verità.
01.03.06 18:50

Zucchero amaro/2 *da www.anb.it*

Dopo la pubblicazione del post "Zucchero Amaro" ho ricevuto molte segnalazioni, sia su Casei Gerola, sia su altri zuccherifici chiusi o in fase di chiusura in tutta Italia.
Da oggi pubblicherò alcuni interventi con l'obiettivo di capire, attraverso i vostri commenti, le motivazioni dello smantellamento degli zuccherifici e di valutare, se esistono, attività alternative.
Di seguito riporto un estratto di un documento che allego, ricevuto da Ivan Nardone.

"Invio una nota sullo zucchero che potrebbe aiutare a capire le follie della chiusura di 13 stabilimenti su 19 in Italia, un Paese che non copre il suo fabbisogno nazionale.
Buon lavoro e con stima e affetto"
Ivan Nardone. Partito della Rifondazione Comunista - Sinistra Europea - Commissione Agricoltura

"Da sempre abbiamo considerato inevitabile una riforma del settore dello zucchero, un settore immodificato dal 1968 e che attraverso i prezzi minimi garantiti, le restrizioni alle importazioni e i sussidi alle esportazioni ha permesso che il prezzo dello zucchero dell'Ue fosse un terzo più alto del prezzo mondiale e che l'Ue diventasse uno dei maggiori esportatori di zucchero anche provocando dumping nei paesi terzi.

Da sempre abbiamo sostenuto la riduzione delle quote di zucchero dell'Ue ma a partire ovviamente dai paesi eccedenti, con l'assegnazione ad ogni paese comunitario in grado di produrre zucchero di una quota rapportata in linea di massima, ai consumi interni, ridotta di una quota proporzionale atta a pareggiare le previste importazioni preferenziali, fissando contingenti di importazione da concordare con i paesi interessati (Eba, Acp, Balcani), riconoscendo prezzi minimi di acquisto in modo da fornire al contempo un sostegno ai Paesi con deboli economie e realizzare una apertura armonica del mercato europeo nel suo insieme, nonché cancellando ogni forma di restituzione alle esportazioni dall'area comunitaria.

Con questa posizione abbiamo sostenuto gli scioperi, e abbiamo spinto molti enti locali a pronunciarsi, nonché il Parlamento europeo nella seduta del 10 marzo della precedente legislatura con prese di posizione dove si richiedeva il rispetto di tutti i trattati europei che in chiave agricola non sostengono mai le aree maggiormente vocate ma rivendicano un principio di solidarietà tra le diverse regioni agricole proprio per la funzione sociale e ambientale che l'attività agricola svolge.

L'ultima proposta della Fischer Boel del taglio del 36% del prezzo di intervento era totalmente irricevibile per un Paese come il nostro che da tempo non copre neanche il fabbisogno interno di zucchero, è valso il principio dei paesi forti economicamente e politicamente a discapito delle norme comunitarie che da tempo si basano sul principio di solidarietà. Per il nostro paese è stata una Caporetto e le responsabilità del Governo sono tante, un Governo sempre più isolato in Europa e nel mondo e che rivendica invece senza il minimo pudore la perdita del 50% delle quote, la chiusura di 13 stabilimenti su 19 una vittoria della mediazione italiana.

Una riforma avversata da tanti ma non da tutti, e che non ha nulla a che vedere con l'aiutare i paesi poveri affamati dall'egoismo dei paesi ricchi.
- Contro questa riforma si sono espressi i sindacati italiani dell'agroalimentare, con ripetuti scioperi, e notoriamente i sindacati non difendono gli egoismi dei ricchi.
- Contro questa riforma hanno manifestato piccoli e medi produttori di bietole su scala europea, i paesi dell'Africa dei Caraibi e del Pacifico che hanno rapporti privilegiati con l'Ue e che questa riforma penalizza.
- Sono contrari alla riforma i paesi Eba: ovvero i 50 paesi più poveri del mondo che rigettano totalmente la riforma.

- Respingono totalmente questa riforma i movimenti sociali di Brasile, India, Australia, poiché le grandi corporation troveranno sempre più conveniente produrre zucchero per le esportazioni con monoculture di canna con gravi impatti ambientali e sociali a discapito della diversificazione produttiva e la sovranità alimentare.
Il Parlamento europeo ha bocciato totalmente la riforma rivendicando un ruolo invece negato dalla commissione e avanzando proposte intelligenti quali l'abolizione entro il 2010 delle restituzioni alle esportazioni e una riduzione del prezzo dello zucchero del 30% in 4 anni.

Coloro che si sono detti d'accordo con la riforma sono stati i Governi agricoli forti del sud e del nord del mondo quali Brasile, Francia, Germania, Australia, India e le grandi aziende del nord che incasseranno 730 euro ogni tonnellata dismessa e le multinazionali che hanno delocalizzato nel sud che possono esportare maggiormente le loro produzioni.

In Italia, con l'ulteriore decurtazione del 10% avanzato dalla Commissione Europea ed il riporto delle eccedenze degli anni passati, la nuova campagna bieticola difficilmente potrà superare il 30% di produzione della campagna precedente con ulteriore confusione anche riguardo gli accordi interprofessionali".
02.03.06 14:47

L'inceneritore di Reggio Emilia

Martedì e mercoledì scorso, nel corso dei due spettacoli al Palapanini di Modena è intervenuto Stefano Montanari, il ricercatore modenese che, insieme con la moglie Antonietta Gatti, ha studiato gli effetti sull'organismo delle particelle inorganiche prodotte da tutti i tipi di combustione, dalle bombe all'uranio impoverito alle centrali elettriche ad oli pesanti e a carbone cosiddetto pulito, dai motori d'automobile con gli pseudofiltri antiparticolato fino agli inceneritori costruiti secondo le Bat (Best Available Technologies, vale a dire le migliori tecnologie disponibili).

La scoperta è che quelle particelle sono capaci di entrare con grande facilità nell'organismo, fino al nucleo delle cellule, e di provocare tutta una serie di malattie, alcune forme di cancro comprese, senza che esistano meccanismi biologici capaci di eliminarle. E più queste sono piccole, più penetrano e più guai fanno.

Gli inceneritori producono quantità immense di questa roba, trasformando rifiuti grossolani e puzzolenti, ma non dannosi, in oggettini micidiali. Il trucco sta nell'innalzare la temperatura d'esercizio dell'impianto in modo da produrre particelle così piccole da sfuggire alle centraline di controllo (quelle arrivano a vedere le particelle di 10 micron e gli inceneritori moderni fanno polveri molto più fini) e da far sembrare l'aria pulita, quando, invece, è piena di sozzura molto più aggressiva per la salute che non le vecchie Pm10.

A Reggio Emilia, il Comune ha deciso di costruire un nuovo inceneritore tre volte più grande (170.000 tonnellate l'anno bruciate) al posto di quello attuale nonostante le richieste dei cittadini, e rifiutava di ascoltare i risultati dei ricercatori modenesi (i quali lavorano, tra l'altro, a New York sui sopravvissuti al crollo dell'11 settembre, e in Bosnia ed Iraq sui militari ammalati di Sindrome del Golfo e dei Balcani, e sono stati anche a riferire delle loro ricerche alla Camera dei Lords di Londra).

Così sono state raccolte 800 firme, per statuto più che sufficienti per far parlare Montanari in consiglio comunale, e mercoledì a mezzogiorno siamo andati in municipio a consegnarle al sindaco il quale, un po' imbarazzato, davanti ad un sacco di gente ha ascoltato la spiegazione del perché, tra tutte le maniere di liberarsi dei rifiuti, l'incenerimento è quello che non regge dal punto di vista scientifico. Sempre per statuto il comune ha 30 giorni di tempo per invitare Montanari a riferire in consiglio. Tutti gli studi sono eseguiti con un microscopio particolare e molto costoso che i due ricercatori rischiano di vedersi tolto dopo la pubblicazione delle loro analisi.

E allora bisogna dargliene un altro. Per ora, l'incasso di una delle due mie serate è andato per intero in conto acquisto dell'apparecchio. Poi, vedremo.
02.03.06 18:30

Siamo tutti no global

Etichettare in modo dispregiativo le persone, i movimenti, le idee è un vecchio metodo per annullarli.
La parola diventa insulto. L'interlocutore diventa un diverso.
No global è un esempio. Un no global è un terrorista, un anarchico insurrezionalista, un neo brigatista, un irragionevole, un pazzo, un picchiatore, un retrogrado, un anti-modernista.
Non è una persona con cui parlare, va ignorata, isolata e, quando le circostanze lo permettono, anche manganellata.
Alle proteste per la privatizzazione dell'acqua, per la Tav in Val di Susa, per la chiusura degli zuccherifici è sufficiente rispondere con: no global e per incantesimo i problemi, solo loro: le persone che protestano.

I no global sono in aumento. Dopo agricoltori, valligiani, cittadini e consumatori, si sono aggiunti anche gli studiosi che scrivono per la rivista "Il Mulino" di Bologna: i pericolosi no global Edmondo Berselli, Luigi Bobbio, Bruno Manghi, Giuseppe Berta, Andrea Boitani, Marco Ponti e Antonio Tamburrini.
Il Mulino ha dedicato la copertina e un ampio servizio alla Tav, ecco alcuni giudizi:
- "L'impalcatura della Tav, fatta di incapacità e di velleità, dà segni di vistoso sgretolamento"
- "Discutibile e indiscussa: l'Alta Velocità alla prova della democrazia"
- "Adesione automatica e poco riflessiva ai progetti di grande dimensione e di lunga durata"
- "Sulla discussa tratta Torino-Lione la capacità risulta al momento sufficiente e, comunque, con limitati interventi potrebbe essere resa abbondante"
- "La storia della Val di Susa è un esempio assolutamente emblematico del punto morto a cui conduce un certo modo, arrogante e decisionista, di pensare alle grandi opere pubbliche".

Adesso, piano piano, tutti capiscono che non ha senso fare la Tav, e che essere no global non è un insulto, ma un complimento!
03.03.06 19:43

Le teste di cuoio

Il settore italiano della produzione di supporti multimediali sta fallendo.
Il primo polo produttivo europeo di supporti ottici, la Computer Support Italcard (250 dipendenti), cessa ogni attività in Italia.

L'intero merito della chiusura va attribuito al decreto legge 68/2003 in materia di diritto d'autore e copia privata.
Il decreto dell'equo compenso, partorito dalla mente diabolica di Urbani, prevede una tassa a priori sull'utilizzo illecito dei cd e dei dvd per eventuali copie pirata di brani.
È una tassa alla fonte in base alla presunzione di reato.
La tassa sul reato a prescindere è superiore ai prezzi all'ingrosso e ha determinato aumenti del 60%.
Gli italiani hanno adottato due misure contro la legge Urbani:
- le aziende hanno comprato all'estero i supporti alla metà del prezzo
- i privati hanno comprato solo lo stretto necessario.

Urbani è un "sì global", ha aiutato la produzione estera e affossato quella italiana.
Ma dove lo hanno trovato, in qualche incubo? Lui come Gasparri con il digitale terrestre, come Tremonti con il disastro dei conti pubblici, come Alemanno con la chiusura degli zuccherifici (77.000 posti di lavoro), come Lunardi con le Grandi Opere.
Belìn, questi più che una squadra di governo, sono dei geni del male.
Sono un'arma letale in grado di mettere in ginocchio qualunque paese.
Vere e proprie teste di cuoio. Cuoio, non c..o.

Ps: Le televisioni tedesca, svedese, inglese e svizzera mi stanno pedinando passo passo durante la tournèe. L'unico ente italiano che vuole riprendermi è la Digos.
04.03.06 18:42

Cos'è la destra? Cos'è la sinistra?

Parlare di destra e sinistra non ha più senso, bisogna parlare di persone oneste o disoneste.
Antonio Amorosi, ex assessore della Giunta di Bologna appartiene al piccolo gruppo di quelle oneste.

"Caro Beppe, a Bologna per anni una commissione di politici, consiglieri comunali e assessori, da destra a sinistra, bipartisan, assegnava le case ai cittadini scavalcando le graduatorie (4-5.000 famiglie) "per motivi eccezionali".
La stragrande maggioranza di chi fa domanda di alloggi popolari ha gravi difficoltà economiche e sociali: portatori di handicap, malati di ogni tipo, anziani invalidi al 100%, persone poverissime, donne sole con bambini piccoli, famiglie numerose senza redditi sufficienti e con anziani a carico; troviamo cioè una umanità disastrata o in difficoltà che vive in condizioni pessime.

Mentre questi comuni mortali facevano domanda al Comune di Bologna e in pratica, diventavano un numero in lista d'attesa per anni (un'attesa di 4-5 anni), dall'altra parte, i politici, con il meccanismo "dell'emergenza eccezionale", assegnavano alloggi ad altri, non necessariamente nella condizione di emergenza ed eccezionalità, scavalcando di fatto, migliaia di famiglie in difficoltà così discriminate che 19 di questi sono pure deceduti aspettando la casa.

Mentre persone anziane e sole morivano, altri con redditi sostenuti avevano un alloggio in poco tempo solo perché si imbattevano o cercavano il contatto con il politico.
I politici istruivano le pratiche delle singole famiglie, raccoglievano le pratiche di singoli casi, decidevano a chi assegnare alloggi, firmavano decreti di assegnazione e contattavano direttamente le famiglie interessate. Molti di loro lo facevano abitualmente, come ci hanno lasciato memoria negli atti.

Ho sostituito la Commissione di politici con una di tecnici, come da

norma di legge, anche in seguito al parere dell'ufficio legale del Comune ma passando attraverso dure polemiche.
Come amministratore e come cittadino, mi è sembrato poi poco etico e alquanto dubbio che nelle case popolari di Bologna vivessero anche consiglieri comunali componenti della commissione che dava in assegnazione le case del Comune o come il caso di un ex consigliere comunale che aveva fatto parte della commissione, proprietario di un alloggio venduto dopo averne ottenuto un' altro d'emergenza o di altri che hanno redditi troppo alti per vivere nelle case del Comune. E la lista è varia.

Ma oltre qualche articolo sulla stampa e polemiche feroci, a Bologna non si può fare emergere questa situazione, né si può dire la verità su centinaia di alloggi assegnati con questi metodi per diversi anni. Utilizzare altri strumenti per correggere e riparare l'imparzialità e l'ingiustizia con cui sono stati trattati i cittadini, vorrebbe dire ammetterne l'esistenza.

E "il Consiglio Comunale che è sovrano" (parole del Sindaco) ci ha messo una bella pietra sopra con la solenne sentenza del 6 febbraio scorso: una commissione, infatti, di politici, istituita al fine di giudicare l'operato dei politici che assegnavano le case, è poi pervenuta alla conclusione che tutto era in regola ma che comunque, io assessore, ho fatto bene a sostituire, i politici, con dei tecnici del Comune all'inizio del mandato amministrativo..

Beh! Ma se non è successo niente e tutto è in regola perché allora sono stati tutti d'accordo a non lasciare più lì la vecchia commissione di politici che dava le case con firma di proprio pugno?..ma non erano così bravi? Non era tutto a norma??!!
Per questo ho presentato anche un esposto alla Procura della Repubblica e l'8 febbraio scorso mi sono dimesso da Assessore alla Casa della Giunta Cofferati perché nessuno ha voluto fare chiarezza su tutta la serie infinita di gravi irregolarità che emergono dagli atti delle assegnazioni di molti anni degli alloggi popolari nel Comune di Bologna.
La casa è un bene primario che può decidere della vita delle persone, visti i costi e la precarietà in cui versano tantissime famiglie.
La legge italiana stabilisce che politici, assessori, consiglieri comunali o

simili non possono assegnare case. E il giudizio della Pubblica Amministrazione deve essere imparziale, trasparente e verificabile.
Per me la legalità è una pratica che serve ad evitare ingiustizie sociali e come Assessore l'ho messa in pratica ma se elimini i problemi, poi, che lavoro fanno i politici che se ne occupano?
Sarà per questo che in Italia ci sono tanti problemi irrisolti e tanti inciuci che risolvono?"

Antonio Amorosi ex assessore della Giunta di Bologna
05.03.06 18:16

Primarie dei Cittadini: sanità. Antonio Di Pietro

Le Proposte per la Sanità per le Primarie dei cittadini hanno avuto molti contributi, sia su questo blog, che sul sito www.partecipasalute.it
Nei prossimi giorni pubblicherò il documento finale sulla Sanità con le integrazioni.
Antonio Di Pietro è stato l'unico a rispondere alle Proposte per la Sanità e ne pubblico la lettera.
Il prossimo appuntamento per le Primarie dei Cittadini sarà dedicato all'informazione.

"Caro Beppe, rispondo alle tue Proposte per la Sanità.

- Accesso gratuito al Servizio Sanitario Nazionale. Il mio obiettivo e dell'Italia dei Valori è l'abolizione di ogni forma di contribuzione diretta (ticket) da parte dei cittadini. Questo è il risultato ultimo da raggiungere, ma è chiaro che per realizzare tutto ciò dovremo fare i conti con le casse svuotate dello Stato. Non so quindi se sarà possibile recuperare da subito le risorse per realizzare questo impegno, ma è certo che nel frattempo si dovrà prevedere una partecipazione diretta dei cittadini proporzionale alle possibilità di ognuno.
- Promozione all'uso di farmaci generici, proibizione di incentivi economici sulle vendite agli informatori "scientifici" e rafforzamento dei controlli volti ad impedire ogni forma di possibile corruzione nell'ambito medico: su questo punto sono assolutamente d'accordo. Intorno

alla salute il giro di affari e interessi ha raggiunto quote stratosferiche, è quindi imperativo vigilare sul comportamento delle lobby farmaceutiche.

- Separazione delle carriere dei medici tra pubblico e privato. La questione non è di così facile soluzione. Il precedente governo di centrosinistra aveva cercato di affrontarla, ottenendo una soluzione intermedia: la regolamentazione dell'attività professionale privata all'interno della struttura pubblica.
Ed è solo così che i migliori professionisti possono continuare ad esercitare nelle strutture pubbliche, quindi a disposizione di tutti e non solamente nelle esclusive cliniche private, appannaggio di pochi. Inoltre con questo sistema, lo Stato può ricevere un guadagno dall'attività privata del medico.
Quello che fa un professionista, avvocato o medico che sia, dopo il suo orario di lavoro, non dovrebbe riguardare lo Stato. Ma è certo che si deve impedire che attività pubbliche e private entrino in conflitto tra loro e che i fondi destinati alla struttura pubblica vengano dirottati su quella privata. Per rendersi conto degli aberranti abusi a cui si è arrivati in questo settore, basta guardare l'ultimo film/inchiesta di Bianchi e Nerazzini "La mafia è bianca" sulla situazione della sanità in Sicilia.

- Valutazione sistematica delle liste di attesa, pubblicità on line dei risultati. Siamo assolutamente concordi con questa proposta. Le modalità tecniche per realizzarla andranno definite, ma questo problema è stato ripreso esplicitamente nel programma dell'Unione, che parla di: "scandalo della sanità a due velocità[.....] uno dei punti più odiosi" dell'attuale sistema sanitario nazionale dove "oggi un malato non è libero di scegliere tra sistema pubblico e privato, ma è costretto (aggiungo io, se può permetterselo!), a pagare privatamente le prestazioni[...], per i tempi lunghissimi nelle lista di attesa".

- Lotta al dolore. Sono pienamente d'accordo sulla necessità, ormai non più rinviabile, di prevedere tutte le misure necessarie a rimuovere gli ostacoli, burocratici ed amministrativi, all'uso di tutte quelle sostanze necessarie alla terapia del dolore. Purtroppo il nostro Paese soffre ancora di un ritardo culturale, retaggio di una superata tradizione cattolica, che di fatto ha condizionato l'atteggiamento dei nostri medici rispetto

alla sofferenza del paziente.
Ogni reparto, soprattutto quelli pediatrici, dovrebbe a mio avviso prevedere la figura di un medico dedito esclusivamente alla terapia del dolore, attento cioè alla qualità della vita dei pazienti, come già avviene in altri Paesi europei.

- Attuazione di una politica sanitaria nazionale di tipo culturale, il sostegno alla ricerca sugli effetti sulla salute delle disuguaglianze sociali e inquinamento ambientale, la valutazione dell'impatto sanitario delle politiche pubbliche, così come il monitoraggio dei perversi effetti della "devolution" sull'equità e le disparità regionali: tutti punti assolutamente condivisibili che già rientrano sostanzialmente nel programma dell'Unione.
Italia dei Valori, infatti, insieme agli altri partiti di centrosinistra, si propone esplicitamente di "promuovere l'obiettivo di "valutazione di impatto salute" a cui subordinare la coerenza di tutti i provvedimenti di politica economica, a livello nazionale ed europeo".

Grazie per l'ospitalità! "

Antonio Di Pietro, presidente Italia dei Valori - www.antoniodipietro.it
06.03.06 13:22

Par condicio e antidoping

Legge "Disposizioni per la parità di accesso ai mezzi di informazione durante le campagne elettorali e referendarie e per la comunicazione politica", detta anche "par condicio", articolo 2, comma 1:
"Le emittenti televisive devono assicurare a tutti i soggetti politici con imparzialità ed equità l'accesso all'informazione e alla comunicazione politica".
Propongo un piccolo cambiamento all'articolo 2, comma 1. Sostituirei "l'accesso" con "il divieto". Se rileggete il comma dopo il cambiamento i vostri polmoni si riempiranno di aria pura come neanche sul Karakorum liberati dal Pm10 dei politici.

I tg sono diventati una rassegna di ridolini in doppio petto che ogni sera devono apparire con un tempo contingentato e in rapida sequenza per la durata di un quarto d'ora e dirci la loro sul tema del giorno.
Gheddafi ci chiede dei soldi? Ecco pecoraroscaniofassinofiniprodimastelladilibertocasini che pontificano sulla Libia e l'Islam.
La Francia si oppone all'acquisto di Suez da parte dell'Enel? Ecco buttiglionegiovanardidipietrodalemaberlusconifinitremonti che precisano su norme comunitarie e libera concorrenza.
C..o ma come fanno a sapere tutto e a dircelo in 10 secondi?

La legge sulla par condicio è un attentato all'intelligenza umana. Non si può applicare una legge simile solo a fine legislatura, dopo cinque anni in cui chi dispone delle emittenti televisive ha fatto ciò che ha voluto.
O si applica sempre o non la si applica.
È come se nel campionato di calcio ci fosse l'antidoping solo per le ultime due partite.

Comunque la par condicio è un concetto vecchio, superato, della metà novecento. Appartiene alla televisione, alla censura.
In Rete la par condicio non c'è e ognuno si informa come gli pare, approfittiamone.
06.03.06 19:17

Il business della fame nel mondo

Giovedì prossimo, 9 marzo 2006, la Gran Bretagna nell'incontro con la Comunità Europea, proporrà di mantenere la coltivazione dei semi detti Terminator GM, o anche tecnologia terminator.
La stessa cosa farà in un incontro a livello mondiale tra due settimane in Brasile.

Il Terminator GM è una tecnologia che consente di rendere sterili i semi delle piante. Il raccolto si può fare una volta sola. Ogni anno l'agricoltore deve rivolgersi al produttore di semi, di solito una multinazionale "si global" per comprarli.
Nel 2000 questo abominio, nato con l'intento di evitare la contamina-

zione di campi non OGM da parte di campi OGM, fu messo al bando con un accordo promosso dalle Nazioni Unite. L'accordo però è stato osteggiato da Gran Bretagna, Canada, Australia, Nuova Zelanda e dagli immancabili Stati Uniti.

Oggi questo gruppo di nazioni, nell'indifferenza dei ministri dell'agricoltura dell'Unione Europea, sta cercando di far decadere la moratoria con una valutazione dell'utilizzo di questa tecnica "caso per caso".
La sterilizzazione dei semi (Gurt) è applicabile alle coltivazioni più comuni, dal riso al grano e i suoi effetti sono peggio della peste bubbonica.

Se estesa al Terzo Mondo metterebbe a rischio la sopravvivenza di un miliardo e mezzo di persone e, in ogni caso, la contaminazione genetica potrebbe riguardare TUTTE le coltivazioni.
I titoli azionari e gli utili delle società biotech "sì global" sarebbero invece replicabili, puliti, senza contaminazioni.
La fame nel mondo diventerebbe così un formidabile strumento di business. I semi gurt la promuoverebbero ovunque portando, insieme alle carestie, l'immancabile crescita del Pil e un controllo planetario sulle fonti primarie di alimentazione da parte delle multinazionali.
07.03.06 19:44

Gli schiavi moderni/2

Il post *Gli schiavi moderni* ha raggiunto i 3.227 commenti. Hanno scritto ventenni, trentenni, quarantenni da tutta Italia. Situazioni critiche, penose, di mobbing, di salarielemosina.
Leggere i commenti fa stringere un po' il cuore, soprattutto per ragazzi e ragazze con diploma, laurea, master che si ritrovano a lavorare, se ci riescono, sottopagati, senza garanzie, per pochi mesi. Senza nulla.
La legge Biagi va abolita, è una legge pensata dalla sinistra e approvata dalla destra. Una legge bipartisan.
Una legge che esternalizza il rischio dall'imprenditore al dipendente, ora trasformato in co.co.co e co.co.pro.
L'azienda va male? Il sottoccupatosottopagato va a casa.

L'azienda va bene? Altri tre mesi di sottoccupazione.

Nei commenti il principale lavoro disponibile per i neo laureati è il call-center (a 3/5 euro all'ora) che, tradotto in italiano, vuol dire rompere le b..e a qualcuno al telefono per vendergli servizi non richiesti.
È questo il futuro che vogliamo? Fare i centralinistipiazzisti?
Basta con le vendite telefoniche. Basta con le prese per il c..o.

Cosa stiamo facendo? Esportiamo le industrie in Cina e ci teniamo i call-center? Ma facciamo il contrario piuttosto.
Biagi è diventato un martire, un santino della sinistra usato dalla destra, ma questo da solo non è un buon motivo per tenerci una pessima legge con il suo nome.

Invito chi non l'avesse ancora fatto a raccontare la sua storia in questo nuovo post che rimarrà permanente con una bandierina sulla destra del blog.
Oltre ad inviare un estratto ai segretari di partito (avete notato che nessuno vuol parlare di questa legge?), sceglierò le testimonianze più importanti e le renderò disponibili gratuitamente sotto forma di libro on line con il titolo: *Gli Schiavi Moderni.*
Che spero diventi un best seller.
08.03.06 18:55

Discarica Italia

Non si può e non si deve parlare dell'elefante.
Ma ascoltare i suoi barriti si può e si deve.
Cosa dire dopo aver guardato il filmato (*) della sua esibizione al Parlamento Europeo? Quella in cui diede del kapò a un europarlamentare tedesco e parlò del bel sole italiano?
Fino ad ora si era visto solo un passaggio di una straordinaria performance che ci ha ridicolizzato.
Che neanche bokassaamindada.

Io sono sgomento, muto. Belìn, non riesco neppure a scrivere il post.

Mi vergogno un po' e penso che non mi farò vedere all'estero fino a dopo le elezioni.
O come rifugiato politico o in vacanza.
E c'erano Fini e Prodi in aula, e nessuno dei due che abbia detto qualcosa, almeno per pudore, per rispetto degli italiani, per rispetto di sé stessi.
Bastava alzare un dito e dire: "Questa persona forse rappresenta gli italiani, ma non me!".

Attribuire tutte le colpe all'elefante non è però giusto.
Nella giungla del Bel Paese ci sono tanti animali e animaletti che si cibano degli escrementi dell'elefante. Quanti sono?
Milioni? Decine di milioni?
Ma è mai possibile? In un altro Paese neppure i familiari stretti lo seguirebbero.
L'Italia è una discarica a cielo aperto. I raccoglitori di rifiuti hanno occupato le aziende e il Parlamento.
I servi dell'elefante dilagano sui giornali e nelle televisioni.
Metà bravacci e metà donabbondio, questo siamo oggi noi, nel marzo del 2006.
(*) tratto da *Quando c'era Silvio* di Cremagnani-Deaglio
09.03.06 19:46

Il bambino di Minsk

Ho riassunto una lunga lettera di Alberto.
La pubblico per dargli voce, nella speranza che il suo piccolo "biondo" lo raggiunga presto in Italia.

"Carissimo Beppe,
mi chiamo Alberto, ho 47 anni, faccio il giornalista e lavoro alla Gazzetta di Mantova. Come hai detto tu il 13 settembre 2003 a Casalromano "i comici li ascoltano, gli ingegneri no". Premesso che non ti considero solamente un comico, provo a spiegarti qual è la ragione di questa lettera aperta.
Insieme a mia moglie formo una delle 600 famiglie italiane che han-

no avviato una pratica di adozione per un bambino proveniente dalla Bielorussia, non c'è bisogno che ti dica cos'è accaduto da quelle parti giusto 20 anni fa...
L'Italia è il principale Paese al mondo che ospita i bambini di Chernobyl, circa 30.000 ogni anno. Dall'ottobre 2004 le pratiche di adozione sono bloccate per le nuove regole imposte dal governo bielorusso che tende ad azzerare le adozioni internazionali.
Dopo lunghe ed estenuanti trattative il 12 dicembre 2005 a Minsk il Ministro dell'Istruzione Radkov ed il Centro adozioni di Belarus hanno siglato un protocollo nel quale veniva annunciato che la Bielorussia si impegnava a valutare le 150 pratiche inviate dall'Italia prima dell'ottobre 2004 nel prioritario interesse del minore e comunque "entro l'1 marzo 2006".
Oggi è il 7 marzo e, anche grazie all'immobilismo del governo, è stata concessa una sola adozione per una bambina con seri problemi di salute e che necessita di cure costanti. Delle altre 149 famiglie che avevano completato il loro percorso, 13 hanno rinunciato e 136 si trovano in lista di attesa.
Io faccio parte delle altre 450 coppie di sconsiderati che hanno deciso di avviare le pratiche per ospitare un bambino bielorusso.
Il "mio" è un biondo che martedì compirà 10 anni, mi chiama papà e chiama mia moglie mamma, tu puoi capire come ci si sente quando ti chiamano così.
Il bambino è stato fino a 24 mesi con la donna che l'aveva generato assieme ad un ubriaco come lei: dormivano per strada, lei beveva, lui era denutrito e prendeva la scabbia. Una sera del 1998 lei decise di lasciarlo davanti all'entrata di un internato. Per lui c'erano solo dosi inumane di freddo e un po' di "smetana"... Hai presente la panna acida che nelle latterie sociali italiane non tengono da parte nemmeno come scarto di lavorazione? Era quello il suo menù.

Non ti tedio oltre col racconto personale, è tempo che ti dica cosa chiediamo io e tutte le famiglie che ospitano e sperano di adottare questi bambini che là hanno meno cibo, meno aria, meno affetti e meno futuro: nei tuoi spettacoli, sul tuo blog segnala questo dramma vero, chiedi tu a qualcuno a Roma e a Bruxelles di muoversi.
In questi mesi solo grazie al Coordinamento nazionale delle famiglie (www.adozionibielorussia.org) e all'onorevole Piero Ruzzante dei Ds

(puntualmente però non ricandidato dopo due mandati: bisognava far posto a Bassanini e ad altri) si sono tenuti i contatti con la Bielorussia, nel silenzio dei vertici della Commissione adozioni.
Siamo anche andati a Roma in un migliaio, in novembre, davanti al "muro dei dispiaceri" che c'è di fronte a Palazzo Chigi. Siamo andati vestiti da fantasmi perché come genitori siamo fantasmi, valiamo meno di zero.
Mi auguro che tu possa dire una parola a nostro favore per non farci sentire dei pazzi furiosi e per continuare a sperare, per far sì che chi di dovere (Ambasciate, Ministeri e politici vari) faccia ripartire in modo serio l'iter delle pratiche di adozione anche grazie ad una presenza costante e vera a Minsk dei funzionari della nostra Commissione per far rispettare il protocollo.
O è stato tutto un sogno e la buonanotte dobbiamo continuare a darla guardando una foto?"

Alberto Fortunati - Porto Mantovano - Italia
10.03.06 19:01

Il listino prezzi della nostra privacy

Storace si è dimesso. Peccato, era meglio se fosse stato cacciato ad aprile. Ci ha tolto una soddisfazione, non si è comportato con sportività.
La Procura di Milano ha arrestato 16 persone, tra cui due marescialli della Guardia di Finanza, un poliziotto e due dipendenti Telecom. Il gruppo avrebbe lavorato, spiato, falsificato per mesi per favorire la vittoria di Storace alla Regione Lazio.
Gaspare Gallo, uno degli arrestati, in un'intercettazione dice: "Sì mi sto già muovendo io. Sta settimana gli faccio telefoniche e bancarie", riferendosi a Marrazzo, candidato del centro sinistra.
Informazioni telefoniche e bancarie su un candidato?
Non è un problema. Basta pagare. Esiste un vero e proprio tariffario, devo dire anche onesto.
In un'intercettazione una delle persone coinvolte, Laura Danani, elenca i prezzi per sapere gli intestatari di numeri di telefono riservati: "Omni 220 euro, Tim 150, Wind 200, Tre 200, fisso 250".

E indica le banche di cui riusciva ad ottenere informazioni sui clienti: Antonveneta, Bnl, Commercio e Industria, Popolare di Milano, Popolare di Novara, San Paolo Imi: "Un'anagrafe per sapere se una persona è presente in queste banche costa 250 euro...lo sviluppo di un paio di mesi di movimenti va sulle 600, lo stesso discorso vale per i titoli".
Lo spionaggio a fini elettorali può anche passare, ma non l'utilizzo dei nostri dati bancari e telefonici senza equo compenso.
Le compagnie telefoniche e le banche dovrebbero proporci una liberatoria sui nostri dati in cambio della metà del ricavato ottenuto da possibili vendite a servizi segreti, aziende di marketing, privati cittadini. Sarebbe una vera operazione di trasparenza, nel pieno rispetto della privacy.
11.03.06 19:50

Il piffero di montagna

Piero Ricca, il giornalista che urlò "Puffone" all'elefantino nel Palazzo di Giustizia di Milano, e che per questo fu condannato, ha fatto un'incursione ad una conferenza di Fassino.
Piero Fassino parla di priorità del lavoro, della centralità del lavoro, dell'importanza del lavoro, insomma del lavoro.
Ricca lo interrompe, gli urla se ha intenzione di mettere mano alla legge sul conflitto di interessi per non consentire più a nessuno di essere eletto e di governare grazie alle televisioni.
La risposta di Fassino: "La legge sul conflitto di interessi non dà lavoro a nessuno" e "vanno definite quali sono le priorità di chi vuole governare questo Paese".
Ricca aggiunge: "Cinque anni e non l'avete fatta (la legge sul conflitto di interessi), Berlusconi è al Governo anche grazie a voi".

Con una legge sul conflitto di interessi, senza le televisioni ad personam, questo governo non sarebbe durato sei mesi. Invece è durato cinque anni. Ma questa non è la priorità dei Ds, come già affermò a suo tempo D'Alema, per loro Mediaset è una risorsa del Paese.
Ma questi di chi fanno gli interessi?
Dei loro elettori o dell'elefantino?

Senza libera informazione non c'è democrazia, non è possibile attuare nessun programma di governo, non è possibile stabilire alcuna vera priorità. Senza libera informazione abbiamo però avuto Fazio, Consorte, l'appoggio sconsiderato alla Tav in Val di Susa. Del resto è nella loro natura, al punto di non ritorno tirano sempre dritto.
12.03.06 17:55

La ricerca imbavagliata

Hanno dato troppo fastidio e li hanno puniti. Scoperchiare certi pentoloni in cui bollono inceneritori, acciaierie e centrali elettriche ad olio pesante, e fare ombra a tromboni e pseudoscienziati sono attività che non attirano simpatie. E allora, non potendoli attaccare scientificamente, si è pensato di togliere lo strumento con cui Antonietta Gatti e Stefano Montanari provocano grossi fastidi. Si tratta di un microscopio elettronico a scansione ambientale del costo di circa 350.000 euro con il quale i due hanno scoperto i meccanismi con cui le nanoparticelle prodotte dalle combustioni sono capaci di uccidere, e con questo il perché delle malattie che colpiscono i reduci dalle guerre del Golfo e dei Balcani, come funziona la truffa scientifica che sta dietro gli inceneritori, che cosa viene scaricato nell'ambiente dai tre milioni di tonnellate di oli pesanti bruciati ogni anno da una centrale elettrica e un sacco di altre cosette che hanno aperto una strada del tutto nuova nel campo della medicina.

Via il microscopio e noi, che non ci possiamo permettere di perdere Antonietta e Stefano, gli daremo un altro microscopio. In fretta e più potente del primo. Da oggi parte una sottoscrizione per l'acquisto da parte della Associazione Carlo Bortolani Onlus. Io ho già dato il buon esempio devolvendo l'incasso della serata di Modena del 28 febbraio, i ragazzi dei Meetup si stanno attivando e tutti potrete rinunciare ad una pizza per non trovarvi la prossima piena d'inquinanti.
13.03.06 15:20

7/3/2007. Obiettivo raggiunto! Il microscopio elettronico è stato acquistato! Siete MERAVIGLIOSI!!! GRAZIE!

Piero Fassino e la legge sul conflitto di interessi

Ricevo e pubblico una lettera del segretario nazionale dei Ds Piero Fassino in merito al post "Il piffero di montagna" dedicato alla legge sul conflitto di interessi.
Ripropongo anche il filmato del suo intervento.
Ognuno può trarre le sue valutazioni.

"Leggo con sorpresa sul sito di Beppe Grillo una notizia che mi riguarda e che è del tutto priva di fondamento. Non ho mai sostenuto, né a Torino né in alcun altro luogo, che la legge sul conflitto di interessi non sia una priorità per il futuro governo del centrosinistra. Al contrario, nel corso del mio intervento alla manifestazione di apertura della campagna elettorale dell'Ulivo a Torino, di fronte a 2000 persone ho sostenuto che dopo anni di leggi ad personam del centrodestra è assolutamente necessario ripristinare nel nostro Paese il rispetto della legalità e che, in tale direzione, sarà dovere del Parlamento nella nuova legislatura approvare rapidamente una nuova e realmente efficace legge sul conflitto di interessi. Mi rammarico che l'autore della falsa notizia, pur presente alla manifestazione torinese, continui a diffondere una versione completamente tendenziosa e infondata.
Cordiali saluti".
Piero Fassino

Piero Ricca replica alla lettera di Fassino.
"Fassino si rammarica, ma il video è chiaro. Come ha scritto Beppe Grillo, ognuno può farsi la propria opinione: dalle parole, dal tono, perfino dalle espressioni. Se Piero Fassino si riferisce a me, quando parla dell' "autore della falsa notizia", mi tocca precisare che:

- Non ho diffuso una versione "tendenziosa e infondata" dell'episodio: ho posto una domanda, ho ottenuto una risposta e poi mi sono limitato a raccontare l'accaduto e a rendere disponibile on line il relativo video. Tutto qui.

- Alcuni giornali hanno riferito il dialoghetto; *La Stampa* di Torino, lunedì 6 marzo, ha dedicato un ampio articolo alla risposta di Fassino. Articolo intitolato "Fassino: non è priorità il conflitto d'interessi". Libera interpretazione (o forse esagerazione) del cronista. Ma io cosa c'entro?

- È vero: con alcuni blogger di beppegrillo.it, ero presente al teatro Colosseo. Purtroppo non abbiamo potuto seguire interamente l'intervento di Fassino (compresa la sua successiva dichiarazione sul conflitto di interessi), poiché - dopo la mia domanda - siamo stati portati fuori dalla "sicurezza" del partito, che ha prontamente chiamato la polizia per l'identificazione di rito. Uno degli uomini della "sicurezza" mi ha ripetutamente minacciato. Se a Fassino interessa prendere provvedimenti in merito, per garantire la piena libertà del dissenso, possiamo inviargli la foto dell'energumeno.

- Al di là dell'episodietto, penso che a Fassino gioverebbe riflettere sulle motivazioni che possano spingere alcuni comuni cittadini (i datori di lavoro dei politici, direbbe Grillo) a prendersi la briga un giorno di sbattere in faccia a Berlusconi la sua illegalità, le sue menzogne e i suoi abusi, e il giorno dopo di andare a una manifestazione dell'Ulivo per porre semplici domande su questioni cruciali. Questioni che forse "non danno più lavoro", come sostiene Fassino, ma che toccano i delicati meccanismi della democrazia. Oltre a quella posta a voce, ricordo a Fassino che sui nostri cartelli ne avevamo altre, dalla riforma della Rai all'abolizione delle "leggi vergogna". Sono forse domande tendenziose e infondate?

In conclusione, a nome di tanti altri amici del blog di Grillo, che seguono la politica con passione e si attendono dal prossimo governo una vera alternativa all'attuale degrado (un degrado cui la Sinistra in passato avrebbe forse potuto opporre argini più solidi), mi permetto di chiedere a Piero Fassino un incontro pubblico, per porre le nostre puntuali domande, confidando in altrettanto puntuali risposte. Un'ora, dove e quando vuole, prima delle elezioni. Senza urla né buttafuori. Accetta?"

Piero Ricca
15.03.06 13:12

Primarie dei cittadini: sanità. Marco Cappato

Marco Cappato, segretario dell'Associazione Luca Coscioni (*), a nome della Rosa nel Pugno mi ha inviato questa lettera per le Primarie sulla Sanità.

"Caro Grillo,
credo che, per la sanità, a ogni discorso di efficienza e di organizzazione vada premesso un obiettivo di maggiore libertà e autonomia. Era la battaglia di Luca Coscioni e, come segretario dell'associazione "per la libertà di ricerca scientifica" che porta il suo nome, voglio riportare gli obiettivi sottoscritti da alcuni dei più importanti scienziati italiani e fatti propri dalla Rosa nel Pugno:
- Consentire, attraverso limiti e regole stringenti sul modello della Gran Bretagna, la ricerca scientifica sulle cellule staminali embrionali finalizzata alla comprensione e alla cura di malattie che colpiscono centinaia di milioni di persone nel mondo;
- Consentire l'accesso alla fecondazione assistita e alla diagnosi preimpianto per le coppie affette da malattie genetiche, oltre alla fecondazione assistita con seme esterno alla coppia;
- Garantire la libertà terapeutica, affidata al rapporto tra medico e paziente, nella effettiva somministrazione di farmaci ampiamente testati e autorizzati in tutti i Paesi civili, ma ostacolati (e in alcuni casi proibiti) nel nostro Paese, quali: pillola abortiva RU486, cannabis terapeutica, trattamenti farmacologici per i cittadini tossicodipendenti e oppioidi per il trattamento del dolore;
- Consentire autonomia e responsabilità individuale nelle scelte relative alla fine della vita, innanzitutto per abbattere il fenomeno dell'eutanasia clandestina attraverso il rispetto della volontà individuale liberamente e inequivocabilmente espressa, anche attraverso il riconoscimento delle direttive anticipate di trattamento e forme di regolamentazione dell'eutanasia sul modello olandese, belga, svizzero o secondo l'orientamento che sta assumendo anche il parlamento britannico. [...]I primi firmatari sono Elena Cattaneo, Gilberto Corbellini, Giulio Cossu, Elisabetta Dejana, Cesare Galli, Piergiorgio Strata, Antonino Forabosco, Demetrio Neri. Seguono le firme di 130 accademici.

A questi obiettivi voglio aggiungere tre campagne promosse e sostenute da Luca Coscioni:
- "Libertà di parola": investimenti e iniziative di adeguamento normativo per mettere a disposizione gratuitamente strumenti e tecnologie che aiutino i disabili nella comunicazione e nell'acquisizione e produzione di informazioni;
- "Libertà di lettura": garantire la disponibilità dei libri in versione digitale per disabili e non vedenti;
- "Vita indipendente": potenziare libertà di scelta basate sugli effettivi bisogni del disabile e del malato e non sulle esigenze burocratiche degli enti erogatori dei servizi, favorendo una progressiva de-medicalizzazione dei servizi al fine di rendere possibile il ricorso a fondi assicurativi o bonus.
Come ultimo punto, trovo più che condivisibile l'obiettivo di attuare una politica sanitaria fondata sull'informazione. In tutti i Paesi industrializzati è fortemente aumentata la spesa volta ad aumentare la quantità di sanità, ma con effetti modesti in termini di salute guadagnata. La spesa sanitaria varia tra il 7 e il 15% del Pil (dunque del 100%!) senza che vi siano differenze in termini di salute (aspettativa di vita, mortalità...).

A questo proposito è bene ricordare anche che:
l'influenza positiva sulla salute non dipende solo dalla sanità (ospedali, farmaci,...), ma anche e soprattutto da altri fattori (stile di vita, condizioni economiche, ambientali, patrimonio genetico..): un famoso modello (Dever, fine anni '70) quantificò nell' 11% circa il peso della sanità sulla salute rispetto agli altri fattori!
Molti studi hanno messo in luce l'uso "distorto" di parte della sanità; un famoso studio (Domenighetti, Canton Ticino) ha mostrato che i medici ricorrono ad interventi chirurgici su di sé (o sui propri famigliari) con una frequenza metà di quella che suggeriscono ai loro pazienti (solo se questi ultimi sono avvocati allora la frequenza coincide!). Altri studi hanno evidenziato che un secondo parere medico conduce circa la metà delle volte a conclusioni terapeutiche diverse.
Tutto ciò porta molti a ritenere che il vero deficit non è della spesa, ma dell'informazione a disposizione dei cittadini. Sinora l'informazione è stata nelle mani esclusive degli operatori (medici, corporazioni professionali e sindacali) che hanno perseguito più gli interessi della sanità

che quelli della salute. Solo recentemente, ad esempio, sta emergendo tutta la problematica del rischio sanitario, cioè dei danni e dei morti dovuti ad errori medici e della sanità. Studi specifici portano a stimare che in Italia ci siano tra i 15mila e i 50mila morti per errori medici; quelli per le sole infezioni ospedaliere sono almeno 7.000 l'anno (i morti per incidenti stradali sono "solo" 5.000 l'anno).
Grazie per l'ospitalità".

Marco Cappato - www.rosanelpugno.it
(*) L'associazione Coscioni è, insieme a Radicali italiani, Sdi e Fgs, uno dei soggetti costituenti della Rosa nel Pugno
15.03.06 17:22

Non posso, non devo, non voglio...

Mi sono pervenute numerose segnalazioni su un presunto oscuramento di www.beppegrillo.it all'interno dell'Eni.

Io non posso, non devo, non voglio crederci.

Se però fosse vero, invito i dipendenti dell'Eni a chiederne le ragioni al loro amministratore delegato Paolo Scaroni: paolo.scaroni@eni.it
Ai tempi di Enrico Mattei mi avrebbero messo in home page.
Pubblico una lettera dell'Eni a commento di questo post.
Belin, sono orgoglioso, mi hanno messo allo stesso livello di Rocco Siffredi.

" Egregio Signor Grillo,

rispondo alle sue accuse di presunto oscuramento del suo blog da parte di Eni, direttamente alla sua email.

Lei ha ragione. Abbiamo effettivamente, dal 13 marzo scorso, inibito la navigazione su qualunque blog presente su Internet, ma non si tratta di nessun "oscuramento" ideologico.
Il sistema Internet di Eni è estremamente delicato per la sua attività

e per la sicurezza dei propri dipendenti, specialmente quelli presenti nelle sedi estere. Quotidianamente - e soprattutto in questi ultimi tempi - riceviamo molteplici tentativi di "attacco" informatico al nostro sistema ed alle nostre piattaforme informatiche, da parte di pirati ed hackers di ogni tipo.
Ed in special modo nelle ultime settimane, abbiamo dovuto subire una situazione estremamente spiacevole sulla quale è anche intervenuta l'apposita branch di Polizia postale, del Ministero dell'Interno.
In questo senso siamo stati costretti a bloccare l'accesso ai siti Internet non pertinenti l'attività lavorativa, compresi quelli inerenti siti pornografici, giochi d'azzardo, blog, etc., mediante un software di filtraggio che è basato sulla individuazione di "categorie proibite".

Nessuna particolarità per il suo blog, quindi, e nessun intento "censorio" rispetto alle tesi da lei sostenute.
Passato questo momento di particolare delicatezza, verificheremo la possibilità di riaprire l'accesso, perlomeno al segmento blog.

Spero d'aver chiarito adeguatamente la situazione e le porgo i miei migliori saluti".

Gianni Di Giovanni - Eni - Head of Media Relations
16.03.06 13:53

Emissioni d'aria

Moderni stregoni, i politici hanno il potere che noi gli attribuiamo. Riempiono di significati magici le parole. Usano le loro arti per trasformarle in realtà illusorie. Dignità del lavoro, mezzogiorno, lotta alla criminalità, informazione, sviluppo, innovazione, istruzione, sono solo palloncini pieni d'aria, colorati. Fatti volare nel cielo per renderci contenti, leggeri, partecipativi.
I nomi di questi sciamani sono essi stessi armi, strumenti di magia potenziati dai media che li trasformano da ectoplasmi in sostanza e gerarchia. Pronunciati esigono rispetto, timore, reverenza.
Un nome qualunque, Verdi, Rossi, Bianchi è solo un nome.

Un nome mediatico, Mastella, Casini, D'Alema è un atto di potere.

Persi in questo incubo non ci accorgiamo che siamo in adorazione di nuovi vitelli d'oro, di faraoni televisivi, di imperatori del nulla.
La cui consistenza è quella dei miraggi, evanescente.
I loro discorsi, le loro azioni sono sottratti al nostro giudizio. Sacralizzati dalla ripetizione dei media, assimilati alle litanie dei riti religiosi.
Stasera in televisione, domani aprendo un quotidiano, i loro volti, i loro nomi ci appariranno come in un incantesimo, e così il giorno dopo, e il giorno dopo ancora.

I media sono i loro unici amuleti, i loro filtri magici, vere armi di distruzione di massa utilizzate per la loro sopravvivenza.
Senza tornerebbero nel nulla al quale appartengono.
Scoregge nello spazio profondo.
16.03.06 19:54

Il portale scomparso

Il turismo, lo sappiamo tutti, è una grande risorsa dell'Italia. Il nostro è un Paese a vocazione turistica. Un'altra grande risorsa di cui disponiamo è Mister I, dove I sta per Innovazione e Internet. Quale migliore combinazione?
L'ex capo magazziniere dell'Ibm Stanca, questa la sua vera identità, ha annunciato nell'opuscolo inviato a 16 milioni di famiglie, il lancio del portale del turismo: www.italia.it.

Un portale on line del costo di 45 milioni di euro "Nato per promuovere l'offerta turistica via Internet e il patrimonio culturale, ambientale e agroalimentare italiani" e che, come citato a pagina 36 dell'opuscolo, "Utilizza un programma interattivo per organizzare e programmare il viaggio".
Il progetto è stato avviato nel marzo del 2004 ed affidato ad Innovazione Italia che ha assegnato parte dell'appalto a Ibm, Its e Tiscover.

Chi si collegasse, spinto dall'entusiasmo contagioso di Mister I, a www.

italia.it, invece delle meraviglie interattive del Bel Paese troverebbe solo una richiesta di inserimento di username e password.
Del portale non c'è traccia e neppure una pagina di spiegazioni con la data di avvio. Forse perché non lo sa nessuno.
Falavolti, amministratore delegato di Innovazione Italia, dichiarò lo scorso anno: "Entro gennaio 2006 potrebbe essere on line la prima versione del sito in due o tre lingue".

Il turismo mondiale vale un terzo dell'intero commercio on line, pari a circa 650 miliardi di euro nel 2005.
Un business mostruoso, ma solo per gli altri Paesi.
Pensate a un giapponese o a un russo che cerchi on line il " patrimonio culturale, ambientale e agroalimentare italiani" usando il portale ufficiale del Governo senza che nessuno gli abbia spiegato prima chi è Stanca. Cosa penserà di noi?
17.03.06 22:18

Informatica addio

Alcuni dipendenti della Getronics Italia mi hanno chiesto di dare visibilità alla loro storia. Una vicenda simbolo del declino dell'informatica italiana di questi anni e della latitanza del mondo politico e industriale. Che fine ha fatto l'Olivetti che competeva con le multinazionali del settore in tutto il mondo? Che fine ha fatto l'informatica Telecom? Come siamo riusciti in soli dieci anni a non contare più un c..o nell'innovazione? Chi volesse dare la sua testimonianza personale sulla fine dell'informatica italiana scriva un commento in questo post.
La nostra storia:
"La Getronics nel 1998 ha acquisito la Olivetti (Wang Global) e nel 1999 la Olivetti Ricerca raccogliendo così, in Italia e nel mondo, la eredità informatica del gruppo Olivetti. All'inizio del 2000 appena dopo l'acquisizione di Olivetti Ricerca, la Getronics Italia contava su oltre 3000 persone e più di 500 M' di fatturato. Gli anni immediatamente successivi sono caratterizzati da un calo significativo del mercato dell'Information e Communication Tecnology in Italia ed anche la Getronics subisce cali di fatturato e di margini.

2003

L'inizio del 2003 è caratterizzato dall'uso della Cassa Integrazione Ordinaria per circa 500 dipendenti. Dal 20 marzo 2003 il nuovo presidente di Getronics Italia e l'ing. Roberto Schisano. Si dice essere 'l'uomo giusto, al posto giusto'. L'ing. Schisano era già noto, invece, a tutti i lavoratori della Getronics ex Olivetti, al sindacato ed anche alla magistratura, per la tragica vicenda della OP Computer: la divisione personal computer della Olivetti di cui Roberto Schisano era Amministratore Delegato. La società fallisce nel 1999, lasciando un buco di 60 miliardi di vecchie lire, ed è rilevata dallo stesso Roberto Schisano attraverso la Eurocomputers S.p.A., società costituita appositamente. Pochi mesi dopo la stessa Eurocomputers S.p.A. fallisce: sulla vicenda i magistrati di Ivrea stanno ancora indagando e su Schisano pende l'accusa di bancarotta fraudolenta. L'ultima udienza è del 31 Gennaio 2006.

2003-2004

Il biennio 2003-2004 si caratterizza fortemente per la grande ristrutturazione. Nel 2003 si conclude un accordo sindacale che prevedeva l'uso di cassa integrazione straordinaria, solidarietà, mobilità breve e mobilità lunga (la Getronics è stata l'unica azienda di informatica in Italia ad usufruire della mobilità lunga). In questa fase il capitale sociale viene dimezzato, da circa 160 M' a circa 72 M'. Nonostante le continue pressioni da parte dei lavoratori e dei sindacati, il Piano Industriale presentato al Ministero delle Attività Produttive nel giugno 2003 fu nei mesi successivi completamente disatteso e nessuna politica di rilancio industriale fu praticamente messa in atto. Alla fine di questa fase di ristrutturazione i dipendenti Getronics passano da poco meno di 3000 a circa 1950. Il fatturato progressivamente cala: nel 2004 arriva a 280 M' .

2005

A gennaio 2005 viene resa pubblica la decisione di cedere il ramo d'azienda chiamato Desktop On Site Services della Getronics, 250 lavoratori e 70 M' di fatturato, in pratica il pezzo storico della Managed Services della Olivetti. Il sindacato si oppone, anche in sede ministeriale, a questa cessione perché intravede in questa scelta una chiara volontà di destrutturazione. Si ritiene, inoltre, illegittimo l'uso dell'art. 47 che regola la cessione di ramo d'azienda. Attualmente sono in corso, coordinate da Fim Fiom Uilm nazionali, centinaia di cause da parte dei lavoratori ceduti forzatamente. L'elemento che, però, caratterizza in modo determinante questa cessione è un evidente conflitto di interessi di Roberto Schisano. La Alchera Solution, infatti, una delle aziende a cui vengono ceduti lavoratori e fatturato, fa parte del Gruppo Innotech di cui è presidente e membro del cda lo stesso Schisano. Questo tema è stato oggetto di interrogazioni parlamentari, alla Camera e al Senato. Il 2005 è segnato da una forte conflittualità fra sindacato, lavoratori e azienda. Tuttavia il management italiano è prodigo, attraverso ogni canale di comunicazione esterno ed interno alla azienda a veicolare informazioni sulla positività dell'andamento e sulla crescita del business in Italia. Il 30 Novembre 2005 in sede istituzionale al Ministero delle Attività Produttive (Map) Schisano dichiara esplicitamente che la Getronics Italia, nonostante le difficoltà su una grossa commessa pubblica, è fuori dal tunnel, che i risultati del 2005 sarebbero stati in linea con le positive attese e che il 2006 sarebbe stato un anno di crescita e non di contenimento. Con queste premesse Schisano riteneva inopportuno il mantenimento del tavolo istituzionale al Map chiedendo si spostare la discussione in sede aziendale.

2006

Il 17 gennaio 2006 la Getronics NV annuncia, a causa di perdite inattese registrate nelle attività italiane, la DECISIONE DI VENDERE TUTTE LE ATTIVITÀ DI BUSINESS ITALIANE lasciando l'Italia. Di tale volontà non è data nessuna comunicazione alle organizzazioni sindacali ed ai rappresentanti dei lavoratori. Pochi giorni dopo la consociata italiana comunica formalmente alla Regione Puglia e al Map la rinuncia ad un contratto di programma denominato Absc (Advanced Business Services Center). Il 18 gennaio 2006 le Segreterie Nazionali di Fim Fiom Uilm chiedono al Map, al presidente della Getronics Olanda ed alla direzione della Getronics Italia di fissare URGENTEMENTE un incontro. Ad oggi nessuna risposta dal Map per il quale evidentemente il problema non esiste. Il 4 febbraio 2006 il capitale sociale della Getronics Italia passa da 72 M' a 8,2 M' senza nessuna spiegazione ufficiale. A quanto pare, l'abbattimento del capitale sociale insieme alla ricapitalizzazione di 55 M' annunciata il giorno precedente, serviranno a ripianare il debito del 2004 e 2005. Giovedì 23 febbraio la Direzione Getronics ha comunicato ai lavoratori di tutte le società da essa controllate la decisione di assorbire gli aumenti derivanti dal rinnovo del contratto nazionale e la relativa una tantum dai superminimi individuali.

Marzo 2006
È stato spostato l'incontro al Map tra Azienda ed OO.SS programmato per il 2 marzo perché all'ultimo momento ha garantito la presenza (per la prima volta) anche la corporate olandese. Anche la manifestazione nazionale sarà spostata per coincidere con l'incontro che si terrà presumibilmente nella settimana del 13. Non abbiamo molte speranze perché Schisano dopo aver deprezzato la Getronics diminuendo fatturato ed organico è interessato a rilevare tutta o una quota della Getronics Italia. Secondo noi si sta delineando la stessa vicenda di Opc per la quale Schisano ha un processo in corso. Oggi la Getronics Italia ex Olivetti poco più di 1900 persone, comprendendo anche i colleghi della Desktop On Site Services che non abbiamo mai smesso di ritenere tali, non ha più valore economico sul mercato, pronta per qualsiasi operazione di speculazione e/o spezzettamento.

Beppe..NON CI ABBANDONARE!!!
Per favore.. PUBBLICA QUESTO NOSTRO MEMORIALE!!!!"

Il nostro blog è www.bloggers.it/lavoratorigetronics/
18.03.06 17:58

No comment

"Il New Labour deve riconoscere che Berlusconi è il diavolo".
Martin Jacques
16/3/2006
The Guardian

"Non dovremmo essere sorpresi che il New Labour sia stato coinvolto in uno scandalo a causa di Silvio Berlusconi. C'è qualcosa di totalmente prevedibile in ciò. Tony Blair fu felice di avere Berlusconi, insieme con il precedente primo ministro José Maria Aznar, come alleato al tempo della rottura tra Europa e Stati Uniti, nei mesi precedenti all'invasione anglo-americana dell'Iraq. Ha visto in Berlusconi un valido alleato per la sua politica estera pro-Bush. Infatti, è stato più vicino a Berlusconi di altri leader di centro sinistra come il precedente cancelliere tedesco Gerhard Schröder. Questo senso di affinità ha perfino assunto una dimensione personale e familiare, con l'ospitalità data da Berlusconi alla famiglia Blair durante le vacanze. Blair ha chiaramente un rapporto politico e personale con Berlusconi e questo ha influenzato il New Labour: Berlusconi è considerato un uomo con cui si può fare business. Ciò disturba profondamente. Come può il New Labour valutare Berlusconi in questa luce? Come è possibile che non veda e rifletta sulla maligna influenza che ha sulla democrazia italiana? Berlusconi è il fenomeno politico più pericoloso in Europa. Rappresenta la più seria minaccia alla democrazia nell'Europa occidentale dal 1945.

Si potrebbe obiettare che l'estrema destra rappresentata da figure apertamente razziste e xenofobe come Jean-Marie Le Pen e Jörg Haider sia un pericolo ancora maggiore, ma queste figure sono marginali nella scena politica europea. Berlusconi non lo è. La democrazia si basa sulla separazione tra i diversi poteri: politico, economico, culturale e giudiziario.
La proprietà da parte di Berlusconi dei maggiori canali televisivi, e il suo controllo della RAI durante il suo Governo, insieme con la sua volontà di utilizzare il potere dei media per le sue ambizioni politiche, hanno minato la democrazia. Egli ha anche cambiato le leggi a suo piacimento, grazie alla sua maggioranza in Parlamento, per proteggere i suoi interessi personali e sottrarsi ai tribunali.

La connessione tra Berlusconi e il fascismo italiano non è difficile da decifrare. C'è sempre stata una tendenza ad aspettarsi che il fascismo ritornasse nella sua vecchia forma, ma questo non è mai stato il vero pericolo. Quello di cui dobbiamo avere paura è il ripresentarsi del fascismo in una nuova veste, tale da riflettere le nuove condizioni globali economiche e culturali del nostro tempo unite alle tradizioni nazionali. Berlusconi è precisamente questa figura. Egli tratta la democrazia con disprezzo: ogni volta cerca di minarla, di distorcerla e di abusarne. Non ha rispetto per i pilastri indipendenti dell'autorità, ed accusa i giudici di essere i tirapiedi dell'opposizione, descrivendoli come "comunisti". Con il suo indiscriminato assalto a chiunque lo ostacoli, ha avvelenato la vita

pubblica italiana. Egli discende da Mussolini.
L'errore del New Labour di riconoscerlo, peggio ancora di essergli amico, considerarlo un alleato, accettare la sua munificenza e la sua ospitalità, non può essere liquidato come un errore. Riguarda la visione mondiale e la capacità di giudizio politico del New Labour e di Blair. Tessa Jowell non è una politica innocente. È uno dei membri del Gabinetto. È stata a lungo una "Blairite" con una relazione di fiducia con il primo ministro. Ha lealmente sposato le sue posizioni nei confronti di Berlusconi come di una figura con cui fare affari. Può aver conosciuto o meno i dettagli degli affari di suo marito, ma sicuramente sapeva dei suoi contatti con Berlusconi, che lo aveva aiutato con consulenze fiscali ed assistito nei suoi tentativi di resistere ai giudici. E, senza dubbio, Jowell non vedeva nulla di sbagliato in questo. Dopo tutto, Berlusconi aveva la benedizione del suo primo ministro, egli era "dalla nostra parte".
Ma Berlusconi è un uomo pericoloso con cui si può rimanere intrappolati. Il suo partito, Forza Italia, ha lavorato instancabilmente per assicurarsi l'eredità dei voti della mafia provenienti dalla Democrazia Cristiana.
I suoi tentacoli finanziari hanno abusato e sfigurato la vita politica italiana. Berlusconi considera la legge malleabile, negoziabile e corruttibile.

Il problema è che Blair e il New Labour non hanno mai riconosciuto che Berlusconi è il diavolo. Invece lo hanno trattato da amico ed alleato. Non hanno mai compreso, o non si sono curati a sufficienza, della minaccia tossica che rappresenta per la democrazia italiana ed europea. Ci sono due ragioni per questo. La prima è che è visto come un amico comune di Bush e di Blair. La seconda è che alcuni valori da lui rappresentati: ricchezza, celebrità e potere, sono quelli a cui Blair aspira e ammira. Il New Labour condivide alcune caratteristiche con Berlusconi, un culto del business e dell'arricchimento, il credere nel potere dei media e un disprezzo per la sinistra. Noi stiamo assistendo a un lento degrado della democrazia europea, del quale Berlusconi è la più estrema e perniciosa espressione, ma della quale il New Labour, in una forma più leggera, è in parte causa e in parte conseguenza.

Quando il processo italiano andrà avanti, non ci sono dubbi che altre

rivelazioni verranno alla luce. Qualunque cosa David Mills abbia fatto o non fatto non può essere visto come responsabilità di Jowell, Blair o del New Labour. Ma il fatto che il New Labour abbia accettato una così insidiosa influenza politica ha, senza alcun dubbio, aiutato a persuadere Mills che Berlusconi fosse un cliente accettabile e Jowell che non ci fosse nulla di sbagliato nel fatto che suo marito fosse in relazione con lui e con i suoi affari. Per questa ragione il primo ministro deve assumersi la responsabilità principale. Così come per l'Iraq, Blair è colpevole di un monumentale errore politico. La posta in gioco è la democrazia in una delle più grandi nazioni europee e, di conseguenza, la salute del governo europeo".
19.03.06 20:36

La Telecom nel pineto

Telecom Italia ha pubblicato una pagina a pagamento sui principali giornali italiani (pagata dai suoi clienti) dal titolo:
"A proposito di intercettazioni" che riporto integralmente.
Venerdì 10 marzo, Luca Fazzo sulla Repubblica ha scritto un articolo a tutta pagina dal titolo:
"Amanda, l'ex carabiniere e quei dossier per Telecom", articolo che non mi risulta essere stato smentito.
Fazzo scrive:

"Tavaroli aveva giurisdizione sul Cnag (Centro nazionale autorità giudiziaria), la struttura di Telecom che su ordine della magistratura mette sotto controllo i telefoni"
"Dopo l'avviso di garanzia ricevuto a maggio 2005, è passato alla Pirelli Romania"
"Tavaroli è amico di un investigatore privato fiorentino finito in una serie di guai: Emanuele Cipriani, capo dell'agenzia Polis d'Istinto, inquisito per indagini abusive realizzate corrompendo poliziotti e finanzieri".

E aggiunge:

"Marco Tronchetti Provera: la cui fiducia pressoché totale in Tavaroli è

di dominio pubblico"
"Le indagini della Procura milanese hanno infatti portato alla luce rapporti d'affari molto stretti tra Telecom e la Polis d'Istinto di Emanuele Cipriani"
"Da un conto cifrato di Cipriani alla Deutsche Bank di Lussemburgo sono saltati fuori una montagna di soldi provenienti da Telecom: quattordici milioni di euro, più o meno. Soldi pagati da Telecom su un conto inglese di Cipriani e da questi fatti arrivare - via Montecarlo e Svizzera - in Lussemburgo"
"Gli uffici di Telecom sono stati perquisiti alla ricerca delle pezze giustificative dei soldi pagati a Cipriani. E le pezze sono saltate fuori: centinaia e centinaia di fatture per prestazioni quasi sempre indicate in modo vago"
"Tavaroli e Cipriani vengono a un certo punto iscritti nel registro degli indagati con l'accusa di appropriazione indebita ai danni di Telecom"
"Ma Telecom non si costituisce parte civile contro i due indagati come sarebbe naturale se dalle sue casse fossero stati succhiati milioni di euro senza contropartita"
"La domanda che oggi incombe su una delle più grandi aziende del paese è: perché? Perchè centinaia di obiettivi sono stati schedati, pedinati, radiografati dall'investigatore al soldo di Telecom?".

Con questo post ho affermato o insinuato? Vedremo...
20.03.06 19:05

Gli schiavi moderni/3

L'iniziativa "Gli schiavi moderni" continua con questa lettera di Mauro Gallegati della Facoltà di Economia Giorgio Fuà dell'Università Politecnica delle Marche, che si è preso la briga di dimostrare con numeri e tabelle quello che è sotto gli occhi di tutti: che i posti di lavoro diminuiscono e che il precariato aumenta insieme ai nuovi poveri, quelli che in Francia sono stati chiamati "generazione low cost".
Scrivete le vostre storie, le più interessanti saranno raccolte in un libro on line scaricabile gratis da questo blog.

"Caro Grillo,

aiutami. Passo il giorno a spulciare e produrre statistiche sull'economia, e sotto campagna elettorale non so se spararmi a un piede o chiedere a lui di sparare a me. So che non è facile fidarsi di uno che per mestiere dà i numeri, ma vorrei solo dare due chiarimenti su cosa è successo a lavoratori e disoccupati negli ultimi 10 anni, da quando è andato al governo Prodi, a quando ci è andato Berlusconi, a oggi.

Se su deficit e debito pubblico, Pil, competitività internazionale e indebitamento delle famiglie siamo tutti unanimi nel dire che le dinamiche sono state tra il bruttino e il disastroso, quelle sull'occupazione sono statistiche che il centro destra porta con sicurezza a vanto del proprio operato. Almeno sinora. Poi qualche giorno fa l'Istat ha detto che l'anno scorso l'occupazione è calata - e Tremonti ha ribattuto che non è vero, e che per lui "conta solo l'Eurostat" (dimenticandosi che all'Eurostat i dati li dà l'Istat). Bankitalia ha detto che il problema è che i posti di lavoro durano poco, e un giovane su quattro è precario - e Maroni ha ribattuto che i posti a termine "sono astrazioni statistiche". Mi prude, ti dicevo, qualche numero di chiarimento.

L'occupazione si misura in due modi: contando quante sono le persone che stanno lavorando, e quante sono le "unità di lavoro equivalenti", che tengono conto di quante ore lavora ognuno. Se ci sono due idraulici che lavorano 60 ore alla settimana, gli occupati sono due, ma visto che entrambi fan l'equivalente di un tempo pieno e mezzo le unità di lavoro sono tre. Se poi il lavoro va male, ed entrambi lavorano solo 20 ore, i lavoratori sono sempre due, ma le unità di lavoro sono solo più una. In pratica, in un caso si contano "le teste", nel secondo quanto lavoro c'è. Nel grafico allegato si vede cosa è successo a lavoro e lavoratori nel decennio che si apre con Prodi e si chiude con Berlusconi. La prima cosa da dire è che l'occupazione è cresciuta durante il centro destra. Ma la crescita era già in atto con il centro sinistra. La "piccola" differenza, è che durante il centro sinistra l'occupazione parte fiacca e poi cresce, durante il centro destra parte crescendo, e rallenta bruscamente negli ultimi due anni. Guardando alle unità di lavoro poi il rallentamento è ancora più drastico, e diventa un calo nell'ultimo anno (quello che sottolineano sia Istat che Bankitalia). Da notare che per la prima volta nella storia repubblicana sono più i lavoratori che le unità di lavoro: c'è più gente che lavora, sì, ma di lavoro ce n'è poco.

Nel secondo grafico che allego si vede che anche la disoccupazione è calata negli ultimi cinque anni. Di nuovo, non è un dono del centro destra, il calo è in corso (fortunatamente) da circa un decennio. Il numero dei disoccupati non è una statistica da guardare da sola. Ci sono casi in cui le cose vanno bene, ma la disoccupazione aumenta: quel che capita è che molti sono presi da un turbine di ottimismo e si mettono a cercar lavoro, e finché non lo trovano il numero di disoccupati aumenta. E ci sono casi in cui il mercato è talmente depresso che molti alzano bandiera bianca, smettono di cercar lavoro, e il numero di disoccupati diminuisce. Nel grafico ho riportato il numero dei cosiddetti "scoraggiati", cioè persone senza lavoro che a domanda dell'Istat "Perché non sta cercando lavoro?" barrano la X su "Ritiene di non riuscire a trovarlo". Il numero di scoraggiati - 600 mila fin verso il 2003 - nel 2004 ha una prima impennata che li porta al milione, per poi salire ancora a circa 1.250.000. Basta convincere un altro mezzo milione di persone che è inutile stare a cercarsi un lavoro e porteremo la disoccupazione ad un confortante 5.5%.

Infine, i precari. Dai dati Eurostat, risulta che Berlusconi prende il testimone del precariato, nel secondo trimestre del 2001, a circa il 9.5%: questa era la percentuale dei lavoratori con contratto temporaneo sul totale dei dipendenti. Nel secondo trimestre del 2005 eravamo già al 12.5% (e non stiamo contando i co.co.co.). Un Maroni potrebbe sostenere però che il fatto che un contratto a termine non cambia un granché, che sapere che il tuo posto di lavoro è solido salvo contrordine, o che è a termine salvo contrordine, non cambia nulla. Questa è una tale eresia che ho sacrificato il sabato sera, ed ho calcolato da dati di fonte Inps una semplice statistica: la correlazione che si osserva tra il tipo di contratto che ha una lavoratrice, e il fatto che questa decida o meno di fare un figlio. Bene, avere un lavoro precario riduce di dieci volte la probabilità che una lavoratrice faccia un figlio.
Grazie per l'ospitalità".

Mauro Gallegati
21.03.06 17:59

Dario e Franca siete grandi ma non troppo

Dario Fo compie ottanta anni.

" A lui e Franca diciamo: siete grandi.
Grandi perché alla vostra età date ancora fastidio a destra e anche a sinistra.
Perchè avete inventato un teatro antichissimo che prima non c'era.
Perchè vi ho visto a volte un po' malati e sofferenti, ma salivate sul palco e nessuno se ne accorgeva.
Perchè avete insegnato teatro in più di cento scuole.
Perchè non avete mai mollato.
Ma non siete troppo grandi, nel senso di adulti, non invecchiate mai del tutto ma mantenete una prodigiosa, giovane energia da monellacci.
Continuate a litigare e a volervi bene come due ragazzini.
Siete diventati moderni e tecnologici: Franca ha organizzato da sola un sito Internet da un milione di gigabyte, e Dario si sta applicando ed entro il 2008 sarà addirittura in grado di inviare una mail.
Grazie per le coliche epatiche causate ai tromboni italici col Nobel.
Grazie per l'aiuto dato a mille e mille realtà sociali.
Grazie per averci fatto amare, per una volta tanti anni fa, la televisione italiana.
Grazie perché mio figlio è nato allegro, due giorni dopo che sua madre era venuta a vedervi a teatro e aveva riso di cuore. Grazie per i vostri piccoli e grandi trionfi, ma anche per quello che avete sofferto, e di cui non vi lamentate mai. Cento di queste serate e giorni, e tanti bis".

Stefano Benni (il Lupo) e Beppe Grillo.
22.03.06 18:43

Siamo tutti stallieri

La negazione della verità: la verità dei precari, dei disoccupati, della perdita del valore dei nostri soldi, delle fabbriche che chiudono, della stampa internazionale che ci deride.

La negazione del debito pubblico, dei numeri dell'Istat e della Banca d'Italia, del crollo delle esportazioni, della mafia.
L'ilare, pagliaccesca, impudente presa per il c..o degli italiani dove può portare, a cosa può portare?

In Parlamento ci troveremo stuoli di condannati in via definitiva, di processati in primo e secondo grado. Persino di ex carcerati. E, insieme a loro, figli, amanti, mogli di politici.
Lo ha deciso un gruppo di segretari di partito grazie alla nuova legge elettorale, alla faccia della democrazia, alla faccia nostra.
La frattura tra il Paese reale e queste persone è sempre più profonda, sempre meno tollerata.

Avverto una strana atmosfera in giro, come prima dei temporali, un'aria nervosa, la ricerca di una via d'uscita da una situazione insopportabile.
16 giorni alle elezioni, due settimane in cui può succedere di tutto: bombe elettorali, attentati a orologeria, rivolte improvvise della gente, omicidi politici.
I politici, tutti, dovrebbero parlare di programmi, di contenuti, del futuro del nostro Paese. Di nient'altro. Da persone responsabili. Ma non credo che lo faranno.

Oggi pubblico l'elenco dei partiti senza condannati in via definitiva in lista, la mia indicazione di voto per avere almeno la speranza di un Parlamento Pulito e che riporterò su questo blog in un box da diffondere nel web.
I candidati sono molti ed è possibile un errore da parte mia, in tal caso segnalatemelo.

- Italia dei Valori - Lista Di Pietro: www.antoniodipietro.it
- La Rosa nel Pugno: www.rosanelpugno.it
- Partito dei Comunisti Italiani: www.comunisti-italiani.it
- Partito Rifondazione Comunista: www.rifondazione.it
- Verdi: www.verdi.it

23.03.06 15:27

C'è uno strano odore nell'aria...

Il *Diario* di Enrico Deaglio è uscito oggi con un numero dedicato a possibili brogli elettorali dovuti allo scrutinio elettronico che sarà utilizzato per la prima volta in Italia nelle elezioni politiche grazie al decreto legge del 3 gennaio 2006.
Le regioni interessate sono quattro: Lazio, Liguria, Puglia, Sardegna, per un totale di 12.680 sezioni e undici milioni di elettori.
Lo scrutinio elettronico prevede che un operatore inserisca i dati su un computer in ogni sezione, i dati vengano copiati su una chiavetta usb, le chiavi siano inserite in un computer che le invia quindi al Ministero dell'Interno.
Questa operazione, non necessaria e non richiesta da nessuno, costa 34 milioni di euro, è stata assegnata a trattativa privata per motivi di urgenza, "stante il brevissimo lasso di tempo disponibile" secondo Stanca, è stata vinta, tra le altre aziende, da Accenture, Eds e Telecom Italia.
Deaglio fa notare che il figlio del ministro dell'Interno Pisanu è partner in Accenture e che Eds è la società coinvolta nei presunti brogli elettorali in Florida nell'elezione di Bush.
Deaglio aggiunge che in caso di contestazioni ci vorrebbero mesi per confrontare il voto cartaceo con quello elettronico.
Mesi di instabilità assoluta e con un Presidente della Repubblica in uscita.

L'applicazione informatica usata per lo scrutinio elettronico è inoltre oggetto di contestazione da parte della Ales, un'azienda italiana che ne rivendica la paternità che a suo avviso le sarebbe stata sottratta dalla Eds e di cui pubblico la lettera che il suo amministratore mi ha inviato alcuni giorni fa insieme a un documento e un'intervista.

"Gentile Beppe Grillo,
mi chiamo Antonio Puddu, sono l'amministratore di una piccola società informatica con sede in Sardegna, la Ales s.r.l. Nel 2001 abbiamo ideato una soluzione innovativa per lo "scrutinio elettronico", che nel 2004 è stato sperimentato con la nostra collaborazione in 1500 sezioni elettorali.

Nel 2005 ci è stato "scippato" dalla Eds Italia S.p.A., una multinazionale alla quale avevamo venduto 2500 licenze per la sperimentazione del 2004.
Un mese fa abbiamo citato Eds Italia in giudizio al tribunale di Roma, chiedendo risarcimento per i danni subiti dalla mia società che ammontano a oltre 9 milioni di euro, e abbiamo diffidato il Ministero dell'Interno e il Ministero dell'Innovazione dall'usare nella prossima sperimentazione un numero di licenze che superasse le 2500 da noi vendute. Infatti per la sperimentazione in occasione delle elezioni politiche del 9 e 10 aprile 2006 dovrebbero servirne circa 12.500. Distinti saluti".

Antonio Puddu.

Non so voi, ma io sento uno strano odore nell'aria, di cosa sarà?
24.03.06 13:44

Un raggio di sole dal Kenya

Voglio ringraziare i ragazzi che mi hanno inviato questa lettera dal Kenya.
Un raggio di sole nella nostra vita di tutti i giorni.

"Caro Beppe,
siamo un gruppo di italiani impegnati in una missione religiosa qui in Kenya. Abbiamo scritto una piccola testimonianza che forse potrebbe essere utile segnalarti. Siamo sicuri che tu sei al corrente, ma nel nord del Kenya quasi 3 milioni di persone rischiano la fame e la perdita totale del bestiame se anche le prossime piogge falliranno. È strano ma sembra che in Italia le notizie sull'Africa non filtrino molto (almeno sul grande schermo).
Ciao bello".
Daniele, Beppe e Andrea

"...ed è subito sera". Credo sia una poesia di Quasimodo. È diventata un po' il motivo portante di questa mia vita qui, a Chaaria. Mi accorgo di quanto sia vero proprio in questo posto, proprio adesso in cui rubo

qualche minuto alla routine in ospedale per scrivervi.
Non me ne sono accorto, e quasi due mesi sono passati. Un giorno per volta, un passo dopo l'altro, mi sembra di aver fatto tanta strada e nello stesso tempo di essere fermo.
Dalla mia camera si vede l'alba. Ogni mattina spengo la sveglia - maledico la sveglia - e, ancora sdraiato, 6 e 20, apro le tende. Apro anche la finestra, mi piace il fresco del mattino, mi aiuta a svegliarmi. È tutto tranquillamente in ombra, le vacche dormono, il bananeto non si muove. E di colpo esce fra le foglie di banana un disco arancione.
Sembra che quella palla rossa, enorme, sia lì apposta per me, a guardarmi in faccia per dirmi che sono vivo, e se mi sbrigo a saltare fuori dalle lenzuola è meglio. Non capisco cosa sia diverso nel cielo, è come se fosse pronto a piombarti sulla testa, è come se fosse piegato ad abbracciarti. Probabilmente sarà per la diversa curvatura della Terra all'equatore. Non mi interessa. Mi piace pensare che sia Dio che stringe al petto con amore i suoi figli prediletti: i miserabili, i sofferenti che abitano qui. E che sono quelli che ama di più non perché sono più buoni. Ma perché sono poveri.
Così comincia un'altra giornata. La messa come prima cosa. Per dare energia, per trovare un motivo per tutto quello che ci circonda. O almeno dovrebbe essere. In realtà vi confesso che ho talmente sonno che tante volte riprendo conoscenza quando qualcuno seduto vicino a me mi scrolla per darmi il segno della pace.
Di lì in poi si comincia a correre. Perché ha detto Madre Teresa:" Non sia mai che qualcuno venga da voi e non se ne vada migliore di com'era quando è venuto, più felice." Questo cerco di propormi ogni mattina. Spesso non ci riesco.

È difficile spiegare Chaaria. Perché è difficile spiegare i sentimenti a parole. Ed i sentimenti sono forti, e sono in contrasto fra di loro. Sono occhi, grida, sorrisi, lacrime. Sono volti, nomi, odori. Chaaria è Glory, che non sa perché, ma a 12 anni ha un tumore. Troppi soldi per operarsi. Maledetti soldi. Sempre loro. Troppo tardi per cercare una soluzione. C'è un angelo in più, adesso, in cielo. Un angelo troppo piccolo per capire, troppo lontano adesso dal suo papà che piange.
Chaaria è Susan, che non ha fatto niente di male. Ha l'AIDS. Senza colpa. Solo è nata dove non doveva. Susan sorrideva, sempre, mi salutava con la mano sinistra. Mi ha anche ringraziato perché le ho tolto un

dente che le faceva male. Non è una bambina, è un fiore, dolce come un bacio. Mi sorrideva anche la sera se passavo a toccarle una mano. Ma è fragile, Susan. Troppo il peso della sofferenza sulle sue ossa leggere. Susan è una fiammella che si allontana sempre più. Susan è un angelo con un'ala rotta, è scesa per farci capire quale preziosa meraviglia sia la vita.

Stasera, proprio mentre scappavo dall'ospedale per venire a scrivervi, si sentiva da una radio quella canzone di non so più chi, che dice "... but if God was one of us...". Già, se Dio fosse uno di noi, cosa gli direi...
Lo ringrazierei per l'alba, i fiori del frangipane, gli alberi di banana, i mango. Per la risata di Makena, le gambe di Kanana, il sorriso di Beppe, la voce di Lorenzo. Perché respiro. Forse ci litigherei. Gli urlerei in faccia. Come Vecchioni che canta "ora facciamo due conti io e te, Signore!". Perché non fai qualcosa?
In questa mia fede traballante mi convinco sempre più che, se Dio c'è, è qui, con i poveri, con quelli che soffrono. Non fa quello che vorrei io. Non è un Dio prestigiatore, che fa i miracolini per far vedere che può. È un Dio che sta con gli ultimi. Anzi, sta proprio in fondo alla fila. Lui era lì. Con Glory. A tenerle la mano, in silenzio. Lo so.

Certo, la rabbia a volte è tanta. Non so se la notizia sia arrivata in Italia, ma qui la scarsa stagione delle piogge ha portato la carestia. Giustamente persone di buon cuore si sono attivate per portare sollievo a una popolazione sofferente. Così una dolce vecchietta neozelandese, amministratore delegato di una multinazionale che produce alimenti per animali, ha offerto in dono diversi quintali di mangime per cani, "per alleviare la fame dei bambini del nord del Kenya". Complimenti!
È grazie ad iniziative costruttive come questa che Beppe Grillo può mantenere attivo il suo blog.

L'Undp ha calcolato che basterebbero 40 miliardi di dollari, lo 0,1% del prodotto interno lordo mondiale, per garantire a tutti, in tutto il mondo, i servizi sociali di base. Ogni anno spendiamo circa 1000 miliardi di dollari in armi, quasi 500 in pubblicità, 50 in sigarette, 11 in gelati. E circa 20 in cibo per animali. Guardando tutto da quaggiù, non mi sento per niente fiero di essere un abitante di questo pianeta.

Ma non vorrei che con tutto questo mi pensaste triste, o scoraggiato.

L'unica cosa ho tanto sonno. Ma sento verissimo quello che dice Frei Betto: "Nella vita per essere felici serve solo un po' di pane, del buon vino e un grande amore". La vita semplice, come dice Gesù: beati, sì, beati i cuori semplici. È la semplicità che fa scoprire una libertà interiore. È di questa libertà del cuore che, credo, tutti abbiamo sete. Una mia grande amica mi ha detto una volta che i poveri sono una straordinaria ricchezza. Credo sia vero.
E poi non ci sono solo Glory e Susan. Solo che spesso (capita anche a voi?) spendo più tempo a pensare alle ombre che alle luci.
Vorrei raccontarvi di William, che lavorando si è distrutto una mano. Con Gian l'abbiamo ricostruita, ed ho visto ieri che riesce di nuovo a muovere il pollice. Che figo! Potrei raccontarvi di Kangai, che ha partorito dopo un bruttissimo intervento una bimba che sarà una fotomodella o almeno un premio Nobel. La settimana scorsa è andata a casa, mi ha salutato con quel suo orrendo sorriso sdentato bellissimo. O di Isidoro, uno dei nostri Buoni Figli, un dolce vecchietto di 5 anni che non dimostra per niente i suoi 60. Che salta di gioia quando lo portiamo in macchina a bere una cocacola in "città", che mi ferma per mostrarmi orgoglioso la sua tartaruga che ha chiamato Brother Moris. Ma non c'è più tempo, vi parlerò ancora di loro. Adesso è tardi, devo tornare in ospedale. Poi bere una birra e poi andare a dormire. Magari dopo averne cantate un paio con Andrea. Canzonacce da osteria, o canzoni d'amore con la chitarra. Come se fossimo da sempre in vacanza.

Ho sentito in un film una frase dura, che mi ha colpito. Diceva circa così: faranno vedere tutte queste cose al telegiornale, la gente dirà "che vergogna". Poi prenderà in mano la forchetta e ricomincerà a mangiare cena. Forse è proprio così. Ma non dobbiamo rassegnarci. Non dobbiamo abituarci. Si può cambiare. "il sole nasce anche d'inverno. La notte non esiste: guarda la luna" diceva una canzone qualche anno fa. Il mondo può cambiare. Siamo noi che possiamo cambiarlo. Noi, tutti insieme. Un pezzo alla volta.

Non so se il Signore mi ha voluto qui per cambiare il mio pezzettino. Credo che ci proverò. Di sicuro sono felice. Un grande abbraccio a tutti".
25.03.06 15:01

Einstein all'italiana

Nature, la rivista scientifica (comunista) più importante del mondo ha pubblicato un articolo sullo stato della ricerca scientifica in Italia dopo i cinque anni di permanenza dello psiconano al governo.
Non ne usciamo bene.
Ne usciamo con le ossa rotte, altro che Paese delle banane o dei fichi d'India, quelli erano bei tempi, non offendiamo la frutta.
Adesso siamo il Paese della tazza, ma non quella del caffè.

L'Italia investe la metà rispetto alle altre nazioni europee nella ricerca e sviluppo e quello che investe lo indirizza alla ricerca applicata, di immediato utilizzo da parte delle aziende.

Nature: "Questa filosofia orientata verso l'industria include il riorientamento della missione del Cnr dalla ricerca pura alla ricerca applicata. Nonostante la sua impopolarità tra gli scienziati, Fabio Pistella, nominato dal Governo come presidente del Cnr nel luglio del 2004, afferma che questa focalizzazione deve continuare. L'industria italiana investe poco nella ricerca e la missione del Cnr è di colmare questa distanza. Le pubblicazioni scientifiche non sono l'unica misura di successo di una buona organizzazione di ricerca ".

I risultati di questa impostazione si vedono, ricercatori in fuga all'estero o asserviti alle logiche del mercato.
Nature si sofferma anche brevemente sul profilo di Fabio Pistella: "Il presidente del Cnr Fabio Pistella dichiara 150 pubblicazioni scientifiche nel suo curriculum vitae, come dichiarato al Parlamento a supporto della sua nomina nel 2004. Ma *Le Scienze* hanno riportato nel gennaio 2006 che Isi cita solo tre sue pubblicazioni. Pistella ha dichiarato a *Nature* che alcune delle sue pubblicazioni sono datate e in italiano, "E che il ruolo del presidente del Cnr richiede in ogni caso qualità manageriali".
26.03.06 19:32

325.000 cuccioli scuoiati

Sono carnivoro, mi piace la carne, il prosciutto crudo, il salame, il lardo, la pancetta, l'osso buco, la carne cruda, lo zampone e il cotechino con le lenticchie. Mi piace la bistecca alla fiorentina, quella da sette etti netti più l'osso. Forse deluderò i vegetariani, ma non mi sento per niente in colpa.
Mangiare carne fa parte della mia natura.

Mi dà però fastidio la crudeltà, l'insensibilità totale, la gratuita uccisione di esseri viventi al solo scopo di lucro, per aumentare il Pil. E se sono cuccioli indifesi, di due/tre settimane (il tempo necessario alla formazione di una pelliccia bianca), uccisi a bastonate e scuoiati vivi, la cosa mi fa veramente schifo.
325.000 cuccioli di foca sono uccisi in questi giorni nel civile Canada, il cui primo ministro Stephen Harper ha affermato che il suo Paese è vittima della propaganda e che il massacro è necessario.
La "World Society for Protection of Animals" ha dichiarato che si tratta della "più grande e crudele uccisione di animali marini mai registrata sul pianeta".
I cuccioli sono uccisi a bastonate per non rovinare la pelle.
La pesca del merluzzo è sempre più scarsa a causa della pesca industriale e i cuccioli di foca rappresentano una risorsa per i pescatori che vivono in zone isolate.
Questo schifo rende 8,3 milioni di sterline e le pelli sono vendute all'industria della moda di tre Paesi: Russia, Cina e Norvegia.
Per il bilancio canadese 8,3 milioni di sterline sono poco o nulla di fronte alla perdita di immagine a livello mondiale.

Forse per persuadere il civile Canada a desistere da questo massacro è sufficiente non comprare più alcun prodotto canadese, in modo che il danno sia 10, 100 volte superiore agli 8,3 milioni di sterline che risparmia con questo commercio.
Io lo farò.
27.03.06 22:31

De profundis

Il settimanale americano *Newsweek* (comunista) ha dedicato l'articolo di copertina all'elefantino con il titolo: "Why Silvio isn't smiling (Perchè Silvio non ride più)".
Se l'elefantino non ride più adesso, gli italiani non ridono più da un pezzo. Almeno lui si è divertito in questi cinque anni.

Newsweek:

"Durante il governo Berlusconi la quarta economia europea è diventata l'anello più debole dell'Europa. Da un già anemico tasso di crescita dell'1,8% del 2001, l'Italia è scesa allo 0% dello scorso anno. Niente!"

Il Cavaliere non ha fatto nella sostanza nessuno sforzo per introdurre serie riforme per invertire il declino economico dell'Italia. "Durante i suoi cinque anni non sono avvenute né grandi privatizzazioni, né riforme strutturali", dichiara Boeri della Università Bocconi di Milano, "La sua idea è di aumentare la spesa pubblica e di tagliare le tasse per rivitalizzare la domanda". Non ha funzionato. Numerosi uomini di business europei sono preoccupati che in futuro l'economia italiana si deteriori al tal punto da costringere l'Italia ad uscire dall'euro".

"Si consideri la situazione potenziale che Prodi troverà in caso di vittoria. Anche se vincerà con un margine sostanziale, sarà difficile per lui avviare delle riforme economiche. La ragione? Grazie ai cambiamenti apportati alla legge elettorale dal governo Berlusconi, l'Italia è ritornata al vecchio sistema della rappresentanza proporzionale che ha creato coalizioni instabili in passato. "Il Paese sarà molto meno governabile", dice John Harper del centro di Bologna della John Hopkins University.

"La bilancia commerciale italiana ha superato i 10 miliardi di euro di deficit nel 2005, un risultato dovuto sia all'aumento del costo dell'energia, sia alla crescita del costo del lavoro. Il deficit di bilancio delle nazioni europee non dovrebbe superare il 3% del prodotto interno lordo. Molte nazioni lo hanno superato, ma l'Italia, intorno al 4%, è tra le peggiori".

"Si confronti la crescita zero dell'Italia con quella delle altre nazioni europee: Spagna 3,4%, U.K. 1,8%, Francia 1,4%".

Sento un rumore di pentole, di pentole argentine.
Durante questi anni alcuni gruppi, alcune persone, si sono enormemente arricchiti, mentre il Paese si impoveriva e si trova oggi di fronte a un possibile salto nel buio.
Credo che sia corretto che il prossimo Governo istituisca una commissione che verifichi la liceità di questi patrimoni e, in caso contrario, li utilizzi per ridurre il deficit dello Stato.
28.03.06 14:30

Le sanguisughe

Io sono una persona semplice e cerco di fare dei ragionamenti semplici. Quando mi vengono spiegate le cose, se non capisco di solito mi insospettisco. E non capisco l'Enel, l'Eni, le Autostrade, la Telecom Italia. Non capisco come in regime di sostanziale monopolio riescano a fare utili mostruosi, a praticare prezzi superiori alla media europea, ad aumentare le tariffe.

Dal primo aprile aumentano le tariffe dell'elettricità, +5,7%, e del metano, +2,1%.
L'Autorità per l'energia elettrica e il gas ha aggiornato le tariffe, con l'aumento per l'elettricità più alto degli ultimi sei anni, motivandole con la quotazione del petrolio e la crisi del metano.
Io sono una persona semplice e cerco di fare dei ragionamenti semplici. L'azionista di riferimento dell'Eni e dell'Enel è lo Stato, quindi noi. L'Eni e l'Enel hanno dichiarato rispettivamente utili netti nel 2005 per 8.788 milioni di euro e per 3.895 milioni di euro. Prezzi equi di elettricità ed energia sono necessari per competere per le imprese e per arrivare a fine mese per le famiglie. Non capisco.

Mi sembra che queste due imprese si ingrassino a spese del Paese.

Che i loro manager (indovinate chi li ha messi lì?) ottengano i risultati per sé stessi (stock option?) e per i grandi azionisti (indovinate chi sono?) applicando al Paese un modello di business a prova di bomba: il modello della sanguisuga, della sanguisuga monopolista ovviamente. Se un imprenditore si sposta da Genova a Nizza dispone di servizi primari migliori (energia, telefonia, connettività, elettricità) a prezzi fino al 30% più bassi. Come fa a competere un'azienda italiana? E poi si parla di rilancio dell'economia?
L'Authority sa che abbiamo prezzi tra i più alti in Europa, sa che queste aziende hanno fatto utili enormi, sa che non c'è ragione per aumentare i prezzi, sa che invece vanno diminuiti trasferendo ai cittadini ed alle imprese i benefici.

Ma l'Authority forse non sa cosa sono le sanguisughe, e allora glielo spiego io:
"Le sanguisughe hanno un corpo allungato, formato da 34 anelli. Alle estremità hanno due ventose che servono per attaccarsi agli animali. Hanno una bocca munita di tre mandibole munite di dentelli per forare la pelle degli animali. Mentre stanno lacerando la pelle dell'animale al quale si attaccano secernono una sostanza anestetica".
29.03.06 19:19

Ridateci l'Iri

Dal sito di Autostrade SpA.:
"La Società Autostrade Concessioni e Costruzioni Spa viene costituita dall'IRI nel 1950 con l'obiettivo di partecipare, insieme ad altri grandi gruppi industriali, alla ricostruzione post bellica dell'Italia".

E un po' più avanti nella stessa pagina:
"Nel 1999 la società Autostrade viene privatizzata".

Gli azionisti di maggioranza della società Autostrade, che detengono il 50,1% (raggruppati nella società Schemaventotto) sono:
- Edizione Holding, finanziaria del gruppo Benetton, 60%
- UniCredito 6,7%

- Abertis 13,3%
- Fondazione Crt 13,3%
- Assicurazioni Generali 6,7%

Al mercato hanno lasciato il 49,9%...

Quindi Benetton, attraverso Edizione Holding presente nella società Schemaventotto, di fatto controlla la Società Autostrade. E io che pensavo che si occupasse di tutt'altro, di maglioni e di magliette.

Ma fin qui niente da dire, anzi ben vengano i privati a modernizzare le nostre autostrade, dico nostre perché sono state costruite dal 1950 al 1999 con le nostre tasse e i nostri pedaggi.

Nei miei tour sono spesso costretto a muovermi in macchina, e mi ritrovo invariabilmente in un'autostrada. In un'autostrada ogni anno più cara, con lavori in corso o ridotta a una corsia come la Milano Torino. E allora penso: mancheranno i soldi a questi poveri, generosi azionisti e ai Benetton, non si può pretendere che tirino fuori gli schei per noi altri automobilisti e migliorino la rete autostradale.

Poi leggo il bilancio 2005 di Autostrade, i risultati sono di 2.957 milioni di euro di ricavi con un risultato prima delle imposte di 1.094 milioni di euro.
In un anno hanno migliorato gli utili di 110 milioni di euro, come avranno fatto? Capacità manageriali? Intuito negli investimenti? Analisi della concorrenza?

L'indebitamento finanziario netto della società Autostrade è di 8.794 milioni di euro, quasi tre volte i ricavi annui, come pensate che andrà a finire?

Bravi Benetton, sempre sulla cresta dell'onda.
30.03.06 16:05

C'è uno strano odore nell'aria.../2

Se scrivo ancora dello scrutinio elettronico è perché sono preoccupato, la cosa peggiore che possa capitare a un comico. Dopo la denuncia della scorsa settimana il Ministro Pisanu si è mosso subito: ha annunciato che querelerà Diario e che istituirà, con apposito decreto, una commissione bipartisan "preposta alla verifica delle attività di scrutinio elettronico e di trasmissione telematica dei dati".
Ma a cosa serve il comitato se si tratta di semplice sperimentazione? A cosa serve se lo scrutinio cartaceo prevale su quello elettronico?

Riporta *Diario* di oggi:
"Mentre nelle due precedenti esperienze si trattava di una semplice sperimentazione, per le elezioni politiche di aprile si è fatto un ulteriore passo in avanti dando valore giuridico anche allo scrutinio informatizzato - si legge in un comunicato del Ministero dell'Innovazione del 10 febbraio. La sperimentazione - precisa un comunicato del Ministero dell'Interno del 24 marzo - si affiancherà alle tradizionali operazioni cartacee che, ovviamente, manterranno la loro preminente validità giuridica".
È l'avverbio "preminente", che mi fa sentire uno strano odore nell'aria. Preminente quando, in che situazione? In caso di contestazioni?
Ma sappiamo benissimo cosa succederebbe in caso di contestazioni dello scrutinio di quattro regioni chiave come Liguria, Lazio, Sardegna e Puglia che contano 11 milioni di voti, regioni in bilico in cui pochi voti possono far vincere una o l'altra coalizione: succederebbe il caos.
Da *Diario*: "Nel Lazio, per esempio, basta prendere un solo voto in più della coalizione avversaria per guadagnare i tre senatori concessi dal premio di maggioranza regionale".

Riporta ancora *Diario*:
"Saltati i prefetti e reso meno determinante il Viminale, i dati elettorali di quattro regioni d'Italia saranno nelle mani del ministero (senza portafoglio) dell'Innovazione di Lucio Stanca, che in realtà è un dipartimento della presidenza del Consiglio. Insomma: saranno nelle mani di Silvio Berlusconi, che li comunicherà infine al Viminale".

Questo scrutinio elettronico puzza, con l'informatica e con Internet non ha nulla a che fare. Un ragazzo inserisce i dati in un computer e li controlla con il presidente di seggio, li copia su una chiavetta Usb, se la mette in tasca e la porta da un'altra parte dove c'è un altro computer, quasi sempre un edificio scolastico, da qui i dati con le linee sicure di Telecom Italia sono inviati a Roma.
Ma questa è roba da paleolitico, da Gianni e Pinotto, da Stancosauro ed elefantino.
31.03.06 14:19

ACQUA-
MIRACOLI DELLA PRIVATIZZAZIONE
IO L'HO TRASFORMATA IN VINO
NOI IN BUSINNESS!
VAURO '07

Aprile

Il tramonto degli inceneritori

La giustizia oltre che essere divina, qualche volta è anche umana. Paolo Scaroni è stato condannato per disastro ambientale.
Negli anni '90, come Amministratore Delegato della Technoint, Scaroni aveva già patteggiato una condanna a due anni e tre mesi per corruzione per tangenti pagate per ottenere appalti dall'Enel.
Questo signore è stato promosso amministratore delegato dell'Eni dallo psiconano per i suoi meriti sul campo!

La condanna per l'Enel arriva dalla sentenza del giudice Lorenzo Miazzi. Quasi tre milioni di euro per risarcire i danni causati dalla centrale Enel ad olio combustibile di Porto Tolle (Rovigo).
Tra i beneficiari, associazioni ambientaliste, privati cittadini, enti parco e ministero dell'Ambiente. Il tribunale dell'Adria ha condannato due ex amministratori dell'Enel e due dirigenti per le emissioni e le ricadute oleose della centrale. L'ex AD Franco Tatò è stato condannato per emissioni e danneggiamento (sette mesi con pena sospesa) mentre l'altro ex AD Paolo Scaroni (che risponde solo a titolo colposo) ha visto la pena di un mese convertita in un'ammenda di 1.140 euro.
Intanto prosegue il processo per omicidio colposo. Il sostituto procuratore Manuela Fasolato ha avuto per consulenti Antonietta Gatti e Stefano Montanari le cui analisi sulla pericolosità delle nanoparticelle prodotte dalla centrale ad olio combustibile (tre milioni di tonnellate bruciate ogni anno) ed altre combustioni sono state fondamentali. La condanna farà giurisprudenza.

Decine di professori universitari da tutta Europa hanno contattato la Gatti e Montanari ed hanno scritto una lettera al Presidente della Commissione ambiente, salute pubblica, sicurezza alimentare del Parlamento europeo per richiedere alla Commissione Europea di abbassare i limiti della pericolosità delle polveri sottili da Pm 2,5 alle nanoparticelle.

I ragazzi del Meetup di Parma, Piacenza, e Firenze stanno raccogliendo migliaia di firme per far parlare, sull'esempio dei ragazzi di Reggio Emilia, Stefano Montanari nei consigli comunali con mozioni d'iniziativa

popolari per denunciare la pericolosità per la salute degli inceneritori e puntare su politiche alternative.
A Parma hanno raccolto in una settimana 1300 firme, grandi ragazzi!
01.04.06 18:09

La musica del silenzio

Pubblico una lettera di Claudio Abbado.
"Come ogni anno, torno dal Venezuela avendo vissuto un'esperienza che ogni volta mi fa scoprire nuove strade, sia dal punto di vista sociale e culturale, sia dal punto di vista umano e mi fa comprendere sempre di più l'importanza di quanto è stato realizzato in questi trent'anni dall'amico José Antonio Abreu.
Il sistema Abreu organizza l'intero arco della formazione musicale, da quella di base ai corsi di perfezionamento, con scuole sparse in tutto il Paese; sedi scolastiche di ogni genere, anche per bambini disabili.
Le due cose che mi hanno impressionato di più sono il loro entusiasmo e l'energia che dimostrano. Questi giovani musicisti si ritengono molto fortunati perché hanno una chiara prospettiva sociale, che nasce da un bellissimo approccio collettivo alla musica, dalla gioia di fare musica assieme. L'organizzazione di Abreu ha sempre avuto il sostegno e i finanziamenti di tutti i governi. Tutti sono d'accordo con le sue idee, perché sono giuste, indipendenti e costruttive, e perché sono realizzate attraverso una struttura semplice e funzionale. Il sistema può essere descritto metaforicamente come una piramide. Alla base ci sono le orchestre per bambini, nel mezzo quelle giovanili e in alto l'orchestra Simòn Bolìvar, con la quale abbiamo quest'anno realizzato delle registrazioni e dalla quale sono emersi giovani musicisti molto promettenti. Questi musicisti diventano dei simboli per tutti gli altri, esempi da seguire: come Edicson Ruiz, che a soli 19 anni suona il contrabbasso nella Filarmonica di Berlino, e Gustavo Dudamel, l'attuale direttore dell'Orchestra Simòn Bolìvar, che stimo moltissimo e che, uscito dalle scuole di Abreu, ora dirige anche a Berlino. Verremo insieme a metà settembre con la sua orchestra a Palermo e a Roma e tutti potranno ascoltare questa realtà unica al mondo. In Venezuela, dove esiste un contrasto terribile fra la ricchezza petrolifera e la povertà di milioni di persone

che vivono nei barrios, questa iniziativa appare come una nuova luce, capace di coinvolgere oggi più di 240mila giovani in tutto il paese.

Analogamente, esistono alternative e soluzioni possibili alle situazioni critiche diffuse in tutto il mondo. In ogni paese, anche senza l'appoggio da parte dei governi, ci sono iniziative di grandissimo valore, come l'esempio, a Caracas, della recente, generosa donazione da parte di un centro di ricerca universitario americano di oltre 200 apparecchi acustici ai giovani sordomuti del Coro delle Mani Bianche, che esprimono la musica attraverso il movimento delle mani.
Come cittadino del mondo, sento la necessità di parlare di queste iniziative costruttive e di alcuni punti critici della situazione mondiale. Sono cose che di solito vengono nascoste per coprire un sistema che trovo ingiusto per la maggioranza dell'umanità.
Esiste da molti anni un'economia mondiale basata sull'uso del petrolio, che ha portato a scelte e decisioni di grande egocentrismo, di cui profitta soltanto una minoranza. Si può dire, approssimando, che meno del 10 per cento della popolazione si arricchisce, mentre il restante 90 per cento muore di fame o vive nella povertà. Davanti a tale constatazione è vergognoso tacere. Questo sistema è stato portato avanti senza lungimiranza, cercando di coprire con menzogne la possibilità di sistemi economici alternativi. Si è arrivati perfino a portare la guerra a paesi che, se non avessero avuto il petrolio, non sarebbero stati attaccati.
Nessuno può in questo momento cambiare questo sistema, tranne le persone che lo governano, ma allo stesso tempo è assurdo aspettare per realizzare alternative che sono già in parte funzionanti e non portarle alla conoscenza di tutti. In effetti, tra le economie non basate sull'uso e commercio del petrolio, esistono iniziative contro l'inquinamento, come l'energia solare, quella eolica, quella da fonti energetiche combinate, e l'idrogeno, elemento che sviluppa energia a inquinamento zero. Vi sono alcune regioni, in quattro paesi d'Europa che fanno ampio uso dell'idrogeno, impiegato dai mezzi di trasporto e come base per l'economia del paese; in Europa si stanno costruendo stazioni di rifornimento all'idrogeno, che coinvolgono almeno quattro nazioni. Si parla pochissimo di questi fatti, quando invece si raccontano assurdità sul costo "proibitivo" dei mezzi a idrogeno rispetto agli altri. Al contrario, l'uso del petrolio, fra trasporto e prezzo in continuo aumento, costa dodici volte in più dell'economia legata all'idrogeno. Vediamo

chiaramente che quando una nuova strada ha uno scopo strettamente commerciale, e non mette in discussione un certo tipo di equilibrio economico, non si creano difficoltà per impedirne la diffusione. In realtà, se un'intera regione, o anche una sola città, acquistasse un centinaio di vetture a idrogeno, i costi verrebbero abbattuti al di sotto di quelli degli attuali mezzi di trasporto. Ci sono anche altre alternative positive, che colpevolmente non vengono messe nel dovuto rilievo, come il fatto che in Italia esistano già da anni città che sviluppano varie forme di energia geotermica, sfruttando in vari modi l'acqua calda della terra per il riscaldamento totale di abitazioni, uffici e scuole. Questo sarebbe realizzabile in molte altre città o rioni di città più grandi. Ma voler consumare assolutamente più petrolio porta all'eliminazione a priori non solo di economie alternative, ma talora, addirittura, dell'uso razionale dell'elettricità, come ad esempio il trasporto dei camion per ferrovia attraverso il Brennero, fino a Verona - cosa di cui non si sente mai parlare. Se non esistessero forme di razzismo e questa volontà di proteggere a tutti i costi il sistema di interessi legato al petrolio, si potrebbero sfruttare le condizioni climatiche favorevoli allo sviluppo delle energie alternative proprio nei paesi e nei continenti più poveri, dove si muore di fame. Sono silenzi che continuano a consolidare l'indole umana di distruzione, mantenendo la maggioranza della gente il più possibile nell'ignoranza. Occorre fare sapere che più del 90 per cento della popolazione mondiale ha diritto di conoscere quali sono le possibilità di cambiare un sistema economico disastrosamente egoistico".

Claudio Abbado
02.04.06 22:38

...E poi, non ne rimase nessuno

Pubblico questa lettera di Marco Travaglio sui Partiti Puliti:

"Caro Beppe,
mi corre l'obbligo di informarti che devi cancellare la Rosa nel Pugno dall'elenco, già peraltro esiguo, dei partiti che non candidano condannati alle elezioni del 9 - 10 aprile. Ho dato un'occhiata alle liste del Pie-

monte dove voto (non oso immaginare le altre regioni) e vi ho trovato due vecchie conoscenze di Tangentopoli. Un socialista condannato alla Camera e un altro, in omaggio alla par condicio, al Senato. Alla Camera è candidato Beppe Garesio, già brillante braccio destro di Giusy La Ganga: come il suo maestro (attualmente nella Margherita), anche Garesio ha patteggiato 8 mesi di reclusione per finanziamento illecito a proposito delle tangenti che gli versava la Fiat nell'ambito degli appalti per le discariche e che lui stesso confessò alla Procura di Torino.
Al Senato si presenta l'ex presidente della Provincia di Torino Sergio Luigi Ricca, anche lui ex-Psi, che nei primi anni 90 fu preso con le mani nel sacco di una brutta quanto miserevole vicenda di mazzette, scampò all'arresto solo per un grave incidente stradale, dovette dimettersi facendo cadere la giunta e alla fine patteggiò poi la pena per finanziamento illecito. Le tangenti erano per i contratti di assicurazione (a costi gonfiati) degli stabili di proprietà provinciale. Fu lo stesso Ricca a confermare ai giudici di aver ricevuto 120 milioni di lire in contanti da un agente dell'Ina-Assitalia, e di averne poi girata la metà a due esponenti del Psi: Giusy La Ganga e Ivan Grotto. Per patteggiare la pena, i tre imputati dovettero restituire il maltolto. E tutti i membri della giunta, Ricca compreso, si autotassarono per aiutare il "povero" ex assessore Grotto a risarcire i suoi 10 milioni. Non mi pare il caso, per motivi di brevità, di aggiungere anche i prescritti. Fra questi comunque ti segnalo il leggendario ministro Salvo Andò, assolto a Catania nel processo per voto di scambio con il clan Santapaola, ma salvato dalla prescrizione in quello per le tangenti sul Centro fieristico. Ora, per fare onore al suo nome e soprattutto al suo cognome, rientra trionfalmente in politica con la Rosa nel Pugno. Salvo Andò e Tornò."

Marco Travaglio
03.04.06 15:26

Primarie dei cittadini: informazione

Fino ad oggi le primarie le hanno fatte i nostri dipendenti.
È arrivato il momento che le primarie le facciano i datori di lavoro.
I post saranno mantenuti visibili sulla barra di destra sotto il titolo: "Primarie dei cittadini" insieme ai vostri commenti fino alle elezioni.
Invito anche i rappresentanti dei partiti ad inviare a questo blog il loro punto di vista sui diversi aspetti trattati per pubblicarlo.

Proposte per l'informazione.

Oggi elenco una serie di proposte legate all'informazione che saranno integrate con i vostri commenti e che segue quelle sull'energia e sulla sanità.
L'informazione è uno dei fondamenti della democrazia e della sopravvivenza individuale. Se il controllo dell'informazione è concentrato in pochi attori, inevitabilmente si manifestano derive antidemocratiche.
Se l'informazione ha come riferimenti i soggetti economici e non il cittadino, gli interessi delle multinazionali e dei gruppi di potere economico prevalgono sugli interessi del singolo.
L'informazione quindi è alla base di qualunque altra area di interesse sociale: energia, economia, istruzione, sanità.
Il cittadino non informato o disinformato non può decidere, non può scegliere. Assume un ruolo di consumatore e di elettore passivo, escluso dalle scelte che lo riguardano.

Le mie proposte:

- cittadinanza digitale per nascita, accesso alla rete gratuito per ogni cittadino italiano
- eliminazione dei contributi pubblici per il finanziamento delle testate giornalistiche
- nessun canale televisivo con copertura nazionale può essere posseduto a maggioranza da alcun soggetto privato, azionariato diffuso con proprietà massima del 2%
- nessun quotidiano con copertura nazionale può essere posseduto a

maggioranza da alcun soggetto privato, azionariato diffuso con proprietà massima del 2%
- vendita ad azionariato diffuso, con proprietà massima del 2%, di due canali televisivi pubblici
- un solo canale televisivo pubblico, senza pubblicità, informativo e culturale, indipendente dai partiti
- abolizione della legge Gasparri
- copertura completa dell'Adsl a livello di territorio nazionale
- statalizzazione della dorsale telefonica, con il suo riacquisto a prezzo di costo da Telecom Italia, e l'impegno da parte dello Stato di fornire gli stessi servizi a prezzi competitivi ad ogni operatore telefonico
- introduzione dei ripetitori Wimax per l'accesso mobile e diffuso alla Rete
- eliminazione del canone telefonico per l'allacciamento alla rete fissa
- allineamento immediato delle tariffe di connessione e telefoniche a quelle europee
- tetto nazionale massimo del 5% per le società di raccolta pubblicitaria facenti capo a un singolo riferimento economico
- riduzione del tempo di decorrenza della proprietà intellettuale a 20 anni
- abolizione della legge Urbani sul copyright
- abolizione del digitale terrestre e restituzione degli investimenti sostenuti dallo Stato da parte dei soggetti economici privati coinvolti.
04.04.06 17:22

Scatenati coglione!

"Far comprendere l'importanza della posta in gioco il 9 e 10 aprile e portare a votare il maggior numero possibile di elettori.
Per raggiungere questo obiettivo abbiamo lanciato anche una campagna banner, sms e e-mail.
Scatenati anche tu!
Scegli il messaggio che ti piace e fallo girare il più possibile.
È in gioco il tuo futuro..."
dal sito di Forza Italia
05.04.06 14:22

La Posta e le vecchiette

Chi va in posta per spedire un pacco o una raccomandata si deve guardare intorno. Ormai quasi tutti gli sportelli trattano solo conti correnti ed investimenti. Le poste hanno cambiato pelle e pensano soprattutto a fare concorrenza alle banche. E non solo, fanno concorrenza pure ai negozi vendendo musica, libri e oggetti improbabili.

Una volta c'erano solo i Buoni Fruttiferi Ordinari, che per molti sono stati un affarone. Chi vent'anni fa investì 1.000 lire si ritrova 6.250 lire (3,23 euro). Risultati simili i clienti dei fondi obbligazionari li hanno visti col binocolo.
Ora gli impiegati postali propongono obbligazioni dai regolamenti astrusi, fondi d'investimento e previdenza integrativa. Gli stessi prodotti cari, rischiosi e opachi che rifilano le banche. I consulenti globali inseguono le vecchiette con la pensione in mano per proporgli i futures.

Tuttavia ogni tanto le Poste sfornano anche qualcosa di commestibile. Per esempio i Buoni fruttiferi indicizzati all'inflazione, appena usciti e più sicuri degli stessi Buoni ordinari. I loro pregi e i loro pochi difetti sono spiegati in dettaglio nel sito del Dipartimento di Matematica dell'Università di Torino.

A chi volesse invece rovinarsi suggerisco di comprare le azioni delle società di Borsa più indebitate per permettere ai loro manager e agli azionisti di controllo con quote da prefisso telefonico stipendi da milioni di euro e stock option.
Rovinatevi per loro. Apprezzeranno.
06.04.06 12:15

Una lettera di Franca Rame

Franca Rame mi ha inviato una lunga lettera (in allegato) di cui riporto alcune parti.
" Mi candido, prima di tutto, perché le donne non abbondano in

politica. Credo che in queste elezioni anche un solo voto possa essere decisivo e voglio anch'io dare il mio contributo a far finire quest'epoca tragicomica, più tragica che comica... viste le difficoltà del campare, che molti cittadini vivono.
"Perché Di Pietro? " - mi si chiede da ogni parte. Di Pietro rimane il simbolo di una stagione, quella di Mani Pulite, che ha dato speranza a Milano e a tutta Italia. Porta avanti da anni discorsi corretti... sulla giustizia, sui diritti civili e altro.
Spero, con la mia candidatura, di convincere qualcuno tra i molti di sinistra che sono in dubbio se votare o no perché delusi da una certa politica. L'altro motivo per il quale mi candido è che se venissi eletta cercherei di realizzare un sogno di tanti italiani: fare finalmente chiarezza sui conti dello Stato, gli sprechi ecc.
A questo punto, facciamo un salto indietro: 1992-94 "Settimo: ruba un po' meno! n° 2" monologo su Tangentopoli... n° 2 perché nel '64 Dario e io avevamo messo in scena una commedia, "Settimo: ruba un po' meno!", su tangenti e truffe di quegli anni. Quando è scoppiata Tangentopoli, Dario ha esclamato: "Ci hanno rubato l'idea senza pagarci i diritti d'autore!".
Tangentopoli... Cos'è la vita... dopo tanti anni eccomi al fianco di chi ha contribuito in prima persona a quella rivoluzione.
"Settimo..." è un monologo su Tangentopoli, dicevo, e gli sprechi del nostro Stato, scritto da Dario e da me. Si è fatta una grande ricerca. Quello che maggiormente ci ha sconvolti è stato scoprire a quanto ammontasse il nostro debito pubblico che a quel tempo era 2 miliardi di milioni e rotti... Chissà perché lo chiamano debito "pubblico"... è un termine improprio... è un eufemismo... noi cittadini non c'entriamo nulla con quei denari spesi, sperperati e buttati!
Due milioni di miliardi!!! Mettendo in fila i biglietti da 100 mila potremmo fare 2.214 volte Milano - Palermo.

Cosa mi piacerebbe realizzare se mai venissi eletta, con l'aiuto di tutti quelli che saranno d'accordo con me? Al primo posto la riduzione del debito pubblico, non certo con tagli alla spesa pubblica e ai servizi come ha fatto il centro-destra e svendendo beni dello stato, ma focalizzando l'attenzione sugli sprechi della Pubblica Amministrazione, che si traducono in spese assurde a carico dei contribuenti.
La bolletta energetica dello Stato Italiano potrebbe essere dimezzata

solo se si usassero i criteri di efficienza energetica, obbligatori da tempo, già in funzione in Germania, Austria, nei Paesi Scandinavi e anche nel Trentino Alto Adige (vedi www.alcatraz.it). Si tratta di una somma di denaro enorme che potrebbe essere spesa per dare a tante persone oggi escluse da diritti fondamentali la possibilità di avere una casa, l'assistenza sanitaria o la salute... che non è poco!
Poi c'è un altro punto sul quale vorrei battermi: l'efficienza della legge contro i reati. Oggi in Italia non vi è certezza della pena. Tutto il meccanismo giudiziario è costruito intorno alla possibilità di invalidare le sentenze usando cavilli. vvAddirittura chi è riconosciuto colpevole di truffa, può patteggiare la condanna senza aver prima restituito il denaro estorto.
E chi manda in rovina migliaia di famiglie, o si arricchisce manipolando il mercato, viene punito con una multa.
Visto che ci piacciono tanto gli americani perché non iniziamo a imitarli sulle cose buone? Negli Stati Uniti come nel resto dei paesi moderni la manipolazione del mercato viene punita con pene severissime. In Usa sono 6 anni di prigione.
Loro Al Capone lo condannarono per evasione fiscale. Da noi, oggi, Al Capone per quegli stessi reati, tra condoni e prescrizione, falso in bilancio e sanatorie, se ne andrebbe a casa con un buffetto sulla guancia, tutto un sorriso.
Se ce la faremo, vedrete che staremo tutti un po' meglio. Sì, vorrei proprio vedervi sorridere!
Se volete sapere tutto su di me, di noi, del nostro lavoro, impegno politico, andate sul nostro sito www.dariofo.it o www.francarame.it oppure www.jacopofo.com.
Un bacio a tutti".

Franca
06.04.06 18:57

Basta? Basta!

Quest'anno mi toccherà fare gli straordinari e tenere un po' di spettacoli in giro per il mondo per tirare su il morale degli italiani all'estero.

La stampa mondiale (comunista) (istigata dai magistrati) continua a fornire dell'Italia un'immagine cialtrona e miserabile.
Abbiamo poco da fare i nazionalisti. Hanno ragione loro, dicono cose che sapremmo anche noi se in Italia non ci fosse una cupola mediatica.
Quando ce ne liberiamo? Ho un peso addosso, sento in giro un'atmosfera plumbea, malata, di prigionia del pensiero, opprimente.
Basta!

Una sensazione che tracima oltre le Alpi e il Mediterraneo. Non ne possono più neppure gli altri Stati.
I giornali stranieri dalla Cina al Portogallo ci deridono.

L'Economist (stalinistaleninistamaoista e, perché no?, anche marxistagramscistatogliattistacuocibambini) di oggi titola:
"BASTA, per l'Italia è tempo di licenziare Berlusconi" (Basta. Time to sack Berlusconi).

Riporto qualche passaggio:
"Berlusconi ha speso molto del suo tempo non solo a cambiare le leggi a proprio beneficio e dei suoi amici, ma anche ad infangare la reputazione dei pubblici ministeri e dei giudici italiani, minando la credibilità dell'intero sistema giudiziario nazionale. Non sorprende che evasione fiscale, costruzioni abusive e corruzione sembrano essere tutte cresciute negli ultimi cinque anni...
Direttamente o indirettamente, Mr Berlusconi oggi esercita la sua influenza sul 90% delle televisioni, una situazione che nessuna democrazia seria dovrebbe tollerare...
Il governo Berlusconi ha inoltre gestito in modo inadeguato il miglioramento delle finanze pubbliche operato dai suoi predecessori: il deficit di bilancio e il debito pubblico, il terzo nel mondo, stanno aumentando ancora una volta...
Berlusconi ha fatto troppo poco per la liberalizzazione del mercato, poche privatizzazioni e mancanza della promozione della competizione in una delle economie europee con il maggior numero di regole...
Tristemente, molti italiani non capiscono ancora quanto malata sia diventata la loro economia..."
Ragazzi, qua o si fa l'Italia o si muore. Ma chi l'aveva detto, belìn?
07.04.06 12:25

Primarie dei Cittadini: economia

Oggi pubblico le proposte per le Primarie dei Cittadini sull'economia. Le integrerò con i vostri commenti.
Sono andato fuori tempo massimo per i confronti sul blog con i segretari di partito. Comunque, i risultati delle Primarie dei Cittadini su energia, salute, informazione ed economia saranno proposti al nuovo presidente del consiglio, se ci vorrà ascoltare...

Un'economia sana deve avere una strategia di lungo termine, decenni, secoli, che ne consenta lo sviluppo e disporre di regole che ne permettano l'attuazione ed il controllo. Strategia e regole sono due temi che vanno indirizzati insieme.

Strategia.

La nostra economia è basata sul petrolio, ma in tempi più o meno brevi ne dovremo fare a meno, e insieme al petrolio dovremo rinunciare per sempre all'economia degli sprechi, delle mega opere, dei trasporti su scala mondiale di beni già disponibili sul territorio, come l'acqua e il cibo, i maglioni e gli utensili.
L'economia dovrà essere sostenibile, e quindi basarsi su fonti rinnovabili, che dovranno essere incoraggiate e diffuse con politiche fiscali premianti.
Le imprese senza impatto ambientale dovranno avere una forte riduzione fiscale che dovrà essere compensata con un pari aumento per le aziende che producono danni all'ambiente.

Regole.

- Introduzione della class action
- Abolizione delle scatole cinesi in Borsa
- Abolizione di cariche multiple da parte di consiglieri di amministrazione nei consigli di società quotate
- Introduzione di strutture di reale rappresentanza dei piccoli azionisti nelle società quotate

- Abolizione della legge Biagi
- Evitare lo smantellamento delle industrie alimentari e manifatturiere con un prevalente mercato interno (es. zuccherifici)
- Vietare gli incroci azionari tra sistema bancario e sistema industriale
- Responsabilità degli istituti finanziari sui prodotti proposti con una compartecipazione alle eventuali perdite
- Impedire ai consiglieri di amministrazione di ricoprire alcuna altra carica nella stessa società se questa si è resa responsabile di gravi reati (come è avvenuto per la Banca Popolare Italiana, in cui due consiglieri della gestione Fiorani sono stati confermati nel nuovo consiglio: Castellotti e Olmo)
- Impedire l'acquisto prevalente a debito di una società (come è avvenuto a suo tempo per Telecom Italia)
- Tetto per gli stipendi del management delle aziende quotate in Borsa e delle aziende con partecipazione rilevante o maggioritaria dello Stato
- Abolizione dei monopoli di fatto, in particolare Telecom Italia, Autostrade, Eni, Enel, Ferrovie dello Stato
- Allineamento delle tariffe di energia, connettività, telefonia, elettricità, trasporti agli altri Paesi europei
- Riduzione del debito pubblico con forti interventi sui costi dello Stato, sia con il taglio degli sprechi, sia con l'introduzione di nuove tecnologie per consentire al cittadino l'accesso alle informazioni e ai servizi senza bisogno di intermediari
- Ampliare il mandato delle Authority, cambiare i loro attuali vertici ed inserire regole sulla concorrenza trasparenti e chiare per i cittadini.
-Obbligo di rendere pubbliche sui principali media, giornali, radio e televisioni, le motivazioni di condanna del comportamento delle aziende eventualmente condannate
- Vietare la nomina di persone condannate in via definitiva (es. Scaroni all'Eni) come amministratori in aziende aventi come riferimento lo Stato o quotate.

08.04.06 16:21

Elettronica addio

Ricevo sempre più spesso lettere su aziende dei settori dell'informatica, dell'elettronica e delle telecomunicazioni che chiudono. I settori che dovrebbero rappresentare il futuro da noi non hanno più un presente, sostituiti dai call-center e gestiti da finanzieri incapaci che si atteggiano a manager.
Pubblico la lettera dei lavoratori del PoloElettronico dell'Aquila.

"Salve, Sig. Grillo,
Le scriviamo questa email, da parte dello staff di www.poloelettronico.it, per segnalare una grave situazione che ad oggi sta per mettere in mezzo ad una strada ben 550 persone. Le teniamo a precisare che coloro che le scrivono non sono organi sindacali, ma lavoratori disperati che non sanno più come andare avanti.

La storia della Finmek Solutions dell'Aquila è iniziata il 14/8/2003, dopo l'uscita (23 febbraio 2003) della multinazionale americana Flextronics dal territorio aquilano lasciando, di soppiatto, sul lastrico 940 persone. C'è da rilevare che nella provincia dell'Aquila è, da tempo in atto, un processo di vera e propria desertificazione industriale, con una perdita durissima di posti di lavoro.
Ricordiamo comunque che questo è anche il risultato di una privatizzazione di Telecom che fu fatta, 10 anni fa, solo per fare cassa, e che da subito comportò la cessione del sito Aquilano dall'Italtel alla Siemens, che invece intendeva, già da allora, abbandonare il territorio Aquilano. Infatti nel settembre 2000 la Siemens passò la "patata bollente" alla Flextronics, che già nei primi mesi del 2001 iniziò una lunga serie di giorni di cassa integrazione, che coinvolse molti dipendenti e trasferì il poco lavoro rimasto dall'Aquila nella sua sede di Avellino.
Chiaramente questo "scippo di lavoro" portò a breve, febbraio 2003, all'uscita repentina di Flextronics con l'abbandono drastico e immediato di 940 persone. Il Governo, dopo compromessi più o meno chiari, con accordi sottoscritti perfino dal Sottosegretario alla Presidenza del Consiglio, Gianni Letta, indicò nella Finmek Solutions, la soluzione occupazionale, per i 550 dipendenti rimasti, dei quali però solo 250

furono richiamati al lavoro, provocando così una frattura lacerante tra le persone rientrate e le non rientrate.

Peccato che la Finmek fosse oberata di debiti, ed è un'azienda che rientra nella Legge Marzano (per le aziende tipo la Parmalat) e che a distanza di pochi mesi, re-iniziò subito, come la Flextronics, con la cassa integrazione, perché il lavoro non era più sufficiente nemmeno per i 250 dipendenti già rientrati.
Adesso dopo 6 mesi si può verificare il dramma: infatti ad oggi non c'è ancora né una soluzione industriale per i lavoratori più giovani che non hanno i requisiti per agganciarsi alla pensione, né è ancora stato trovato uno straccio di soluzione apprezzabile per accompagnare i più anziani con adeguati ammortizzatori sociali verso la pensione.
Ad oggi il governo è sparito, dopo aver promesso e rassicurato, una nota della Fiom Nazionale, da Roma, in cui si ricorda che l'11 febbraio solenni comunicati del Governo (Berlusconi e Scajola) annunciavano il rilancio del gruppo ad opera della russa Afk Sistema. I giornali, ovviamente, ci credevano e ci cascavano, ma la verità era un'altra. I russi si riservavano di valutare la situazione entro 40 giorni, ormai trascorsi senza un'oncia di novità.
Nella provincia dell'Aquila, le tantissime vertenze aperte in difesa dell'occupazione, le diverse migliaia di posti di lavoro persi, in pochi anni, avrebbero potuto offrire la sponda a proteste eclatanti. Non è stato così. Ma questo però non deve diventare controproducente, perché tutti i lavoratori hanno scelto fin dall'inizio la protesta civile. Per esempio per la Finmek Solutions dell'Aquila la protesta è rimasta pressoché clandestina, nonostante le tantissime iniziative di lotta intraprese negli ultimi 6 mesi. La stampa nazionale non ha mai dato la visibilità che sarebbe stata necessaria visto il numero dei posti di lavoro a rischio, in una zona dove la disoccupazione è dilagante.

Abbiamo perfino, unici in Italia, rispettato la Pax Olimpica, quando il tedoforo, con il nostro logorroico concittadino Bruno Vespa (che però non ha mai speso una parola sulla questione PoloElettronico dell'Aquila) ha presenziato la cerimonia, davanti ad una folla rispettosa e plaudente. Dopo aver osservato la Pax Olimpica, non vorremmo ci volessero far rispettare anche la Pax Aeterna, noi caro Grillo, in quella lotta di civiltà, che è la difesa di un diritto costituzionale, ovvero un semplice posto di lavoro, non sappiamo più a che santo votarci, speriamo solo nella Sua collaborazione di uomo degno, che nella propria dignità rifugge dal servire i soliti "padroni".

I lavoratori disperati della Finmek Solutions
09.04.06 20:43

Pedalare Prodi, pedalare...

L'Unione ha vinto, dopo qualche sobrio spumantino chiediamo al nostro dipendente Romano Prodi di mettersi subito al lavoro da domani mattina iniziando dagli inceneritori.
Pedalare Prodi, pedalare...

"Gentile Presidente del Consiglio Romano Prodi,

la produzione di energia attraverso l'incenerimento dei rifiuti, caso unico e contestato in Europa, oggi è fortemente sovvenzionata dallo Stato, perché beneficia impropriamente del cosiddetto contributo Cip 6, destinato alle fonti "energetiche rinnovabili" che paghiamo nella bolletta elettrica: senza il Cip6 la produzione di energia da rifiuti non presenterebbe alcun vantaggio economico rispetto alle fonti rinnovabili.

La stessa Commissione Europea, che Lei ha presieduto, nel 2003 con il Commissario Ue per i Trasporti e l'Energia, Loyola De Palacio, in risposta ad una interrogazione dell' europarlamentare Monica Frassoni, in data 20.11.2003 (risposta E-2935/03IT) ha ribadito il fermo no dell'Ue all'estensione del regime di sovvenzioni europee per lo sviluppo delle fonti energetiche rinnovabili, previsto dalla Direttiva 2001/77, all'incenerimento delle parti non biodegradabili dei rifiuti. Queste le affermazioni testuali del suo Commissario all'energia nel 2003: "La Commissione conferma che, ai sensi della definizione dell'articolo 2, lettera b) della direttiva 2001/77/CE del Parlamento europeo e del Consiglio, del 27 settembre 2001, sulla promozione dell'energia elettrica prodotta da fonti energetiche rinnovabili nel mercato interno dell'elettricità, la frazione non biodegradabile dei rifiuti non può essere considerata fonte di energia rinnovabile".

Uno studio dell'Università Bocconi del 2005 ha dimostrato che il costo di 1 MWh prodotto da un medio impianto idroelettrico è pari a 66 euro che scende a 63 se viene prodotto all'eolico, sale a 121 se prodotto da biomasse e arriva a 280 se si tratta di fotovoltaico. L'incenerimento di rifiuti solidi urbani con "recupero energetico", senza considerare il costo di gestione e trattamento dei rifiuti ed i danni alla salute umana causati dalle nanoparticelle, prima che arrivino all'inceneritore, è di 228 euro MWh.

Questo significa che se il Cip6, che noi paghiamo nelle nostre bollette Enel, andasse alle fonti veramente rinnovabili in Italia ci sarebbe convenienza ad andare sul solare, non sugli inceneritori!

Se il contributo statale venisse destinato alle fonti veramente rinnovabili e non ai rifiuti, la produzione elettrica dal cosiddetto Cdr (Combustibile da rifiuti) e tramite inceneritori chiamati impropriamente e solo in Italia "Termovalorizzatori" non avrebbe nessun vantaggio economico. Né per il cittadino né per le aziende che scelgono di produrre energia attraverso questo sistema o di smaltire rifiuti tramite l'incenerimento.

Inoltre gli inceneritori, specialmente quelli di nuova generazione, come hanno dimostrato gli studi del dottor Stefano Montanari e della dottoressa Antonietta Gatti, producono pericolosissime nanoparticelle inorganiche (Pm 2,5 fino a Pm 0,01) che penetrano nel sangue e da lì si depositano negli organi del corpo umano e sono causa di gravi malattie, tra queste il cancro. Sono le cosiddette nanopatologie.

Queste nanopolveri si creano tramite le altissime temperature che si generano. Una storia già vista anche presso la centrale Enel ad olio combustibile di Porto Tolle (dove Tatò, Scaroni ed Enel sono stati condannati a risarcire tre milioni di euro), tra i reduci della Guerra del Kossovo e in Irak (la cosiddetta "Sindrome del Golfo" causata dai proiettili ad uranio impoverito o al tungsteno), nel crollo delle Torri Gemelle a New York e nelle zone industriali. Anche alcuni Filtri Antiparticolato sono fortemente sospettati di produrre le pericolose nanoparticelle.

Come primo atto del suo governo le chiediamo quindi di:

- Rispettare i dettati europei ed abolire immediatamente i finanziamenti all'incenerimento dei rifiuti in quanto non sono fonte d'energia rinnovabile. Come succede in altri paesi d'Europa l'incenerimento dei rifiuti va tassato e, diciamo noi, vietato

- Abolire la "Legge Delega" sull'ambiente del Governo Berlusconi che prevede tra l'altro un inceneritore in ogni provincia oltre all'eliminazione di tantissimi vincoli a tutela dell'ambiente e quindi della salute

- Puntare decisamente, per gestire l'intero ciclo di gestione dei rifiuti, a: riduzione alla fonte (tassare chi produce più imballaggi ed incentivare chi punta su riutilizzo e riduzione rifiuti), raccolta differenziata obbligatoria in tutta Italia come è in Germania, e per il trattamento del residuo utilizzare i moderni sistemi di Trattamento Biologico "a freddo", cioè senza incenerimento già sperimentati in altre realtà europee e a Sidney in Australia, che oltre a non produrre nanopolveri costano circa il 75% in meno degli impianti di incenerimento

- Riconoscere per legge la pericolosità delle nanoparticelle (inferiori a Pm 2,5 fino a Pm 0,01) come già diversi studiosi da tutta Europa stanno chiedendo alla Commissione ed al Parlamento Europeo.

Vogliamo cambiare. Lei ha, per ora, la nostra fiducia".

Beppe Grillo e i blogger
10.04.06 15:35

C'è chi

C'è chi si è sentito come dopo le Torri Gemelle.
C'è chi si è svegliato ogni mezz'ora per guardare i risultati.
C'è chi non voleva svegliarsi.
C'è chi non ci voleva credere.
C'è chi era giù come dopo le finali di coppa del mondo con il Brasile del

1994 e del 1970.
C'è chi ha preso il sonnifero per dormire.
C'è chi non si è più trattenuto e ha gridato forte, nella notte: "Forza Italia, quella vera!".
C'è chi ha guardato il suo bambino e ha pianto.
C'è chi si è vergognato di essere italiano.
C'è chi si è vergognato per gli italiani.
C'è chi ha deciso di iscriversi anche lui alla mafia.
C'è chi ha pensato ai brogli e poi è andato a letto.
C'è chi voleva spaccare tutto.
C'è chi aveva rinnovato il passaporto e le valigie pronte.
C'è chi era sicuro della Campania.
C'è chi ha pregato.
C'è chi ha sperato negli italiani all'estero.
C'è chi si è stancato di sperare.
C'è chi si è sentito spaccato in due, come l'Italia.
C'è chi si è sentito già in Argentina.
C'è chi ha creduto di non pagare più l'Ici e le tasse sui rifiuti.
C'è chi ha pensato: "Adesso basta lo dico io!".
C'è chi ha prenotato un volo low cost per un posto lontano.
C'è chi ha guardato dal suo letto il soffitto e ha deciso di non mollare, mai.
11.04.06 14:25

Gli ultimi saranno i primi

E poi dicono che siamo sempre ultimi...
Quando si tratta di costo del lavoro siamo imbattibili. I manager italiani guadagnano infatti più di tutti in Europa, forse perché sono i più bravi.
Nelle telecomunicazioni il distacco inflitto dal tronchetto dell'infelicità ai più importanti manager del settore è impressionante.
Il tronchetto ha incassato 8 milioni di euro nel 2005 da Telecom Italia, Arun Sarin della Vodafone, secondo in classifica, ha percepito 4,7 milioni di euro.
Non si capisce perché un manager così ben remunerato sia stato abbandonato da Banca Intesa e Unicredito che lo avevano sostenuto nell'ac-

quisto di Telecom Italia.

Le banche sono uscite incassando 585 milioni di euro a testa, la stessa cifra che avevano impegnato nel 2001. Non hanno guadagnato un euro, se avessero comprato Bot e Cct gli sarebbe andata senz'altro meglio.
Le banche hanno incassato al prezzo di acquisto del 2001, che è quasi il doppio del valore del titolo attuale, solo grazie ad un accordo firmato allora.

Un comune azionista che, entusiasmato dall'arrivo del tronchetto, avesse comprato le azioni Telecom nel 2001 si ritroverebbe oggi con un valore pari alla metà.
Olimpia, la società che controlla Telecom, ha ancora in carico le azioni a 4,2 euro, mentre in borsa il loro valore è di circa 2,4 euro. Non capisco come questo sia possibile. Perchè gli organismi di controllo non la costringono a svalutare il valore del titolo?

Il debito di Telecom Italia valutato da Standard & Poor's è ormai ai confini della comprensione umana: 56,7 miliardi di euro includendo garanzie, obblighi previdenziali, operazioni di leasing e cartolarizzazione.
E l'agenzia Fitch con un linguaggio sublime afferma che "la flessibilità finanziaria di Telecom Italia sia stata ridotta dagli incrementi di dividendo annunciati il 7 e 8 marzo".
Invece di ridurre il debito si distribuiscono i dividendi della gestione e si strapagano gli stipendi.
È come usare un secchio d'acqua per farsi una doccia quando la casa brucia.

Come uscirà da questa situazione la Telecom?
Sembra che mastrolindo stia arrivando in soccorso del tronchetto, un duo da circo.
Infatti si dice in giro che Mediaset e Telecom Italia stiano per fondersi, il tronchetto sanerebbe i suoi debiti, mastrolindo avrebbe il controllo della Rete.
12.04.06 13:26

Lettera a George Bush

Forse mi sono montato la testa, voglio scrivere a Bush.

Lettera aperta a George Bush.

"Io sono solo un comico e lei è un grande presidente, a capo di una grande e potente nazione. Inoltre, lei è anche un grande amico del nostro ex presidente del consiglio con cui ha molti punti in comune, la visione atlantica al posto di quella pacifica, grandi ricchezze, l'esportazione della democrazia con o senza le armi, la personalizzazione della politica.
Mi permetto comunque, molto umilmente, di chiederle conto del suo comportamento nei confronti dell'Italia e degli italiani.
Prodi ha vinto le elezioni, si sono felicitati con lui capi di stato di molte nazioni e il presidente della Comunità Europea.
Manca, quasi, solo lei.
E, in questa situazione, il nostro ex presidente del consiglio non riconosce il risultato elettorale anche grazie al suo supporto.
Lei si ostina a non riconoscere in Prodi il legittimo vincitore, eletto in libere elezioni.
Elezioni gestite da un ministro degli interni del governo in carica.
Elezioni in cui si è votato con una legge elettorale liberticida fatta approvare dal suo amico e, in questo caso, la sua voce di difensore della democrazia non l'abbiamo sentita.
Lei non si sta dimostrando amico del nostro Paese e probabilmente non sta neppure facendo gli interessi del suo.
Se lei non riconosce Prodi perché gli italiani dovrebbero riconoscere lei? Io credo e spero che la sua sia solo una temporanea distrazione istituzionale, in caso contrario gli italiani dovrebbero porsi qualche domanda.

Perchè consentire la permanenza di basi militari americane nel nostro Paese?
Perchè tollerare la presenza di armi atomiche americane a Ghedi Torre, Brescia e ad Aviano, Pordenone?

Perchè permettere agli agenti della Cia di muoversi nel nostro Paese come se fossero in visita nel suo grande ranch nel Texas?
Perchè finanziare un Paese che in questo momento gli è ostile comprando prodotti americani, mangiando in catene americane, sostenendo le imprese americane in Italia?
Sono sicuro che gli italiani sapranno trovare le risposte".

Beppe Grillo
13.04.06 13:46

Il tramonto degli inceneritori/2

Tanta gente così nel Consiglio Comunale di Reggio Emilia non si era mai vista nella storia repubblicana di questa città. I tre piani della Sala del Tricolore (dove nel 1797 nacque il Primo Tricolore) erano gremiti di gente per ascoltare la relazione sulle nanopolveri e sulla pericolosità degli inceneritori del ricercatore Stefano Montanari.
Duecento persone non sono potute entrare perché dentro era "tutto esaurito". Un vero esempio di democrazia diretta con i cittadini-datori di lavoro che hanno preso d'assedio la casa dei loro dipendenti.
Un lunghissimo applauso ha accompagnato la fine della relazione di Montanari da parte di tutti i reggiani presenti.
Poi il rovesciamento delle parti. I consiglieri di Forza Italia, An e Udc che si schieravano, convinti, contro gli inceneritori. L'Udc anche contro la mia presenza in consiglio comunale, ma cosa avrò mai scritto di male contro casinigiovanardicuffaro?
I soliti Ds, i nuovi socialisti sono loro, tentennavano e difendevano questo sistema folle di smaltimento rifiuti. La Margherita affermava di essere contro gli inceneritori, ma però non votava la mozione firmata da 800 cittadini contro gli stessi. In realtà nelle teste di questi dipendenti era già tutto deciso, perché sono solo dei portaordini.
Alla fine la mozione contro l'inceneritore è stata votata da 10 consiglieri, della Cdl e di due Liste Civiche locali di area di centrosinistra con il voto contrario di 17 consiglieri (Ds, Margherita, il capogruppo di Rifondazione) e 6 astenuti (Verdi, Rifondazione, Pdci, Udeur).
Quindi la mozione, grazie al centro sinistra, è stata bocciata.

Pur di non fare una figura totalmente di cacca la maggioranza di centro sinistra di Reggio Emilia ha votato un ordine del giorno dove si chiede al nuovo governo del loro concittadino di:
- Varare una legge sui rischi da nanopolveri e conseguenti nanopatogie (a questo punto però non si capisce perché non si schieri contro gli inceneritori se ritiene che le nanopolveri siano pericolose)
- Modificare la disastrosa legge delega ambientale varata dal precedente governo.

Sono stati inseriti concetti importanti e alternativi agli inceneritori come il trattamento biologico per lo smaltimento dei rifiuti residui.

La palla ora passa alla Provincia.

Questo blog vigilerà su Reggio Emilia che è diventata di fatto la capitale della lotta agli inceneritori.
Avanti con le prossime tappe!
14.04.06 15:44

Quannu tira u ventu fatti canna!

L'arresto di Bernardo Provenzano (detto "U tratturi" per la spietata ferocia con cui massacrava tutti i suoi avversari) è un fatto di straordinaria importanza. Un successo per la Polizia di Stato e per i magistrati della Procura di Palermo. Quarantadue anni di latitanza sono comunque tanti. Troppi. E toni più misurati nel celebrare l'evento a volte non guasterebbero. Ma il fatto resta memorabile. Anche se qualcuno insinua che Provenzano si sia lasciato arrestare, la realtà è che "U tratturi" sta ora in carcere.

Piuttosto c'è da riflettere sull'immagine che forse lo stesso Provenzano, col suo arresto, vuole offrire di sé. E sugli scopi che vuol raggiungere. E sul momento in cui è avvenuto l'arresto, il giorno dopo le elezioni vinte dal centro sinistra. Coincidenza insondabile...
Campagna desolata. Pastorizia. Una costruzione mezzo diroccata. Una mano che spunta e afferra una bottiglia di latte, come neanche i più

incalliti misantropi. Un rifugio che schiferebbero gli extracomunitari più sfigati. Ambiente squallido. Puzza di rancido e di formaggio andato a male. Paglericci. Sacchi a pelo unti e bisunti. Pizzini. Pitali. Macchine per scrivere antidiluviane. Carta carbone nell'era dei computer. Prostata. Pannoloni contro l'incontinenza. Banconote nascoste nel pannolone. Cicoria. Vangeli annotati, che per un assassino non sono niente male.

Uno scenario di assoluto squallore, tutto meschinità e sciatteria. Quale "galantuomo" (quale politico, quale amministratore pubblico, quale imprenditore, quale commercialista, quale medico, quale funzionario pubblico......), chi mai potrebbe avere rapporti d'interesse o di scambio, chi mai potrebbe stipulare un qualche patto, stringere un accordo, fare affari con "U tratturi"?
Nessuno!

Dunque, chi blatera di "relazioni esterne", chi sostiene che il punto di forza della mafia sono le complicità e le coperture di cui essa gode ad opera di personaggi insospettabili, ma autorevoli, dislocati un po' dovunque, si rassegni: tutte balle. Assolutamente improponibili. Basta vedere com'era ridotto Provenzano per convincersi. E chi non si convince è pazzo. Oppure il solito irriducibile comunista.

"U tratturi" potrebbe aver reso, con un'abile sceneggiata, un ulteriore servizio a chi di servizi - in questi anni - è assai probabile che gliene abbia fatti non pochi. E il cerchio si chiude: se il boss dei boss si rende impresentabile in società, ostinarsi a considerare una grave, imperdonabile colpa frequentare mafiosi, chiedere e offrire loro favori, discutere con loro di soldi, voti e delitti, equivale a prendersela con dei fantasmi, prodotti da una fantasia malata. Ma quel che è frutto di fantasia malata non può essere considerato illecito, né sotto il profilo giudiziario, né sul piano politico. Allora, le "relazioni esterne" con la mafia possono tranquillamente continuare, come metodo di azione politica. Senza scandalo. Per il passato, il presente ed il futuro. Anche quando si tratti di politici di primo piano. Siciliani o nazionali.

Senza un buon marketing ormai non si può più prendere sul serio nessuno: neppure la mafia.
15.04.06 14:40

Suona la sirena...

A Pasqua una buona notizia. Una piccola grande fabbrica, anche grazie al blog, ha riaperto. È la fabbrica birra di Pedavena che mi ha inviato questa lettera.
Un punto di partenza, piccolo ma importante, per far ripartire il Paese.

"La sirena della Birreria è tornata a scandire la vita del paese, dopo oltre sei mesi di silenzio.
Martedì 4 Aprile, alle 8 in punto, è ricominciata l'attività allo stabilimento ex Heineken, oggi di proprietà della Castello di Udine Spa.
Per tutti noi è una grande gioia ed una grande soddisfazione che vogliamo condividere con tutte le persone che, come te, ci hanno sostenuto ed aiutato per salvare la fabbrica birra di Pedavena.
In questo primo periodo sono venti i lavoratori reintegrati nel loro posto di lavoro, mentre 41 rimangono in cassa integrazione.
È la prima fase di un percorso che, attraverso l'accordo di lavorare a rotazione per coinvolgere tutti, prevede entro il primo anno la ripresa del lavoro per almeno altri venti lavoratori. L'auspicio è comunque quello di far rientrare anche i rimanenti entro due anni.

Il mese di aprile sarà dedicato alla messa in funzione dei macchinari, ma da inizio maggio i mastri birrai potranno preparare i lieviti per avere la prima birra entro la fine del mese.
La produzione sarà ancora una volta una birra di grande qualità, totalmente italiana e incentrata sullo storico marchio Birra Pedavena.

L'azienda per poter riportare la birra Pedavena agli antichi fasti e splendori ha chiamato un mastro birraio d'eccezione, il Braumeister Gianni Pasa, che già a Pedavena ha creato la famosa "birra del centenario".
Un vero esperto di birra, dalla grande esperienza maturata in Italia ed all'estero, dalla grande passione per la ricerca della qualità.

Nel frattempo, oltre ad i lavori per riattivare i macchinari, si stanno concentrando gli sforzi per rilanciare il marchio Birra Pedavena anche attraverso la conoscenza della sua storia centenaria. Si sta infatti lavorando anche per poter riaprire il museo localizzato all'interno del sito produttivo, che sarà, entro qualche tempo, visitabile da tutti coloro che verranno a Pedavena.

È cominciata dunque la nuova vita della Birra Pedavena, una nuova vita al cui successo tutti assieme possiamo contribuire, così come abbiamo fatto per la sua salvaguardia.
Nel ringraziarti ancora una volta per il tuo aiuto, rinnoviamo il nostro impegno ad informarti tempo per tempo sulla evoluzione della situazione e sulle iniziative che verranno organizzate.
Cogliamo l'occasione per augurarti Buona Pasqua".

I lavoratori della Birreria Pedavena
16.04.06 10:29

Telecolpodistato

Pubblico questa lettera di Norberto Lenzi, giudice di Bologna, in un momento molto critico per la democrazia nel nostro Paese.

" Può sembrare ingenuo e perdente fare del moralismo quando ci si confronta nel campo della politica, che è il regno del pragmatismo. Ma voglio lanciare ugualmente una sfida ai pragmatici chiedendo di verificare che cosa hanno ottenuto rispetto a quello che si sarebbe potuto ottenere con il semplice, rigoroso rispetto delle regole, che è soltanto uno dei tanti aspetti dell'etica.
Un Presidente del Consiglio amante dei paradossi ha chiesto una verifica della legalità delle elezioni. Una cosa che tutti hanno diritto di fare, tranne lui.
Perché sappiamo tutti che Berlusconi non può essere eletto. Lo dice una legge dello Stato (n. 361 del 1957) che prevede la ineleggibilità in Parlamento dei titolari di concessioni pubbliche di rilevante interesse economico. Sappiamo anche che quasi nessuno ha mosso un dito per impedirlo, anzi non se ne parla proprio più.
Eppure fino a qualche tempo fa l'argomento ogni tanto veniva ancora trattato: D'Alema, il 15.9.2000 alla Festa dell'Unità di Bologna aveva

dichiarato che "Berlusconi, concessionario dello Stato, era ed è ineleggibile per incompatibilità; la decisione della Giunta per le elezioni è stata una finzione".
Governava ancora il centrosinistra e il cuore dei legalitari si era aperto alla speranza. Ma quando, qualche mese più tardi, gli è stato chiesto perché non si era risolta la questione, ha incredibilmente risposto "abbiamo rispettato il voto di tanti milioni di italiani".
Ho detto una volta che quando la Giunta per le elezioni ha interpretato quella legge sostenendo che concessionario delle TV era Confalonieri e non Berlusconi, in un attimo la Patria del diritto si è trasformata nell'Ospizio della idiozia. Quando D'Alema dice che Berlusconi è legittimato dal voto degli italiani deve essere reso consapevole che sta assicurando il profitto della vincita ad un baro.
Se un centometrista- come dice Moretti- parte 20 metri avanti agli altri viene squalificato anche se vince e lo stesso avviene se un atleta viene trovato positivo all'antidoping.
Soltanto nel nostro Paese è stato consentito al titolare del conflitto di interessi di dire di avere fatto lui una legge per risolverlo. Perfino in Thailandia, dove aveva vinto il clone di Berlusconi, la gente è andata in piazza e lo ha costretto a dimettersi.

Ci sono leggi in tutto il mondo che stabiliscono un limite al possesso delle televisioni, ma (dice Giuliano Ferrara) non sempre esistono leggi che stabiliscono che chi possiede una TV non può assumere cariche politiche. Non ci sono perché non servono, perché bastano il buon senso e le regole della democrazia.
E noi dobbiamo ascoltare costui, che possiede tre Tv e fa abusivamente politica da 12 anni usandole come un randello sugli oppositori, quando evoca lo spettro di leggi punitive e di inammissibili vendette? E dobbiamo davvero discutere tra noi se potrebbe essere sufficiente togliergliene una, magari sentendoci anche un po' in colpa?
Ma con quale spudoratezza si può parlare di punizione quando viene semplicemente e finalmente ripristinata la legalità? Su quello che è successo finora avrei una domanda per i pragmatici: vi siete trovati bene in questi anni in Italia? Cosa avete pensato quando i giornalisti liberi sono stati scacciati dalla TV e Mentana ha detto che si sarebbe incatenato se mandavano via Santoro? Avete sentito rumore di catene mentre intervistava il suo datore di lavoro in campagna elettorale?

E quando quel liberale di Berlusconi si arricchiva con le sue rendite monopolistiche sulla pubblicità, mentre il resto del Paese si impoveriva, non vi siete ricordati di quando un altro liberale (Adam Smith) bollava come infamia i privilegi concessi dalla monarchia inglese alla Compagnia delle Indie per condurre affari anche illeciti restando impunita?
Vi è piaciuto il crescendo di insulti ai giudici, in mezzo al crepitare delle leggi ad personam, culminato negli ultimi epiteti di "indegni" ed "infami"? Se, come spero, non vi è piaciuto, se ritenete che in fin dei conti quella piccola parte dell'etica che è la legalità può in qualche modo rimediare a questo scempio, lasciate perdere le offerte di collaborazione, mozzate le mani tese che vi avrebbero strangolato se avessero vinto.
Cercate di essere sempre più credibili e magari smettete anche voi di candidare nelle liste elettorali persone con condanne definitive: non è accettabile che chi non potrebbe accedere ad un posto di bidello possa rappresentarci in Parlamento.
E da quando la miglior difesa è la difesa?
La scaletta che propongo sul conflitto di interessi è:
1) Berlusconi non può essere eletto in Parlamento in base alla legge vigente.
Se qualcuno sostenesse (ma vorrei sapere con quali argomenti) che questo è esagerato o, diciamo, non pragmatico, sono disposto a passare al punto
2) La nuova, vera, legge sul conflitto di interessi deve stabilire che nessuno può avere più di una Tv, e al punto
3) Chi ha anche una sola quota in una concessione Tv non può essere eletto in Parlamento.
Tenete conto che i punti 2) e 3) facevano parte del programma dell'Ulivo nel 1996. Coerenza vuole che oggi si rimedi alle incoerenze altrui.

P.S. Ho letto questo intervento in una assemblea davanti ad alcuni parlamentari del centrosinistra. Mi sembrava di essere quel topo che propose di attaccare un campanello alla coda del gatto: molti consensi e pochi proseliti. Perché - mi si è detto - il tema della serata era la costituzione del partito democratico..."

Norberto Lenzi
17.04.06 22:13

Capanno che va, capanno che viene...

Dalle piccole cose può rinascere il senso civico in questo Paese, anche dalla ricostruzione di un capanno incendiato in Puglia.
Diamo una mano a questi ragazzi coraggiosi. Che si rivolgono al blog per ricostruire il capanno al più presto.

"Gentili tutti,
è con profonda amarezza che vi segnaliamo un fatto increscioso: ieri, 13 marzo 2006, ignoti hanno appiccato il fuoco, distruggendolo irrimediabilmente, ad un piccolo, ma grazioso capanno Lipu eretto in una zona abbandonata del Bosco Difesa Grande, in territorio del Comune di Gravina in Puglia.

Forse è pletorico descrivervi la tristezza che proviamo in questo momento, ma permetteteci di farlo.

È lo sfogo di chi, mosso da smodata passione, ha da sempre mostrato particolare attenzione verso il mondo circostante e le sue grandiose meraviglie; di chi ha sacrificato gli affetti familiari, anche moglie e figli neonati, per dedicare il "tempo libero" alle opere di manutenzione e miglioramento dell'area interessata dalla presenza di questo piccolo, ma significativo "gioiello"; di chi, piuttosto che passeggiare la domenica per la città, piuttosto che dedicarsi alle gite fuoriporta o alla pasquetta con gli amici, ha preferito imbracciare il tagliaerba per sistemare l'area del capanno, piantare nuovi alberi, o semplicemente rendersi disponibile all'ascolto e comunicare ai passanti curiosi l'esistenza di un'associazione nazionale che si chiama LIPU - anche esponendosi alla derisione di chi non comprende l'importanza della protezione degli uccelli e con essi di tutto l'ecosistema - che raccoglie il consenso di tanti aderenti sensibili e che si attiva quotidianamente, grazie a tanti volontari, per offrire il proprio contributo in aiuto alla Natura.

Dopo il proiettile sparato alla finestra, gli uccelli impiccati (tra cui una poiana) sul palo antistante l'ingresso, dopo lo sfondamento del muro di recinzione e lo scardinamento degli infissi, ora con un incendio hanno

raso al suolo questo capanno.
Perdonateci per queste riflessioni, ma forse in questo momento ci sentiamo un po' soli.
Vi invitiamo ad osservare le foto. Grazie!".

Gli amici della Lipu -Sez. di GRAVINA IN PUGLIA (Ba)
18.04.06 12:23

La nuvola gialla

Numeri, numeri, numeri. La Terra ci parla attraverso i numeri.

1,6 milioni di chilometri quadrati in Cina sono coperti da una nube color zolfo. 200 milioni di abitanti di 562 città scrutano il cielo per rivedere il sole. In una sola notte a Pechino sono caduti 20 grammi di polveri tossiche e di sabbia per metro quadro, per un gran totale di 300.000 tonnellate. È come essere in spiaggia senza però il problema dei raggi solari e delle scottature, i pechinesi risparmiano così in occhiali da sole e creme solari.
L'immensa nuvola gialla (e come poteva essere di un altro colore?) sta depositando le sue scorie in tutto il Pacifico.
Corea, Giappone e Stati Uniti stanno importando sabbia inquinata dalla Cina senza pagare dazio.

Questa è la vera economia globale. Quella che fa girare la sabbia, le merci, che fa aumentare il Pil. L'economia globale dei grandi tunnel, dei grandi ponti, delle multinazionali senza controllo politico. Di tante macchine in coda, di tanti camion vuoti, di tanto cemento pulito.
Questa concezione dell'economia che prescinde dal pianeta e dalle persone in Cina sta producendo deforestazione, desertificazione, siccità. Malattie dei polmoni e della pelle. Inquinamento causato dalle centrali elettriche e a carbone. Inaridimento dei grandi fiumi.

Ma allo stesso tempo, per fortuna, produce una crescita del Pil del 10% annuo, quella che tutti i "sì global" del pianeta ammirano, ed enormi spazi urbani con 20, 30 milioni di abitanti.

In questo scenario c'è però una buona notizia, anche per i cinesi. In Cina si immatricolano nuove auto con molta circospezione perché il petrolio importato è insufficiente.
Il petrolio sta finendo e come conseguenza il suo prezzo sale, i 100 dollari a barile non sono lontani.
I cinesi dovranno darsi al car sharing.
Speriamo che finisca prima il petrolio del pianeta...
19.04.06 12:41

Pizzini tra noi...

Ritrovati i pizzini tra MD e SBP2.

19-04-2006
"Carissimo, con l'augurio, che la presente, vi trovi a tutti in ottima salute ad Arcore, anche CP e MD. Come grazie a Dio, al momento posso dire di me. Oggi c'è vento di bolina e il cielo è chiaro.
Senti, non rigordo se già te ne avessi parlato e pregato. Ma a scanzo di equivoci, ti prego, senti che io ricordi? La mia presidenza è garanzia comune. Quella della Repubblica, ma la Camera può gestire la situazione.
Un caro abbraccio da parte mia". MD
19-04-2006
"Carissimo, solo in te riconosco la vera, sincera, democratica opposizione. Parli come un libro stampat (1), la tua ironia, la tua intelligenza.
Che cosa sei... Che cosa sei.. La tua presidenza (ma perché una sola: tutte!) è motivo di garanzia per gli italiani, per l'economia, per me.
Se non ci fossi bisognerebbe inventarti...
Non telefonerò mai a Romano, ma a te sempre. Per sempre tuo". SBP2
20-04-2006
"In merito alla presidenza finalmente ho avuto l'incontro con Violante e lo Turco e gli ho spiegato la situazione come stava e cioè che dovevamo pagare un prezzo politico in più per la presidenza. Le leggi di democrazi (2) rimarranno e la televisione sarà liber (3). Questo mi hanno riferito, e questo ti ho copiato. Ho parlato con quello del ga (4) e ho detto che ha parlato con quella persona: è giusta e che continua a parlarci

per tutto.
Ti benedica il Signore e ti protegga". MD
20-04-2006
"I conti non tornano e dai giudici non ci si poteva aspettare altro. Ma leggo la tua lettera e ti vedo come la prima volt (5). Continuo ad avere dubbi su queste elezioni e sul futuro di Mediaset. È stata una truffa. Bisognerà tenere alta la tensione chiedere controlli ulteriori. Continueremo con tutti i ricorsi in tutte le sedi possibili, dal Tar alle giunte per le elezioni. È insieme a te che vorrei riconteggiare il milione di voti, uno a uno. Tu sei il mio ier (6), il mio oggi, il mio domani.
Tu sei mio sogno proibito". SBP2.
PS: C5 - R4 - PU/IT - LGP2 - I1
(1) Riferimento alla Mondadori (2) Leggi Cirami, ex Cirielli, Pecorella (3) Riferimento a un riordino delle frequenze televisive (4) Non interpretabile (5) Riferimento alla Bicamerale (6) Mancata approvazione della legge sul conflitto di interessi.
20.04.06 12:35

Paghi rinnovabile, compri fumi di scarico

A sette mesi dall'avvio del Conto Energia voglio fare il punto della situazione.

La legge è stata accolta con entusiasmo dagli italiani: 25.000 domande sono arrivate al Gestore della Rete di Trasmissione Nazionale (Grtn), per una potenza complessiva di circa 900 MWp, di cui si prevede siano 19.000 quelle senza errori, per una potenza di circa 700 MWp. Una simile potenza fotovoltaica è in grado di generare l'energia elettrica che verrebbe prodotta da una centrale termoelettrica di circa 140 MW! Purtroppo l'aggiornamento della legge avvenuto a inizio febbraio ha posto un limite di 85 MWp/anno per le domande pervenute dopo il primo marzo, pari a un decimo della potenza installata in Germania nel 2005. Molte richieste rimarranno così insoddisfatte.

Sembra che la ragione di tale limite sia nell'eccessivo costo da sostenere se si installassero troppi sistemi fotovoltaici. Infatti le risorse finanziarie per il Conto Energia arrivano dalla componente tariffaria A3, che troviamo nelle nostre bollette con la descrizione "Costruzione impianti fonti rinnovabili". Su una bolletta di un anno su un totale, per esempio, di 936 Euro si pagano 34 Euro (3,6% del totale) per finanziare le fonti rinnovabili italiane. In realtà solo il 20% circa (meno di 7 Euro) va alle fonti rinnovabili. I 27 Euro rimanenti pagano l'energia elettrica prodotta da impianti alimentati da fonti "assimilate", così definite (fonte Grtn): "quelli in cogenerazione; quelli che utilizzano calore di risulta, fumi di scarico e altre forme di energia recuperabile in processi e impianti; quelli che usano gli scarti di lavorazione e/o di processi e quelli che utilizzano fonti fossili prodotte solo da giacimenti minori isolati".

Quanti italiani sanno che dal 1992 ad oggi abbiamo pagato (di tasca nostra) circa 30 miliardi di Euro (pari quindi a due importanti finanziarie) che, stando a quanto scritto sulle bollette, dovevano essere destinati alla "Costruzione impianti fonti rinnovabili"?
Alla fine circa solo 6 di quei miliardi di Euro sono serviti per supportare le energie pulite (principalmente idroelettrico).
Buona parte degli altri 24 miliardi ha invece gonfiato i ricavi di note aziende petrolifere che bruciavano (e bruciano) gli scarti della loro produzione (che è anche la parte più inquinante) per produrre energia elettrica. E ancora oggi ci scrivono sulle bollette che quei soldi servono per sostenere le fonti rinnovabili invece dei petrolieri.
Non vi sembra una grande presa per il c..o? Gli interessi dei grandi (e ricchi) gruppi energetici sono più importanti della maggioranza degli italiani, che ha dimostrato la volontà a sviluppare le vere fonti rinnovabili. Tra i primi provvedimenti il nuovo governo elimini il limite degli 85 MWp/anno, ma soprattutto elimini dalla destinazione "Costruzione impianti fonti rinnovabili" le fonti assimilate o di cogenerazione.
Questa situazione riduce investimenti ed occupazione in un settore di protezione per l'ambiente dalle enormi potenzialità di sviluppo. E inoltre aumenta la nostra bolletta per l'importazione di energia.

In una conferenza dello scorso febbraio, il neo dipendente Romano Prodi ha detto: "...come minimo dobbiamo raggiungere la potenza fotovoltaica installata in Germania". Ora si tratta di rispettare le promesse.
Pedalare, pedalare Prodi...
21.04.06 18:47

I nostalgici di Chernobyl

Un convegno promosso da Greenpeace, Legambiente e Wwf si è svolto a Roma il 19 aprile nel ventennale della tragedia di Chernobyl per fare il punto sull'energia nucleare e sui suoi costi reali.

Il contributo al fabbisogno energetico mondiale fornito dal nucleare è solo del 6,5% dell'energia primaria ed è destinato a ridursi al 4,5% nel 2030 secondo l'International Energy Agency (Iea).
Il nucleare è la fonte energetica più costosa e con il maggior bisogno di sussidi statali.
Secondo il Dipartimento dell'Energia degli Stati Uniti (Doe) il costo di 1 kWh di energia elettrica costa 6,13 cent/$, da gas 4,96 cent/$, da carbone 5,34 cent/$, da fonte eolica 5,05 cent/$. Risultati analoghi sono stati presentati da studi della Chicago University e del Massachusetts Institute of Technology. Queste valutazioni economiche sono sottostimate perché non comprensive dei costi del decommissionamento degli impianti e del trattamento delle scorie di lungo periodo.

Un falso mito sull'energia nucleare è l'abbondanza dell'uranio in natura: un minerale piuttosto diffuso, ma solo in concentrazioni infinitesime, tanto basse da non risultare praticamente sfruttabili. Le riserve di uranio commercialmente estraibili coprono un arco di circa un secolo tenendo costanti i consumi all'anno 2000. Sostituire, per la produzione di elettricità, tutta l'energia fossile con quella nucleare comporta la realizzazione di migliaia di nuove centrali con l'esaurimento delle riserve di uranio in pochi anni.
Infine, neppure il nucleare è esente da emissioni di anidride carbonica, basti considerare l'energia fossile necessaria per costruire la centrale, estrarre, trasportare e arricchire l'uranio, gestire le scorie, smantellare l'impianto a fine vita. Investire nel nucleare significa sprecare risorse pubbliche e private ai danni delle fonti rinnovabili e delle tecnologie per l'efficienza energetica.

Ma qualcuno non smette di pensarci. I nostalgici di Chernobyl non si rassegnano mai. Tra questi l'Enel di Scaroni che con l'acquisizione di

Slovenske Elektrarne finalmente rientra nel nucleare con l'accensione del secondo reattore di Mochovce.

Gli austriaci dal 1990 al 2005 hanno sempre cercato di far chiudere il primo reattore e posero persino il veto all'ingresso della Slovacchia nella Ue (Mochovce dista 100 km da Vienna).
Il governo Austriaco ha montato decine e decine di pale eoliche sul confine con la Slovacchia ben visibili a occhio nudo da Bratislava anche in segno di protesta.
Propongo al governo italiano di piantare qualche pala eolica davanti alla sede romana dell'Enel, forse non ne hanno mai vista una.
22.04.06 16:41

Hic Sicilia, hic salta

L'Italia non cambierà fino a quando la Sicilia non cambierà.
Oggi l'Italia ha una grande opportunità, una grande persona: Rita Borsellino, per la presidenza della Regione Sicilia. Rita dà fastidio a destra e forse soprattutto a sinistra.
Invito chi mi conosce, chi crede in un nuovo Rinascimento italiano, chiunque voglia un vero cambiamento in questo Paese ad appoggiarla pubblicamente.
Di seguito una lettera da Palermo sulle prossime elezioni regionali.

"A mani nude i magistrati sono stati uccisi, a mani nude poliziotti e carabinieri hanno cercato nei crateri del tritolo i corpi dei loro colleghi, a mani nude preti coraggiosi sono stati abbandonati nelle loro periferie e poi uccisi o trasferiti, a mani nude i giovani coltivano la terra confiscata alla mafia per vedere i loro raccolti distrutti, a mani nude altri giovani vanno via. A mani nude sono morti giornalisti, imprenditori, liberi pensatori.
A mani nude noi donne e uomini siciliani scendiamo in piazza, parliamo con la gente, aiutiamo le donne e i bambini delle periferie, i senza casa, i migranti. A mani nude combattiamo come meglio possiamo la mafia, da sempre.
La mafia che respiriamo nell'aria dalle esalazioni delle eco-mafie, che

unge quelle poche monete e banconote che teniamo in tasca, che ospita nei suoi edifici scolastici i nostri figli, che ci cura nelle sue strutture sanitarie; la mafia che fa salire, con l'addizionale del pizzo, il prezzo dei nostri consumi; la mafia che s'infiltra in una compiacente burocrazia pachidermica che porta alla rassegnazione di chi chiede come un favore, in cambio del voto, tutto ciò di cui ha pienamente diritto; la mafia che si annida nell'incuria dei nostri monumenti e nel vigore del cemento abusivo.

A mani nude restiamo soli a perdere battaglie politiche combattute con armi impari, a mani nude restiamo invisibili ai leader del centrosinistra, a mani nude abbiamo individuato la candidata ideale alla Presidenza della Regione Siciliana, a mani nude abbiamo imposto le elezioni primarie per la scelta del candidato della coalizione, a mani nude le abbiamo vinte, a mani nude stiamo cercando di vincere le elezioni regionali. A mani nude la nostra candidata, con una forza angelica e sovrumana, con le armi della trasparenza e dell'onestà, percorre da mesi le strade della Sicilia parlando alla gente da qualsiasi postazione, anche dal tetto di un camion, e lì dove riesce ad arrivare è amata da tutti. La sua faccia pulita e onesta occhieggia dai nostri muri sovrastata dalle gigantografie degli avversari: troppe, troppo grandi, abbiamo soltanto le lenzuola ai balconi per contrastarle.
Potremmo anche perdere se non capirete tutti che la battaglia è di tutti noi. Il mondo ci guarda: giornalisti stranieri giungono qua, incuriositi da queste strane elezioni, rese ancora più emblematiche dall'arresto del boss Provenzano.
MA L'ITALIA DOV'È?
Che queste elezioni abbiano un significato enorme lo sa il centrodestra, che, infatti, ha dispiegato forze inimmaginabili. La Sicilia è la sua ultima o più forte roccaforte e queste elezioni possono conferire forza, o togliere forza anche alle gambe del neo governo nazionale di centrosinistra. Noi, voi, ci rendiamo conto di questo?
Si perde quando si è soli e soli non vogliamo essere più, si perde quando i nostri leader pensano di poter vincere con i comizi degli ultimi giorni e qualche manifesto per strada. È ovvio che non basta e lo dimostrano le nostre sconfitte. Abbiamo bisogno dell'aiuto di tutti. Abbiamo bisogno che voi, veniate in massa a vivere con noi questa primavera di passione politica: leader, dirigenti, movimenti di centrosini-

stra, intellettuali, artisti, gente di spettacolo, persone oneste. Venite con noi nelle periferie a parlare con la gente, a cantare, a recitare, a tenere comizi in piedi sulle sedie, a sgolarci dai megafoni delle automobili. Se avete il peso per essere ascoltati lanciate appelli pubblici dalle pagine dei giornali nazionali. Altrimenti contattate amici, parenti e conoscenti siciliani, per convincerli a votare per Rita Borsellino e appendere ai loro balconi lenzuoli bianchi con su scritto: RITA PRESIDENTE!".

Palermo, 21 Aprile 2006
Mariadele Cipolla, Comitato XX Settembre per Rita Presidente
23.04.06 14:15

Il sagace Cossiga

Cossiga nasce a Sassari in una torrida giornata di luglio. È un bambino precoce e sagace. In una gara in bicicletta si fa tagliare la strada dai suoi compagni di liceo e si rompe una gamba. Un errore che non commetterà mai più in vita sua. Per vendicarsi si laurea con quattro anni di anticipo, diventa professore di diritto costituzionale, e li boccia tutti senza pietà.
Enrico Berlinguer, suo cugino, però gli ruba sempre la scena. Dopo un colloquio privato con Mariano Rumor si schiera per reazione con la Democrazia Cristiana. Dà subito prova di spirito indomito e pugnace: nelle elezioni del 1948 si barrica nella sede della Dc di Sassari con mitra Sten e bombe a mano per difendersi dai comunisti. Che però lo ignorano come faranno in futuro. Di questo non si darà mai pace.

Decide sagacemente di scalare le istituzioni per difenderle dai sovversivi. Appassionato di soldatini, di bandiere e di divise militari fonda una piccola gladio personale. Roso dalla sagacia si presenta a Roma per diventare "il più giovane" sottosegretario, ministro, presidente del Consiglio, presidente del Senato e presidente della Repubblica.
Gli rimane sempre dentro il dubbio di non essere apprezzato per la sua sagacia. I giornali lo sfidano apertamente definendolo "signor nessuno" durante la sua permanenza al Quirinale. Lui raccoglie la sfida e staffila, piccona ed esterna. I partiti cercano di farlo ricoverare in una casa di

cura e nominano una commissione di cinque saggi sul caso Gladio, in realtà formata da psichiatri in incognito per farlo internare. La testimonianza di Andreotti, che garantisce per lui alla Camera, lo salva dal manicomio. Lo nomina per riconoscenza senatore a vita e si dimette subito dopo da Presidente della Repubblica.

Lo aiuta Massimo D'Alema con cui era nata un'amicizia legata alla comune conoscenza dei servizi segreti e ad una sagacia senza limiti. Trova così un posto da redattore all'Unità. La sua sagacia si abbatte anche su Berlusconi quando rivela che se lui morisse il Polo non esisterebbe più. Berlusconi prende atto e assume 16 guardie del corpo. Dopo una breve assenza dalla ribalta per indisposizione da frutti di mare, Cossiga, sagacemente, sta proponendo Massimo D'Alema, da lui infiltrato nella Fgci nel 1963, a Presidente della Repubblica, per patriottismo e anche per coerenza con sé stesso.
24.04.06 16:13

Gli schiavi moderni/4

La legge Biagi, o meglio la sua applicazione, ha avuto come conseguenza la precarietà e l'abbassamento degli stipendi insieme all'utilizzo di professionalità elevate: ingegneri, tecnici, informatici, per lavori di bassa o infima qualità.
Questo me lo avete detto voi, con le vostre testimonianze che riporterò nel libro: "Gli Schiavi Moderni" che sarà pubblicato entro l'estate su questo blog. Il libro sarà scaricabile gratuitamente o acquistabile nella sua versione cartacea.
Due, comunque, mi sembrano le modifiche da operare subito alla legge Biagi:
- Aumentare la remunerazione per i precari rispetto ai lavoratori a tempo indeterminato con una politica fiscale che sostenga il lavoro precario
- Porre un tetto massimo alle imprese per l'utilizzo di precari, ad esempio il 10%.
Il premio Nobel per l'economia Joseph E. Stiglitz mi ha inviato questa analisi sul mercato del lavoro in Italia.

Belìn, un premio Nobel che scrive a un comico!

"Caro Beppe,
dall'Italia mi giungono notizie allarmanti: la legge sul primo impiego viene ritirata in Francia dopo poche settimane di mobilitazione studentesca e da voi la legge 30 resiste senza opponenti dopo anni. Permettimi allora una breve riflessione Nessuna opportunità è più importante dell'opportunità di avere un lavoro. Politiche volte all'aumento della flessibilità del lavoro, un tema che ha dominato il dibattito economico negli ultimi anni, hanno spesso portato a livelli salariali più bassi e ad una minore sicurezza dell'impiego. Tuttavia, esse non hanno mantenuto la promessa di garantire una crescita più alta e più bassi tassi di disoccupazione. Infatti, tali politiche hanno spesso conseguenze perverse sulla performance dell'economia, ad esempio una minor domanda di beni, sia a causa di più bassi livelli di reddito e maggiore incertezza, sia a causa di un aumento dell'indebitamento delle famiglie.

Una più bassa domanda aggregata a sua volta si tramuta in più bassi livelli occupazionali. Qualsiasi programma mirante alla crescita con giustizia sociale deve iniziare con un impegno mirante al pieno impiego delle risorse esistenti, e in particolare della risorsa più importante dell'Italia: la sua gente.
Sebbene negli ultimi 75 anni, la scienza economica ci ha detto come gestire meglio l'economia, in modo che le risorse fossero utilizzate appieno, e che le recessioni fossero meno frequenti e profonde, molte delle politiche realizzate non sono state all'altezza di tali aspirazioni. L'Italia necessita di migliori politiche volte a sostenere la domanda aggregata; ma ha anche bisogno di politiche strutturali che vadano oltre - e non facciano esclusivo affidamento sulla flessibilità del lavoro. Queste ultime includono interventi sui programmi di sviluppo dell'istruzione e della conoscenza, ed azioni dirette a facilitare la mobilità dei lavoratori. Condividiamo l'idea per cui le rigidità che ostacolano la crescita di un'economia debbano essere ridotte. Tuttavia riteniamo anche che ogni riforma che comporti un aumento dell'insicurezza dei lavoratori debba essere accompagnata da un aumento delle misure di protezione sociale.

Senza queste la flessibilità si traduce in precarietà.
Tali misure sono ovviamente costose. La legislazione non può prevede

che la flessibilità del lavoro si accompagni a salari più bassi; paradossalmente, maggiore la probabilità di essere licenziati, minori i salari, quando dovrebbe essere l'opposto. Perfino l'economia liberista insegna che se proprio volete comprare un bond ad alto rischio (tipo quelli argentini o Parmalat, ad alto rischio di trasformazione in carta straccia), vi devono pagare interessi molto alti.

I salari pagati ai lavoratori flessibili devono esser più alti e non più bassi, proprio perché più alta è la loro probabilità di licenziamento. In Italia un precario ha una probabilità di esser licenziato 9 volte maggiore di un lavoratore regolare, una probabilità di trovare un nuovo impiego, dopo la fine del contratto, 5 volte minore e che fino al 40% dei lavoratori precari è laureato.
Ma se li mettete a servire patatine fritte o nei call-center, perché spendere tanto per istruirli?
Grazie per l'ospitalità."

Joseph E. Stiglitz
25.04.06 19:45

La Chiesa dei primati

Zapatero ha avviato un progetto per garantire alle grandi scimmie antropoidi: bonobo, gorilla, orangutan e scimpanzè, alcuni diritti fondamentali. Il progetto prevede che i primati siano protetti in Spagna e sul piano internazionale del diritto. E quindi non siano uccisi, torturati, usati per esperimenti, ridotti in schiavitù e portati verso l'estinzione. Zapatero si è ispirato al "Proyecto Gran Simio" che vuole "includere gli antropoidi non umani in una comunità di uguaglianza, fornendogli quella protezione morale e legale di cui attualmente godono solamente gli esseri umani".
Il governo spagnolo vorrebbe definire "una carta fondamentale dei diritti delle scimmie" da sottoporre all'Onu.

Numerose le dichiarazioni sull'iniziativa: "Essere orgogliosi delle proprie origini è proprio delle persone di buona famiglia", del deputato socialista Francisco Garrido; "Non abbiamo mai pensato di equiparare i diritti dell'uomo a quelli delle scimmie, ma salvarle dalla schiavitù e dalla morte", del ministro dell'Ambiente Cristina Narbona; "Che piaccia o meno, gli esseri umani sono grandi scimmie e proteggere i diritti di queste ultime è una responsabilità etica", del presidente spagnolo del progetto Grande Scimmia Joaquin Araujo.

Una voce contraria allo sdoganamento dei primati si è però fatta sentire, forte e chiara. La Chiesa ha infatti bollato il progetto come ridicolo e l'arcivescovo di Pamplona in persona, Fernando Sebastian, ha associato l'iniziativa "alla richiesta di diritti taurini per gli umani" e ha ammonito il Psoe "a non cadere nel ridicolo per eccesso di progressismo".

È del tutto comprensibile l'atteggiamento del rappresentante dei vescovi. I vescovi valgono forse meno dei primati? Non sono anche loro legittimi discendenti, evoluti come tutti gli altri umani, delle grandi scimmie? L'emarginazione a cui li ha condotti Zapatero è intollerabile.

Il governo spagnolo mi scuserà se mi permetto, ma dovrebbe insieme a quella delle scimmie, o magari anche prima, proporre una "carta fondamentale dei diritti dei vescovi". Una carta che metta fine a secolari discriminazioni e garantisca anche a loro diritti che gli altri discendenti dei primati hanno già: libertà di pensiero, libertà di espressione, di sposarsi, di avere figli, di usare il preservativo, persino di convivere con persone del proprio o dell'altrui sesso.
Anche i vescovi vanno protetti dall'estinzione.
26.04.06 19:16

Edipo bond

Si discute in questi giorni della legittimità delle partecipazioni bancarie nelle aziende e viceversa.
Gli incestuosi negano che questa relazione sia ancora praticata.
Si sa, di fronte ad atti osceni in luogo pubblico, la prima regola è negare, negare sempre.

Definizione di incesto:
- L'incesto è il rapporto sessuale tra persone legate tra loro da stretti vincoli di consaguineità (wikipedia)
- Rapporto sessuale tra un individuo e un suo parente stretto: padre, madre, fratello, sorella, nonno, nonna, zio, zia (informagiovani).

Definizione di incesto finanziario:
- L'incesto finanziario è il rapporto di partecipazione diretta da parte delle banche nelle imprese e/o delle imprese nelle banche. Tale rapporto ha come effetto collaterale la sodomia di massa esercitata su soggetti muniti di partecipazione azionari (1). L'incesto finanziario è quindi un atto contro natura il cui sviluppo erettile si manifesta all'esterno della coppia che lo esercita. I soggetti esterni, sempre passivi, di tale atto maturano nel tempo segni evidenti dell'abuso subito e tendono ad organizzarsi in gruppi di protesta. Un ulteriore effetto collaterale è la formazione spontanea di debiti aziendali sotto forma di bond che il soggetto bancario della coppia veicola sui soggetti esterni, sempre passivi, muniti o meno di partecipazione azionari (2).
(1) Cirio e altri. (2) Parmalat e altri.
27.04.06 19:43

Tremontino-Quadratino

Tremonti è impegnato a smentire Fmi, Comunità Europea, Istat e anche l'Anas che danno numeri diversi da quelli che lui ha dato e continua a dare. Numeri suoi di provenienza ignota di cui è geloso. Tremontino-Quadratin (1) ha sempre l'espressione dello studente che prende una sberla dal compagno del banco di dietro, si lamenta e viene subito interrogato per punizione dalla maestra. È il piccoletto dei Bruto (2) che prendeva schiaffoni su schiaffoni. E tutti si divertivano. In Giappone un ministro dell'economia che avesse ottenuto i suoi risultati si sarebbe suicidato, in ogni altro Paese sarebbe riparato all'estero, in un paradiso fiscale a scelta. Gli vanno riconosciuti però un totale sprezzo del ridicolo, un'arroganza senza pari ed anche una boccuccia corrucciata.

È lui il delfino dello psiconano ballista che non vede l'ora di toglierselo

dalle balle, anche perché oggettivamente porta un po' sfiga.
Lo psiconano ballista lo prende per il c..o, ma lui non molla mai
Tremonti vuole il posto di capogruppo alla Camera di FI e si rivolge al suo capo che lo rassicura:
"Giulio, quel posto è tuo!" e poi lo dà a Elio Vito.
Tremonti minaccia di andare al gruppo misto cosa che vorrebbero anche tutti quelli di FI.
Viene però rassicurato ancora dal Cavaliere senza brogli e senza maggioranza:
"Guarda Giulio, ti assicuro che i due capigruppo verranno rinominati pro tempore, perché in questi giorni è importante dare subito un segnale. Poi cambieremo."
Tremontino-Quadratino non ci ha creduto e avrebbe intenzione di guidare una fronda perché:
"Tutto il Nord è con me!".
(1) Quadratino: bambino dalla testa quadrata, figlio di mamma Geometria inventato da Rubino. In ogni avventura combina qualche marachella che finisce per modificargli la forma del capo (a differenza di quella di Tremonti che rimane sempre quadra).
(2) I Brutos: gruppo nato nel 1959, composto da Aldo Maccione, Gerry Bruno, Jack Guerrini, Gianni Zullo ed Elio Piatti. Gianni Zullo (secondo da sinistra nell'immagine) faceva la parte del piagnone che prendeva le sberle da tutti gli altri.
28.04.06 22:49

Umberto, rimembri ancora...

Dopo la lettera a Bush ho pensato che mi ero montato un po' troppo la testa e allora ho deciso di scrivere a Umberto Bossi. Così nessuno potrà più dirmi niente.
Ma siamo in primavera, mi sento buono, come alle elementari con il grembiulino nero ed il fiocco blu. E la focaccia calda della mamma nel cestino. Mi sento lirico. A Bossi mi rivolgo con i versi di una poesia d'amore.

"Umberto, rimembri ancora

quel tempo della tua vita padana,
quando la Lega splendea
negli occhi tuoi ridenti e fuggitivi,
e tu, lieto e pensoso, il limitare
di padre Po salivi?
Sonava il prato
di Pontida, e le mucche d'intorno,
al tuo perpetuo canto,
allor che a gesti osceni intento
eri, assai contento
di quella vaga secessione che in mente avevi.
Era il tempo di Mani Pulite: e tu solevi
così menare il berluskaiser, il cinghialone e
belzebù Andreotti.
Che la piazza e il popolo
talor lasciando e le sudate canotte,
ove il tempo tuo primo
spendea la miglior parte,
d'in su i veroni dell'arcore ostello
porgea gli orecchi al suon del gran piazzista.
Mirava i suoi padani,
Bosio, Miglio e Calderoli,
e quinci il mar da lungi, e quindi i tremonti.
Lingua mortal non dice
la serpe che covava in seno.
Che pensieri soavi,
celodurismi, cori, o Umberto mio!
Quale allor ti apparia
la Credieuronord ed il Fiorani!
Quando sovviemmi di cotanta speme,
un affetto mi preme
acerbo e sconsolato,
e tornami a doler di mia sventura.
O Umberto, o Umberto,
perché non rendi poi
quel che prometti allor? perché di tanto
inganni i figli tuoi?
Tu pria che l'erbe inaridisse il soldo,

dal potere combattuto e vinto,
tradivi, o tenerello. E non vedevi
il fior degli anni tuoi;
non ti molceva il core
la dolce lode or delle grigie chiome,
or degli sguardi innamorati e schivi;
né teco il Maroni ai dì festivi
ragionava d'amore e d'ampolle del Monviso.
Anche perìa fra poco
la speranza dolce: agli anni nostri
anche negaro i fati
la democrazia. Ahi come,
come passato sei,
caro compagno dell'età mia nova,
mia lacrimata speme!
Questo è il mondo? questi
i diletti, l'amor, i borghezio, gli eventi,
onde cotanto ragionammo insieme?
questa la mediaset delle umane genti?
All'apparir di Silvio
tu, misero, cadesti: e con la mano
la fredda morte ed una tomba ignuda
mostravi da Lugano."
29.04.06 14:08

Il conto delle Autostrade

Gilberto Benetton mi invitò qualche mese fa a pranzo. Io presi informazioni e rifiutai. Non volevo essere io a pagare il conto. Di solito faccio alla genovese, il conto lo paga sempre l'altro.
Mi sarei trovato a tavola con una delle persone più indebitate d'Italia dopo il tronchetto dell'infelicità, che condivide con lui debiti e maglioni da regata.

Ho chiesto ad un paio di consulenti finanziari come andasse Benetton e si sono messi le mani sui c...ni.

Qualche settimana fa per togliermi ogni dubbio sulla solvibilità di Gilberto al ristorante ho dato un'occhiata al bilancio di Autostrade. Un bilancio che si può riassumere in profitti spaventosi: intorno al miliardo di euro, debiti spaventosi: quasi nove miliardi di euro, investimenti per le autostrade: non pervenuti.

E qui devo fare un attimo un po' di storia per arrivare all'epilogo con la vendita-fusione alla spagnola Abertis di questi giorni.
Nei favolosi anni '90 il solito governo di centro sinistra fa la solita privatizzazione alla c..o, detta appunto privatizzazione di centro sinistra, o a debito.
Una cessione moderna di beni dello Stato in cui chi compra paga poco chiedendo i soldi in prestito alle banche, e compra un bene che gli italiani hanno costruito in generazioni con le loro tasse.
Benetton e soci, tra cui Unicredit, entrano quindi nel 1999 nel business delle autostrade.
Da allora, secondo la Repubblica di sabato 29 aprile, gli investimenti da effettuare sulla rete autostradale per la convenzione con lo Stato avrebbero dovuto essere di circa 7.500 milioni di euro. Gli investimenti effettivi sono stati circa 2.400 milioni di euro. All'appello mancano, sempre circa, cinque miliardi di euro; fatto peraltro certificabile da qualsiasi guidatore. Dove sono questi cinque miliardi di euro?
Il debito non diminuisce, gli investimenti prima o poi bisogna farli, che fare? Cosa farebbe un amico del tronchetto?
Ma vende naturalmente. Vende al solito partner europeo che consentirà sinergie e la nascita di un colosso mondiale con il c..o degli italiani.
Intasca un miliardo di euro da spartirsi con i soci, tra cui Unicredit. E lo fa in un momento di vuoto istituzionale, senza un governo in carica.
Ma cosa c'entra il Governo? C'entra, c'entra...
Infatti le tariffe autostradali vanno concordate con il Governo in quanto sono in regime di concessione. Se lo Stato volesse potrebbero costare la metà o un decimo. O non avere aumenti per uno o più anni.
Caso unico in Italia, l'amministratore delegato di Autostrade Vito Gamberale si è dissociato dall'operazione. Onore al merito.
L'operazione va bloccata subito (pedalare Prodi, pedalare). A Gilberto, in amicizia, considerata la situazione disperata in cui si trova, farò avere due buoni pasto da consumarsi in trattoria.
30.04.06 16:26

LEZIONE DI FINANZA
PER GUADAGNARE IN BORSA
NON BASTA AVERE CULO
BISOGNA ANCHE
SAPERLO VENDERE
AL PREZZO PIÙ ALTO
E POI RICOMPRARSELO
A QUELLO PIÙ BASSO!
VAURO 07

Maggio

Letizia Moratti Martire

Giornata convulsa per il primo maggio a Milano. Letizia Brichetto Arnaboldi Moratti, partita a piedi insieme alle sue 23 guardie del corpo da San Babila, è riuscita a percorrere 50 metri in 10 minuti e 20 secondi a causa dei tacchi a spillo. Poi è stata fermata da fischi, campanacci e tricchetracche.
Ferrante ha cercato inutilmente di raggiungerla, ma è stato riconosciuto e preso a calci dal servizio d'ordine. Il segretario della Cgil che l'aveva invitata ha cercato invano di raggiungerla. Un gruppo di studenti e di operai ha cercato invano di raggiungerla.
Inseguita nella sua amata via Montenapoleone ha però trovato i negozi chiusi. Un gruppo di precari l'ha acclamata allora con cori da stadio ricordandole i suoi successi: "aver precarizzato i ricercatori", "umiliato i lavoratori della scuola con la riforma" e "sostenuto la legge Biagi".
La Moratti non ha però pianto per l'emozione come le successe il 25 aprile quando spinse tra la folla plaudente e fischiante suo padre in carrozzella.

I commenti dei politici non si sono fatti attendere. In realtà li avevano preparati prima non sapendo che c..o di altro dire per la festa dei lavoratori. Romano Prodi dopo una passeggiata con la moglie Flavia ha detto: "Queste cose non si fanno" e non ha aggiunto altro. Castelli e Calderoli hanno accusato il fascismo rosso, lanciando la politica cromatica, seguiranno il comunismo nero e il leghismo marrone. Il venditore di cianuro elettorale Schifani ha dichiarato: "La Sinistra avvelena il clima".

La Moratti, che ha capito tutto degli operai, si è espressa con queste parole: "Aperta nuova era relazioni industriali". Affaticata dalla dichiarazione ha fatto due passi in via della Spiga accompagnata dal marito petroliere e da alcuni simpatizzanti di Alternativa Sociale e della Fiamma Tricolore con i quali ha discusso la sua candidatura a sindaco di Milano e la strategia elettorale dei prossimi giorni.

Le indiscrezioni fatte filtrare da Buttiglione sono che la Moratti si denu-

derà in un campo nomadi per accusarli di violenza carnale, si recherà in visita alle case popolari durante gli sfratti del Comune per farsi insultare a sangue e, infine, si proporrà come cavia umana ai ricercatori che ha umiliato durante la scorsa legislatura.
01.05.06 18:44

Abusivismo di necessità e di condono

A Ischia una famiglia è rimasta sepolta dal crollo di una casa costruita abusivamente e in attesa di condono.
La casa era contigua alla zona detta "R4" (definizione che segnala le aree ad alto rischio per le popolazioni). Il sindaco locale davanti alla contestazione dell'abusivismo, lo ha definito "abusivismo di necessità".
Dall'alto Ischia sembra una periferia urbana. Ma chi l'ha ridotta così e chi consente questo stato di cose in tutt'Italia? I sindaci che chiudono gli occhi, i condoni che umiliano i cittadini onesti?
Una risposta può venire da questa lettera che ho ricevuto da un cittadino campano.

"Salve Sig. Grillo,
forse ciò che le sto scrivendo non è di interesse comune, ma lo faccio per pur mio sfogo e testimonianza di quello che sono le regole nel nostro Paese.
Veda, nel 1997 sono stato spinto e incoraggiato da un costruttore "Amico", ad edificare, nel terreno di proprietà di mio nonno alle falde del Vesuvio, un palazzotto per me e mio cognato (trattasi di due appartamenti, pian terreno e un piano con garage e terrazzo), con i risparmi accumulati da me e consorte in dieci anni di un felice e ancor duraturo matrimonio.
Eravamo consapevoli del reato che stavamo commettendo, ma ancor più consapevoli di quello che vedevamo e sentivamo dire dal nostro consulente legale e dalle varie notizie che circolavano in quel territorio, cioè, frasi come "..tanto non potranno mai abbattere un edificio con bambini e persone che vi abitano, non è mai successo..." e ancora "..vedi quante altre case vi sono nella zona e sono tutte abusive...", oppure "..
al massimo te la cavi con qualche verbale da pagare...", l'ultima è stata

“.. tanto fra un po’ esce il condono.. (condono voluto da Berlusconi nel mese di settembre, che sfiga).
La palazzina l’abbiamo occupata nel Gennaio del 1998, non ancora ultimata, in quella casa vi è nato il mio secondo bambino, una casa molto modesta 75Mq, non una villa.

Abbiamo trascorso 5 anni della nostra vita, interrotti il 3 Aprile del 2003 (giorno del nostro Anniversario di Matrimonio) da un Magistrato che bussa alla nostra porta e ci comunica che dobbiamo evacuare il fabbricato entro la mattina seguente perché dovevano procedere all’abbattimento dello stesso.
Contattato il nostro legale, non abbiamo avuto nessuna risposta positiva, anzi ci ha consigliato di non opporre resistenza altrimenti saremmo stati anche denunciati.
Ho dovuto svuotare l’appartamento in fretta e furia, aiutato dai miei amici e dai familiari, per salvare il possibile.
È la prima volta che ho raccontato bugie ai miei bambini, per non fargli capire ciò che stesse succedendo, ma ancora ad oggi mi chiedono perché abbiamo lasciato la nostra casa, e io non so cosa dire, forse continuerò a mentire fin quando saranno abbastanza grandi da capire.
Ho visto demolire ciò che ho costruito con i miei sacrifici, senza oppormi. So di essere nel torto, ho infranto le regole di questa società ed è giusto che paghi, ma....
La legge non e uguale per tutti???? È una domanda che rivolgo a me stesso ogni volta che vedo nel mio territorio case che nascono, le vedi spuntare all’improvviso, non vi dico dopo il condono sono triplicate, se è un territorio vincolato perché non vanno giù come la mia?? Io non voglio il male di nessuno, anzi quello che io ho subito non lo auguro a nessuno nemmeno al mio peggior nemico, ma se esistono delle regole devono essere fatte rispettare da tutti.
Questa è una società per i forti, i deboli vengono schiacciati, ed io mi sento un debole e spero che i miei figli avranno un futuro migliore.
Ora cerco di guardare avanti e lasciarmi tutto dietro, ho due bambini da crescere, meglio esser sereni per ricominciare a vivere.

Mi scuso per aver scelto lei, e averle fatto perdere del tempo nel leggere questa mia lettera di sfogo, ma ritengo che lei è una persona molto sincera e schietta nel dire ciò che pensa e ciò che pensano tutte le persone che seguono questo Blog, e spero che qualche politico si svegli e faccia delle buone cose per questo Paese che permetterà ai nostri figli un futuro migliore. Saluti."

P.
02.05.06 19:16

Telecom al servizio del Paese

Telecom Italia veglia su di noi. Giorno e notte, in ufficio o in barca a vela il tronchetto pensa al bene della nazione. Ciò che più gli preme è il nostro futuro.
Telecom Italia non è prevalentemente al servizio dei suoi clienti, difficile trovarne uno che affermi il contrario.
Telecom Italia è molto di più, è un grande gruppo al servizio del Paese.

Il tronchetto ha comprato pagine su pagine di quotidiani, con i soldi delle nostre telefonate, per spiegarci quanto è affezionato all'Italia.
Pagine in cui si premura di farci sapere che la Telecom non è fallita, anzi è in salute: "Debito netto attuale di circa 39 miliardi di euro: 70% a tasso fisso e durata media di 8 anni". Ma cos'è? La pubblicità di bond di prossima emissione o la proposta di nuovi servizi telefonici?
Il mercato di Telecom Italia è fatto da clienti e investitori soddisfatti: "Oltre 100 milioni di clienti e milioni di investitori dimostrano ogni giorno la fiducia che l'azienda riscuote". Se non fosse quasi sempre obbligatoria la connessione a Telecom i clienti non avrebbero tutta questa fiducia e sarebbero un bel po' di meno. Per gli investitori il discorso è diverso. Quali investitori fiduciosi? Voglio conoscerne almeno uno. Mi scriva una email. Il titolo di Telecom dall'avvento del tronchetto ha perso circa la metà del suo valore e solo da inizio anno è diminuito del 9,58%.
Le tasche dei clienti per il tronchetto sono sacre: "Un primato tecnologico per offrire servizi innovativi e ridurre i prezzi per i consumatori". Su quest'ultimo punto non c'è però vero consenso da parte del Paese.
Il giudice di Pace di Torre Annunziata, l'avvocato Giuseppe D'Angelo, ha accolto il ricorso di un utente contro il pagamento del canone. Tele-

com è stata condannata a restituire tutti i canoni percepiti e al pagamento delle spese di giudizio. Secondo Codacons: "Questa sentenza apre la strada a oltre venti milioni di cause analoghe dinanzi ai Giudici di Pace da parte degli utenti Telecom".
In Italia non esiste una "class action". Se ci fosse il canone sparirebbe nel giro di un mese. Esiste però la possibilità di informarsi. Lascerò questo post sulla destra del sito per ricevere testimonianze di altri clienti di Telecom che stanno chiedendo l'abolizione del canone.

Ps: Il tronchetto ne inventa sempre qualcuna. Le spese di spedizione bolletta sono passate da 0,17 euro a 0,37 euro più Iva. Grazie a questo soave aumento Telecom incasserà 52 milioni di euro in un anno. Il tribunale di Catanzaro ha però stabilito che le spese di spedizione delle bollette sono illegittime e il Codacons ha lanciato un'iniziativa con un modello predefinito per contestare l'aumento.
03.05.06 16:47

Il costo insostenibile di TicketOne

Io non vendo più on line i biglietti dei miei spettacoli attraverso TicketOne. Una società che opera in un regime di sostanziale monopolio di cui non capisco l'utilità e di cui ho già scritto in un precedente post. Lancio un appello ai colleghi del mondo dello spettacolo perché facciano altrettanto.
Ricevo molte segnalazioni dai lettori del blog su TicketOne, oggi ne pubblico una.

"Buongiorno,
volevo segnalare i problemi e i soprusi che la società TicketOne (leader italiana nella vendita di biglietti per eventi culturali, concerti) continua a provocare e a esercitare su noi consumatori.

Di seguito elenco i punti chiave per comprendere la situazione e il nostro disagio che vanno avanti ormai da qualche anno.

TicketOne è il principale gruppo (senza concorrenti diretti, gli altri

gruppi sono praticamente collaboratori) in Italia di biglietteria (on line e non). Le biglietterie Boxoffice (da anni delegate alla biglietteria per concerti) sono ora controllate da TicketOne (che ne regola l'afflusso e la disponibilità di biglietti a loro piacimento, creando altri disagi a chi si reca ai botteghini Boxoffice, magari facendosi un'ora di coda). Nel contratto nazionale i promoter si sono anche impegnati a dare a TicketOne la totale esclusiva per le vendite via Internet per 15 anni. In pratica fa un po' quello che vuole nel mercato dei biglietti per eventi.
Se si vuole contattare telefonicamente Ticketone si deve fare il numero: 899.500.022. Che costa 0,80 euro da rete fissa (scatto alla risposta 0,103), di 1,291 da cellulare Tim (scatto alla risposta 0,121) e di 1,80 da cellulare Vodafone (scatto alla risposta 0,12). Chi ha telefonato sa benissimo che prima di poter parlare con un operatore fra nastro registrato e attesa passano circa 2 minuti. (Spesso cade la linea misteriosamente..). Una telefonata media per informazioni o richiesta biglietti necessita circa sui 3-4 minuti.

Visto che sono gentili ti forniscono anche altri numeri cui telefonare per prenotare i biglietti:
"Grazie all'accordo tra TicketOne e Seat Pagine Gialle, potete acquistare i biglietti per tutti gli eventi TicketOne semplicemente telefonando 24 ore su 24 al numero 89.24.24.
Che costa da telefono fisso Telecom Italia 0,36 alla risposta + 1.32 al minuto. Da telefono fisso Wind costo fisso di 1,2 per il primo minuto di conversazione; 0,96 al minuto, con tariffazione al secondo, allo scadere del primo minuto. Da cellulare Tim 1.32 al minuto; addebito minimo un minuto. Da cellulare Vodafone 1.32 al minuto; addebito minimo un minuto.
Da cellulare Wind costo fisso 1,5 per il primo minuto di conversazione; 1 al minuto, con tariffazione al secondo, allo scadere del primo minuto. Da cellulare H3g 1,32 al minuto; addebito minimo un minuto.

Oppure, sempre con un accordo fra Telecom-Tim e TicketOne chiamando il 412, stessi costi del 892.412, ma va aggiunto 1 euro per il "servizio" carta di credito.

Il servizio telefonico di assistenza è inoltre pessimo, spesso la voce che dovrebbe aiutarti è impreparata ma cerca il più possibile di tenerti al

telefono.
Controllano a loro piacimento il flusso dei biglietti usando termini come “in attesa di nuove disponibilità”, quando in realtà sono solo mezzucoli per accentrare e maggiorare le compravendite.
E per tutto questo deve pagare anche la prevendita di 6 euro a biglietto in più.
Impongono spesso commissioni addizionali su alcuni biglietti senza apportare alcuna spiegazione.

Durante la vendita on line per grandi e medi eventi il sito TicketOne si blocca.
Questo comporta gravi disagi e confusione per gli utenti che spesso si ritrovano i soldi scalati o impegnati dalla carta di credito pur non avendo acquistato e portato a termine l’ordine.
Spesso escono messaggi senza senso di errori improbabili.
Con tutti i soldi che hanno preso dai promoter e dalla gente avrebbero già potuto comprare server ben più resistenti come moltissimi siti seri di vendita on line hanno.
Vi ringraziamo di cuore.
Speriamo che possiate fare qualcosa.”

I.A.
04.05.06 18:50

Perunaltratv

C’è una proposta di legge di iniziativa popolare:
occorrono 50.000 firme per cambiare la Rai e il sistema radiotelevisivo.
Una sciocchezza per voi blogger.

L’iniziativa è di Perunaltratv, sul suo sito ci sono tutte le informazioni.
Non fate scherzi, firmate, firmate, belìn!

I censurati d’Italia si ritroveranno a Milano in giugno, di nascosto. Ci sarò anch’io. I censurati a pagamento, esistono anche quelli, non parteciperanno e forse è meglio così.

Essere stato censurato diventerà un attestato di merito. Come aver fatto il partigiano. Solo i censurati potranno andare in televisione. I non censurati saranno invece censurati...

Tutti i dettagli nella lettera degli Amici di Beppe Grillo di Milano:

"Ci siamo attivati per la raccolta di firme Perunaltratv e come filo conduttore abbiamo organizzato un primo evento. L'evento si terrà il 7 giugno a Milano ore 21 presso la sala Unione in Porta Venezia (500 posti) e si intitola ITALIA IMBAVAGLIATA. Abbiamo invitato molti censurati alcuni hanno aderito altri fanno orecchie da mercante altri vogliono essere pagati....una vera vergogna. Pensa che uno di loro ha aderito subito, ma quando invece dell'hotel gli abbiamo proposto una sistemazione più semplice non ha più risposto....Proprio loro che dovrebbero essere i primi a sostenere queste battaglie che duramente portiamo avanti con le nostre sole forze e denari.
La stessa Franca Rame fa la prima donna e non ci dà nessuna conferma, colei che tante promesse scrisse durante la sua elezione....blech!
Di Pietro invece rimane un grande uomo lui ci sarà (ovvio se qualche impegno in Senato non lo chiama urgentemente), ci sarà Marco Travaglio e Barbacetto giornalista di Diario. Tana de Zulueta anch'essa se non avrà richiami dal Senato ci sarà..."

Antonella e Valeria degli Amici di Beppe Grillo di Milano
05.05.06 15:45

Lettera aperta a Massimo D'Alema

Il Presidente della Repubblica non può avere ombre, né possibili scheletri nell'armadio. Abbiamo avuto in passato un Antelope Cobbler e credo che ci sia bastato.
Ritengo che il nostro Presidente debba essere super partes, avere il rispetto della Nazione e aver fatto qualcosa di importante nella vita, non il politico di professione.
Gli uomini e le donne le abbiamo, si chiamano Monti, Hack, Sartori.
Quali sono i meriti di D'Alema?

Sono preoccupato. Il Presidente della Repubblica deve rappresentare gli italiani, D'Alema rappresenta solo una corrente del suo partito.
Ho deciso di scrivergli una lettera aperta.

"Egregio Massimo D'Alema,
le scrivo dopo aver appreso della sua possibile elezione alla carica di Capo dello Stato.
Credo che, soprattutto in un momento complesso e delicato come questo, chi diventerà Presidente della Repubblica, debba offrire ai cittadini italiani assolute garanzie di trasparenza e di affidabilità. Per questo, e non perché abbia pregiudizi nei suoi confronti, credo sarebbe utile, per noi, e anche per lei, liberare una volta per tutte il campo da ogni ombra relativa al suo ruolo nella scalata di Unipol alla banca Bnl.
Risulta infatti da fonti autorevoli, e mai smentite, anche dopo la pubblicazione di articoli sui giornali, che gli inquirenti disporrebbero di intercettazioni telefoniche che la riguardano, in cui sarebbero documentati colloqui tra lei e l'allora numero uno di Unipol, Gianni Consorte.
Credo che prima di darle, attraverso il Parlamento, la fiducia per guidare l'Italia dovremmo anche chiederle di chiarire una volta per tutte il contenuto di quelle conversazioni, prima che vengano magari diffuse per altra via, recando grave danno, eventualmente, anche alla figura del futuro Capo dello Stato.
Penso quindi che sia un dovere per lei chiedere la diffusione pubblica del contenuto integrale delle intercettazioni o garantirne sotto sua responsabilità la falsità e l'inesistenza prima di sottoporsi al voto delle Camere."

Beppe Grillo
06.05.06 20:09

Fuga da Rebibbia

Previti sta fumando dei sigari a Rebibbia. Tra una fumata e l'altra sta riflettendo su chi lo ha fregato. Si sente abbandonato, rilascia una dichiarazione: "Ci hanno lasciati soli a combattere", e un manipolo di coraggiosi combattenti di Forza Italia fa irruzione nella sua cella 2x3. Tra questi Fabrizio Cicchitto, Gaetano Pecorella, Giorgio Lainati, Valentino Valentini, Giulio Marini, Angelo Maria Cicolani, Antonio Tajani. Molti sono in fila. Altri si sono prenotati. Il direttore del carcere sta approntando delle celle per ospitarli tutti. Infatti, il solito Baget Bozzo si è lasciato sfuggire che il prossimo congresso di Forza Italia, per solidarietà, si terrà a Rebibbia. Il detenuto condannato in via definitiva a sei anni ha un grande sogno nel cassetto: partecipare a Montecitorio al dibattito parlamentare sulle sue dimissioni. Sa che in quell'aula, ben diversa da quella arida dei tribunali, troverà la simpatia e la solidarietà di suoi pari: prescritti, condannati in via definitiva, in primo e secondo grado, ex galeotti. Loro sapranno capirlo e non potranno lasciarlo solo.

I Ds si sono subito espressi per voce dell'autorevole Vincenzo Siniscalchi in soccorso dell'ex collega: "Sarebbe corretto che la sua permanenza in carcere venisse commutata nella detenzione domiciliare", e ha aggiunto: "Nel caso Previti non desterebbe meraviglia se la pena venisse espiata con la detenzione domiciliare tenendo conto dell'età e del comportamento in questa fase: e cioè non aver evitato la carcerazione". Ma benedetti Ds, inciucinidaleminifassiniviolantini, è una vita che Previti cerca di evitare la carcerazione. E adesso che è in carcere da un giorno volete già tirarlo fuori? Prima Previti era solo Previti, adesso è l'ultrasettantenne Previti. Il carcere lo ha invecchiato?

Lo psiconano non s'è fatto vedere a Rebibbia per paura di essere trattenuto. Ha mandato un telegramma con un pizzino augurale: "Ci vediamo a casa martedì".
Ma Previti non ci crede più, si sente innocente.
Lui ha eseguito gli ordini. Ha portato a termine un incarico.
Va a finire che dovranno vedersi in carcere.
07.05.06 15:08

I fighetti del calcettino

Una domenica serena ieri allo stadio Delle Alpi a Torino. Tifosi, dirigenti, azionisti hanno festeggiato la Vecchia Signora. Sul prato l'erede Andrea Agnelli ha sfilato insieme alla Triade. Bettega ha pianto. Jaki

Elkann ha ripetuto di "essere qui per testimoniare vicinanza alla squadra e all'allenatore".
Franzo Grande Stevens, presidente della squadra, di ritorno da un suo intervento al Salone del Libro su "intransigenza morale e coerenza" di Alessandro Galante Garrone, si è espresso a favore di un ricambio morbido della triade: "Si tratta solo di trovare un modo adeguato per farlo. Un modo che sia degno della famiglia Agnelli".

I tifosi non hanno fatto mancare un sostegno degno di tanta dirigenza con potenti cori: "Guariniello vaf.....lo!", "Guariniello pezzo di m..da" e con uno striscione: "Luciano siamo tutti con te. La triade non si tocca!". Un membro della famiglia Agnelli si è brevemente soffermato su Moggi dicendo che "Con lo zio non sarebbe andata così", forse alludendo che, lui in vita, mai avrebbero permesso la pubblicazione di intercettazioni telefoniche così volgari e prive di classe.

La Juventus è di proprietà dell'Ifil, è quotata in Borsa, dall'inizio dell'anno ha guadagnato il 63,5%. Negli ultimi undici anni ha vinto sei scudetti. È prima in campionato a una giornata dal termine. La dirigenza in tutti questi anni non ha chiesto un euro di investimento agli azionisti. I bilanci si sono sempre chiusi in pareggio nonostante l'arrivo ogni anno di nuovi campioni, forse grazie a una sapiente gestione del mercato da parte di Moggi.
Lucianone è stato intercettato? Diceva quello che qualunque bar sport sapeva da un decennio? Se pecunia non olet, perché dovrebbe puzzare Moggi? Un direttore generale che ha portato alle casse dell'Ifil soldi a palate ha il profumo del sapone di lavanda.
Per l'Ifil quando vinceva Moggi, vincevano tutti. Adesso che perde, perde solo lui.
08.05.06 18:43

Covered warrants e così sia

Le banche sono in preda a un orgasmo da prodotti creativi per far tornare il budget. Al cliente del loro budget non gliene può fregare di meno e vorrebbe che la loro creatività si esprimesse in buoni servizi a costi di mercato, quello europeo, non quello italiano. Le banche che negano un finanziamento alle piccole imprese sono le stesse che prestano miliardi di euro ai Tronchetti e ai Benetton. Soldi nostri, dei correntisti, dei piccoli investitori. Gli amministratori delegati delle banche rispondono da troppo tempo alle leggi della politica e delle relazioni dei salotti buoni invece che alle leggi del mercato. Pubblico questa lettera, tra le tante che ho ricevuto, sul comportamento delle banche.

"Mi rivolgo a voi visto che siete una delle pochi voci che mette in guardia i risparmiatori sulle vessazioni fatte dalle banche nei confronti dei dipendenti addetti alla consulenza finanziaria (..se ancora la si può chiamare così). L'ultima "invenzione" della banca in cui lavoro, vista la recente tendenza al rialzo dei tassi di interessi, è stata quella di proporre ai clienti che già hanno acceso un mutuo casa a tasso variabile, una cosiddetta operazione "di protezione dal rischio tasso", mediante la vendita di "covered warrant" di varia durata, che darebbero al cliente che li sottoscrive un'entrata di denaro periodica qualora i tassi di mercato superassero una certa soglia prefissata. Tali covered warrant, alla loro naturale scadenza (che andrebbe a coincidere all'incirca con quella del mutuo originario), andrebbero poi a zero di valore.
Fin qui non ci sarebbe molto di strano nell'operazione, se non che tale vendita va anche accompagnata da un finanziamento al cliente dell'importo dei covered warrant sottoscritti: in pratica prima il cliente paga lauti interessi sulle rate del mutuo, poi si sobbarca l'acquisto di tali warrant che andranno a zero (..e che magari non gli daranno entrate se i tassi non dovessero salire molto) e inoltre ci paga anche gli interessi sul prestito per acquistarli. Non vi dico poi le pressioni quotidiane per vendere tali prodotti (...insieme agli altri, spesso scadenti, già a catalogo!): mi domando fino a quale punto arriveremo in futuro.
Purtroppo la clientela si fida di noi che dobbiamo avere la faccia tosta di rassicurarli sulla bontà dei prodotti e mentiamo loro dalla mattina alla sera; se poi non vendiamo tali prodotti veniamo emarginati all'interno della banca. I budget sono ormai "mostruosi" e se non riesci a raggiungerli ottieni pessime note di qualifica e niente premi incentivanti.
Io cerco di resistere a tali pressioni ma vi posso garantire che da alcuni anni ho i nervi a pezzi e soprattutto ho cominciato ad odiare un lavoro che mi piaceva: l'unica consolazione è quando si riesce a collocare i prodotti migliori e a non fare danni alla clientela, ma ciò accade sempre

più raramente. Vi ringrazio per aver potuto "sfogare" la mia rabbia. Grazie ancora."

M.
09.05.06 19:01

Insonnia da D'Alema

"Egregio dipendente Massimo D'Alema,
è mezzanotte, il nuovo presidente della Repubblica non è stato ancora eletto dopo due giorni di votazioni e io non riesco a prendere sonno. Non ci riesco perché ho l'incubo che lei possa essere eletto senza aver fatto chiarezza sulle intercettazioni che potrebbero riguardarla. Intercettazioni di cui ormai si parla, si insinua, si mormora da mesi. Le chiedo una semplice risposta a questa altrettanto semplice domanda: "Esistono delle intercettazioni telefoniche di conversazioni compromettenti tra lei e Consorte sulla scalata alla Bnl da parte dell'Unipol?"
Io spero, come credo molti elettori del centro sinistra, che la risposta sia un irrevocabile no.
Una non risposta autorizzerebbe a pensare che queste intercettazioni esistano e che, Dio non voglia, ne possano essere entrati in possesso esponenti del centro destra.
Ora la lascio e provo a dormire.
Buonanotte".

Beppe Grillo
10.05.06 00:00

Innovazione mangiasoldi

Viviamo in una realtà sempre più innovativa.
Una realtà che mette l'innovazione a disposizione di tutti. Quale azienda può al giorno d'oggi permettersi di non essere innovativa? C'è sempre più bisogno di idee innovative. L'innovazione ci semplifica la vita, ci aiuta. In un certo senso ci nobilita, come una volta il lavoro.
In autostrada usiamo il telepass, paghiamo la benzina con la carta

di credito, ricarichiamo il cellulare da ogni punto Atm, paghiamo le bollette on line e tante tante altre cose. La tecnologia è bella perché ci rende liberi. La tecnologia è bella perché aumenta i profitti delle aziende che inventano nuovi servizi. Paghiamo per il telepass oltre che per il pedaggio, per il pagamento via carta di credito oltre che per la benzina, per la possibilità di ricaricare il cellulare oltre che per la ricarica, per poter pagare una bolletta on line oltre che l'importo della bolletta. Insomma paghiamo il nulla. Le aziende ci stanno facendo pagare le transazioni di pagamento, incantesimi dell'etere, furti legalizzati.
Infatti, infatti...
L'innovazione diminuisce i costi delle aziende, il telepass elimina il costo del casellante, la carta di credito le operazioni di deposito del contante, il pagamento delle bollette il costo dell'impiegato e la ricarica del cellulare anticipa alla società telefonica i soldi delle chiamate.
L'innovazione serve quindi a renderci più felici e più poveri (del resto non si è sempre detto che il denaro non dà la felicità?) e ad ingrassare le aziende, le stock option, il titolo in borsa, i tronchettibenettonscaroni.
Ma quando la smettiamo di farci prendere per il c..o?
Un cittadino italiano ha finalmente deciso che gli fa troppo male e ha chiesto alla Commissione Europea l'abolizione dei costi di ricarica per i cellulari che esiste solo in Italia.
Lo hanno preso sul serio e la Commissione Europea ha contattato l'Authority, altra innovazione che ci rende (inconsapevolmente) poveri.
Bastano 50.000 firme per toglierci dai piedi la tassa sulla ricarica. Firmate la petizione!
10.05.06 20:30

No Tav sei mesi dopo

Zitta, zitta, la repressione No Tav sta arrivando in Val di Susa. Il blog vuole però riaccendere i fari sulla No Tav e darle voce. Oggi pubblico la lettera di un valsusino.

"Ci sono otto persone indagate, a 6 mesi dai fatti, per aver fronteggiato pacificamente (al massimo qualche vaf...lo) l'occupazione militare del territorio (c'erano anche i parlamentari Ue della Commissione Petizioni

con noi quei giorni ed hanno visto di persona).
Per quel poco che se ne capisce ciò che succede non è che l'inizio di una nuova ondata di cacca. Noi ormai nell'elemento sappiamo destreggiarci, certo che spargerla senza capire che si possono sporcare anche quelli che la buttano è senza senso...
Per capire meglio leggete il messaggio che sta girando sul web..."

Situazione grave, vi giriamo un messaggio ricevuto da uno dei comitati valsusini No Tav.

La politica della carota, adottata con l'instaurazione dell'Osservatorio "Virano", visti i fallimenti dei tentativi di mediazione, cede il passo a quella del bastone. Sono arrivati i primi otto avvisi di garanzia per la Resistenza al Seghino del 30 ottobre e per i blocchi del giorno successivo. Si tratta di otto valsusini tra cui il sindaco di Bussoleno, Peppe Joannas, e uno dei no Tav più noti, Alberto Perino. Le imputazioni dovrebbero comprendere reati come resistenza e minacce.
A ciò si aggiunga che il 12 maggio si terrà un'udienza al tribunale di minorenni di Torino (Corso Unione Sovietica 325) che vede alla sbarra un No Tav all'epoca dei fatti minorenne.
Infine mercoledì 17 maggio, al tribunale di Torino (Corso Vittorio Emanuele 300) ci sarà il processo a carico di Marco Martorana, un No Tav torinese accusato di lesioni ad un poliziotto durante una manifestazione spontanea svoltasi la sera del 6 dicembre a Torino, dopo l'assalto della polizia al presidio di Venaus.

Nella giornata di ieri sono arrivati gli avvisi di garanzia e il giorno stesso, in serata a Bussoleno, è arrivata la risposta del movimento. Un'assemblea affollatissima ha ribadito la propria solidarietà più piena alle persone inquisite e si prepara a numerose azioni di lotta. Si è inoltre ribadito che il sequestro dei terreni di Venaus ad opera della magistratura è atto politico che rigettiamo e a cui ci opporremo. Ribadita altresì la ferma opposizione al raddoppio del tunnel autostradale del Frejus.

I prossimi appuntamenti a Torino:
- venerdì 12 al tribunale dei minorenni per il processo al No Tav minorenne.
- mercoledì 17 maggio davanti al tribunale per il processo a Marco

Martorana.
- sabato 13 a Pianezza per la biciclettata No Tav.
A sarà dura!"

O.
11.05.06 23:35

Piange il telefono

Bush protegge i cittadini americani e anche quelli non americani presenti negli Stati Uniti. E questo tralasciando iracheni, afgani, e vari altri popoli. Come fare per farsi proteggere? È sufficiente telefonare con una delle tre grandi società che hanno aderito al programma di spionaggio globale della National Security Agency: At&T, Verizon e BellSouth.
Solo la Qwest ha rifiutato.
Le telefonate sia dal fisso che dal mobile sono memorizzate in un grande data base a disposizione del Governo. Il cittadino intercettato è un'evoluzione democratica contro il terrorismo. Più intercettazioni, più Bush, meno Bin Laden, più possibilità di ascoltare membri dell'opposizione, giornalisti scomodi, opinion leader.
Le conversazioni di 200 milioni di persone sono state registrate dall'11 settembre del 2001 senza chiedere il permesso a nessuno. Né ai cittadini, né al Parlamento, né alla magistratura.
E un americano non può, neppure con una richiesta formale, sapere se è stato intercettato.
Un silenzio giustificato dalla privacy.
Dei servizi segreti che intercettano i propri cittadini per difenderli dalle minacce terroristiche non si erano ancora visti.

Prodi deve prendere esempio e farci intercettare tutti dal Sismi.
Deve mettere ogni italiano nella condizione di essere ricattato dal governo: per la frode fiscale, per la relazione extraconiugale, per l'abuso edilizio. Il tutto per sanare il debito pubblico.
Le intercettazioni potrebbero essere infatti utilizzate, mantenendo la dovuta riservatezza, per operare dei condoni ricatto ad personam in cambio della loro eliminazione. Le conversazioni dei più intransigenti

che non volessero transare potrebbero essere pubblicate sul sito del ministero dell'economia come monito.
Le categorie ad alto rischio come i parlamentari, i mafiosi, i capi azienda, i dirigenti sportivi, dovrebbero essere tutelate ed escluse dalle intercettazioni. In ogni caso non pagherebbero e se la caverebbero con gli arresti domiciliari. Tempo perso.
12.05.06 18:41

Mafia condicio

Agostino Saccà direttore di Rai Fiction, quindi nostro dipendente pagato con soldi pubblici, ha vietato la messa in onda del film "Giovanni Falcone" in cui compariva anche il giudice Paolo Borsellino.
Il programma doveva andare in onda il 23 maggio, anniversario della strage di Capaci, prima delle elezioni siciliane, ma Saccà non vuole che sia diffuso per la par condicio, per non favorire Rita Borsellino candidata alla presidenza regionale.
Al posto di "Giovanni Falcone" Saccà manderà in onda un giallo ambientato in Marocco: "La moglie cinese".
Saccà sta applicando la mafia condicio.
In Sicilia, fino alle elezioni, deve essere però proibita la saga del "Padrino" di Marlon Brando in televisione e ritirato dai cinema "Il fantasma di Corleone" di Amenta.
La mafia condicio deve essere portata fino in fondo, anche gli altri candidati non devono godere di alcun vantaggio.

Pubblico una lettera di Stefania che mi scrive dalla Sicilia.

"Caro Beppe,
tra pochi giorni in Sicilia, si voterà per eleggere i deputati del Parlamento Regionale.
Sai Beppe, sui muri delle città siciliane in questi giorni, campeggiano (spesso abusivamente) manifesti elettorali strappa lacrime, con frasi da bacio perugina rancido. Ad un tratto tutti hanno idee nuove, la Sicilia nel cuore, un grande futuro ci attende, giovani orgogliosi di essere siciliani, ripartiamo dal sud, un grande progetto...

Bene, io mi chiedo una sola cosa: ma prima dove eravate?
Queste frasi e queste belle idee diverse vengono da gente che dentro i palazzi della politica regionale ci "bruca" da anni e vedere che, dopo aver passato a nostre spese in quegli uffici cinque anni, sia loro finalmente venuta in mente "un'idea diversa", mi riempie il cuore di gioia...

Beppe, immagina di essere il presidente di una società con 90 dirigenti costosissimi che passano le giornate a farsi i fatti loro e litigare per l'ufficio più bello. Nel frattempo la tua società va in fallimento, ma loro sono sempre stati strapagati. Allo scadere del contratto ti dicono che "ti amano" che "hanno un'idea diversa". Dimmi una cosa, li riassumi?? In Sicilia, sì! Beppe, temo che riassumeremo la gente che ci ha portati al fallimento e che lì vuole tenerci. E quando dico fallimento, non parlo solo dei debiti e dell'allegra gestione della Regione, parlo di un concetto molto più ampio e radicato, lo chiamerei... il "complesso del cardellino". Mi spiego: immagina un nido con un cardellino affamato che aspetta di essere nutrito dalla premurosa mamma... scena tenera, eh? Se non fosse che quel cardellino è in età pensionabile.
Siamo un popolo abituato ad aspettare l'aiuto dalla Regione o dal sedicente politicante, un popolo tenuto per le palle. Andiamo avanti non a programmi, ma a promesse. Ti stupirai, ma qui la gente crede ancora alla promesse di un politico... La gente qui ti vota per un buono benzina, per un pacco di pasta o per 50 euro. Più volte, mi sono chiesta il perché. Ignoranza? Forse. Disperazione? Forse. Cretinaggine? Mah, non credo. È piuttosto un mix di povertà e di insano opportunismo.
È la povertà dei furbi, di quelli col sussidio di disoccupazione e il lavoro in nero, di quelli che non trovano lavoro perché non vogliono lavorare, di quelli per cui "lo Stato è assente e non mi dà la casa, il lavoro e l'assistenza", di quelli che, pur di non far nulla, bussano alle porte dei politici per avere qualche briciola. Non considerando il fatto che quella briciola -che sia un lavoro, un precariato, un appaltino, un raccomandazione o altro- la sta pagando carissima e la sta facendo pagare anche a noi.
Quando i nostri politici assumono 18.000 precari in un giorno (fatto recentemente avvenuto) i soldi non provengono dalle loro tasche, quei soldi vengono tolti allo sviluppo, ai servizi, alla sanità e alle infrastrutture dell'intera Sicilia. Finché esisteranno persone che non rinunciano all'elemosina e al ricatto dei politici, questi signori avranno vita facile. E vinceranno le elezioni passeggiando e abbracciando e baciando gli

elettori. L'aspetto strano di questa faccenda della promessa è che al siciliano doc le parole "rispetto", "dignità", " onore", da sempre fanno vibrare le corde: "mancare di rispetto" qui è un peccato capitale, siamo fieri per nascita. Almeno così credevo. Questo mollusco con la mano tesa e lo sguardo da ruffiano pronto a vendere il futuro suo e il mio per 30 danari, non è il siciliano doc e non merita comprensione. È la zavorra, è il freno a mano del nostro futuro. Le persone come lui formano quel prezioso "allevamento di voti" che non ci permette di mandare a casa la gente che ama vederci sottosviluppati e ricattabili.

Caro Beppe, potrei citarti migliaia di casi di promesse non mantenute dai politici e di gente imbestialita: lo so io e lo sanno quelli che ancora ci credono. Io chiedo loro solo una cosa. Prima di dare un consenso, vi prego: cercate di capire chi avete davanti. Chi vi promette facili favori, non vi ama e non vi darà nulla. Non lo dico io, lo dice la loro storia: basta dimostrarvi chi sono. Caro Beppe, a te e a coloro che leggono chiedo di aiutare questa gente a capire. Esiste un sito che in maniera molto semplice fa un bilancio dello scempio che coloro che oggi ci chiedono il voto hanno fatto negli ultimi cinque anni di governo regionale. Gente priva di scrupoli che si arricchisce sulle nostre sventure.

Prima di votare, bisogna assolutamente leggere le notizie di questo sito:
www.disonorevoli.it
Grazie di cuore."

Stefania.
13.05.06 20:29

Franco Carraro, uomo sereno

Franco Carraro, padovano di nascita, milanese di adozione, sereno di professione.
Da ragazzo ascolta Jannacci in un trani cantare il *Palo della banda dell'Ortica*.
Ne rimane incantato e decide che quella del palo sarà la sua professione. L'opportunità arriva quando incontra Craxi che gli propone di fare

il palo prima al Governo e poi al Comune di Roma. Carraro diventa sindaco di Roma nel 1989, ma nel 1993 la sua giunta è travolta dagli arresti. Si sfila velocemente da palo comunale, senza fare polemiche, in tutta serenità.

Le sue dimostrate capacità professionali di palo gli aprono grandi possibilità. Avvicinato da Geronzi, non riesce a dire di no e diventa presidente di Mediocredito; avvicinato da Romiti non riesce a dire di no e diventa presidente di Impregilo; avvicinato da Moggi non riesce a dire di no e diventa presidente della Federazione Italiana Giuoco Calcio. La cifra professionale di palo di Carraro cresce insieme alla sua reputazione internazionale. Oppone agli scandali del calcio di questi anni una perfetta conoscenza del testo della sua canzone ispiratrice: "Lui era fisso che scrutava nella notte, l'ha vist na gota, ma in cumpens l'ha sentu nient, perché vederci non vedeva un autobotte, però sentirci ghe sentiva un acident."
La serenità e il sentimento che lascia sempre trasparire permettono la nascita in Italia della più grande associazione a delinquere sportiva di tutti i tempi.

Indagato dalla procura di Napoli ha espresso: "La più profonda gratitudine alla magistratura per le indagini che fa sul calcio". Ai carabinieri del nucleo operativo di Roma che gli hanno perquisito prima l'ufficio e poi la casa ha offerto un tè con i biscotti. Raggiunto da un avviso di garanzia per la violazione della legge sulla frode sportiva ha commentato: "Sono assolutamente sereno perché so di aver agito sempre con correttezza". Si è dimesso dalla Figc, ma sereno.
Il calcio è travolto, la Figc commissariata, arbitri, giocatori e dirigenti rischiano la galera, i bilanci delle società stanno per saltare in aria trascinando il settore in un crack spaventoso.
Lui, lui è sereno, quasi gioioso. Con la sua esperienza un posto da palo lo troverà sempre.
14.05.06 19:15

Scandali postdatati

Ogni volta che in Italia scoppia uno scandalo, un avvenimento ormai frequente di cui non ci si scandalizza più che tanto, i giornalisti ci informano su ogni possibile particolare, gli opinionisti ci spiegano cause e effetti, i direttori scrivono un editoriale in cui esprimono la loro profonda costernazione. I lettori e i telespettatori sono informati per giorni fino all'esaurimento della fase emotiva. Poi qualche trombettiere suona il silenzio e si parla d'altro. Anni dopo arrivano le prescrizioni, i memoriali di discolpa degli interessati, le amnistie, la benedizione sociale bipartisan di uno scandalo che non è più scandalo, ma è diventato storia patria. Sindaci e assessori propongono targhe ed anche statue per le persone coinvolte, si fanno conferenze a tema e i partiti candidano i condannati al Parlamento per salvarli dalla galera.

Ogni volta che scoppia uno scandalo in Italia le prime 10 pagine dei quotidiani ne parlano con toni indignati. I giornalisti, finalmente liberi, si scatenano come furie (avvoltoi?) su persone che intervistavano servilmente il giorno prima. I giornalisti della notizia post datata, i giornalisti del paraculismo istituzionale, i giornalisti demi vierge, dell'opportuno riserbo editoriale, della stecca pubblicitaria e del pezzo di ordinanza.
Io spero che il prossimo scandalo riguardi loro, i loro editori, i loro giornali, i loro settimanali, le loro televisioni. Che porti alla luce i motivi politici, economici, personali per cui danno una notizia e ne eliminano un'altra. Tacciono e depistano. Giornalisti che sono sempre informati prima e che scrivono sempre dopo.

Il prossimo scandalo deve essere sull'editoria, sui media, sulla loro commistione con pubblicità e politica. Quanti arbitri comprati ci sono tra i direttori di giornale e i direttori di rete? Quanto sono pagati per tenerci nell'ignoranza? L'informazione postdata mi ha stufato, i pennivendoli postdatati mi hanno stufato.
Il prossimo scandalo per pudore lo mettano in ventesima pagina tra le notizie di cronaca.
15.05.06 19:43

Me ne frego!

Nel più puro stile democratico-popolare i Ds hanno opposto il loro: "Me ne frego!" al risultato delle primarie a pagamento (un euro per votare) a Caserta. I 9.000 votanti "non avevano capito" e hanno dovuto essere rieducati con una decisione dall'alto, la prossima volta votino con maggiore attenzione.
Primo classificato Petteruti, secondo classificato Alois dei Ds: vincitore a pari merito Alois per volontà marxistafassinista.
Alle prossime elezioni ci saranno due candidati per il centro sinistra e non solo Petteruti perché, come ha affermato Gianfranco Nappi, segretario regionale dei Ds, dal balcone di casa sua: "Alois è arrivato secondo, ma solo per una manciata di voti".
Questa tesi mi ricorda qualcosa, ventiquattromila voti di differenza alle politiche, una manciatina...
A proposito di mance vorrei sapere che fine hanno fatto i 9000 euro versati alle primarie, se il risultato è stato invalidato devono essere restituiti. In caso contrario si prefigura la truffa o la circonvenzione di (cittadini) incapaci.

Pubblico la lettera di un elettore di Caserta.

"Il 12 marzo si sono svolte a Caserta le primarie dell'Unione per scegliere il candidato sindaco.
Tutti i partiti hanno accettato questo metodo e hanno sottoscritto norme di regolamentazione delle primarie. Fra queste regole, vi era quella secondo cui anche le associazioni avrebbero potuto presentare candidati.
Alcuni partiti hanno presentato un loro candidato: la Margherita ha presentato Ciontoli, i Ds (su pressioni di Bassolino) ha presentato Alois (ex assessore regionale alle attività produttive), i Repubblicani europei e l'associazione Vestigia Tifatine hanno presentato Petteruti (già assessore ai lavori pubblici a Caserta e all'urbanistica a Maddaloni).
Alle primarie, contro ogni più rosea previsione, hanno partecipato oltre 9000 persone (più del doppio dei votanti alle primarie nazionali). Ci sono state lunghe file per votare in una giornata piovosa e gelida. Le

operazioni di voto si sono protratte fin quasi a mezzanotte. Ogni elettore ha dovuto pagare 1 euro!

Ha vinto Petteruti per 31 voti su Alois, contro i pronostici della vigilia. Hanno pesato molto nella vittoria l'appoggio del presidente della provincia di Caserta e soprattutto il fatto che i casertani hanno percepito quella di Alois come una candidatura imposta da Napoli.
Sennonché, Ds e Margherita - nonostante una netta presa di posizione di Prodi, tramite Ansa, per rispettare il risultato delle primarie a Caserta - non hanno accettato il responso e hanno deciso di presentare Alois come candidato sindaco, sebbene avesse perso le primarie.
Al di là di ogni considerazione di carattere politico, questa decisione di sovvertire il risultato delle primarie è una autentica carognata, una schifezza antidemocratica. Se si accetta di partecipare a una competizione, se si mandano a votare 9000 persone, se si fa pagare 1 euro per votare, dopo non si può dire "scusate, abbiamo scherzato". Come cittadino mi sento preso in giro da questa farsa. I partiti, dopo averci preso per i fondelli, ci hanno estorto 9000 e passa euro. Li rivogliamo indietro, o perlomeno vogliamo che non li usino i partiti e siano devoluti in beneficenza.
Chiedo la voce di Beppe Grillo per dare uno sbocco comunicativo e una risonanza ampia alla voce mia e di tanti cittadini defraudati della loro opinione (abbiamo fondato il comitato: "RIDATECI L'EURO"), che per i partiti, o per alcuni di essi, evidentemente non vale nulla. Grazie."

Luigi L.
16.05.06 18:37

Mastella da Ceppaloni

Mario Clemente Mastella, dopo un parto travagliato, per le dimensioni spropositate dell'apparato digerente già ben formato alla nascita, vede la luce nel 1947 a Ceppaloni, località beneventana da lui portata a visibilità nazionale. Da allora entrata nel linguaggio comune con la frase: "No Ceppaloni, no party". La sua fame leggendaria lo spinge a presentarsi alle feste di battesimo e di cresima non invitato. La sua disinvol-

tura gli consente di mangiare a sbafo e, contemporaneamente, di fare numerose amicizie che gli serviranno in futuro.
L'appetito lo conduce inesorabilmente verso la Democrazia Cristiana, diventa deputato commensale nel 1976 e da allora non si è più mosso. Ogni coalizione di governo lo vede presente alla spartizione delle poltrone. In realtà nessuno lo invita, ma alla fine qualcosa da mangiare gli danno sempre quando minaccia di andare ad un'altra festa.
Celebre la sua esibizione come ministro del Lavoro nel governo Berlusconi in cui risolse il grave dramma della disoccupazione giovanile nel Sud e delle pensioni.
Ambigua e carica di doppi sensi invece la sua dichiarazione sulla sua verginità pre-matrimoniale, non è mai stato chiarito fino in fondo a quale tipo di relazione sessuale facesse riferimento.

Nel 1999 si mette in proprio e fonda l'Udeur che definisce "Il centro della politica, un progetto per il futuro, un'idea, un percorso, un metodo, una storia, un'identità" e, con postilla a margine, un posto a tavola.
Entra subito in conflitto con Romano Prodi per il menu e con coerenza dichiara alle scorse primarie dell'Unione: "Usciamo dall'Unione, da oggi saremo il Centro alleato con l'Unione".
Per dare vita e forza a questo progetto inserisce in lista il pregiudicato Rocco Salini. L'Unione cambia il menu e Mastella rientra nell'Unione.
Dopo le elezioni di aprile il suo appetito pantagruelico lo fa delirare, pretende tre ministeri, tra cui la Difesa, la vice presidenza del Consiglio e il 30% dei salatini dei consigli dei ministri. Su quest'ultimo punto entra però in conflitto con Massimo D'Alema e deve fare un passo indietro. Prodi, che ha sempre segretamente apprezzato la sua capacità di barcamenarsi, dopo una telefonata per verificare le sue credenziali con Gianni Letta, lo nomina ministro della Giustizia.
Sic transit gloria prodi.
17.05.06 15:29

Lippi vattene!

La faccia ce la metto io, ce la mettete voi, ce la mettono tutti gli italiani. Ai mondiali di calcio la Nazionale è la Nazionale Italiana. Non

è la nazionale della Gea. Lippi deve dimettersi. Non voglio sentire in mondovisione i fischi degli stadi tedeschi e la derisione dei giornali di tutto il mondo.
Ci stanno rubando la reputazione, quanto vale la nostra reputazione? Io voglio sentirmi orgoglioso di essere italiano, non essere spernacchiato per quattro cialtroni senza onore che infestano l'Italia.
Bisogna fargli causa.

Nessuno nel mondo del calcio ha ancora detto a Lippi di andare a Viareggio a farsi un giro in bicicletta sul lungomare e non in Germania. Dobbiamo aspettare che si muovano ancora una volta le procure? Presidenti morattigallianisensi delle squadre dove siete? E anche voi campioni di calcio del c...o dove vi siete nascosti? Alzate la voce una volta. Un moto di orgoglio, per favore, uno nella vostra vita di atleti super pagati. Lippi ai mondiali sarebbe un disastro di immagine.

Dai verbali degli inquirenti:
"Il livello di controllo sul sistema calcio da parte di Luciano Moggi si estrinseca non solo sui massimi organi istituzionali della Figc, ma fin nella sua massima espressione sportiva: la Nazionale Italiana. L'azione di Moggi sulla Nazionale si estrinseca anche grazie a una certa subalternità di Lippi nei confronti del dg bianconero. Infatti, Moggi sfruttando anche quel 'rapporto speciale' dovuto al fatto che Marcello Lippi per lungo tempo è stato allenatore della squadra bianconera, nonché il legame che unisce il figlio dello stesso, Davide, con la Gea in cui risulta pienamente integrato, riesce ad incidere in modo determinante sulle convocazioni".
Predisposizione nei confronti dei calciatori: "Segnalati da Moggi e sponsorizzati Gea, in modo da aumentarne la visibilità e quindi la quotazione di mercato. Inoltre, tale predisposizione si estrinseca anche nel non convocare quei calciatori facenti parte della rosa bianconera (Alessandro Del Piero), sempre segnalati da Moggi, per non incidere sulle loro condizioni fisiche e poi eventualmente pregiudicarne il loro impiego nella squadra di club."

Oggi Lippi sarà ascoltato dalla Procura di Roma, dopo aver deposto, si deponga. I nipotini lo aspettano.
18.05.06 18:17

Mediapolis, un anno dopo

La migliore definizione di Wal Mart, la più grande catena di distribuzione del mondo, è: "Wal Mart conosce il prezzo di tutto e il valore di nulla". Negli Stati Uniti l'apertura di nuovi supermercati è sempre più contestata. Nei piccoli centri gli effetti economici che producono sono disastrosi, con la scomparsa delle produzioni locali e l'impoverimento del territorio. Uno studio dimostra il raddoppio della richiesta di assistenza pubblica dove si insedia la Wal Mart. I superipermegagigamercati fanno parte del passato, di una concezione preistorica dello sviluppo.

Un anno fa sul blog avevo scritto un post su Mediapolis, un'area commerciale finanziata in parte dalla Regione Piemonte, dall'ottima presidente diessina Bresso (quella della Tav). Che i soldi pubblici (nostre tasse) debbano finanziare un supermercato è una cosa superiore alla mia comprensione. Dovrò farmi aiutare da un esperto e provare a discuterne nel prossimo convegno della Provincia di Torino, a cui forse parteciperò, che si terrà a porte aperte il 30 giugno. Una domanda semplice semplice vorrei però farla alla dipendente Bresso. I soldi per Mediapolis, soldi nostri non suoi, non dovrebbero essere invece impiegati per attività produttive, innovative, per sviluppare le realtà locali, il turismo e preservare le bellezze del Canavese? Tra queste vi è il castello di Masino che in futuro dalla sua balconata permetterà di ammirare l'area commerciale di Mediapolis e lo splendido flusso di tir che la rifornirà.
Pubblico una lettera aperta di Giulia Maria Mozzoni Crespi, Presidente del Fai - Fondo per l'Ambiente Italiano, a Mercedes Bresso e aspetto una risposta del mitico Porcellini amministratore delegato di mediapolisnonsisachecosasia.

"Gentile Presidente,
mi è stato riferito che in un recente incontro in un Circolo eporediese, Lei avrebbe affermato che "Mediapolis si farà". Questa sua ferma posizione, come Lei può immaginare, mi preoccupa e mi rattrista per le tante ragioni che già ebbi modo di esporre.

È vero che la Sua Giunta ha approvato il protocollo d'intesa che apre la strada agli impegni dell'"Accordo di Programma", ma è anche vero che è ancora pendente il ricorso al Consiglio di Stato che potrebbe riportare all'inizio l'intero processo decisionale che, come Lei certamente ricorda, è iniziato disattendendo un motivato parere contrario della Commissione Urbanistica Regionale. Mi hanno anche detto che sul tema Mediapolis, così come su quello Tav, Lei ritiene sia opportuno prendere decisioni definitive ma, se posso permettermi, non mi sembra del tutto corretto mettere sullo stesso piano una decisione che ha per oggetto una grande opera pubblica di rilievo europeo, la Tav con una iniziativa, Mediapolis, di utilità e vantaggi assolutamente privati, pur se - così come per qualsiasi impresa privata - con qualche ricaduta in termini di occupazione.
I presunti benefici pubblici, in particolare i tanto vantati 1.500 nuovi occupati, diventati ad un certo momento addirittura 10.000, sono a tutt'oggi, per quanto pubblicamente noto, del tutto indimostrati, così come, per ciò che mi risulta, è indimostrato il vantaggio collettivo dei cospicui investimenti pubblici.
Abbiamo più volte richiesto che la decisione su Mediapolis avvenisse solo in seguito a valutazioni di convenienza e opportunità generali, documentate da numeri e riscontri oggettivi e con riferimento all'intero bacino d'utenza, ma dalla Regione non abbiamo mai avuto alcuna risposta. Siamo invece in attesa di essere ascoltati in un Consiglio Provinciale aperto, e ci farebbe piacere poter pensare che non sarà solo un momento rituale, a decisioni ormai prese, ma che le nostre ragioni possano essere ascoltate e discusse in virtù della profonda e convinta preoccupazione che esprimono.
Come Lei sa, non è la sola compromissione di un suolo fertile, di un delicato equilibrio idrogeologico e di un paesaggio irripetibile che determinano la nostra contrarietà, ma anche la convinzione che Mediapolis rappresenti un modello di sviluppo inadatto al Canavese, alla sua storia ed alle sue potenzialità.
Modelli così sono per la verità ormai inadatti ovunque, sia per lo spreco energetico (ce lo possiamo ancora permettere?) che comportano i trasporti privati congestionati, sia per la totale assenza di identità e di integrazione rispetto ai territori che occupano.
Noi infatti siamo sempre più convinti che le vere chiavi di ogni sviluppo non effimero e strategicamente corrette si trovino nelle iniziative

locali che stanno spontaneamente nascendo nelle comunità locali e alle quali cerchiamo di affiancarci, qui in Canavese, con le nostre risorse, per quanto modeste, e con la nostra esperienza. Molto tempo è passato dall'inizio di questa vicenda e molte cose sono cambiate: tra queste la sensibilità e la consapevolezza che la trasformazione e l'alterazione dei suoli e del paesaggio hanno un tale grado di irreversibilità da penalizzare senza scampo le generazioni future.
Mi rendo ben conto, gentile Presidente, che per Mediapolis è già stato compiuto molto cammino istituzionale e che non è in genere buona prassi ridiscutere troppe volte una scelta, ma desidero comunque rivolgerLe ancora il mio personale appello perché questo caso così delicato e rischioso si analizzi ancora, serenamente e a fondo, anche con il contributo nostro, delle altre Associazioni interessate e dell'intera comunità locale, il cui fronte mi pare meno compatto di qualche anno fa."

Giulia Maria Mozzoni Crespi
19.05.06 17:27

La solitudine del tifoso

Gli sponsor e i fornitori della Nazionale Italiana avranno presto un ritorno di immagine degno dei loro investimenti.
La loro pubblicità - i loro interessi - i loro prodotti si sono, dapprima con garbo e discrezione, e poi senza ritegno, inseriti tra gli spettatori e i giocatori.
Il giocatore pensa allo sponsor, al procuratore, al grano fine a sé stesso, alle scommesse, ai pagamenti in nero. Il calcio è secondario. E lo è anche per lo sponsor, per lui è uno strumento, un mezzo per piazzare acqua in bottiglia e ricariche telefoniche. E le società con le loro lobby, il catering, il business e i biglietti omaggio in tribuna d'onore in cui non mancano mai i banchieri tifosi? Quelle pensano ai diritti televisivi, ai ganci politici, a leggi spalmadebiti, a leggi fatte su misura per i falsi in bilancio. Sbavano per la Borsa, con le azioni regalate per due lire ai manager, con i dividendi agli azionisti basati su ricavi inesistenti creati da plusvalenze di giocatori senza valore.
Rimangono gli spettatori, i tifosi, quelli che oggi sono intermediati

da sponsorprocuratorifinanzieridirittitelevisivi. Quelli che portano il figliosubitoatreanni a vedere la loro squadra per dargli l'imprinting, gli comprano la maglietta del club e un pallone e giocano con lui dando mostra di dribbling ormai appesantiti.
Ma gli spettatori sono un soggetto economicamente inutile.
Le società vivono di diritti televisivi, di sponsor, di leggi ad hoc. Gli stadi vuoti, semivuoti, semipieni non sono più un business. Gli spettatori sono stati espropriati dai soldi degli sponsor.

I consumatori però non sono stati ancora espropriati. Lippi allenatore danneggia l'immagine degli italiani.
Ne consegue che danneggia anche l'immagine degli sponsor della Nazionale. E un italiano non può comprare un prodotto di uno sponsor con l'immagine danneggiata. Non si fa. Lippi danneggia gli sponsor e i fornitori degli azzurri, per aiutarli ad uscire da questa penosa situazione non compriamo più i loro prodotti.
Vedrete che ce ne saranno grati.

Sponsor:

Mapei,
Puma,
Tim

Fornitori:

Antonio Amato,
Beretta,
Bilba,
Dolce e Gabbana,
EminFlex,
EuroFly,
Fuji Film,
Generali,
Green Vision,
Nutella,
Olidata,
Pata,

Peroni,
Radio Italia,
Sharp,
Silver Cross,
Spazio24,
Uliveto,
Wolkswagen

Ps. Per aiutare le aziende nella loro scelta vorrei comprare mezza pagina di un giornale sportivo con i soldi rimasti sul conto utilizzato per "Onorevoli Wanted".
20.05.06 19:28

L'agonia della televisione

Un padre mi ha scritto una lettera sulla pubblicità televisiva, simile a molte che ho ricevuto.
La pubblico perché, nella sua semplicità, conferma che la pubblicità ha preso il posto del prodotto televisivo, influenza il prodotto, è ormai essa stessa il prodotto.
Il palinsesto televisivo lo fanno le aziende e questo è scontato. Lo è meno che lo possano fare alla Rai, azienda pubblica, che vive, dovrebbe vivere, del canone.
L'abolizione della pubblicità nelle reti Rai la renderebbe libera di fare informazione e cultura al servizio dei cittadini. Lo so, libera è un termine forte, diciamo meno serva, perché ci sono anche i partiti di governo e di controllo.

Dipendente Prodi, mi ascolti, abolisca la pubblicità sulla Rai, sarebbe un bel gesto. La pubblicità ha creato l'Italia malata furba e cialtrona degli ultimi quindici anni. Il primo partito italiano è ancora Publitalia. E poi mi sono rotto le balle di dover sopportare la pubblicità a tutto volume nei vari intervalli. Stiamo creando un popolo di sordi inca.. ati neri. Una legge lo proibisce, facciamola applicare o revochiamo le licenze.

"Caro Amico,
sono un genitore che deve convivere con la baby sitter quotidiana, la televisione. Mio figlio, come i figli dei miei amici, sono completamente drogati e schiavi di quella che è la frustrazione di noi adulti, questa maledetta scatola invadente che provoca litigi a non finire e i musi duri dei propri figli quando in qualche modo, si cerca di arginare l'invadenza quotidiana.
Un permesso (o meglio compromesso) è stato quello di poter vedere i cartoni animati su Rai Due mentre siamo a tavola insieme, almeno una volta al giorno, la sera.
Mi domandavo e domando: non ci sono delle regole che impostano la pubblicità nelle fasce, chiamiamole, protette? Personalmente sono inc... to, perché ad ogni cartone segue una sequenza di spot pubblicitari di ogni tipo e genere; questi ragazzi sono letteralmente bombardati da messaggi su gelati, giocattoli, macchine, detersivi e compagnia bella! Non passa un quarto d'ora senza spot, per non parlare delle televisioni private, dove la pubblicità è trasmessa ad un altissimo volume, è una cosa vomitevole!
Dobbiamo per forza essere trattati in questo modo? Dobbiamo sempre subire ogni loro scorrettezza pagando tanto di canone e stare sempre zitti? Un abbraccio."

Marcel
21.05.06 23:26

9/11 senza verità

Il filmato diffuso negli scorsi giorni sull'esplosione al Pentagono causata da un aereo di linea dirottato non ha convinto nessuno. La strana catalessi che colpì per alcuni minuti Bush alla notizia dell'attentato delle Torri Gemelle non ha trovato per ora spiegazione. L'espressione di Bush, come ha rilevato anche Michael Moore, sembrava dire: "Ma dove sono stato fregato?" e non lasciava trasparire alcuna preoccupazione.

Gli americani si sono bombardati da soli? Sembra impossibile.

La Cia è coinvolta negli attentati? Non è da escludere.
L'amministrazione americana sapeva molto di più di quanto ha ammesso? Sembra certo.
La guerra all'Islam ha consolidato la presenza nel Golfo Persico e la rendita di posizione petrolifera degli Stati Uniti? Non vi sono dubbi.
Giulietto Chiesa mi ha inviato una lettera sull'argomento.

"L'11 di settembre 2001 è stato l'inizio di una svolta mondiale. Un evento di impressionante potenza psicologica e mediatica. Ma miliardi di persone "normali" non sanno niente: di ciò che lo ha preceduto, di come si è svolto, di chi lo ha creato. Eppure è proprio su quella base che è cominciata la "guerra contro il terrorismo internazionale", che ha già prodotto due guerre "vere" e decine di migliaia di morti.
Gli Stati Uniti praticano e teorizzano la guerra preventiva, in violazione della Carta dell'Onu.
I cittadini americani sono spiati illegalmente, a decine di milioni, dai loro servizi segreti. La Cia preleva presunti terroristi dove ritiene opportuno, in decine di paesi, al di fuori di ogni autorizzazione legale, e li manda alla tortura in paesi terzi, o li tortura direttamente a Guantanamo Bay.
Lo stato di diritto, già lesionato in America, viene demolito anche in Europa e altrove, con la complicità dei governi alleati degli Usa.
E sull'11 di settembre è calata una cortina di silenzio. Chi cerca di saperne di più viene bollato come amico dei terroristi e antiamericano.
I principali media non ne parlano o, quando ne parlano, è per dare per scontata la versione ufficiale.
La versione ufficiale fornita dal governo degli Stati Uniti non spiega assolutamente nulla. Peggio: è dimostrabile che in decine di punti dice il falso, esplicitamente, e in altre decine di punti decisivi omette di dare una qualsiasi spiegazione.
Noi non conosciamo la verità, e sarà difficile conoscerla nel corso dei prossimi cento anni (Noam Chomsky), ma una domanda è inevitabile e necessaria: perché ci hanno mentito? Centinaia di esperti, molti dei quali americani, stanno cercando di fare luce sulla tragedia, anche in nome dei morti innocenti: di quelli dell'11 settembre, in America, e di quelli che sono venuti dopo, in molte zone del mondo, su quella scia.
Ma la loro e la nostra voce è da sempre coperta e censurata dai grandi media, sebbene sul web sia già presente da tempo una impressionante

quantità di materiali che dimostrano la menzogna. Cosa ne pensate?

Se volete saperne di più, visitate il Dossier 9-11 di Megachip.info e scaricate da Internet il film "Loose Change 2nd edition".

Un grazie sentito a Beppe Grillo per la sua ospitalità."

Giulietto Chiesa
22.05.06 19:00

Diciassette uomini sulla cassa del morto...

Aggiornamenti sui pregiudicati in Parlamento.
8 sono stati eliminati e sono quindi ormai pregiudicati extra parlamentari, liberi di rifarsi una vita. 16 sono stati rieletti in quanto scelti dai segretari di partito che li hanno messi in lista. Uno si è fatto condannare dopo le elezioni per corruzione giudiziaria e non si sa bene se si sia dimesso o voglia partecipare alle sedute nelle due ore d'aria. Per sicurezza lo lascio in elenco.
Il totale dei pregiudicati è quindi sceso da 24 a 17. Di questo passo per le elezioni del 2101 il Parlamento sarà finalmente pulito. Un lieto evento a cui assisteranno i nostri pronipoti.

I 17 superstiti sono tutti deputati di lungo corso, alcuni sono lì da prima dell'ultimo scudetto dell'Inter. Sono affezionati alle istituzioni che rappresentano. Grazie alla loro esperienza in termini di reati possono legiferare in modo da prevenirli o, e questo è il sogno di tutti quelli che si sono fatti beccare, per eliminare il reato e tornare vergini e puri.

La contabilità dei pregiudicati vede saldamente al primo posto, come da tradizione, la casa circondariale delle libertà con 9 presenze. Gli altri partiti sono minoritari. Inquietano però i neo parlamentari Pomicino e De Michelis eletti nella nuova Dc e nel nuovo Psi. Sono il nuovo che avanza, o forse l'avanzo che resta?
Come venirne a capo di questi benedetti uomini (avete notato che sono tutti uomini)? Io non so più cosa fare.

Ma cinque anni sono lunghi, tutto può succedere. Pur non augurando nulla di male ai pregiudicati (basta e avanza per questo il numero 17), se per qualche problemino fisico, ma piccolo, piccolo, fossero costretti a levare le tende prima di fine legislatura, gli italiani onesti, i non pregiudicati per intenderci, lo prenderebbero come un segno di un destino benevolo, quelle fortune che ogni tanto capitano nella vita.

I 17 CONDANNATI DEFINITIVI IN PARLAMENTO

1 Berruti Massimo Maria FI
2 Biondi Alfredo (reato poi depenalizzato) FI
3 Bonsignore Vito Udc - Parlamento Europeo
4 Bossi Umberto Lega Nord-Parlamento Europeo
5 Cantoni Giampiero FI
6 Carra Enzo Margherita
7 Cirino Pomicino Paolo Nuova Dc
8 Dell'Utri Marcello FI
9 De Michelis Gianni Nuovo Psi
10 Jannuzzi Lino FI
11 La Malfa Giorgio Pri
12 Maroni Roberto Lega Nord
13 Previti Cesare FI
14 Sterpa Egidio FI
15 Tomassini Antonio FI
16 Visco Vincenzo Ds
17 Vito Alfredo FI
23.05.06 18:07

Manifesti elettorali

Le elezioni sono diventate permanenti. Le belle foto lombrosiane dei candidati sono parte del paesaggio urbano, ad ogni angolo, sui camion, sui taxi. Sagome in pose rassicuranti, braccia conserte, sorrisi a bocca larga, occhi allegribovinitruccatigiovaniliacutisereni pieni di sentimento per l'elettore. Cartelloni da circo di damazze ringiovanite e papaveri che si sacrificano per noi, infatti chi glielo fa fare di spendere circa

150.000 euro per una candidatura se non la passione civile?
I redditi dei candidati alle elezioni sono la vera discriminante (che bel termine) politica. Senza un buon portafoglio tuodelmaritodellamogliedellamicoimprenditore alle elezioni non si partecipa e soprattutto non si vince. Quindi se sei ricco e hai buone relazioni puoi diventare assessore, se hai un reddito medio basso e conosci solo quelli del tuo giro di sfigati puoi diventare elettore. I poveri possono eleggere i ricchi. I ricchi possono amministrare i poveri. Se non fosse così come potrebbero rimanere ricchi? La via democratica all'elezione passa per il 740. Il reddito fisso è una colpa politica da scontare con la delega.

Ma la soluzione c'è. Si chiama estrazione a sorte. Ha il vantaggio di eliminare i costi delle campagne elettorali, di riportare le città a una normalità estetica (anche l'occhio vuole la sua parte). I cittadini per partecipare dovrebbero avere alcuni requisiti minimi, come la residenza, la maggiore età, la fedina penale pulita, non avere processi in corso, non essere mai stati sorteggiati in precedenza, una competenza di base sull'argomento per cui si propongono.
Le mamme incensurate potrebbero candidarsi per l'assessorato alla famiglia, i medici per la salute, i vigili urbani e i tassisti per il traffico, i responsabili di condominio per la carica di sindaco.
L'estrazione dovrebbe essere gestita da un pool di magistrati con la consulenza di Collina.
Avremmo dipendenti al posto di politici, politica al posto di interessi personali.
C'è un comune in Italia che vuole provarci? Batta un colpo!
24.05.06 14:49

La Settimana nel metrò

I giornali e le riviste hanno i loro padroni. Editori, politici, industriali. Il lettore paga il 20/30% del costo di un quotidiano. Non conta niente. L'editoria è finanziata dalle nostre tasse, dalla pubblicità.
La Settimana, il magazine creato da questo blog, non ha pubblicità, editori, censori. È gratuita.
Ha raggiunto 40.000 download per numero.

Ho deciso di diffonderla gratis anche per le strade iniziando da Milano. Questa mattina sono state distribuite 10.000 copie in bianco e nero, numerate e ad edizione limitata, all'uscita delle principali stazioni della metropolitana (video prime impressioni).
Il primo numero l'ho comunque tenuto io, spero di rifarmi delle spese vendendolo all'asta. Dopo il Gronchi rosa, il Grillo grigio.
25.05.06 11:47

Gino Strada e la Croce Rossa

Ricevo da Emergency una lettera scritta da Gino Strada.

"Mi fanno conoscere da Milano, la sorprendente intervista ad Alberto Cairo, «Il medico italiano da 16 anni in Afghanistan», uscita su Magazine. Chissà perché i giornali si ostinano a definire Alberto Cairo un medico, e chissà perché Alberto Cairo regolarmente non smentisce? Sa anche lui di non esserlo, è dottore in legge, di professione fisioterapista. Così, dopo aver appreso che l'oppio-2006 «sarà una grande annata, senz'altro il migliore raccolto dal '99», il fisioterapista italiano spazia sul mondo: dalla droga a Karzaj, dagli aiuti umanitari a Maurizio Scelli. Ne ha per tutti.
«La gente comincia a non fidarsi più del simbolo della Croce Rossa». Che scoop! Se ne è accorto, con anni di ritardo, anche Alberto Cairo, che tra l'altro per la Croce Rossa lavora, anzi per l'Icrc, il nucleo originario ginevrino del movimento della Croce Rossa.
Noi, sfortunatamente, ce ne rendiamo conto da molto tempo. E ci rendiamo conto che «la gente», anche qui in Afghanistan e non solo in Iraq, ha perfettamente ragione a non fidarsi.
Ai tempi della occupazione sovietica, i responsabili dell'Icrc definivano i mujaheddin «la resistenza afgana» (vi sono centinaia di rapporti e documenti con questa definizione), ma ai tempi dell'occupazione americana (e italiana!) quelli che combattono le forze occupanti sono tutti chiamati da Cairo «talebani», semplicemente. Alla faccia della «neutralità», uno dei sacri e sbandierati principi dell'Icrc. «E gli americani sono cinque anni che li combattono» precisa il fisioterapista.

Verissimo. Da cinque anni in Afghanistan vi sono scontri, attentati, assassinii, rapimenti, sparizioni, torture, bombardamenti. Direi che la parola «guerra» descriva bene la situazione.
Invece no, almeno secondo Cairo, che non perde l'occasione - per lui un vero hobby - di lanciare frecciate ad Emergency. Io sarei «bravissimo a farmi pubblicità»: grazie, me ne compiaccio.
Ma poi, per dare sostanza alla calunnia, precisa «I suoi ospedali curano le ferite di guerra. Ma la guerra è finita».
Gli ospedali, naturalmente sono quelli di Emergency e non i miei.
Strana però questa guerra, nella visione di Cairo: un po' c'è, un po' no, si combatte ma è finita, si spara ma non ci sono feriti... Ho l'impressione che se Emergency decidesse di aprire un reparto ustionati il dottor Cairo direbbe che il fuoco non scotta. Problemi suoi.
Quando nel 2000 Emergency decise di aprire il Centro di Kabul per curare le vittime di guerra, l'Icrc insorse. Protestarono con l'ambasciata italiana a Islamabad (quella di Kabul era chiusa), con il Ministero della sanità a Kabul (talebano), con la delegazione italiana all'Onu a Ginevra. Protestarono perché si apriva un ospedale: perché pensano di detenere in esclusiva - lo pensano davvero! - il diritto di decidere quando un ospedale serve e quando no, se è bene o male che ci sia.
In quella occasione, e fu anche l'ultima, Alberto Cairo visitò la sede di Emergency a Milano.
Venne a spiegarci che «Quell'ospedale per vittime di guerra non serviva», che i bisogni erano «coperti da loro», cioè dall'Icrc.
Intendeva ben altro, ma non poteva dirlo.
Avrebbe dovuto dire che il Comitato Internazionale della Croce Rossa aveva ricevuto in passato, e continuava a ricevere, una grande quantità di milioni di dollari all'anno - soprattutto da vari governi - per curare i feriti di guerra in Afganistan. Voleva dire che chiunque avesse aperto un nuovo Centro - magari un ospedale pulito, efficiente, di alto livello - poteva fare ombra (e far calare i dollari e gli yen) alla mitica Icrc e al «suo ospedale» a Kabul: quello di Karteh-Seh, che ben conosco.
Lo visitai nell'aprile del 2000: una sorta di immondezzaio dove le pazienti-donne stavano chiuse in una prigione con un chiavistello e la guardia davanti, a impedire visite a chiunque, medici compresi. Chiuse a chiave e guardate (non a vista, naturalmente) dai talebani, in un ospedale sostenuto dalla Croce Rossa. In questo modo erano «coperti» i bisogni. Da loro.

Emergency ha aperto il Centro di Kabul (che ha fatto seguito al Centro di Anabah e ha preceduto quello di Lashkargah) perché ce n'era bisogno. Nel 2001, epoca talebana.
L' unico ospedale nel Paese, ancora oggi, dove i feriti non spendono nulla per essere curati.
In cinque anni, quell'ospedale «inutile» ha curato 40.890 pazienti, ricoverati o trattati ambulatorialmente, ed eseguito 12.173 interventi chirurgici. Senza distinzione, neanche di genere. Le donne hanno potuto essere curate e hanno potuto lavorare, curare altri, senza chiavistelli né burqa, in un ambiente ospitale non discriminante.
Quell'ospedale «inutile» è riconosciuto ufficialmente dal Ministero della Sanità afgano come il Centro di eccellenza nazionale per la chirurgia di guerra e traumatologica.
In quel Centro - dotato tra l'altro dell'unico reparto di Rianimazione di tutto il Paese e dell' unica tomografia computerizzata gratuita per la popolazione - c'è un alto standard di cura e di passione nel lavoro. Anche per questo, oltre che per la sua igiene e in qualche modo la sua "bellezza", questo ospedale è considerato da tutti il migliore in Afghanistan.
Non da Alberto Cairo, ovviamente, che senza averlo mai visitato può comunque proclamare che «Di ospedali così ce ne sono almeno altri 15». Mi piacerebbe davvero.
Avanzerei una proposta, a giornalisti del Corriere o di altre testate.
Andate a vederli, gli ospedali segnalati da Alberto Cairo, e scriveteci su, magari immaginandovi di essere voi i pazienti.
Poi, se ne avete voglia, passate a visitare il «Centro Chirurgico per vittime di guerra di Kabul». Qui lo chiamano «Emergency Hospital», qualsiasi cittadino di Kabul ve lo saprebbe indicare. Non servono appuntamenti né preavviso, non abbiamo bisogno di passare un po' di vernice fresca...
E già che ci siete, chiedete ad Alberto Cairo di farvi visitare, essendone direttore, i «6 ospedali ortopedici della Croce Rossa Internazionale sparsi in tutto l'Afghanistan».
Ospedali ortopedici? Neanche l'ombra!
Laboratori per la produzione di protesi sì. Ma che c'entrano con gli ospedali? Se un fisioterapista (con tutto l'affetto per la categoria) diventa "medico", un centro protesi diventa poi un ospedale ortopedico? Non è "creativa" solo la finanza!
Dimenticavo. Ogni anno, dall' «ospedale ortopedico» dell'Icrc di Kabul

numerosi pazienti, vittime di guerra "a guerra finita", sono stati inviati al Centro di Emergency perché bisognosi di interventi ortopedici. Feriti immaginari i nostri o ospedali fantasma i loro?
Finale a sorpresa. Ho finito da poco di scrivere queste note in risposta ai reiterati attacchi giornalistici (non provocati, come si usa dire) di Alberto Cairo contro Emergency e contro di me, e mi accingo a gustare la pastasciutta serale con il resto del team di Emergency, quando riceviamo la visita - alle venti e trenta di mercoledi 5 aprile - del Capo Delegazione dell'Icrc.
Il numero uno della Croce Rossa Internazionale in Afghanistan, Reto Stocker, viene a casa nostra accompagnato dal dottor Alberto Cairo. Ci spiega che «it has been a big fuck-up», espressione grassoccia equivalente a «una gran stronzata». Il dottor Cairo ci dice d'essere stato a cena in Italia con amici, tra i quali la giornalista Camilla Baresani, autrice del "servizio". Chiacchierando nel dopocena - quando, si sa, la lingua è più sciolta... - si spazia da Karzaj a Scelli, dalla droga alle Ong e gli sono scappati quei commenti su Emergency. Spiega anche, molto dispiaciuto, di avere detto sul nostro lavoro anche altre cose molto carine che la giornalista cattivona e faziosa ha poi «tagliato» dall'intervista travisandone il senso. Che peccato!
Il Capo Delegazione dichiara che questa vicenda è stata un grave errore da parte di Alberto Cairo, e che dall'Icrc hanno anche protestato con la giornalista, oltre che pesantemente redarguito il loro dipendente.
«Sono venuto per porgere ufficialmente le scuse dell'Icrc e per assicurare a Emergency che una cosa del genere non si ripeterà» ha detto Reto Stocker, in presenza di testimoni. Bene. Ma le calunnie e il danno sono pubblici. Perché non scrivere queste cose al Corriere, chiedendo una rettifica? Lo abbiamo chiesto ufficialmente. «Io non sono disposto a farlo» ha risposto Cairo.
Prima getta fango su Emergency in centinaia di migliaia di copie - ma le sue parole sono state fraintese, d'altra parte capita anche ai Presidenti del Consiglio! -, poi si rifiuta di scrivere una lettera al giornale per dire come stanno le cose.
Sono in ritardo per la cena. Arrivederci alla prossima."

Gino Strada.
25.05.06 19:45

Sicilia: quel treno per Yuma

Non voglio essere considerato di parte nelle elezioni regionali siciliane e, dopo aver ospitato una lettera di Rita Borsellino, ho sentito il dovere di dare spazio ad alcune recenti vicende di Totò Cuffaro.

Totò Cuffaro, mal consigliato da Stanca, navigando su Internet ha scoperto di essere citato in più di 70.000 siti non sempre benevolmente. Da uomo onorato ha reagito con un avviso ai diffamatori sul suo sito:

"Chiunque abbia divulgato notizie diffamatorie nei confronti dell'on. Cuffaro a mezzo Internet, è diffidato a rimuoverle dal proprio sito web. Ricorrendo infatti gli estremi di reato, i colpevoli saranno perseguiti in via giudiziaria, tanto sul piano penale quanto su quello civile per il risarcimento dei danni.
In tale direzione, la rete Internet è sottoposta ad un attento monitoraggio e sono già state avviate le prime denunce, sia nei confronti dei titolari dei domini, sia nei confronti dei rispettivi Internet-provider responsabili in solido. Le somme recuperate saranno integralmente devolute in favore delle famiglie delle vittime di mafia e di altre opere di utilità sociale e caritativa".

Faccio un appello a tutti gli avvocati d'Italia perché sostengano Cuffaro in questa sua iniziativa, forse 5/600 avvocati saranno sufficienti.

Cuffaro, preso dall'entusiasmo, ha quindi contattato con successo Sky per impedire la proiezione di "La mafia è bianca":

"A seguito della diffida con atto extragiudiziale notificata a SKY ITALIA dall'avv. Salvatore Ferrara, legale dell'on. Cuffaro, non sarà trasmesso il video "La Mafia è bianca" realizzato da RCS, calunnioso e denigratorio nei riguardi del Presidente Cuffaro."

Infine ha dato assicurazione a tutti i suoi elettori che in caso di condanna in primo grado per favoreggiamento alla mafia si dimetterà, ma non in caso di condanna per favoreggiamento semplice.

Una sua biografia è presente su wikipedia. Leggetela per avere altre informazioni prima del voto insieme al sito www.disonorevoli.it.
26.05.06 18:50

Musica per organi caldi

I cinesi sono tremendi. Ci fanno una concorrenza spietata e mentre noi siamo qui a cercare di difendere le nostre canottiere dietro quote e dazi, riescono a venderci di tutto.
In questi giorni a Londra e New York (ma anche Atlanta e Tampa, sempre negli Usa) è possibile visitare una mostra in cui sono esposti corpi e organi umani a fini didattico-scientifici. La società organizzatrice ha sborsato 25 milioni di dollari per ottenere questi esemplari dalle università cinesi.
E c'è di più. Mentre in Italia bisogna aspettare più di tre anni per un trapianto di rene e un paio d'anni negli Stati Uniti, c'è chi con poco più di 100.000$ ottiene subito un trapianto a Shangai. Con un buon broker si può scendere a 70.000. Se si pensa che ogni anno in Cina le esecuzioni capitali possono arrivare a quota 8.000, si comprende il giro d'affari. Vista la scarsità di volontari in patria, il turismo dei trapianti è diventata una realtà importante. Da qui l'idea geniale del premio Nobel Gary Becker (anche Ciampi gli ha conferito una medaglia d'oro nel 2004): "legalizziamo il mercato degli organi".
Il professore di Chicago è il principale sostenitore dell'estensione dei concetti economici all'analisi della società, dalla criminalità alla famiglia.
Insieme a un collega di Buffalo, Julio J. Elias, ha calcolato che oggi come oggi il prezzo di un rene potrebbe aggirarsi intorno ai 15.000$ e 35.000$ quello di un fegato.
Come dice Becker, con i giusti incentivi si arriverebbe a un mercato libero in cui i prezzi degli organi si abbasserebbero a livelli tali da eliminare l'eccesso di domanda per ogni tipo di organo.
I nostri nonni dicevano che la cosa più importante è la salute. Tra i Paesi sviluppati gli Stati Uniti, dopo la Lettonia, hanno il peggior tasso di mortalità infantile nei primi giorni di vita (l'Italia galleggia dall'altra parte della classifica). E la mancanza di assicurazione contro le malattie

causa ogni anno 18.000 morti (46 milioni di cittadini statunitensi sono senza copertura sanitaria).
Quest'America di Bush non mi sembra il miglior posto al mondo dove nascere, anche se lì sanno davvero quanto vali... almeno da morto.
27.05.06 12:56

È Dario Fo che vi parla

"Amici carissimi, amici di Grillo e anche un po' miei. È Dario Fo che vi parla.
Io mi trovo a lottare a Milano con una lista a mio nome (lista Dario Fo), con Ferrante, per l'Unione.
Fateci vincere! Ma mi raccomando, non esagerate, una vittoria solo per qualche voto in più. Così avremo la possibilità di condizionare positivamente la gestione del nuovo comune di Milano; di imporre che i programmi, e le promesse che abbiamo fatto in campagna elettorale per trasformare, salvare questa nostra città affogata nello smog e nel vuoto d'idee, possa tornare a galla.
Non ci basta che il rinnovamento si risolva in un aggiustamento qui e là, una pitturatina ai lampioni... Diciamo NO ai progetti criminali. NO allo sfondamento del suolo della città per fare parcheggi di 4 piani. NO a un traffico con un milione di macchine in più. NO a una periferia senza servizi, ridotta a un ghetto-dormitorio. E mi fermo qui.

Anzi vado avanti.
NO alla costruzione dei grattacieli con 8000 persone nella vecchia Fiera. NO a una città senza eventi culturali. NO a una città con appartamenti carissimi e vuoti. NO a una città di macchine, di posti macchina, di marciapiedi invasi dalle macchine, di centro aperto alle macchine.
Milano è la città delle macchine. Ma allora, al posto della città era sufficiente progettare un grande, grandissimo parcheggio.
Che è quello che è diventata oggi Milano.

Vogliamo che i bambini giochino fra le piante e il verde... e anche gli anziani possano vivere la loro vita... giorni sereni, magari giocando a bocce in piazza del Duomo!

Forza! Facciamo incazzare le società immobiliari, le finanziarie, i produttori di auto e di inceneritori! Puliamo Milano dalla loro infezione. Riprendiamoci il cielo, le stelle, l'aria, la vita."
27.05.06 21:34

L'Italia disconnessa

Il tronchetto dell'infelicità ha scritto a 85.000 dipendenti una lettera che inizia così:
"Care colleghe e cari colleghi, da qualche tempo un gruppo editoriale mostra un persistente accanimento contro la nostra azienda accusandola di presunte attività illecite, quali intercettazioni, creazioni di "dossier" e schedature di clienti."
Il gruppo editoriale per chi non lo sapesse è "L'Espresso" e, sempre per chi non lo sapesse, un giudice di Milano ha firmato un'ordinanza secondo cui Telecom utilizza illegalmente dati sugli ex clienti.
Ma questa è una lunga storia su cui ritornerò.
Per ora il tronchetto dovrebbe prendere carta e penna e scrivere, oltre che ai suoi "colleghi", anche ai suoi "clienti" (sempre meno numerosi) per dare spiegazioni a lettere come questa.

"Scrivo per segnalare l'ennesimo esempio di come in Italia il concetto di concorrenza e liberalizzazione dei servizi sia una mera utopia.
Abito in un piccolo comune della provincia di Ravenna, ed essendo un utente abituale del web ho fatto domanda per l'Adsl: risultato, il mio comune (come tanti altri), non è coperto dal servizio. In seguito alle numerose richieste di cittadini ed aziende private, l'amministrazione del comune si è attivata, promuovendo una raccolta firme da presentare alla Telecom, che ha "preso atto" delle firme stesse, rifiutando comunque la fornitura dell'Adsl senza altra spiegazione. In seguito, grazie soprattutto all'interessamento di due ditte operanti anche in campo internazionale site nel mio comune, è stato possibile ottenere un incontro con un rappresentante della Telecom: durante tale incontro, è stata espressa da parte degli amministratori delle due ditte la volontà di accollarsi per intero le spese di costruzione delle centraline di ripetizione del segnale, la cui assenza era stata fino a quel momento

indicata come motivo dell'impossibilità di fornitura dell'Adsl. Dinanzi a tale offerta il rappresentante di Telecom ha svelato l'incredibile retroscena: come molti sanno, il segnale Adsl e quello analogico viaggiano in contemporanea sullo stesso cavo, ma a frequenze diverse. Su uno stesso cavo, quindi, sono disponibili due "bande" di segnale, di cui una viene occupata dal normale traffico telefonico ed una riservata alle connessioni Adsl. Quello che pochi sanno è che la singola "banda" di ogni cavo copre fino a 700 numeri telefonici. A detta del rappresentante di Telecom, nel mio comune, quando è stata superata la soglia dei 700 numeri la Telecom, per risparmiare, anziché installare un secondo cavo, ha preferito codificare i successivi numeri a più alta frequenza, facendoli viaggiare sul medesimo cavo.
In parole povere, l'Adsl non c'è (e non ci può essere) per il semplice fatto che la Telecom ha occupato entrambe le "bande" per il normale traffico telefonico. Questo significa che, ovviamente, anche le altre compagnie (Tiscali, Infostrada ecc) non possono a loro volta offrire il servizio, per il semplice fatto che la Telecom non può affittare la "banda" preposta all'Adsl. La stessa situazione è poi risultata anche in molti altri comuni della provincia.
In conclusione, trovo ridicolo (ed anche offensivo) che nel 2006, quando ormai in buona parte dell'Italia si sta diffondendo la fibra ottica, interi paesi siano costretti a viaggiare a 56k (o al massimo a 128k con l'Isdn) per colpa di una vergognosa "scelta tecnica" (così l'ha chiamata il sopraccitato rappresentante Telecom) della nostra benemerita compagnia ex nazionale di telefonia, che occupa (suppongo legalmente purtroppo) entrambe le "bande" dei cavi telefonici, impedendo inoltre alle compagnie rivali di offrire i propri servizi, in spregio a qualsivoglia legge sulla libera concorrenza, ma soprattutto alle esigenze dei cittadini e delle ditte.
Grazie dell'attenzione." *R.C.*

Ps: Chiedo alle due ditte che hanno assistito il comune in provincia di Ravenna di contattarmi per offrire, attraverso il blog, anche a tutti gli altri piccoli comuni italiani la costruzione gratuita delle centraline di ripetizione del segnale.
28.05.06 17:24

Chiacchiere e distintivo

Romano Prodi, il nostro dipendente al governo più alto in carica, ha nominato i ministri. Queste persone determineranno la politica dell'Italia dei prossimi anni. Mi sembra quindi opportuno chiedere le motivazioni delle nomine. Sono incarichi pubblici, di dipendenti che paghiamo noi, che potranno cambiare il nostro futuro.
Mastella alla Giustizia, perché? Di Pietro alle Infrastrutture, perché? D'Alema agli Esteri, perché? Vorrei sapere il perché delle scelte. Essere confortato che ci sia una ragione di competenza, di tutela del Paese, di esperienza dietro ad ogni persona. Non vorrei che ci fossero valutazioni politiche, di rappresentanza, di spartizione del potere. Non voglio neppure pensarlo. Non ci credo.

Però, un piccolo tarlo mi rode. I soliti cattivi pensieri. E se un ministro, anche solo uno, non fosse lì per effettive capacità, ma per qualche ricattino, per una sua voglia di protagonismo?
Per sicurezza vorrei le motivazioni, le credenziali.
Invito i ministri che lo ritengono ad esporle con una lettera al blog insieme agli obiettivi che si propongono di ottenere in questa legislatura. Sarò felice di pubblicarle insieme ai commenti.

Forse mi sono montato la testa. Forse il blog ha un tasso alcolico troppo elevato. Ma credo che sarebbe un bel gesto se alcuni ministri si mettessero in gioco in rete, in modo diretto con le persone da loro rappresentate. Un segnale che le cose stanno cambiando.
29.05.06 19:15

Ferrara: "La scienza in piazza"

Il Comune di Ferrara se si tratta di imbavagliare la ricerca non è secondo a nessuno.
Manuela Zucchini, consigliere comunale Prc, ha invitato il dottor Montanari in Comune per spiegare che costruire un inceneritore è pura e semplice follia. La porta le è stata prontamente sbattuta in faccia.

Ho deciso allora di stare fuori dalla porta e lanciare un'iniziativa che sarà itinerante: "La scienza in piazza".
Ieri pomeriggio, Montanari ha parlato per due ore e mezzo a 300 ferraresi davanti al Palazzo del Comune, e la sera la piazza si è riempita di migliaia di persone per ascoltare anche Maurizio Pallante, esperto di politica energetica e di tecnologie ambientali, ed il sottoscritto.
Il sindaco Gaetano Sateriale e i consiglieri si sono barricati in silenzioso ascolto nel palazzo comunale a pochi metri di distanza, e alla fine dell'incontro sono usciti da una porta secondaria su piazza Savonarola. Temevano l'entusiasmo dei cittadini...
Nella serata sono stati raccolti 7.257,89 euro per la raccolta di fondi per il microscopio elettronico a scansione ambientale. Siamo a 140.000 euro, dobbiamo arrivare a 378.000 euro.
Domenica prossima 4 giugno abbiamo organizzato "A Saucerful of Secrets 2006", una giornata intera, dalle 9 del mattino a mezzanotte e mezzo, dedicata a scienza, musica e divertimento a Canali di Reggio Emilia presso l'agriturismo e golf club La Razza (faremo anche la gara mattutina di golf). Ci saremo io Biagio Antonacci, Gino Paoli, Stefano Nosei, Vito (di Zelig), jazzisti e bluesmen formidabili, insieme ai ricercatori Gatti e Montanari. Il programma lo trovate su www.bortolanionlus.it.
Per contribuire al microscopio elettronico:
Conto Corrente n. 513111
Intestato a: "Associazione Carlo Bortolani Onlus"
Presso: Banca Etica (Sede centrale di Padova)
ABI: 05018
CAB: 12100
CIN: J
IBAN: IT45J0501812100000000513111
SWIFT: CCRTIT2T84A
oppure Pay Pal (www.paypal.it) indicando come destinatario del versamento: onluscarlobortolani@reggionelweb.it
30.05.06 18:02

Gino Strada e Alberto Cairo

Pubblico una lettera inviata da Gino Strada e una risposta di Alberto Cairo al post del 25 maggio 2006.

"Cari amici, leggo questa sera sul blog di Beppe i vostri commenti alla mia risposta alla polemica innescata da Alberto Cairo. "La guerra è finita" - aveva dichiarato - "Gli ospedali di Emergency sono inutili". Oggi 29 maggio, il Centro Chirurgico di Kabul ha ricoverato 71 pazienti, tutti colpiti da proiettili, tutti civili (potrete trovarne le storie, forse già da domani, su peacereporter.net). Credo sia la "migliore" risposta alle distorsioni della realtà [...] Però mi disturbano, e ne dissento profondamente, una certa aggressività e l'insulto nei confronti di Alberto Cairo. Con lui ho diversità di opinioni profonde e non conciliabili su molte questioni, ma credo che Alberto sia una persona competente e molto appassionata al proprio lavoro, e questo va apprezzato perché costituisce un valore. L'Afghanistan di oggi impone a noi di promuovere un altro valore: quello della scelta non-violenta, la cui prima tappa è la fine della occupazione militare [...] Il ripudio della guerra "come strumento" non lascia spazio a disquisizioni e distinguo su "questa" o "quella" guerra. La nostra Costituzione vieta di usare lo strumento guerra. Dobbiamo trovare il modo, noi cittadini, di lavorare affinché i politici rispettino la Costituzione alla quale hanno giurato di essere fedeli [...] Utopia? Sì, come erano utopie molti decenni orsono la abolizione della schiavitù o l'eliminazione del vaiolo [...] Potessimo chiudere la Sala di Rianimazione per mancanza di vittime da "rianimare" saremmo noi i primi a gioirne, e non mancheremmo di farvelo sapere".
Gino Strada

"Ho passato i cinquanta. Sono la prova vivente che età e saggezza non crescono di pari passo. Un mio vecchio conoscente lo diceva, avrei dovuto credergli.
Quando torno in Italia in vacanza, passo il tempo con gli amici più cari, visito i miei genitori o me ne sto per i fatti miei. Evito ogni possibile impegno, non sollecito contatti con la stampa né interviste. In compenso accetto volentieri cene da amici, specie se buoni cuochi. Così ho fatto

durante l'ultima brevissima visita a Milano, a fine marzo. Eravamo otto persone, le conosco da trent'anni. Mi presentano una signora dall'aria compunta. È una giornalista-scrittrice. Normale mi chiedano dell'Afghanistan, normale io risponda parlando liberamente, siamo tra amici [...]. A fine cena mi propone di incontrarci per un'intervista. Vorrei dire di no, il quadernino a tavola non mi è piaciuto e sono in vacanza. Ma è amica di amici, non voglio fare il difficile, né perdere una occasione di parlare dell'Afghanistan, sempre meno di moda. Quando la rivedo si chiacchiera a lungo. Il quadernino riesce. Mi lascia con la promessa di inviarmi il pezzo per l'approvazione prima di mandarlo al giornale [...]. Invece il pezzo non mi arriva mai. Qualche giorno più tardi, il pezzo esce. È Gino Strada stesso a segnalarcelo, furibondo per quanto scritto sul suo ospedale. Resto senza parole. Lo so, è impossibile trascrivere per intero una intervista, lo spazio è tiranno [...] ma perché cercare ciò che può ferire e creare inutili polemiche? E perché non mandarmela in visione come promesso? [...] Chi ha letto quanto di tanto in tanto scrivo da Kabul lo sa: cerco calma e riflessione, evito motivi di rissa, racconto fatti, non mi lancio in dichiarazioni politiche, non è il mio mestiere, non ne sono capace. Immagino siano parecchie le persone seccate per l'articolo: volontari e volontarie che lavorano a Kabul, la Croce Rossa Italiana, Emergency. Me ne dispiace. Con molti ho rapporti frequenti, con Emergency talora pazienti in comune, mi auguro sempre più numerosi. È per loro che siamo qui [...] L'intervista nuoce anche a me, mettendomi in bocca cose imprecise, non da me approvate [...]. Ho esitato prima di scrivere questo blog (il primo della mia vita, l'ultimo sull'argomento). Il mio scopo non è ribattere le accuse di Gino Strada. Scrivo per i volontari e per chiunque sostenga organizzazioni umanitarie: non meritano polemiche di questo genere, che non servono a niente e a nessuno. Chiedo loro scusa. Sono loro infatti quelli che contano, dovunque lavorino, a Kabul, in Africa o in Italia, sotto casa [...]".

Alberto Cairo
31.05.06 18:09

CON LE PRIMARIE I POLITICI POSSONO SAPERE COSA VOGLIONO DA LORO I CITTADINI

COSÍ POI SI DIVERTONO DI PIÚ A FARE QUEL CHE CAZZO GLI PARE!
VAURO 07

Giugno

Bombardamenti senza frontiere

La spesa annua militare nel mondo è di 975 miliardi di dollari.
Il fatturato delle prime 100 società del settore (Cina esclusa) è di 236 miliardi di dollari.
In un anno sono prodotti otto milioni di armi da fuoco.
In un anno mezzo milione di persone muoiono per un'arma da fuoco.
Gli Stati Uniti detengono quasi la metà della spesa mondiale.
La percentuale delle vittime civili dei conflitti a fuoco è arrivata al 95% ed in gran parte si tratta di bambini.
Se gli Stati Uniti costruiscono la metà delle armi mondiali e la maggior parte dei morti è composta da civili, quanti bambini uccidono le bombe americane?

Se il risultato, il dividendo della guerra, è la morte dei civili, fare il militare è diventato un mestiere sicuro.
Il militare si arma per proteggersi, non per combattere. Il civile è indifeso. È normale che abbia la peggio.
E se viene bombardato dall'alto non ha scampo. Come avviene da tradizione statunitense: Dresda, Hiroshima, Nagasaki, Vietnam, Laos, Iraq, eccetera, eccetera, eccetera.
Ma anche a casa nostra nella seconda guerra mondiale con tonnellate di bombe sulle città e decine di migliaia di morti mai ricordati (perché?): Torino, Roma, Napoli, Treviso, Genova, Firenze, Milano (di cui pubblico una foto dei bambini uccisi nella scuola di Gorla).

Il Pentagono tira comunque diritto con il progetto da 127 miliardi di dollari chiamato "Future Combat Systems" per la costruzione di soldati robot.
Amnesty International, insieme ad Oxfam e Iansa ha lanciato da due anni la campagna Controlarms per un trattato internazionale sul commercio delle armi leggere da far approvare al summit ONU che si terrà il 26 giugno 2006 a New York. A sostegno dell'iniziativa si stanno raccogliendo da inizio campagna firme e fotografie su www.controlarms.org.
01.06.06 16:56

Lettera a Paolo Gentiloni

L'associazione Anti Digital Divide mi ha inviato questa lettera.
La pubblico e chiedo al dipendente ministro delle Comunicazioni Paolo Gentiloni di scrivere al blog per dare la sua valutazione sullo scorporo della rete di Telecom Italia. Scorporo necessario per introdurre in Italia un mercato che sfugga al monopolio di fatto del tronchetto dell'infelicità. Gentiloni ha un blog e ha inserito nel suo blogroll il link a questo sito, lo ringrazio per questo e della sua sicura risposta.

"Le illecite intercettazioni di dati attuate da Telecom Italia ai danni degli operatori alternativi e di migliaia di utenti, sono la conferma di un mercato delle Telecomunicazioni in cui non sono presenti né una concorrenza effettiva né regole efficaci per difendere utenti e operatori alternativi da possibili abusi. Quello che è chiaro è che siamo di fronte a questioni gravissime, sia per quanto riguarda l'aspetto della violazioni delle norme sulla concorrenza sia per le questioni delle intercettazioni. Pare quindi evidente che le politiche fin ora attuate per garantire un mercato delle Telecomunicazioni che rispetti i principi di correttezza, concorrenza e trasparenza siano state errate o comunque non sufficientemente idonee. La decisione di una mera divisione contabile della società Telecom Italia, al fine di garantire il rispetto della concorrenza, si è rivelata del tutto inadatta ed anche le procedure sanzionatorie non sono servite a far cessare le condotte scorrette dell'incumbent. Tattiche di concorrenza scorretta che Telecom ha perpetrato con costanza per anni, tanto che è stato possibile schematizzarle. Una delle tattiche scorrette è costituita dall'esclusione dei concorrenti da un nuovo mercato, l'ultimo esempio, è di pochi giorni fa con la violazione della delibera 34/06 e il tentativo di non far accedere alla nuova rete Ip (Adsl 2+) di Telecom i suoi competitor. È chiaro quindi che si debbano assumere seri provvedimenti affinché il mercato venga finalmente liberalizzato e venga garantita una reale concorrenza. Condizione necessaria perché questo avvenga è lo scorporo della rete di Telecom Italia, chiesto in passato da Mario Monti ex presidente dell'Antitrust europea, da Giuseppe Tesauro ex presidente dell'antitrust italiana, da illustri economisti, dalla corte dei conti e addirittura nel 2001 da Gasparri, ma "stranamente"

mai posto in essere. Deve quindi essere attuata la divisione di Telecom Italia in due società distinte, sul modello inglese, una che si occupi della rete e della vendita all'ingrosso, con tariffe uguali per tutti gli operatori, l'altra della vendita dei servizi al dettaglio, servizi che acquisterebbe alle stesse condizioni dei competitor, dalla prima società.
Altro provvedimento fondamentale consiste nel far tornare ultimo miglio e centrali telefoniche di proprietà statale. Si parla solo di doppini e centrali telefoniche, quindi la rete di trasporto rimarrebbe di Telecom, così come tutti gli apparati montati in centrale e le nuove reti costruite dall'incumbent, anche tutti i clienti attuali rimarrebbero di Telecom; passerebbero invece allo Stato le centrali, il doppino e l'obbligo del servizio universale. Tutti gli operatori, alle stesse condizioni, riscatterebbero all'ingrosso il canone telefonico dallo Stato, che dovrà fissarne l'entità calcolandolo con il metodo cost plus cioè basandosi sui costi effettivi sostenuti per fornire il servizio di accesso. In questo modo si premierebbero gli operatori che hanno investito nella costruzione di una rete di accesso proprietaria e si incentiverebbero tutti gli operatori a investire in una propria infrastruttura, questo porterebbe ampi benefici agli utenti, che avrebbero maggiori possibilità di scelta, con tariffe minori e qualità dei servizi più elevata, grazie all'aumento della concorrenza. Naturalmente Telecom continuerebbe a dover essere notificato come operatore dominante almeno finché la sua quota di mercato non risulti inferiore al 50%. Add da tempo si batte perché ci sia lo scorporo della rete, in seguito agli ultimi avvenimenti che coinvolgono Telecom Italia e palesano l'inadeguatezza degli interventi fin ora attuati dalle autorità garanti, ritiene che questa decisione non sia più rimandabile. Diffide, multe, divisione contabile di Telecom Italia, non sono servite a far rispettare le norme per una corretta concorrenza. Anti Digital Divide ha scritto per questo all'Agcom da cui però non è arrivata risposta quindi l'associazione di provider Aiip ha presentato ricorso al Tar perché venga fatta rispettare la delibera 34/06.
Nei prossimi giorni scriveremo alle autorità garanti ed al nuovo ministro delle comunicazioni Paolo Gentiloni, proprio per chiedere di attuare questo provvedimento. La versione integrale del documento di Add può essere visionata a questo indirizzo ".

Associazione Anti Digital Divide
02.06.06 19:19

I cavalieri dell'Apocalisse

Ogni anno il primo giugno il presidente della Repubblica nomina 25 cavalieri del lavoro. Gente che ha sviluppato, creato aziende. Persone che ce l'hanno messa tutta per riuscire nella vita e per fare il bene della Nazione. Per diventare cavalieri del lavoro non è necessario lavorare, ma è indispensabile essersi arricchiti.

I luminosi esempi dei cavalieri Attila-Romiti e dello psiconano con stalliere sono davanti agli occhi di tutti. Veri stakhanovisti del loro conto in banca. Quest'anno Napolitano su accorta proposta dei dipendenti ministri Bersani e De Castro ha nominato tra gli altri Passera (Banca Intesa), Caltagirone (Messaggero) e Marchionne (Fiat). Operai, agricoltori ed impiegati con 35/40 anni di lavoro alle spalle e la pensione che arriva se arriva non sono stati proposti. Manager grassi di stock option e dai risultati dubbi, imprenditori indebitati, capitani d'azienda con i soldi dello Stato, sono lì, in prima linea, cavalieri al galoppo.

Questi sono i cavalieri del lavoro,
sbudella-operaio o vuoi scassa-integrato
è il loro nomignoletto più vezzoso.
Vantan corone quante se ne sogna
e sono fuori dal civico decoro.
Occhio di serpe, gamba d'avvoltoio,
denti di lupo, baffi di spinoso!
Questi sono i cavalieri del lavoro
e ciascuno è più ricco di un cencioso
e ai politici grattano la rogna.
Ecco i vostri cavalieri del lavoro
che sogliono far becco ogni azionista
son sempre i primi e non chiedono riposo
ma conti in banca e un salotto buono
dove tramare con i pari loro.

L'anno prossimo Napolitano premi i precari, i co.co.co., i co.co.pro., i dipendenti a 1.000 euro al mese, per loro sarebbe sufficiente una meda-

glia semplice, una menzione. E lasci i cavalieri nelle stalle.
03.06.06 17:55

Le tette

Le tette sono sempre state la mia passione, è stato il primo piacere che mi ha procurato la vita. Poi non sono più riuscito a smettere.
Ma le tette sono in pericolo, sono minacciate dal "marketing dello screening". Il professor Gianfranco Domenighetti lo spiega in una lettera che allego e di cui riporto un estratto.

"Un recente studio mostra che il 50% delle donne americane che non hanno più il collo dell'utero a seguito di isterectomia totale continua comunque a sottoporsi al test per la diagnosi precoce del tumore al collo dell'utero!
La qualità dell'informazione diffusa per promuovere gli screening è tale che l'81% delle donne italiane ritiene perfino che il sottoporsi regolarmente allo screening mammografico riduce o annulli il rischio di ammalarsi in futuro di tumore al seno, cosa ovviamente non possibile. Non sorprende quindi la notizia apparsa il 27 giugno del 2002 sul quotidiano di Lisbona Diario de Noticias, secondo cui quattro donne portoghesi si sono fatte facilmente convincere da un paramedico a uscire la sera a seno scoperto su un balcone al fine di beneficiare di una mammografia "satellitare".
L'articolo recentemente apparso sul numero di aprile della rivista a grande diffusione OK Salute dove Umberto Veronesi dà la sua ultima ricetta in fatto di screening mammografico va in questa direzione (vedi Tempo Medico). Sull'efficacia dello screening mammografico nel ridurre la mortalità per tumore del seno si è detto di tutto e il contrario di tutto ma mai si parla del numero effettivo di decessi che potrebbero essere evitati e nemmeno mai si informa sugli effetti indesiderati.
Si stima che tra 1.000 donne da 40 a 50 anni che fanno ogni due anni una mammografia, il numero di decessi evitati sull'arco di 10 anni (in confronto a 1.000 donne che non fanno lo screening) sia di 0,5, il beneficio sale a 1,9 decessi evitati per 1.000 donne di età tra i 50 e i 60 anni. E gli effetti indesiderati? Prendendo sempre una fonte autorevole,

il National Cancer Institute eccone l'elenco:
- sovradiagnosi, cioè il trattamento (con tutte le conseguenze del caso) di tumori "in situ" che non evolveranno (tra il 20 e il 50% dei tumori diagnosticati dallo screening)
- risultati falsi positivi (concerne circa il 50% delle donne che partecipano durante 10 anni ad uno screening, 25% di esse dovrà pure sottoporsi anche ad una biopsia chirurgica)
- falso senso di sicurezza (tra il 6 e il 46% delle donne con un tumore invasivo hanno sperimentato un risultato negativo alla mammografia)
- cancro al seno provocato dallo screening, specialmente tra le donne che hanno iniziato lo screening in età giovane (tra 10 e 32 tumori al seno ogni 10.000 donne esposte a dosi di radiazioni cumulative di 1Sv.).

La decisione se sottoporsi o no ad uno screening non può essere che una scelta individuale da prendere dopo aver preso conoscenza dei benefici e dei rischi della procedura e soprattutto del rischio individuale di contrarre la malattia. Purtroppo gran parte delle scelte sono esclusivamente fondate sulla base degli slogan del marketing promosso da coloro che vivono e prosperano sugli screening e che non hanno nessun interesse a dare un'informazione completa e onesta".
04.06.06 18:15

I morti del Kossovo

Un militare mi ha spiegato alcune cose sulla nostra guerra nei Balcani. Mi ha chiesto di promuovere il suo libro il cui ricavato sarà devoluto alle famiglie dei 41 italiani morti e dei 300 malati a causa dell'uranio 238 utilizzato in Bosnia e Kossovo. Ragazzi e famiglie a cui non si interessa nessuno.
Così come a nessuno sembra interessare che l'utilizzo di uranio impoverito nelle armi da guerra contamini e uccida civili e militari. Qualche politico ha fatto carriera con la guerra nel Kossovo. Altri italiani, più semplicemente, sono morti e stanno ancora morendo.

"Caro Beppe,
come d'accordo t'invio la copertina del libro e la scheda da compilare ed

inviare all'indirizzo osservatoriomilitare@libero.it per ricevere il libro. L'incasso è ovviamente devoluto alle famiglie dei militari morti e di quelli malati che non hanno la possibilità di curarsi.
Le famiglie di questi ragazzi deceduti vivono ma sono morte dentro, i figli, i mariti o padri vengono uccisi due volte: dall'ipocrisia prima e dall'indifferenza poi.
Ho creduto nel mio lavoro e dire che i miei amici morivano per colpa di qualche incosciente, credevo fosse un valore morale.
Purtroppo non è così, ho pagato sulla mia pelle la verità che non ho alcuna intenzione di tacere, e non perché se cala il silenzio sulla vicenda sarò finito anch'io, ma solo perché i drammi di questi ragazzi devono essere noti a tutti, dietro quei doppio petti eleganti che tanto vantano il sacrificio dei nostri ragazzi in giro per il mondo, vi è l'ipocrisia di uomini che non riescono più a fare i conti con la loro coscienza.
Non voglio parlare di me, la storia di questi ragazzi è più importante e chi leggerà il libro capirà e forse, il "Grillo" riuscirà a scuotere le nostre coscienza ancora una volta.
Grazie per quello che fai!"

Domenico Leggiero
05.06.06 18:25

Gli "ammastellati"

Il Mastella ceppalonico vuole l'amnistia. Gli italiani un po' meno. I partiti un po' di più. E vedrete che nell'amnistia ci sarà spazio anche per i reati finanziari, il vero hobby dei politici. 20.000 persone potrebbero essere liberate. Chi sono queste persone? Che reati hanno commesso? Chi li ha subiti?

I cittadini vorrebbero, credo, da questo dipendente indifferente ai loro diritti delle informazioni più precise. La carità cristiana la può esercitare chi è stato vittima del reato. La legge deve invece essere solo applicata. Se nei mesi successivi alla scarcerazione alcuni degli ex detenuti dovessero stuprare, rubare, uccidere, allora il cittadino avrà tutto il diritto di fare causa al dipendente ministro della giustizia. Le persone

lese gravemente dall'azione criminale dagli amnistiati dovrebbero citare in giudizio il mastellonesempreinpiedi.
Nel maggio del 1944, in Ciociaria, i liberatori alleati scatenarono le truppe marocchine del generale Juin, i "goumiers", contro la popolazione civile: 3500 donne tra gli 8 e gli 85 anni stuprate, 800 uomini sodomizzati e uccisi tra cui don Alberto Terrilli, parroco di Santa Maria di Esperia che morì per le ferite. Alcuni mariti che proteggevano le loro mogli vennero impalati. Da allora si parla di "marocchinato" per indicare chi è stato vittima dei liberatori franconordafricani.
Da oggi si potrà parlare di "ammastellato" per chi sarà vittima dell'amnistia.
Ho creato una casella di posta per ricevere le testimonianze future degli ammastellati: ammastellati@beppegrillo.it
Se passerà l'amnistia sarà a disposizione di tutti coloro che la subiranno e il blog darà la massima evidenza dei messaggi ricevuti.
06.06.06 18:35

Italia imbavagliata

Stasera al Teatro Carcano di Milano, ore 21, ingresso gratuito, si discuterà del bene più prezioso insieme all'acqua: dell'informazione. La serata è stata organizzata dagli Amici di Beppe Grillo di Milano. Io ci sarò e mi porterò dietro Travaglio che di mestiere si informa sull'informazione.
Io vorrei che questo governo avesse non dico le palle, ma anche solo qualche spermatozoo di Zapatero e facesse piazza pulita dell'attuale sistema radiotelevisivo in cui comandano i partiti, Publitalia e le grandi aziende.
Almeno una rete senza pubblicità, senza rappresentanti di partiti, indipendente, che parli ai cittadini di vera informazione, di cultura, senza censura.
Ma li avete visti in faccia i direttori delle reti Rai?
Possibile che gli inglesi abbiano la Bbc e noi la voce del padrone?
Prodi e i gemelli GentiloniRutelli si diano una mossa. Un po' di virilità, un po' di senso del pudore...
07.06.06 11:57

Il dipendente Prodi riceve i risultati delle Primarie dei Cittadini

Oggi, ore 12, a Palazzo Chigi, Roma, ho presentato nelle mani del dipendente del Consiglio Romano Prodi le proposte discusse su questo blog attinenti a Energia, Salute, Informazione, Economia e riferite come: "Primarie dei Cittadini".
Le proposte, esempio concreto di democrazia diretta e di partecipazione delle persone alla cosa pubblica, sono state ricevute dal dipendente Romano Prodi con letizia.
La gioia, quasi infantile, del dipendente Prodi, era pienamente giustificata dal disporre finalmente di un vero Programma di Governo ed ha commosso ogni persona presente.
Nutro la più grande confidenza che il programma dell'Unione, il cui significato è ignoto sia ai cittadini che ai suoi estensori, sarà a questo punto accantonato, anche perché nessuno lo ha mai letto.
Al dipendente Prodi ho dovuto, non me ne voglia, lasciare anche una raccomandata a mano preparata dal mio commercialista contenente una lettera di licenziamento nel caso non consideri con la dovuta attenzione i risultati delle Primarie dei Cittadini.
08.06.06 12:26

Te la do io la "3"

La Gabanelli ha realizzato per *Report* un servizio (video, testo) sulla società di videofonini "3", celebre per aver avuto come testimonial il prescritto Andreotti. Dopo aver visto la puntata, secondo la "3", 18.000 persone hanno disdetto l'abbonamento e 35.000 persone hanno rinunciato a diventare clienti. Invece di confutare, di discutere, di spiegare i temi trattati nella trasmissione, la "3" ha chiesto un risarcimento alla Rai, e quindi agli italiani visto che la Rai è pubblica. Il risarcimento è di 137,5 milioni di euro.

Il servizio di *Report* sulla "3" riguardava il ritardo della sua quotazione in borsa e i suoi servizi a contenuto erotico.
La Rai non si è fatta per nulla intimidire e ha sottoscritto un contratto con la "3" per la distribuzione su videofonino della sua programmazione. Tra un porno autoprodotto e l'altro potremmo vedere *I fratelli Karamazov, I Promessi Sposi, La Piovra* e, ma questo non posso accettarlo, anche *Te la do io l'America* e *Te lo do io il Brasile.*
No! Tra tette e culi di casalinghe frustrate io non ci voglio finire e ho deciso di fare causa alla Rai per il doppio della "3".

I gemelli GentiloniRutelli dormono?
La Rai ha venduto tutta, dico tutta, la programmazione delle tre reti rai disponibile on line per otto miserabili milioni di euro all'anno a una società che le fa causa?
Otto milioni per una programmazione che vale centinaia di milioni di euro e che si può vendere sul mercato internazionale?
Vorrei sapere il nome di chi ha deciso questo esproprio fatto ai nostri danni di trasmissioni pagate con il nostro canone.
Vorrei sapere chi ha fatto il prezzo.
Vorrei sapere tutti i retroscena.
Vorrei sapere se c'è un magistrato che vuole interessarsene.
Le trasmissioni della Rai sono dei cittadini italiani, non si svendono e soprattutto non si mescolano al porno fai da te.
09.06.06 18:33

Tre new entry in Parlamento Pulito

Tre new entry in Parlamento Pulito. Lo so, lo so. Arrivo tardi. Alcuni me li avete segnalati voi. Ma è difficile star dietro a questo via vai di pregiudicati in Parlamento. Adesso siamo a venti. La via giudiziaria alla politica, a questo siamo arrivati. A delinquenti che fanno le leggi dopo averle violate. E allora, lo dico piano piano a questi venti personaggi: FUORIDALLEBALLE!!!

Se vogliono rifarsi una vita, lo facciano con discrezione, lontano dai media, nessuno dirà loro nulla. Ci sono tante altre attività oltre a quella

di rappresentare i cittadini. Ascoltare D'Elia nei tg serali redento-e-in-parlamento non è democrazia, è una presa per il c..o.
E questo vale ovviamente anche per gli altri 19.
I reati non sono tutti uguali. Ma chiunque sia stato condannato dovrebbe avere l'onestà di fare altro, di andare altrove. Non sedere in Parlamento e farsi mantenere dai cittadini.
Per finire, ecco i nuovi pregiudicati:

- Borghezio Mario (europarlamentare Lega Nord): condannato in via definitiva per incendio aggravato da "finalità di discriminazione", per aver dato fuoco ai paglericci di alcuni immigrati extracomunitari che dormivano sotto un ponte di Torino, a 2 mesi e 20 giorni di reclusione commutati in 3.040 euro di multa.
- De Angelis Marcello (senatore An): condannato in via definitiva a 5 anni di carcere per banda armata e associazione sovversiva come elemento di spicco del gruppo neofascista Terza Posizione.
- D'Elia Sergio (deputato Rosa nel Pugno): condannato definitivamente a 25 anni per banda armata e concorso in omicidio per aver fatto parte del vertice di Prima Linea e aver partecipato alla progettazione dell'assalto al carcere fiorentino delle Murate in cui, il 20 gennaio 1978, fu ucciso l'agente Fausto Dionisi. Appena eletto deputato, è stato subito nominato dall'Unione segretario della Camera.
10.06.06 16:17

Forza Ghana!!!

Forza Ghana! Forza Ghana! Forza Ghana!
Questi sorridenti ragazzoni del Ghana sono la nostra speranza, il nostro futuro, la nostra salvezza.
Se vincono li ospiterò tutti a casa mia, a mie spese, farò una grande festa afrogenovese per celebrare la rinascita del nostro calcio e la sconfitta dei giggirrriva, dei lippizitti.
Di quelli foraggiati dagli sponsor che non dicono nienteniente, come mammoletta Del Piero che sta alla Juve da una vita e non ha mai visto nulla. Come Cannavaro, l'avvocato sul campo di Moggi. Come Buffon che scommetteva sulle partite e poi ha pianto.

Abbiamo una nazionale che sembra uscita da Regina Coeli, o che forse ci deve entrare. Ma ci sono le eccezioni, e quando mai non ci sono le eccezioni? Ma queste c..o di eccezioni, un Totti a caso, dovevano dare l'esempio e starsene a casa.
Questa è la nazionale degli sponsor.
Questa è una nazionale figlia legittima e bastarda dello scandalo delle partite truccate, dei bilanci falsi, dei procuratori veri che si aggiravano nei raduni degli azzurri con minacce e lusinghe. E tra i procuratori veri c'è il figlio di Lippi.
Ma c..o, Marcello, con tutti i mestieri che ci stanno, proprio quello dovevi fargli fare? E pensi seriamente che non ci sia stato conflitto di interessi con il tuo ruolo di allenatore della nazionale?
Dalle dieci pagine di un mese fa sullo scandalo calcio, i giornali sono arrivati ad una, a mezza, a nessuna.
Sapete perché? Credete che si voglia proteggere la nazionale, il clima, i risultati?
No, si vogliono tutelare gli interessi degli sponsor che pagano la pubblicità nei giornali, che pagano la pubblicità nelle televisioni, nelle radio.
Si vogliono tutelare Sky, la Rai, Publitalia.
Se vince l'Italia siamo spacciati, il nostro calcio è morto.
Se vogliamo bene all'Italia, al gioco del calcio, a un minimo di onestà, di decenza, dobbiamo gridare: FORZA GHANA!!!
Fateli neri i nostri azzurri.
11.06.06 12:01

Luca in the sky with Merdock

Merdock ha deciso di portare in cassazione un ragazzo in sede civile.
Ci aveva provato anche in sede penale, ma la richiesta è stata respinta dal giudice; gli aveva fatto sequestrare il pc, ma il giudice lo ha fatto restituire.
La causa è stata intentata da Sky perché, come già spiegato in un post, il sito del ragazzo conteneva dei link a siti cinesi che consentivano di vedere in chiaro le partite del nostro campionato. Questa la breve lettera di Luca:

"Ciao Beppe sono Luca,
volevo dirti che Sky ha fatto ricorso anche in cassazione.
Il giorno dell'udienza sarà il 4 luglio. Vorrei contattare l'avvocato per avere una consulenza.
Fammi sapere.
Un abbraccio".
Luca De Maio (calciolibero).

Con i fondi rimasti dalla sottoscrizione per l'Herald Tribune, circa 8000 euro, ho deciso di aiutare Luca contro Sky fornendogli assistenza legale.
Credo che siate d'accordo.
Il blog riporterà l'andamento della causa.

Ho deciso inoltre di fondare un'associazione per la libertà in rete che dia assistenza alle persone vittime di prevaricazioni e di querele, entro fine mese avrete tutti i dettagli.

Sky ha fatto scomparire il mondiale di calcio dai nostri televisori, denuncia un ragazzo e lo porta in cassazione:
se conoscete un abbonato Sky ditegli di smettere.
12.06.06 20:10

Si può dare di più

La Borsa sta finalmente ripartendo. Nuove matricole e un plotone di aspiranti lo testimoniano. Ci chiedono, ci chiederanno, di più. Per gli investimenti, per il futuro, per noi.
Il motivo per cui un'azienda va in borsa è evidente, per chiedere soldi. E più è indebitata più ne chiede, più è in passivo più ne ha bisogno. Piazza le sue azioni attraverso le banche, attraverso i giornali, attraverso i fondi, gli sportellisti, i consulenti finanziari, la pubblicità. Va in borsa chi vuole i vostri soldi o chi non ne ha più. Vi sembra possibile che un'azienda che non ha mai prodotto utili possa entrare in borsa? Che una società con debiti da far paura possa entrare in borsa? Che una società che dipende da un solo cliente possa entrare in borsa? È quello che succede.

Ci guadagnano in questo modo i certificatori, quelli che attestano la bontà dei bilanci e del piano industriale. Ci guadagnano le banche che piazzano le azioni. Ci guadagna il sistema che si autoalimenta, Consob, Borsa Italiana. Ci guadagnano i manager con le stock option. Ci guadagnano gli azionisti che si mettono in cassa subito il valore della vendita delle azioni, ponendosi al riparo da perdite future del titolo.
Dopo Calciopoli (ma c'è ancora?) ci vorrebbe una Borsopoli, una voragine al cui confronto tutto il resto potrebbe impallidire.
Un abisso di accomandite per azioni che controllano grandi gruppi, di scatole cinesi, di azionisti che comandano senza soldi, di conflitti di interessi tra aziende clienti e fornitrici, di consiglieri di amministrazione con cariche in più consigli, di mancanze di regole a protezione degli investitori. Senza class action, senza trasparenza.
Ma i giornalisti, quelli veri, sono dalla nostra parte.
Come Daniela Braidi di Repubblica di lunedì che consiglia l'acquisto delle azioni di Telecom Italia che ha perso circa il 10% da inizio anno e perde ormai da quando è apparso il tronchetto nel 2001. Lo dice con queste affascinanti parole: "le azioni della società telefonica appaiono più attraenti dopo la brusca correzione dell'ultimo anno e mezzo".
Un ragionamento innovativo.
Se l'hai già preso in quel posto, dice l'articolo, c'è la ragionevole probabilità che non succeda più.
13.06.06 22:59

La testa del serpente

Chi ci guadagna dalla crisi energetica? I produttori di armi naturalmente. Qualche giorno fa citavo i dati dello Stockholm International Peace Research Institute ed ora è uscita la nuova edizione dell'annuario.
I numeri parlano chiaro: l'aumento dei prezzi del mercato mondiale dei minerali e dei combustibili fossili ha aiutato la crescita della spesa militare nel mondo.
Lo si vede subito in Algeria, Azerbaijan, Russia ed Arabia Saudita, dove l'aumento dei ricavi da sfruttamento dei giacimenti ha fatto impennare la spesa militare.
È una spesa che a livello mondiale ha raggiunto i 1.118 miliardi di dolla-

ri (l'anno prima erano 975): praticamente è come se ogni essere umano sul pianeta spendesse all'anno 173 dollari in armi.
E tutto finisce nelle tasche di pochi che sono sempre meno.
Di quanto è aumentato il vostro stipendio nell'ultimo anno? Le vendite dei 100 più grandi produttori di armi sono aumentate del 15% raggiungendo i 268 miliardi di dollari a vantaggio di un'ottantina di aziende americane e dell'Europa occidentale.
Tutto questo potere si sta concentrando nelle mani di pochi. Nel 1990 i primi cinque della classifica rappresentavano il 22% dei ricavi, oggi il 44%.Volete sapere dove finiscono questi soldi? Andate a vedere l'elenco dei finanziatori dei politici di tutto il mondo.
Volete sapere dove vanno a finire tutte queste armi? Non si può. I dati sul ciclo di vita delle armi sono pochi e soprattutto di pessima qualità. Il valore delle informazioni dipende dalla loro disponibilità e affidabilità. E raramente i dati rispondono a queste domande in ogni fase dalla produzione alla distruzione.
Un meccanismo perfetto: il petrolio finanzia le armi, i costruttori di armi finanziano i politici, che comprano le armi per difendere gli interessi delle compagnie petrolifere con delle belle guerre di liberazione.
14.06.06 22:44

Sì, però...

È passata una settimana dall'incontro a Palazzo Chigi.
Il dipendente Prodi ha sicuramente avuto modo di leggere le proposte nate dalle Primarie dei Cittadini. Il nostro massimo dipendente infonde fiducia, sorride, annuisce, approva, medita, gorgoglia ed emette borbottii di condivisione. Di fronte a una catastrofe è sempre sereno. E noi, rassicurati, pensiamo ad altro.
Ma una settimana di miele è già finita e tanto rassicurato non sono più.
Non che metta in discussione i fioretti di Prodi, però...
Però un numero di sottosegretari e ministri come noi non li ha neppure tutto il parlamento europeo.
Però molti ministri non sanno di cosa parlano, ma parlano tutti i giorni.
Però ricevere i vertici di Abertis e di Autostrade a Palazzo Chigi un giorno si e l'altro pure non si fa durante una trattativa in corso.

Però l'amnistia.
Però la legge sul conflitto di interessi di cui nessuno parla più, fatto strano in un governo di parolai.
Però la riforma della legge elettorale che era urgente ed ora forse.
Però il ritiro dall'Iraq che si poteva fare in una settimana e invece non si vuole offendere Bush.
Però la riforma dell'assetto radiotelevisivo che andava fatta subito e forse non si farà più.

Caro dipendente Prodi, dopo una sola settimana che ci siamo visti non mi sembra il caso di avviare alcun tipo di sanzione disciplinare, ma sono, devo dirlo, un po' deluso.
Ma forse è un problema solo mio.

L'incontro con Prodi è stato filmato, nessuno ha ancora visto cosa è realmente successo. Ora potete saperlo, guardate i tre brani, fateli girare, ma non ditelo a nessuno.
Palazzo Chigi
La scienza in piazza
Parlamento Pulito
15.06.06 17:26

Il buco nero

Cos'è la pubblicità? Siamo così abituati a vederla ovunque che non ci domandiamo più se serve o meno. Serve? Propongo che Mediaset disponga del 100% della pubblicità. Publitalia sia senza concorrenti, monopolista. La Rai pagata dal solo canone e depublicizzata. Solo programmi depubblicizzati. Non vi sentite già meglio a sentire questa parola: "depublicizzata"?
Quando pago un pacchetto di informazione, film, programmi televisivi, giornali vorrei la scelta: "Con la pubblicità o senza?"
La pubblicità sta divorando sé stessa. Il tennis e il calcio internazionali sono scomparsi, li guarda una assoluta minoranza di italiani su Sky. Gli altri non vedono più la pubblicità presente negli eventi, dei cartelloni, delle racchette, dei palloni, delle maglie, di tutto ciò che è legato allo

sport.
Non vedono più neppure lo sport.
I canali a pagamento eliminano la pubblicità di massa e promuovono la pubblicità selettiva per pochi eletti. Per gli altri il nulla, né spettacolo, né pubblicità. O meglio, molta pubblicità e spettacoli scadenti. Finanziati e condizionati dalle aziende che pagano la pubblicità per i poveri. Programmi scadenti a tal punto che la scelta di un canale a pagamento sembra obbligata.
La pubblicità ha vinto e ha ucciso l'informazione. Ma, allo stesso tempo, sta morendo di sé stessa. Sta collassando.
Promuove solo i beni inutili o quelli senza differenze tra loro. Nel primo caso possiamo farne a meno, nel secondo caso una marca vale l'altra. Sappiamo tutti che la pubblicità è una tassa che paghiamo sul prodotto. Gli spot li paghiamo noi. Il pubblicitario è a libro paga del consumatore.
La libertà di comprare un bene senza la pubblicità dentro dovrebbe però essere garantita dalla Costituzione. Il cittadino dovrebbe avere la possibilità di scelta. Se ci riflettete è una truffa. Se compro il biglietto del cinema so che film vedrò, ma non quale e quanta pubblicità. Pubblicità che non ho chiesto, non ho comprato, che non voglio.
È un incantesimo. Siamo noi che lo permettiamo. Cerchiamo luoghi, prodotti, informazioni depubblicizzati. Se non ci sono protestiamo con il direttore del teatro, con il negoziante, con l'edicolante con lo stesso volume di uno spot pubblicitario.
16.06.06 21:23

C'è un telegramma per te...

Allarme. Stop.
Un'azienda privata spia gli italiani da anni. Stop.
Può tenere sotto scacco chi vuole. Stop.
È uno scandalo che vale dieci Tangentopoli. Stop.
Nessun ministro (sotto scacco?) ne parla. Stop.
Centro gestione di Padova di Telecom Italia. Stop.
Sistema chiamato Radar. Stop.
Tre miliardi e 332 milioni di informazioni riservate. Stop.

Cinque supercalcolatori collegati ad una centrale da 10 mila miliardi di byte. Stop.
Informazioni sui cittadini relative ad orario, numeri, posizione, dati anagrafici. Stop.
Procura di Milano avvia un'inchiesta per associazione a delinquere finalizzata alla rivelazione di notizie riservate. Stop.
Il direttore della sicurezza di Telecom Italia, Giuliano Tavaroli "group senior vice president" rassegna le dimissioni. Stop.
Il tronchetto dell'infelicità non sapeva niente. Stop.
Il tronchetto ha avviato un'inchiesta interna. Stop.
L'inchiesta è stata affidata a Armando Focaroli. Stop.
Il comitato per il controllo interno composto da Guido Ferrarini, Domenico De Sole, Marco Onado, Francesco Denozza è stato messo al corrente dei risultati. Stop.
È stato trovato un buco interno nel sistema informatico. Stop.
La Telecom inoltrerà una denuncia alla Procura di Milano sulle intercettazioni illegali. Stop.
È come se Totò Riina scoprisse dei mafiosi nella sua organizzazione interna ed avviasse un'inchiesta. Stop.
Sono stufo di essere preso per il c..o. Stop.
Sotto inchiesta va messo Tronchetti. Stop.
Perchè nessuno lo fa? Stop.
Perchè i giornali e le televisioni, tranne il gruppo L'Espresso, non ne parlano? Stop.
La risposta è dentro Radar? Stop.
Valore azione Telecom 2,153 euro. Stop.
Perdita da inizio anno -13%. Stop.
Tronchetti va fermato. Stop.
17.06.06 15:35

Dritto e sicuro batte il siluro...

Mentre a Torino sono sfilati gli omosessuali è arrivata da An la risposta che ci si attendeva. Forte, chiara e fascista. Maschile, italiana e romana. Da nostalgici delle faccette nere. La voce virile del portavoce di Fini, Salvatore Sottile, che rimbomba nelle intercettazioni richiama quella

del Duce. Di lui che si intratteneva velocemente nel pomeriggio con ragazze del popolo. Di lui che lo faceva direttamente sulla scrivania della sala del Mappamondo di Palazzo Venezia. Di lui che salutava romanamente dopo il rapporto. Che rimpianti.
Il portavoce di Fini valutava il talento artistico di future vallette e presentatrici della Rai alla Farnesina, al palazzo del ministero degli Esteri. Mentre Fini prendeva il tè con la Rice, lui procedeva ad esami ginecologici. Fini ignaro, non si è mai portato a casa nulla. E questo è l'unico vero motivo di possibili futuri attriti tra i due.
Sottile è un benefattore. Anche grazie a lui gli italiani hanno ammirato culi e tette tutte le sere. Se ad influenzare le decisioni della Rai fosse stato un altro partito, meno attento alla f..a, cosa sarebbe successo? Se i gusti sessuali di An fossero stati più alternativi, gli italiani si sarebbero sciroppati piselli e viados.
Grazie An. Un ringraziamento che voglio estendere, anche se so che mai sottoporrebbero alle loro voglie delle ingenue ragazze, a La Russa, a Landolfi, a Gasparri e a Storace. I campioni del c..o pride. Quello che ci rende italiani veri. Li vogliamo vedere sfilare. L'uomo, si sa, è cacciatore e, se è fascista, un po' prevaricatore.
Un suggerimento a Fini per portare avanti questa battaglia degli attributi: nomini prossimo portavoce Flavio Briatore, il fidanzato d'Italia.
18.06.06 19:04

Chi Vespa mangia le mele

Sergio Cusani mi ha inviato una lettera sulla quotazione in borsa della Piaggio che allego e di cui riporto l'inizio.

"Il 12 giugno scorso a Pontedera, sede del più grande stabilimento in Italia del gruppo Piaggio che fa capo alla holding Immsi di Roberto Colaninno (che insieme a Gnutti e Consorte dell'Unipol privatizzò la Telecom sotto il governo D'Alema, per la massima parte con prestiti bancari, cioè con debiti che stanno ancora pesando sulla nuova gestione Pirelli/Benetton) si è tenuta una Conferenza Nazionale promossa dalla FIOM-CGIL nazionale e di categoria, congiuntamente con le strutture territoriali di Lecco, Pisa e Venezia, insieme all'ADUSBEF e

FEDERCONSUMATORI, storiche associazioni che difendono risparmiatori, consumatori e utenti.
Ero presente anche io come Banca della Solidarietà avendo analizzato insieme alla società di revisione Practice Audit di Milano (piccola ma libera società che da anni monitorizza per il sindacato la situazione della Fiat e di altri grandi gruppi industriali) il bilancio e la situazione economica e finanziaria attuale del gruppo Immsi/Piaggio.
Alla conferenza hanno partecipato rappresentanti delle Istituzioni locali provinciali e regionali, giornalisti e, in particolare, le delegate e i delegati di Piaggio, Aprilia e Moto Guzzi, che fanno capo al gruppo di Colaninno, che hanno raccontato, per diretta e quotidiana dura esperienza, come vanno in realtà le cose nelle varie fabbriche. E non sono affatto tutte rose e fiori. Anzi.
La Conferenza nazionale aveva anche lo scopo di analizzare in modo critico, ma propositivo, la struttura della prossima quotazione in Borsa della Piaggio e C. Spa.
Nel corso dell'incontro è stato ribadito, con consapevole determinazione, quanto contenuto nella lettera dell'1 giugno 2006 (che allego), inviata ai Ministri Padoa Schioppa, Bersani, Damiano, Ferrero e al Presidente della Consob, Cardia, e nel particolare:
- l'operazione di quotazione in Borsa della Piaggio deve essere considerata una occasione unica e irripetibile per reperire anche nuovi mezzi finanziari da immettere direttamente in Piaggio al fine di sostenere e rafforzare il processo di risanamento e di sviluppo industriale e commerciale del gruppo Piaggio in Italia, in Europa e nel mondo;
- per tali motivi, e per sostenere il progetto di sviluppo annunciato, urbi et orbi, dal Presidente Colaninno e dall'Amministratore Delegato Sabelli, è quindi assolutamente necessario modificare la struttura dell'operazione di quotazione in Borsa della Piaggio da Offerta pubblica di vendita (Opv), che è una operazione con cui soltanto la holding Immsi rimborsa unicamente i propri creditori e finanziatori privati, fondi e banche, non con soldi ma con azioni quotate della controllata Piaggio, quindi con della carta (i titoli Piaggio): cioè in definitiva una operazione finanziaria che non riguarda in alcun modo l'azienda Piaggio ma rimane esclusivamente nell'ambito circoscritto del rapporto tra la holding Immsi e i propri soci/creditori
- in una operazione mista di Opv e Offerta pubblica di sottoscrizione (Ops) che invece prevede un aumento di capitale in danaro rivolto, at-

traverso la Borsa, al mercato del pubblico risparmio con cui, al contrario della Opv, entrano realmente nuovi capitali freschi direttamente in azienda, cioè in Piaggio.
Abbiamo infatti rilevato che la struttura dell'operazione di quotazione in Borsa della Piaggio, così come è stata predisposta da Colaninno in termini finanziari, offre l'opportunità unicamente all'azionista di controllo di Piaggio, cioè Immsi/Colaninno, di risolvere i propri rapporti finanziari, di debito, con i suoi soci dando loro, invece dei soldi, della carta, i titoli Piaggio che hanno il pregio fondamentale, una volta quotati in Borsa, di poter essere venduti agevolmente sul mercato di Borsa e collocati presso i risparmiatori: per intenderci la "signora Maria", cioè i tanti piccoli risparmiatori che investono la fatica di una vita in azioni Piaggio consegnando però, di fatto, i loro risparmi alle banche (che se ne escono in bellezza girando la cosiddetta "loro patata" al pubblico risparmio diffuso), e non immettendoli direttamente nell'azienda Piaggio di cui diventano azionisti, e quindi in piccola parte proprietari..."

Sergio Cusani
19.06.06 20:19

Guantanamo, Italia

A Milano sta succedendo una cosa eccezionale, mai vista in Italia.
Finalmente chi sbaglia, paga.
Venticinque pericolosi terroristi che hanno messo a ferro e a fuoco corso Buenos Aires, spaventando negozianti e passanti e bruciando qualche macchina per protestare contro una manifestazione fascista autorizzata, marciscono in galera. Sono ragazzi e ragazze, ma è meglio così, è alla loro età che si raddrizzano le persone. Sono tre mesi che li tengono dentro a San Vittore senza processo. I padri e le madri dei detenuti hanno sfilato a Milano sabato scorso con uno striscione: "Ridate la libertà ai nostri figli e alle nostre figlie". Insieme a loro c'erano anche altre 5.000 persone, tra cui Don Gallo e Dario Fo che ha dichiarato: "I ragazzi sono in carcere senza prove, gran parte di loro non ha fatto nulla, si è trovata nel mucchio. Questa è giustizia di classe e tanta severità si spiega solo con la volontà di castigare chi manifesta". Meglio.

Così capiscono che in Italia protestare è un reato, mentre delinquere invece è un fatto normale, anche ben remunerato dal potere.
Pensando a questi ragazzi mi vengono in mente, non so perché, i nostri venti deputati condannati in via definitiva.
Mi viene in mente Previti condannato a sei anni e che è rimasto in carcere un paio di giorni. Due giorni per corruzione di giudici conto terzi. Se bruciava una macchina gli facevano una multa. Un signore che passeggia sul Lungotevere tutti i giorni con una scorta pagata dalle nostre tasse. E a che serve la scorta? A proteggere noi da lui? I ragazzi dentro e lui fuori.
Non vi sembra uno scandalo? È uno scandalo. Intervenga Prodi, i ragazzi hanno già pagato con tre mesi. I politici, i prescritti, i collusi con la mafia non pagano mai. È uno schifo, il governo se ne renda conto. Chiediamo il rilascio dei ragazzi inviando una mail a Romano Prodi.
20.06.06 18:17

Una lezione di giornalismo

Ieri Piero Ricca ha fatto qualche domanda a Andreotti. Dopo ha dovuto darsi alla fuga, ma è stato preso e portato in commissariato. Ecco il suo racconto (video).

"Nel primo pomeriggio di ieri, nell'aula magna dell'Università Bicocca, a Milano, ho rivolto qualche domanda al senatore a vita Giulio Andreotti, sul tema di quella sua strana assoluzione per prescrizione del reato di associazione a delinquere, ritenuto dai giudici "concretamente ravvisabile" almeno fino al 1980. Per aver osato tanto, sono stato identificato e minacciato da agenti di polizia, e trattenuto in commissariato per quasi due ore. E m'è andata ancora bene.
Nell'aula magna della Bicocca alcuni cronisti stavano intervistando il nostro dipendente a vita su altri temi: il calcio, Moggi, la Nazionale, "la caduta della moralità pubblica come si evince dalle recenti intercettazioni", il rapporto fra aspiranti attrici e uomini di potere e via leccando. Andreotti era comodamente seduto, rilassato. Ogni tanto faceva una battuta e i cronisti ridevano di gusto. I docenti della Bicocca, intorno, componevano una festosa corona.

A un certo punto mi sono inserito, ho consegnato ad Andreotti un foglio con l'estratto della sentenza della corte d'appello di Palermo, poi confermata dalla Cassazione e con il tono più pacato possibile gli ho chiesto di commentarlo. Ne è nato un dialogo, che ho videoripreso a meno di un metro di distanza, di tre o quattro minuti. L'ho interpellato sulle responsabilità a lui addebitate dalla giustizia italiana, gli ho chiesto se ritenesse una cosa normale la presenza in Parlamento in qualità di senatore a vita di un personaggio così descritto da una sentenza definitiva, gli ho fatto presente che nei giudizi di molte testate internazionali il "caso Andreotti" era considerato uno scandalo, e così via intervistando. Lui ha risposto invitandomi a leggere per intero la sentenza, visto che "dagli estratti si capisce poco", ha affermato che la prescrizione nasce solo dal dubbio della corte su un singolo incontro (per lui mai avvenuto) con il mafioso Bontade ("un certo Bontade"), ha aggiunto che all'estero incontra solo rispetto e solidarietà. E così via, minimizzando e svicolando, con quei tipici occhi a fessura.
Già mentre gli rivolgevo le domande alcuni agenti in borghese della sua guardia personale mi premevano e tiravano da dietro. Al che mi sono ribellato subito ad alta voce. Ho chiesto ad Andreotti se fosse ancora possibile in questo Paese fare domande ai politici e lui mi ha risposto che nessuno me lo stava impedendo, che fare domande era un diritto "e anche dare le risposte", poi ha aggiunto: "Ma se lei è qui per fare un numero, allora...". Le sue guardie intanto mi piantonavano e tenevano da dietro. Ma il principale non s'è accorto di nulla.
A intervista finita i gendarmi, agenti della polizia di Stato, hanno cercato di portarmi via tirandomi con forza. Ho protestato a voce alta in mezzo alla sala, mentre iniziava la conferenza. I gendarmi sono spariti. Nessuno dei presenti ha fiatato.
Sono rimasto altri venti minuti in aula magna, seduto tranquillamente, continuando a videoriprendere. Poi sono uscito per andarmene via, da solo, e sono stato trattato come un delinquente.
Una guardia privata della Bicocca ha cominciato a inveire in modo minaccioso, urlandomi addosso come un pazzo e cacciandomi a forza da una porta laterale, le guardie personali di Andreotti mi hanno trattenuto, strattonandomi e minacciandomi di sequestrami la videocamera e ordinandomi di mostrare i documenti. Il tono era concitato, nevrotico, da pessimo telefilm americano. Era evidente il tentativo di intimidire. Mentre il guardiano privato continuava a inveire e a minacciarmi,

mi sono divincolato e me ne sono andato via. I poliziotti e la guardia privata mi hanno inseguito, mi hanno immobilizzato in un luogo dove non passava nessuno e a nulla sono valse le mie buone ragioni, del tipo: "Io non ho fatto nulla di male, ho semplicemente rivolto delle domande a un politico, riprendere eventi e personaggi pubblici è consentito, se commettete abusi vi denuncerò".
Gli agenti continuavano a ripetermi: "Tu non puoi comportarti così con il senatore, le tue domande non c'entravano nulla, tu non puoi riprendere senza permesso e hai ripreso anche noi, e poi ti conosciamo già, eri tu a Roma davanti al Senato, tu ora ci dai tutto il materiale e poi ti portiamo in commissariato". Mentre dicevano questo, uno mi teneva fermo contro un muro e l'altro mi tratteneva lo zaino con la videocamera e un registratore audio.
Ho obiettato: "Lasciamo decidere a un giudice chi ha ragione, voi state commettendo un abuso e comunque esigo di conoscere i vostri nomi". Un agente ha risposto: "La legge sono io ora, il giudice sono io". Poi, rivolto al collega ha aggiunto: "Ora gli prendiamo le impronte digitali, così l'amico inizia ad abbassare la cresta". I danni dei telefilm americani sono incalcolabili.
Poi sono stato portato in auto da altri agenti di polizia al commissariato di Greco, dove sono stato trattenuto per oltre un'ora e mezza. Lo zaino lo hanno preso in consegna loro. Per puro caso, gravissimo reato, non avevo con me la carta d'identità (mentre ho mostrato un tesserino identificativo di tipo elettorale che, sempre per caso, avevo con me) e abbiamo dovuto attendere che fosse trasmesso un fax da Parma con la fotocopia del mio documento. La qual cosa ha evitato la ventilata pratica della fotosegnalazione con impronte digitali in Questura: che certo sarebbe stata un'esperienza divertente per uno dei cittadini più identificati di Milano.
Per tutto il tempo mi è stato impedito di telefonare al mio legale e di effettuare o ricevere qualsiasi altra chiamata, come chiedevo di poter fare. "Il cellulare lo deve tenere spento".
Ho notato che gli agenti di Greco si consultavano con altre persone al telefono, compresi gli agenti di guardia ad Andreotti, per decidere se sequestrami il materiale o meno. A margine delle complesse trattative ho fatto presente di essere ben noto negli ambienti della Questura e altrove per le mie attività di cittadino impegnato in politica, citando nomi e fatti, compresi esposti e interrogazioni parlamentari contro la

polizia di Milano.
Alla fine sono stato rilasciato, con videocamera e tutto il resto. Gli agenti hanno redatto un verbale "per uso interno", che non mi hanno fatto leggere.
Ecco tutto. Sono stato trattato in questo modo perché, nel silenzio della gran parte degli operatori dell'informazione, ho rivolto due o tre domande a un senatore a vita giudicato dalla giustizia del mio Paese un colluso con la mafia, salvatosi da una condanna per intervenuta prescrizione del reato. Io, che non ho mai preso una multa in vita mia.
Coerentemente, al tg3 regionale della sera, le mie domande - di pura supplenza giornalistica - sono state definite come l'intervento di un "contestatore". E il Corriere della Sera odierno, in un riquadrino, riporta la notizia del mio trasferimento coatto in commissariato, "a seguito di una discussione con Andreotti". Nell'occhiello la "discussione" diventa 'lite' ".
21.06.06 20:44

Aggiungi un posto a tavola

Voterò no al referendum, ma subito dopo avvierò un dibattito su questo blog sulla costituzione. È evidente che i partiti non possono riformare la costituzione perché chi trae il massimo beneficio dallo status quo sono loro.
L'attuale costituzione ha dei valori da conservare, altri da cambiare. Ma come ogni cosa deperisce. Oggi è un po' antistorica e comincia a puzzare. E come sempre il pesce puzza dalla testa, e la testa sono i professionisti della politica il cui costo e la cui inefficienza sono la vera palla al piede dell'Italia. Quelli che la costituzione non la vogliono cambiare (centro sinistra), o che la vogliono cambiare in peggio (centro destra), non ci hanno informati in queste settimane. Hanno trasformato in un teatrino politico il referendum. Se vince il sì, si metteranno d'accordo. Se vince il no, si metteranno d'accordo. Ma allora che c..o votiamo a fare?

Numeri Italia:
- Circa 57 milioni di abitanti.

- Governi che superano i cento componenti tra ministri, viceministri e sottosegretari.
- Parlamento di 630 deputati, 315 senatori e 5 senatori a vita.
- 20 regioni (la Val d'Aosta di 121.000 abitanti - pari a un quartiere di Napoli - equiparata alla Lombardia di nove milioni di abitanti, corrispondenti a quelli di Friuli, Umbria, Marche, Abruzzo, Molise, Basilicata, Calabria e Sardegna messi insieme) tutte con stesse competenze legislative e gli stessi poteri amministrativi.
- 8.102 comuni in massima parte piccoli e piccolissimi (Monterone - Lecco - 33 abitanti - che ogni cinque anni elegge un sindaco e un consiglio comunale come i due milioni e mezzo di abitanti di Roma).
- 300mila professionisti della politica, che arrivano a 700mila con gli "amministratori dilettanti" di province, comunità montane, Asl, Iacp, Autorità di Bacino, Consorzi, Società Miste e Commissariati regionali e che costa 15 miliardi di euro l'anno.
- La spesa corrente gestita da regioni, province, comuni e comunità montane assomma al 15% del PIL.

Né la devoluzione della sinistra né quella della destra si sono posti il problema di riorganizzare questo carrozzone parassitario.
Si potrebbe fare con alcune misure su cui tutti gli italiani non mantenuti dallo Stato e non facenti parte della classe politica (quindi pochissimi) sarebbero d'accordo:
- drastica ed immediata riduzione del numero dei parlamentari.
- Soppressione delle province e delle comunità montane.
- Istituzione di tre macroregioni di circa 19 milioni di abitanti ciascuna (poco più di Tokyo o di San Paolo).
- Governi con un numero di ministri non superiore a 12 considerando le competenze statali già trasferite alle regioni.
- Accorpamento degli ottomila comuni riducendoli a un centinaio.
- Soppressione dei privilegi, degli stipendi e delle pensioni d'oro e delle consulenze.

Siamo un Paese mummificato dalla macchina dello Stato e senza la certezza del diritto. La costituzione è in parte causa di questo osceno risultato. Va cambiata, ma in meglio.
22.06.06 14:34

La Voce della Val di Susa/II

Non volevo più parlarne. Speravo che dopo la rimozione del presidio tecnico di Venaus l'argomento Tav fosse chiuso per sempre. Ma dopo le esternazioni del ministro dipendente Bianchi di oggi non ce l'ho fatta. È stato più forte di me. Dopo aver letto le sue parole di lieve sapore stalinista sul Corriere della Sera rivolte alla gente della Val di Susa: "È inaccettabile che qualcuno si metta di traverso", "Sono perplesso che si debba andare dietro ai focolai di protesta", "La democrazia si regge sul principio della maggioranza", "Il diritto di veto è una forma decadente di democrazia", ho deciso di ridare voce attraverso il blog alla Val di Susa, ai suoi sindaci, parroci, contadini, operai, studenti, nonne e bambini. A questo pericoloso focolaio di "no global" inaccettabile dai nostri dipendenti di destra e di sinistra, alla loro "arroganza della maggioranza", alla loro indifferenza e, soprattutto, ai loro interessi.
Le parole d'ordine sulla Tav sono sempre le solite: "È un'opportunità per il Paese", "Non possiamo rimanere fuori dall'Europa", "I finanziamenti della Ue". A me sembra che le ragioni della Tav siano sempre più le ragioni del grano. Che è tanto, tanto, tanto: 14/15 miliardi di euro di cui solo una piccola parte finanziata dalla Comunità Europea, il resto da noi, con le nostre tasse. Per fare cosa? Un tunnel per il trasporto merci, quindi Tac (Treni ad Alta Capacità) e non Tav. Un tunnel di 53 chilometri che sarà pronto se va bene tra 15 anni. Ma vogliamo finirla di prenderci per il c..o?
Se i politici devono dare retta agli interessi di gruppi economici legati alla Tav si facciano votare direttamente da loro ed evitino la farsa delle elezioni politiche. Ma il dipendente Prodi e il suo scudiero Padoa Schioppa non avevano detto che non c'erano più soldi? Che il Paese è sull'orlo del fallimento? E allora dove troveranno questi miliardi di euro per fare un buco nella montagna? Le ferrovie e le strade in Italia hanno bisogno di interventi urgenti e la loro priorità è un buco che non serve a nulla? Il dipendente Bianchi parli con qualche pendolare per informarsi, con qualche camionista, con gli automobilisti della Salerno-Reggio Calabria.

Per rinfrescare la memoria ai nuovi dipendenti riporto il parere di Mar-

co Ponti, professore al Politecnico di Milano, uno dei maggiori esperti di economia dei trasporti in Europa e consulente della Banca Mondiale da un post dello scorso anno:
"... il sistema italiano è largamente sottoutilizzato. Su una linea normale a doppio binario possono transitare 240 treni al giorno, su una ad AV fino a 350. Non ha senso aggiungere su alcune tratte una tale enorme capacità, poiché non esiste una domanda di trasporto ferroviario di queste dimensioni. Si aggiunga che le linee ad AV sono costosissime".
"Si è partiti promettendo che (il progetto AV) si sarebbe ripagato al 60 per cento. Poi si è scesi al 40 e infine è stato stabilito che bastava il 40 dei costi, esclusi quelli per i 'nodi' in prossimità delle città, molto dispendiosi. Secondo le mie simulazioni si arriverebbe al 20 per cento; altri stimano il 23. Il sistema è destinato al default: pagherà lo Stato. Molti di questi lavori verranno inaugurati ma poi non ci saranno i soldi per proseguirli e saranno ri-inaugurati a ogni tornata elettorale. La Torino-Lione è un monumento alla dissipazione: costerà almeno 13 miliardi, come 3 o 4 ponti sullo Stretto".

Invito gli abitanti della Val di Susa a scrivermi per fornire foto, informazioni, filmati da pubblicare sul blog.
Sarà dura!
23.06.06 13:26

Il medico di famiglia e gli inceneritori

Di chi ci si fidava una volta se non del buon vecchio medico di famiglia? Quello che ti diceva: "Fai aaaahhhh" e poi ti estirpava le tonsille. Ogni volta che ti bussava sulle spalle tu dovevi dire trentatrè. Una volta ho detto trentaquattro e mi ha mandato via dopo aver chiesto spiegazioni a mia madre.
I medici di famiglia hanno espresso la loro opinione sugli inceneritori, la riporto di seguito. È dedicata a tutti coloro che vivono, o vivranno, vicino ad un inceneritore.

"Gli inceneritori di ultima generazione con le loro alte temperature nei forni contribuiscono grandemente alla immissione nell'ambiente di polveri finissime che costituiscono un rischio sanitario ben più grave delle note polveri Pm10. L'incenerimento dei rifiuti, fra tutte le tecniche di smaltimento, è quella più dannosa per l'ambiente e per la salute umana. Gli inceneritori producono ceneri (sono un terzo del peso dei rifiuti in ingresso e si devono smaltire in discariche speciali) e immettono nell'atmosfera milioni di metri cubi al giorno di fumi inquinanti, contenenti polveri grossolane (Pm10) e fini (Pm2,5) costituite da nanoparticelle di metalli pesanti, idrocarburi policiclici, policlorobifenili, benzene, diossine, estremamente pericolose perché persistenti e accumulabili negli organismi viventi.

Queste "nanopolveri", sfuggendo ai filtri dell'inceneritore, non vengono nemmeno rilevate dagli attuali sistemi di monitoraggio delle emissioni degli inceneritori e non sono previste dai limiti di legge cui gli impianti devono sottostare. Inoltre a fronte di emissioni cancerogene identificate da tempo dai ricercatori (diossine, furani, metalli pesanti) gli inceneritori emettono centinaia di sostanze di cui è sconosciuto l'impatto sulla salute umana, così come risultano non ancora indagati gli effetti della combinazione di vari inquinanti.

Ogni processo di combustione produce particolato. Se è vero che la natura è produttrice di queste polveri (vulcani), è pure vero che le polveri di origine naturale costituiscono una frazione minoritaria del totale che oggi si trova in atmosfera.

È l'uomo il grande produttore di particolato, soprattutto quello più fine: più elevata è la temperatura alla quale un processo di combustione avviene, minore è la dimensione delle particelle che ne derivano.

Si tratta di particelle inorganiche, non biodegradabili né biocompatibili. La combustione trasforma anche i rifiuti innocui, come imballaggi e scarti di cibo, in composti tossici e pericolosi, sotto forma di emissioni gassose, polveri fini, ceneri volatili e residue che richiedono costosi sistemi per la neutralizzazione e lo stoccaggio.

Perciò è opportuno che si incentivi una politica della produzione, raccolta differenziata, riciclaggio, recupero dei rifiuti. Le micro e nanoparticelle, prodotte in qualsiasi modo, una volta entrate nell'organismo innescano tutta una serie di reazioni che possono tramutarsi in malattie. Le forme patologiche più comuni sono le neoplasie, ma ci sono anche malformazioni fetali, malattie infiammatorie allergiche e perfino neurologiche.

L'incenerimento dei rifiuti è inoltre il sistema più costoso per lo smaltimento dei rifiuti e tutti gli italiani, a loro insaputa, pagano generosi incentivi a suo sostegno.

Il 7% dell'importo della bolletta elettrica che pagano è infatti devoluto, sotto forma di sussidi, anche alla costruzione degli inceneritori: basta prendere una fattura dell'ENEL per leggere, sul retro, nella parte delle varie voci e costi: "Componente A3 - Costruzione impianti fonti rinnovabili". La somma che compare a fianco viene devoluta ai gestori di inceneritori di rifiuti perché, la legge italiana assimila alle varie fonti energetiche rinnovabili non fossili, quali l'eolica ed il solare, quella ricavata dall'incenerimento di ogni tipologia di rifiuti urbani ed industriali. Oltre a questa fetta di incentivi prelevati dalle tasche degli utenti, i gestori degli inceneritori ricevono, da parte dello Stato, altri sussidi. L'Italia è quindi l'unico Stato europeo che finanzia l'incenerimento dei rifiuti. Tutti gli altri Stati membri (Austria, Belgio, Danimarca, Germania) impongono ai gestori di inceneritori di pagare una tassa per ogni tonnellata di rifiuti bruciati, disincentivando l'incenerimento dei rifiuti".

Dal *Notiziario Fimmg - Federazione Italiana Medici di Medicina Generale*, maggio 2006
24.06.06 17:34

Le parole di Don Abbondio

Parole nuove. Non sentite il bisogno di parole nuove? Non siete stanchi di Ponte sullo Stretto, di Tav, di Mastella, di D'Alema, dell'Alitalia che fallisce tra sei mesi ogni sei mesi, dell'uso politico del referendum, delle grandi opere, dell'Anas, dei cantieri fermi, di Tronchetti, di Benetton, delle intercettazioni, delle leggi per proibire le intercettazioni, del deficit pubblico, del conflitto di interessi, della riforma radiotelevisiva, delle Authority senza uno straccio di autorità, dei nomi dei politici che a cinquant'anni sono giovani e a settanta sono in piena carriera, di Scaroni, dei monopoli privatizzati con la benedizione dei poteri forti e del salotto marcio. Parole, le stesse parole. Le stesse facce. Gli stessi giornalisti con le stesse interviste. Un incubo quotidiano.
Questo governo aveva la possibilità di usare parole nuove, di rianimare

il Paese. Di lanciare un urlo. Le parole vivono di vita propria, creano speranza, diventano realtà. Muovono le persone. Nuove parole, prodifassinodalemarutellibertinottipecoraro dipietrodiliberto prendete in mano un vocabolario della lingua italiana. Cercate le parole, quelle che non usate mai e gridatele. Per una volta un atto di coraggio. C'è bisogno di aria pura, non di inseguire l'elefante. Alcuni mi dicono che quando lo incontrate in Parlamento ve la fate sotto. Maledetti, non è per questo che siete stati votati. Non per diventare escrementi elefantizi conto terzi. Altrimenti come si spiegherebbe la nomina di Mastella, noto giurista e grande innovatore. Le Procure non hanno la carta e i fax e lui, conto terzi, si indigna per le telefonate di quattro delinquenti e non spende una parola per i 25 ragazzi incarcerati senza processo da tre mesi a San Vittore. Parole nuove. Anche in questo referendum, per farsi votare, si va al rilancio, a chi taglia più deputati. Ma ci prendete per fessi? Altro che qualche centinaio di deputati bisogna tagliare. Abbiamo settecentomila impiegati dello Stato in eccesso e intere Regioni italiane che vivono di sussistenza grazie alle mafie che governano al posto dello Stato, con lo Stato, e impediscono ogni sviluppo. Stiamo parlando di decine di milioni di persone assistite. Parole nuove Prodi, parole nuove. Il Paese, quello che vedo nelle piazze piene con gli assessorini comunaliprovincialiregionali chiusi negli uffici a spiare dietro le persiane, questo Paese ha bisogno di coraggio, di felicità, di sfide, di innovazione, di interventi immediati, duri, senza sconti contro i monopoli dei media, delle telecomunicazioni (Gentiloni sei ancora lì o ti sei già dimesso?), delle autostradeautogrill, dell'elettricità. Del rilancio delle università e della ricerca. Di gesti importanti e simbolici come la nomina a consulenti del Governo di persone di fama internazionale, le poche che abbiamo, i Rubbia, i Piano. Senza parole nuove questo Governo non durerà. Abbiamo scelto il meno peggio, non la fotocopia.
25.06.06 22:24

Orso Bruno kaputt!

Un pericoloso carnivoro in divisa bruna nazionalsocialista e delle dimensioni del criminale di guerra Göring è stato finalmente abbattuto in Germania. L'orso eviterà così un severo processo per aver ucciso alcune

pecore bavaresi. La pelle dell'orso è stata recapitata al cancelliere Angela Merkel che la indosserà a Monaco in occasione dell'Oktoberfest. Questa fine sia di monito ad ogni animale che voglia introdursi clandestinamente in Germania senza passaporto.
C'è però chi è sempre pronto a giustificare l'efferatezza degli orsi. Pubblico malvolentieri la sua lettera.

"Caro Beppe,
ti scrivo per segnalarti l'ennesimo "atto di supremazia" da parte degli esseri umani nei confronti della natura che ci circonda.
Questa volta però non è stato il Paese di Pulcinella a fornire lo spunto per le amare riflessioni che seguiranno, ma la grande Germania.
Un orso bruno di due anni è stato abbattuto questa notte in Baviera, il plantigrado faceva parte di un ambizioso progetto italiano per la reintroduzione dell'orso bruno nelle Alpi centrali. Un progetto costoso che ha previsto la reintroduzione di questo animale autoctono ormai scomparso reintroducendo soggetti dai paesi limitrofi dove l'orso è ancora (per poco) presente. Il soggetto era tra l'altro uno dei figli di una coppia reintrodotta ed era quindi la prima flebile testimonianza della riuscita del progetto. La condanna a morte dell'animale è avvenuta al ritrovamento di diverse carcasse di pecore. Vista la rarità degli animali non c'era nessun pericolo per l'uomo, che da secoli convive con i plantigradi senza rompersi i coglioni a vicenda. La cosa più assurda è che era stato istituito un gruppo di cacciatori finlandesi, veterinari e cani addestrati per addormentarlo e trasferirlo in una zona più "sicura" (sicura per lui visto il grilletto facile dei cacciatori teutonici), ma i killer sono arrivati prima (mi chiedo che senso abbia far arrivare cacciatori superspecializzati per narcotizzarlo e in concomitanza cacciatori per ucciderlo).
Ora con tutto il rispetto per le pecore, ma io dico non si poteva risarcire i pastori e trasferire questa povera bestia a rischio di estinzione nelle nostre zone? Come hanno fatto e stanno facendo per la reintroduzione del lupo nel Parco Nazionale d'Abruzzo? Ti manca una pecora? ecco 200 euro....cavolo te le do io! un lupo adulto e sessualmente attivo vale molto di più. Perchè una pecora ha un valore e la biodiversità no? A presto".

A.B.
26.06.06 23:13

La Voce della Val di Susa/12

Una bella lettera dal sindaco di Condove in Valle di Susa sulla vita a bassa velocità.

"Caro Beppe,
mentre in giro per l'Italia giornalisti e ministri straparlano di argomenti che conoscono poco e male, usando frasi finte e fatte, ormai logore e consunte ("la Tav in Valle di Susa è irrinunciabile", "è per lo sviluppo del Paese", "serve per restare agganciati all'Europa" e bla bla bla) noi, montagnini testardi-nullafacenti-sfaccendati-anarcoisurrezionalisti ecc. ecc. ecc. continuiamo pian piano sulla nostra strada, persuasi non solo che un altro mondo è possibile, ma che è anche accessibile, nascosto lì, dietro l'angolo.
Un esempio? Stasera con alcuni Comitati NO-Tav ci troviamo da me, in Comune, per provare a disegnare nuove prospettive per le economie locali in Valle, per parlare di agricoltura biologica e di decrescita, di consumi consapevoli, di finanza etica e di cooperative...
Un altro esempio? Venerdì, alle 8 del mattino, partiamo da Venaus, a piedi.
"Partiamo" chi? "Noi", quelli che vogliono muoversi a velocità d'uomo e non a velocità di profitto. Quelli che dicono No al Tav, ma SI al treno (possibilmente pulito, sicuro e in orario).
Quelli che nei mesi scorsi hanno guadagnato le prime pagine dei giornali, perché, prendendosi anche le botte, hanno avuto la sfrontatezza di "bloccare il Progresso e il Paese". Così ci è stato detto. Quelli che negli ultimi 15 anni, senza guadagnarsi le prime pagine dei giornali, hanno silenziosamente lavorato per salvare non solo il proprio orto, il proprio cortile, ma anche il portafoglio degli italiani...
Partiamo per andare dove? A Roma, ovvio.
Per far che? Per incontrare Prodi, dopo 15 giorni di cammino. Ma soprattutto per incontrare altra gente, in altri cortili. Per vedere altri orti. Per scambiare idee e per raccogliere dati. Per sedersi attorno ad un tavolo, mangiare pane e formaggio con chi vorrà ospitarci, lungo la strada, e ribadire quanto ti scrivevo sopra: che un altro mondo è possibile, accessibile e -aggiungerei- anche moralmente doveroso.

Ma per far tutto questo ci serve una velocità a nostra misura. Bassa, non alta. Velocità d'uomo, appunto. Avevo già spiegato a Prodi, quando ancora non era Presidente, ma scriveva Programmi nella sua Fabbrica, che a nessuno piacerebbe vivere in un corridoio, neppure se si chiama Corridoio 5... Giovedì, se davvero sarà confermata la convocazione del Tavolo politico, e se farò parte della delegazione, proverò a rispiegare ancora una volta il concetto... Non so se: "A sarà dura", ma io continuo ad essere convinta che ce la possiamo fare. (ciao e grazie per quel che fai).

Barbara Debernardi - sindaco di Condove
27.06.06 12:41

Der Stronzen

Ho letto *Der Spiegel*. Me l'ha tradotto un mio amico svizzero. Più che *Der Spiegel* dovrebbe chiamarsi *Der Stronzen*. Dopo la lettura mi sono sentito come quei padri che danno uno schiaffo ai propri figli ogni volta che sbagliano, ma se lo fa un estraneo diventano una belva. Noi italiani per molti versi facciamo schifo, ma rispetto ad altri popoli, ad esempio i tedeschi, ce ne rendiamo conto. Sappiamo quali sono i nostri difetti e non ne andiamo certo orgogliosi. Se c'è un popolo che parla male di sé stesso è quello italiano. L'autocritica è un nostro personale piacere.
Der Stronzen, prendendo spunto dai nostri calciatori ed allargando il concetto a tutti gli italiani, ci qualifica come forme di vita parassitarie, mammoni maligni che sfruttano le donne, tipi da spiaggia, millantatori, viscidi, che non possono vivere senza un animale ospite dal quale succhiano più che possono, il cui obiettivo primario nella vita è l'ostentazione continua di affaticamento e, se calciatori, preferiscono giocare la palla a terra in modo da colpire meglio le ossa degli altri.
Der Stronzen conclude minacciando i calciatori italiani affermando che se la Germania li incontrerà in semifinale, loro, i tedeschi, hanno ancora un paio di conti aperti dall'ultima vacanza italiana.
Der Stronzen è uno dei settimanali più diffusi e letti in Germania. Non so se quanto ha scritto rappresenta anche l'opinione dei suoi numerosi lettori. Certo la tradizionale ospitalità tedesca non è più quella di una

volta se nessuna fonte governativa ha finora preso posizione contro gli insulti di *Der Stronzen* rivolti a una nazione ospite.
Un gesto di orgoglio dipendente Prodi! Un colpo di telefono al cancelliere Merkel per chiedere un intervento. Al direttore di *Der Stronzen* e al pennivendolo autore dell'articolo posso solo dire che le loro parole disonorano, ingiustamente, il popolo tedesco, e non gli italiani.
27.06.06 19:36

Doppioquinto e triplo organo

Ora che abbiamo indebitato l'Italia con uno dei più imponenti debiti pubblici del mondo, dobbiamo indebitare gli italiani. La via del debito individuale, famigliare, aziendale è la vera sfida degli italiani verso il loro futuro. Più si indebitano, più rischiano di diventare pezzenti. Siamo il Paese di "Carpe Diem", di "Chi vuol esser lieto, sia: di doman non c'è certezza", della Divina Provvidenza e degli imprenditori che vantano in pubblico la solidità del loro debito. Ma il problema è che gli italiani sono già indebitati e l'unica possibilità che gli resta è di indebitarsi ancora di più. Debito su debito. Oggi c'è il doppioquinto, una geniale proposta che supera i limiti della cessione del quinto dello stipendio per attivare un prestito. Suona anche bene, è puro marketing. Doppioquinto. Bello. E poi c'è il finanziamento del finanziamento. Se non hai più soldi per pagare le rate del prestito, sei rifinanziato, anche per una cifra superiore. Se hai un cappio al collo, te ne offrono un altro, un po' più stretto. Il futuro sarà la cessione del triplo organo, renetesticolopolmone (comunque te ne rimane sempre uno) per saldare in via definitiva il debito. O lo strozzino di quartiere, che se proprio va male, si potrà pagare in natura con mogli e sorelle. Ma vuoi mettere la soddisfazione di una vacanza esotica o della macchina nuova? Non c'è confronto.
Il debito è una promessa e ogni promessa è debito. I cartelloni e le pubblicità sono pieni di promesse delle banche e delle finanziarie, ma l'istigazione alla povertà non dovrebbe essere un reato? Lucrare sull'indebitamento delle famiglie per futili motivi non è pubblicità ingannevole?
Il superfluo diventa necessario, il risparmio diventa debito, le banche si ingrassano, ma il tenore di vita è salvo.
28.06.06 19:20

Corridoio 5, il flagello di Dio

In Italia sono passati i barbari, di danni ne hanno fatti molti. Attila non faceva crescere l'erba, ma gli alberi, le fonti ed il resto li lasciava in pace. Da allora l'Italia è sopravvissuta a tutto, pestilenze, guerre, Savoia, Bossi e Giovanardi. Potrebbe però non riaversi dal Corridoio 5 che trapanerà le Alpi, gli Appennini e la Pianura Padana per portare velocemente le mozzarelle da Kiev a Lisbona. Il tutto tra venti anni, quando i responsabili di questa incredibile scemenza saranno forse morti. Noi vedremo passare velociveloci i treni per tutto il Nord, mentre miliardi di euro saranno finiti a velocità normale nelle tasche di cooperative rosse (forse è per questo che i Ds chiamparinobressofassino sono schierati?) e di società lunardiane (forse è per questo che il centro destra è d'accordo? Compresa la Lega delle valli dure e pure?). La Tav/Tac non è solo Val di Susa, è anche Liguria, Lombardia, Veneto e Friuli Venezia Giulia.
Un amis furlan mi ha scritto.

"Caro Beppe,
meno male che ci dai una mano sulla faccenda della Tav.
Però ti ricordo che non c'è solo la Val Susa (che comunque è importantissima, perché è il primo mattoncino di un mostruoso sistema). Il Corridoio 5 coinvolge e coinvolgerà Lombardia, Veneto e Friuli Venezia Giulia (ma anche la tua Liguria, con il secondo valico, chiedi a Lenzi del Wwf Italia...). E poi c'è la Slovenia, dove stiamo cercando contatti.
Per il Nord Est ed in particolare il Friuli Venezia Giulia ti invito a visitare il nostro sito http://ccc5.altervista.org in particolare le sezioni "progetto" e "opinioni".
Un progetto preliminare di RFI/Italferr tra Ronchi dei Legionari (GO) e Trieste del 2004 è stato bocciato dalla Commissione Speciale di Valutazione d'Impatto Ambientale e anche dal Ministero dei Beni culturali e ambientali (Ministro Urbani, che subito dopo è stato sostituito da Buttiglione, chissà come mai). Oltre 26 chilometri di doppia (in alcuni casi tripla) galleria sotto il Carso di Gorizia e Trieste, in uno dei territori più ricchi di grotte al mondo, un'autentica follia! Non è ancora uscito pubblicamente, ma si dice sia già pronto un altro progetto preliminare per la tratta Portogruaro (VE)-Ronchi dei Legionari (GO) che attraversa

(e massacra) tutta la bassa pianura friulana, una zona agricola, in zona di risorgive, ricca di vigneti, molti agriturismi e ambizioni di sviluppo turistico come retroterra delle stazioni balneari di Lignano Sabbiadoro, Grado e del sito archeologico di Aquileia. Ma se passa il Corridoio 5 addio... chi andrà più in un agriturismo con il frastuono del super-treno? Beppe, ricordati degli amici! Ciao".
Claudio
per il Comitato Contro il Corridoio 5
- Comitât Cuintra al Coridôr Sinc
- Odbor Proti Petemu Koridoju
29.06.06 15:45

L'economia della morte

È matematico: quando si costruisce una strada si inaugura una nuova contabilità dei morti che saranno in seguito ricordati con mazzi di fiori, cippi, lapidi, fotografie, le cui testimonianze sono ovunque. Piccoli cimiteri on the road. Circa settemila persone ogni anno muoiono sulle nostre strade, quasi venti al giorno. E un numero spaventoso, vicino a settantamila, è quello dei feriti, molti con lesioni permanenti. I giornali di provincia aprono sempre con la cronaca mortuaria del motociclista che si schianta contro un palo o con lo scontro frontale sulla statale. Negli ultimi trent'anni facendo due conti dovrebbero essere morte più di duecentomila persone.

Nessuno dice niente. Le società automobilistiche fanno le loro pubblicità con macchine sempre più potenti, che ti invitano a violare i limiti di velocità. L'eccesso di velocità è una delle cause principali degli incidenti. Ci rompiamo tanto i c..ni per un paio di spinelli e non regolamentiamo una pubblicità antisociale ed omicida. Non imponiamo ai costruttori un limite di velocità. I media riportano le notizie con una rituale indifferenza. Le istituzioni invece di promuovere il decentramento e il telelavoro sviluppano la concentrazione e la mobilità. È l'economia bellezza. L'economia delle auto, della benzina con le accise statali, dei finanziamenti per l'acquisto delle auto. Dei morti economici che valgono molto meno dei morti di guerra. Se ne parla poco, sono morti banali, un po' superficiali. Un po' se la sono cercata. La quantità contro la qualità. Uccidono più le pubblicità delle auto delle mine anti-uomo.

E allora voglio la par condicio. Voglio anch'io dire la mia sulle reti nazionali (le NOSTRE reti nazionali) con un spot che faccia capire che la velocità è violenza, che è un mito del passato, di persone vecchie, finite, che si gratificano con la marmitta invece che con la f..a. Sì, voglio tornare in televisione per 30 secondi, subito dopo ogni pubblicità mortuaria, per ricordare, soprattutto ai giovani, che la vita è altro, è altrove. Non nei pneumatici, nelle ruotemotrici, nei 220 all'ora, nelle Suv.
I velocimani sono dei poveretti, ma il vero problema è che non sanno di esserlo.

Ps: "La velocità è il maggiore assassino sulle strade e secondo l'Unione Europea (Eu) il ridurre la velocità media di guida di 3 km/h salverebbe attorno a 5.000-6.000 vite ogni anno e preverrebbe attorno a 120.000-140.000 incidenti, risparmiando € 20 miliardi in costi... portando la velocità nei centri cittadini da 30 km/h a 50 km/h aumenta il rischio di morte per i pedoni di 8 volte". Da Wikipedia.
30.06.06 16:43

ANTONIO FAZIO-
UNA VITA DI DEVOZIONE
ALLA MADONNA
E QUANDO É STATO COSTRETTO A DIMETTERSI...
...PRETENDEVA CHE GLI RIMBORSASSI TUTTI I CERI CHE MI AVEVA ACCESO PRIMA!
VAURO 07

Luglio

Le infrastrutture della mente

Il nostro mondo è dominato dall'etica del movimento. Chi non si muove è perduto. Chi sta fermo è un ignobile ozioso, un sovversivo, un nemico del Pil. Si fa un gran parlare delle infrastrutture di acciaio e cemento, di binari, autostrade, ponti, gallerie. Strutture che portano camion vuoti e macchine con una persona.
L'auto è un accessorio del petrolio, serve a consumare petrolio, a far vendere petrolio. Una scatola di lamiera piena di gadget che ha la velocità media di un mulo.
Delle infrastrutture della mente, che non costano, che liberano il tempo, che ci danno la possibilità di scegliere se spostarci o star fermi dove siamo, di queste infrastrutture non si occupa nessuno.
La connettività veloce a tutte le famiglie italiane ed i servizi on line per pagare l'Ici, richiedere una patente, un passaporto, una carta di identità, uno stato di famiglia, iscrivere il bambino all'Asl e scegliere il pediatra, il medico di famiglia, prenotare una visita, seguire una lezione universitaria. Tutto questo non è una priorità. L'incentivazione del telelavoro per evitare il congestionamento delle città non è una priorità. Una diversa organizzazione delle aziende sul territorio utilizzando la Rete non è una priorità. La diminuzione dei costi dell'Adsl non è una priorità. E non lo è neppure la copertura Adsl 100% del territorio nazionale (per farlo, Gentiloni, è sufficiente liberalizzare l'ultimo miglio).
La Rete libera il movimento delle intelligenze, delle idee. La Rete non provoca incidenti stradali e fa risparmiare tempo, un'enormità di tempo. Voglio un mondo dominato dall'etica del tempo, contro lo spreco delle code, degli uffici, degli ascensori.
L'uomo è fatto di tempo, è un prodotto con una data di scadenza. Liberiamo il tempo dalla mobilità fine a sé stessa. Utile ai petrolieri, al ministero delle Finanze e ai costruttori di strade e di macchine. Meno mobilità, più tempo per noi stessi, anche per oziare, ma senza eccedere, perché "non far niente è il lavoro più duro di tutti".
01.07.06 15:22

Cervello à la coque

Alcuni ricercatori hanno messo un uovo in un portauovo di porcellana tra due cellulari. Quindi li hanno messi in comunicazione tenendoli accesi.
Nei primi 15 minuti non è cambiato nulla.
Dopo 25 minuti il guscio dell'uovo ha cominciato a scaldarsi.
Dopo 40 minuti la parte bianca dell'uovo era solida.
Dopo 65 minuti l'uovo era ben cotto.

Questo esperimento rivela il vero motivo della decadenza dell'Italia. Il primo Paese al mondo per la diffusione dei telefonini. Le radiazioni ci hanno fuso il cervello.
È la seconda volta che andiamo in confusione mentale dopo l'avvelenamento da piombo che colpì l'impero romano.
Le compagnie telefoniche negano che ci sia un collegamento tra tumori al cervello, o anche semplici emicranie, e l'uso del telefonino. Ma credo che chiunque lo usi per alcune ore durante la giornata possa testimoniare qualche cedimento del pensiero.
Esiste poi una prova inconfutabile dei gravissimi danni provocati dalle radiazioni: Francesco Cossiga. Il grande sardo infatti ha trenta telefonini e non dorme mai senza tenerne uno sotto le coperte. Se rassodano le uova, chissà che effetti avranno in altre parti del corpo, dopo una certa età la speranza è l'ultima a morire.
I bambini non dovrebbero usare i telefonini, il loro cervello è in formazione e se è vero che non ci sono prove che dimostrino danni cerebrali, è vero anche il contrario e gli effetti a medio lungo termine non sono noti. Io uso il cellulare, è un vizio che cercherò di eliminare o almeno di contenere. Quando parlo per due o tre ore durante il giorno, la mattina dopo ho sempre mal di testa. I politici sono i più grandi terminali di radiazioni da cellulare. Quando vedete sui giornali o in televisione un politico con l'espressione da pesce bollito (non sto pensando a Mastella) adesso sapete perché. Ma non tutto il male viene per nuocere. Con due cellulari possiamo sviluppare un effetto Viagra e se finisce il gas ci possiamo sempre scaldare l'acqua per la pasta.
02.07.06 18:45

Lavorare uccide

Quattro lavoratori al giorno moltiplicati per 300 (togliamo qualche giorno festivo) corrispondono più o meno a 1200 lavoratori defunti ogni anno sul luogo di lavoro. Se uno sopravvive al traffico (20 morti al giorno) e arriva sul cantiere non può lamentarsi. Ha comunque aumentato la sua possibilità di sopravvivenza. Ma se viene solo ferito e portato all'ospedale la situazione si fa critica, perché una parte delle infezioni mortali è contratta proprio in ospedale. È una giungla d'asfalto e di virus. Dodici anni fa il governo ha emanato un decreto legge, dlgs 626/94, sulla sicurezza e igiene sul lavoro. È stata creata la figura del Rappresentante dei lavoratori per la sicurezza (Rls). Figura spesso malvista dal datore di lavoro, che pensa ai costi, e talvolta anche dai lavoratori che preferiscono non sottoporsi a norme anche quando dovrebbero farlo. Osservate nei cantieri quanti portano il casco pur avendolo in dotazione. Mancano dei controlli. Le sanzioni sono rare e insufficienti. Manca una cultura della sicurezza e igiene sul luogo di lavoro. Una cultura che andrebbe insegnata a scuola e diffusa dai media con grande importanza.
I morti sul lavoro sono una contraddizione in termini, non dovrebbero esistere. Quattro morti al giorno all'imprenditore tolgono i costi (sulla sicurezza) di torno, ma restano le bare. La scorsa settimana a Pisa un operaio è morto schiacciato sotto tre lastre di vetro, un altro è morto investito da un Tir mentre falciava l'erba sull'autostrada del Brennero, un muratore è morto a Frosinone cadendo da un'impalcatura. Ci sono anche gli infortuni non mortali, che possono però causare danni irreversibili. Sono un milione all'anno, una bella cifra tonda. Facile da ricordare. Capisco che l'Iraq sia importante, che l'Afghanistan sia fondamentale, che il Kossovo sia in agenda. Ma la strage sul lavoro non lo è di più? Ogni anno abbiamo centinaia di Nassiriya senza il corredo di messe cantate e la presenza dei vertici dello Stato. Per essere un morto buono per i titoli dei tg e dei giornali e per i segretari di partito bisogna fare il militare?

È nata un'associazione, la "Rete degli Rls", formata dai Rappresentanti per la sicurezza regionali, per promuovere la sicurezza sul lavoro. È

stato chiesto a Ballarò di affrontare il tema, nessuna risposta. Così pure dai quotidiani nazionali. Questo blog è invece a disposizione per dare quotidianamente informazioni sugli incidenti mortali sul lavoro per ignavia o per profitto.
03.07.06 16:29

Vaselina d'autore

I giornalisti vivono di parole, di quelle che non dicono e di quelle che dicono cambiandone il significato. Il loro punto di osservazione, lo stesso dei principali inserzionisti, trasforma le parole, le rende digeribili, fluide, meglio del confetto Falqui.
I giornalisti temono, con le loro parole, di turbare le persone sensibili, gli equilibri, il mercato. Le usano perciò con delicatezza, le vestono di aggettivi. Parolecamomilla, parole presaperilc..o, ma dolci, che non fanno male. Parole di burro e di vaselina.
Per capire l'animo gentile dei giornalisti, che non vogliono urtarci con la verità, ma qualcosa devono pur scrivere per non occultare il fatto, basta l'analisi di un articolo.

Articolo: *Salta la quotazione di Pirelli Tyre*
Data: sabato 1° luglio 2006
Testata: *La Repubblica*

" La società di via Negri ha preferito non svendere un asset importante del gruppo"
va letto:
" Nessuno si è sentito di comprare le azioni della Pirelli Tyre a un prezzo fuori mercato".

" In Italia si sta elevando la soglia di attenzione verso i collocamenti"
va letto:
" Gli investitori non vogliono più farsi fregare dal tronchetto".

" Un'operazione che avrebbe permesso al gruppo della Bicocca di raccogliere 600 milioni di euro necessari a ripagare l'uscita dei soci

finanziari di Olimpia"
va letto:
" I soldi chiesti alla Borsa non sarebbero stati destinati a maggiori investimenti in Pirelli Tyre, ma a pagare i debiti di un'altra società".

" Le attuali condizioni dei mercati finanziari e, in particolare, l'andamento borsistico dei principali operatori mondiali del settore non permettono di attribuire a Pirelli Tyre una valutazione che rispecchi fedelmente e adeguatamente il valore intrinseco della società"
va letto:
" Non ce l'abbiamo fatta a piazzarvi al prezzo che volevamo le azioni e qualche fregnaccia la dobbiamo pur dire".

Ieri è saltato anche il collocamento in borsa di Tim Brasil e si scrive, pudicamente, che per far fronte al debito,
"Telecom potrebbe abbassare il livello degli investimenti nei prossimi tre anni avendo già effettuato molti ammodernamenti tecnologici"
che va letto:
" col c..o che accetteremo la liberalizzazione dell'ultimo miglio!".
04.07.06 18:44

Un messaggio in bottiglia

L'inquinamento dei fiumi è diventato normale in Italia, piano, piano, anno dopo anno. Una parte dei nostri diritti naturali, quelli che abbiamo per nascita, di godere della natura, ci è stato tolto. Il diritto di fare il bagno in un fiume, giocarci con i nostri figli e magari vedere un gamberetto d'acqua. Senza contrarre malattie infettive, senza puzza, senza rifiuti, senza schiume e senza veleni.
È un nostro diritto c..o! Non ci può essere tolto.
Il fiume fa sempre la solita strada. Le case e le industrie che scaricano nei fiumi stanno ferme. I depuratori inattivi, quando non mancano del tutto, stanno fermi. Il comune, la provincia, la regione, l'Asl, la comunità montana, tutta questa brava gente retribuita sa o può sapere chi inquina. Non è difficile controllare, trovare i responsabili e, se il fiume o il torrente è diventato una fogna, applicare le leggi.

Ma i sindaci sono o non sono responsabili?
Lo scorso anno nella Valle del Sacco 25 vacche sono morte dopo aver bevuto l'acqua del fiume. Il Lambro a Milano scioglie le persone meglio dell'acido. Il Tevere contiene più batteri del Gange. Tutto normale? Nessuno ha visto niente?
Connivenza è la parola magica. Non posso pensare che le amministrazioni comunali non sappiano o non possano sapere. Che le Asl non possano intervenire. Che gli stessi cittadini non siano informati che l'albergo o il vicino di casa sia senza depuratore. Quanti crimini contro i corsi d'acqua vengono compiuti in Italia?
Acqua ne abbiamo sempre meno per il surriscaldamento, ma anche per i furti d'acqua che sono diventati la norma.
Legambiente e il Corpo Forestale dello Stato hanno prodotto un rapporto: "Fiumi e legalità" sulla stato di salute dei fiumi, ma non possono vedere tutto.
Descrivete la storia del vostro fiume, torrente, ruscello inquinato, depredato, cementificato in questo blog e, se proprio volete, riempite una bottiglia d'acqua ed inviatela con l'etichetta di provenienza al ministro dell'Ambiente Pecoraro Scanio, Viale Cristoforo Colombo, 44 - 00147 Roma, per informarlo.
Così, per deprimerci tutti insieme a lui.
05.07.06 22:54

Il prodino biondo che fa girare il mondo

Il dipendente Prodi sta pedalando. È vero non va troppo veloce, non pedala tutti i giorni. Ma qualche decina di metri ogni tanto per la sua età e per la sua coalizione sono comunque un risultato di tutto rispetto. Le categorie colpite sono in rivolta. Sono categorie bisognose di aiuto, che vivono ai margini dell'opinione pubblica e delle mense per i poveri. Notai, avvocati, professionisti e tassisti. La categoria che ne trae i benefici è formata da tutti gli altri cittadini italiani tranne brunettaberlusconistoracealemannounitcontrol'oppressione fiscale, ma la sua voce si sente poco. Capisco che vedere Mussi in balia di robusti tassisti possa far piacere e che possa essere meglio di un film a luci rosse. Però, però... Se non si dà il sostegno al governo una volta che ne fa una giusta...se

non ora quando? Le categorie entrano in agitazione in difesa di interessi corporativi? Bloccano le città e i tribunali? Manager di enorme successo nel far fallire le aziende sbraitano per la tassazione sulle stock option?
E allora, entriamo anche noi in agitazione. Indiciamo il mese senza taxi, il mese senza notaio, il mese senza avvocato. E per i manager che hanno rovinato le aziende i dipendenti applichino la class action. Le aziende sono di chi ci lavora non di chi gioca con le scatolette cinesi. Queste riforme, o meglio riformine, sono solo l'antipasto, devono seguire le altre portate: primo, secondo, frutta, dolce, caffé e ammazzacaffè.
Queste liberalizzazioni colpiscono solo la punta dell'iceberg. Sono quisquilie, pinzillacchere, bruscolini.
Ma in giro c'è fame, voglio anche la riforma della borsa; la liberalizzazione di energia, elettricità, telecomunicazioni; lo sfoltimento dei ranghi della burocrazia; la fine delle rendite bancarie; un tetto agli stipendi dei manager associandoli alla crescita dell'azienda; la fine delle scatole cinesi; la legge sul conflitto di interessi; le nuove frequenze radiotelevisive; la liberalizzazione dell'ultimo miglio.
Le misure del governo hanno un solo difetto, partono dai dettagli, dalle minuzie, fanno venire fame.
Il pranzo deve proseguire, non possiamo fermarci all'aperitivo.
Dipendente Prodi, aspettiamo le altre portate.
06.07.06 17:11

Le volpi nel pollaio

La legge dovrebbe essere semplice, comprensibile. Credo che nessuno sappia il numero di leggi in Italia. Esistono entità giudiziarie dal significato misterioso. È da bambino che sento parlare dei Tar. So che il più importante sta nel Lazio. Più in là non sono mai andato. Il famoso Tar del Lazio. E il Consiglio di Stato esiste veramente? Chi gli può chiedere consiglio, a che proposito? E dopo che ci ha dato il suo consiglio cosa succede? Le persone hanno la minima idea di cosa sono Gip e Tribunale della Libertà? La macchina della giustizia è incomprensibile per il cittadino. La percepisce come un moloch, una minaccia. Il Consiglio Superiore della Magistratura (Csm), che credevo un pensionato per magistrati anziani alla Scalfaro, è invece molto importante: governa l'ordine giudiziario e ne tutela l'autonomia e l'indipendenza. Sulla carta garantisce l'interesse dei cittadini.

Il Csm è composto da 27 persone di cui 8 nominate dal parlamento la scorsa settimana:
- Gianfranco Anedda (An)
- Michele Saponara (Forza Italia)
- Nicola Mancino (Margherita)
- Ugo Bergamo (Udc)
- Vincenzo Siniscalchi (Ds)
- Celestina Tinelli (Ulivo)
- Mauro Volpi (Prc)
- Letizia Vacca (Pdci).

L'elezione è del tutto regolare, a norma di articoli previsti dai padri della Costituzione (che nessun politico ha chiesto di modificare).
Ma a me non va giù che questo possente organo costituzionale che vigila sulla giustizia abbia al suo interno rappresentanti dei partiti. Mi fido poco. E forse è questa la radice dell'immunità parlamentare, di Previti fuori dopo due giorni, dei condannati in Parlamento. Mi sembra una presa per il c..o, come mettere la volpe a guardia del pollaio o Mastella al ministero della Giustizia. Cambiamogli almeno il nome in Consiglio Superiore per il Controllo della Magistratura, così la gente comincerà a capire.
07.07.06 18:50

Il banchetto degli dei

La parola liberalizzazione per il tandem Prodi-Bersani ha la stessa potenza della parola perestrojka usata a suo tempo da Gorbaciov. Rappresenta il nuovo corso che libererà l'Italia da corporazioni e monopoli secolari. Da tutte le corporazioni, da tutti i monopoli. Liberi, libertà, liberalizzazioni. Ci sentiamo tutti più leggeri. Viene voglia di cantare "Volare" sotto la doccia.
Preso da questa ebbrezza mentale ho saputo che la prima corporazione

italiana, quella che non molla mai l'osso, l'Ordine dei parlamentari, ha avviato un'altra liberalizzazione, quella dei presunti mafiosi. La Camera ha bocciato infatti la norma che escludeva dalla commissione Antimafia i parlamentari indagati per mafia. L'emendamento è stato presentato da Orazio Antonio Licandro del Pdci. Solo 21 dipendenti hanno votato a favore, tutti gli altri lo hanno bocciato. Lo hanno fatto in nome della libertà: la loro. In un certo senso sono anche coerenti. Perchè privare la commissione Antimafia dell'esperienza conquistata sul campo dai presunti mafiosi? È un'esperienza presunta, ma è sempre meglio di niente. La competenza non si inventa.
I parlamentari sono una corporazione. Non si può pretendere che si riformino da soli. Il parlamento va liberalizzato. Va istituita una commissione esterna. Proporrei come membri alcuni co.co.co., due impiegati di call-center, qualche operaio, un paio di madri di famiglia e un ragioniere. E poi via con la madre di tutte le liberalizzazioni. Quella del parlamento. Per mandare a casa i condannati in via definitiva, allineare stipendi e indennità a quelli degli altri parlamenti europei, togliere l'immunità parlamentare, eccetera, eccetera.
I condannati in via definitiva aumentano a vista d'occhio. Il buon Travaglio che ha pubblicato in questi giorni il suo nuovo libro: *Onorevoli Wanted* ne ha contati 25, e io che ero rimasto a 20...
08.07.06 19:25

Arcipelago Gulag

Ieri notte Massimo ha lasciato un commento sul blog sulla morte di suo fratello.

"Caro Beppe,
le scrivo per segnalarle ciò che è accaduto a mio fratello Vincenzo detenuto nel carcere di Como e poi ammalatosi e morto in circostanze ancora da chiarire. Mio fratello aveva 35 anni quando fu arrestato a dicembre del 2005 ed era un tossicodipendente, aveva commesso un reato ma era già malato di una grave forma di cirrosi.
Appena entrato a San Vittore fu preso di mira da un gruppo di detenuti che lo picchiò selvaggiamente fino a mandarlo in coma tra l'indifferen-

za delle guardie del carcere. Ricoverato al Policlinico di Milano gli fu asportata la milza e dati 130 punti di sutura. Ma al Policlinico dichiararono la compatibilità con il carcere e fu trasferito a Como.
Qui appena riavutosi fece domanda per entrare in una Comunità per disintossicarsi ed ottenne la disponibilità di un centro di Varese ad accoglierlo ma il giudice di sorveglianza gli negò la comunità. Mio fratello tentò il suicidio allora, ma fu fermato in tempo. Dopo qualche giorno si aggravò malamente per il fegato e per una terribile malattia che si chiama sepsi e pur facendo più volte presente al personale del carcere di stare male, questi non lo ricoverarono finché non lo trovarono in coma senza più quasi segni di vita.

Entrò così al Sant'Anna con una diagnosi di encefalopatia epatica e di uno shock settico che aveva devastato tutti gli organi. I medici ci dissero subito che c'erano poche speranze e mio fratello a soli 36 anni si è spento 3 giorni fa e adesso finalmente la procura di Como ha aperto una inchiesta perché "sospetta" una morte colposa. Vede Grillo, io non so nemmeno se Lei mi leggerà, e so che mio fratello non era meglio di tante vittime della giustizia ed era anche una persona che aveva commesso reati, ma era mio fratello, il mio sangue, e lo hanno lasciato morire nell'indifferenza generale.
Forse perché non era né un politico né un ex regnante, né un manager, ma era solo un ragazzo sfortunato. Se può fare qualcosa le sarei davvero grato".
Massimo De Angelis.

Da chi è stato ucciso Vincenzo? Dai detenuti che lo hanno ridotto in fin di vita? Dal Policlinico di Milano che lo ha dichiarato compatibile con il carcere dopo essere stato massacrato? Dal giudice di sorveglianza che gli ha negato il recupero in comunità? Dal personale del carcere che non lo fece ricoverare? Dalla prigione che trasforma i detenuti (solo quelli poveri) in delinquenti o in relitti? La risposta è nel vento, ma il vento può parlare. In memoria di un ragazzo che ha pagato con la morte i suoi reati.
09.07.06 23:30

Stop au racisme

Il 12 luglio avrà inizio la decima manifestazione dei mondiali antirazzisti presso il parco Enza di Montecchio in provincia di Reggio Emilia. Le squadre partecipanti sono formate da ultras di tutta Europa, che potranno finalmente sfogarsi sul campo, da extracomunitari e da associazioni giovanili europee. Gli organizzatori non hanno trascurato nessun dettaglio e hanno deciso di invitare anche una squadra di calcio francese al torneo. Una squadra rigorosamente di razza bianca e di religione cattolica. Il razzismo francese, si sa, ha ormai superato ogni limite. Ribery, uno dei pochi giocatori bianchi, nato per giunta nel nord della Francia, a Boulogne sur Mer, si è dovuto convertire alla religione musulmana per entrare in squadra. E nonostante questo è stato richiamato in panchina durante la finale.

Lo spettacolo di decine di migliaia di francesi bianchi sugli spalti dello stadio di Berlino con coccarde e bandiere costretti, per vincere, a tifare per una squadra africana è inqualificabile. La mafia afrofrancese ha il controllo della nazionale dopo aver conquistato le banlieue.
I francesi hanno però festeggiato la sconfitta dei loro nuovi padroni. Per non correre rischi lo hanno fatto in privato, nelle loro case e in bistrot chiusi per ferie. Per consentire ai bambini francesi di giocare a calcio, alcune aziende farmaceutiche stanno per mettere in commercio prodotti alla melanina con effetti permanenti.
Ma come sempre c'è chi non si arrende in nome della grandeur. Il ministro degli Interni francese Nicolas Sarkozy, ha infatti proposto di espellere i figli scolarizzati degli immigrati irregolari al termine dell' anno scolastico. E Chirac, che ieri dopo la sconfitta ha esultato in silenzio, ha affermato: "Ottenere la nazionalità francese è un atto fondamentale, e soprattutto un atto che impegna". Impegna soprattutto a vincere in nome della Francia. Basta con il razzismo in Francia. Lo sport va riconsegnato alla razza ariana.
10.07.06 18:24

Manager wanted

Le aziende di Stato sono di proprietà dei cittadini. I manager che le gestiscono devono operare nell'interesse del Paese. Devono essere competenti. Non devono essere stati condannati in via definitiva o avere processi in corso. E ricevere uno stipendio equo per il compito che svolgono. Vi sembra ragionevole quello che ho scritto? Queste persone decidono del nostro futuro. Ferrovie, elettricità, energia, informazione, aerei, lavori pubblici e molto altro.
Chi sono queste persone? Chi le ha messe lì e per quali meriti? Noi guardiamo il dito che punta alla luna e non la luna. Guardiamo il politico e non il manager. Diamo per scontato che debba stare dove sta, senza preoccuparci se è incompetente o ladro. Il suo curriculum ci è spesso ignoto, la sua designazione misteriosa.
Lo scorso anno fu rimosso Mincato dall'Eni, un manager apprezzato a livello internazionale, senza alcuna giustificazione. Al suo posto c'è Scaroni, condannato in via definitiva per corruzione. Alle Ferrovie si è insediato Catania che non sapeva neppure cosa fosse una traversina e che adesso rilascia interviste autocelebrative per aver rilanciato il trasporto ferroviario. Cimoli è un mistero gioioso, per noi, non per lui, con i suoi 190.000 euro al mese e l'Alitalia strafallita. Del Noce, direttore di Rai uno, si ricorda solo per aver spaccato il naso a Staffelli, altro che Zidane, altro che immagine del Paese. Fino ad ora solo un ministro, Di Pietro, ha preso provvedimenti con la cacciata di Pozzi dall'Anas che ha trovato con le casse vuote. Gli altri non sono pervenuti. Eni e Enel macinano utili mostruosi, ma le tariffe aumentano e questo non mi torna. In un regime di monopolio se gli utili aumentano le tariffe devono diminuire.
I manager di Stato sono persone che ci cambiano la vita. Sono molto importanti. Per questo ne farò l'elenco e lo pubblicherò con il loro curriculum, stipendio e condanne o procedimenti (nel caso ci siano) e il ministero di riferimento. Una piccola operazione di trasparenza: "manager wanted".
11.07.06 19:16

Fantozzi è vivo e lotta con noi

Ricevo questa lettera da uno dei tanti schiavi moderni. Lavorava 56 giorni (di otto ore) al mese, belìn. Ma questa è fantascienza, fantalavoro, fantacapitalismo. Quando ho letto la mail non ci volevo credere, pensavo a uno scherzo di Paolo Villaggio. Ho telefonato al ragazzo che ha confermato tutto e mi ha detto di mettere per esteso il suo nome. Se la Lidl vuole scrivere una replica la pubblicherò.

"Mi presento: mi chiamo Emanuele D., sono pugliese, ho 32 anni, laureato in Economia e Commercio e vivo a Bologna da quando ho un anno. Adesso ho un problema: hai mai sentito parlare della Lidl? È una società tedesca che si occupa della grande distribuzione di prodotti quasi esclusivamente alimentari, in Italia è famosa per i suoi discount ma non solo.. A dicembre 2005 vengo contattato dai dirigenti della società per fare un colloquio "di sicuro interesse", così comincia tutto: mi offrono 29000 euro l'anno, automobile aziendale, buoni pasto e tutti i benefits del caso per diventare quello che chiamano il Capo Settore, ossia, un quadro intermedio con le stesse mansioni di un capo area ma responsabile di una area provinciale non regionale. Il 15 dicembre lascio il mio vecchio lavoro "responsabile di reparto" in una catena di distribuzione di elettronica, a tempo indeterminato, ed il 2 gennaio approdo da questi tedeschi! Da quel giorno la mia vita viene stravolta! Tutte le mattine in piedi alle 5.00, la mia giornata inizia con lo scarico di camion pieni di merce, naturalmente da solo e con la forza delle braccia, poi sistemo il banco della frutta, del pane e le vasche della carne ed anche qui sollevo chili e chili di merce. Alle 9 apre il negozio al pubblico e solo allora iniziano ad arrivare i primi dipendenti (naturalmente tutti in formazione, con mille dubbi e domande alle quali devo rispondere io) e fino alle 21 il mio impegno è rivolto ad ogni singola mansione presente all'interno di un supermercato. Ovviamente se ho un po' di tempo mi offrono di andare a pulire il parcheggio scoperto del negozio, perché d'inverno con la neve è difficile per i clienti parcheggiare. Se rimane del tempo posso anche mangiare qualcosa, chiaramente dopo le 15.30 perché a pranzo arriva un altro camion da scaricare. Dopo la chiusura mi occupo di risistemare tutto il negozio (1286 mq) affinché sia perfetto per l'apertura del giorno successivo. Il negozio che mi viene affidato ha anche la fortuna di essere sotto personale a causa del forte turnover e così dopo le 21 sono sempre da solo a lavorare. Se tutto va bene, finisco per le 22.30, se tutto non va bene alle 22.30, quando credo di aver finito la mia giornata, arriva il controllo notturno, ossia un collega che ha il compito di valutare il tuo operato, che non è mai soddisfacente e così te ne rimani fino a notte inoltrata nel tentativo di fare qualcosa di soddisfacente, ricordandoti che il motivo della tua permanenza è solo la tua negligenza.

Ci sono anche le giornate di inventario notturno in cui dalle 5 della mattina si va letto alle 3.30 per ricominciare tutto dopo 1 ora e mezza. Il giorno di riposo che mi spetta in realtà è bene non utilizzarlo per risparmiare qualche nottata lavorativa, la domenica non è il giorno di Dio, ma il giorno di chiusura della filiale e non si va a messa ma si approfitta dell'assenza dei clienti per fare altri inventari o rifacimenti.
In questo frangente mi capita un lutto in famiglia, per il quale mi spettano 5 giorni visto il viaggio a Brindisi che devo fare, ma i miei superiori hanno pensato che 3 giorni potessero essere più che sufficienti e al mio ritorno mi accusano di aver abbandonato il posto di lavoro senza essermi assicurato che tutto fosse programmato e "a posto" per i 3 giorni successivi.
Mi capita anche un infortunio, e devo chiedere il permesso di assentarmi dal negozio per andare al pronto soccorso a mettere qualche punto alla mia mano, permesso che mi viene accordato dopo 2 ore e, al mio ritorno dall'infortunio, vengo accusato di aver abbandonato il posto di lavoro senza essermi assicurato che tutto fosse programmato e "a posto" per tutto il periodo di degenza.
Questa non è solo la mia esperienza, infatti abbiamo iniziato la formazione in 83 in tutta Italia (13 in Emilia Romagna) ed a oggi ci sono solo 24 persone (3, me compreso in Emilia Romagna)che continuano ad aver la forza di fare tutto questo ogni mattina.
I costi dei prodotti riescono ad essere contenuti perché l'azienda non è disposta a pagare straordinari (perché se lavori di più è solo per colpa tua), festività non godute (perché sei in formazione e più lavori più impari)..
La loro politica è quella del terrore, i dipendenti devono essere impauriti in modo da evitare ogni genere di rivendicazione o richiesta, infatti

i sindacati non riescono ad avere una rappresentanza all'interno dei punti vendita. Cercando in Internet ho scoperto decine di testimonianze vicine alle mie, ed addirittura è stato pubblicato un libro "nero" lo Schwarzbuch, del quale è possibile trovare notizia anche su WIKIPEDIA, che racconta gli innumerevoli soprusi della Lidl nei confronti dei propri dipendenti. Io all'ennesimo insulto ingiustificato, stanco di ricevere chiamate ad ogni ora del giorno, di non avere nemmeno il tempo per recuperare le mie energie, a quattro giorni dal termine del fatidico periodo di prova, ho provato a contestare i loro comportamenti e così sono stato obbligato a presentare la lettera di dimissioni, cosa che sono riuscito a non fare solo grazie all'aiuto di chi ha vissuto con me questi orribili mesi, e che mi ha permesso di non cadere sotto i loro colpi.
Sono in malattia da quel giorno, ho bisogno di ritrovare l'equilibrio che loro mi hanno tolto, e sto affrontando la situazione con l'appoggio di un sindacato, che mi aiuta anche a contestare qualcosa che non mi aspettavo, il licenziamento arrivatomi via telegramma durante la malattia.
La loro politica va al di fuori di ogni logica di mercato, sfruttano le persone fino all'esaurimento e poi le buttano via, tanto per contratti così appetitosi trovano qualche altro ragazzo che pensa finalmente di poter costruire qualcosa per il suo futuro.
Quello che ora sto cercando è sicuramente di riprendermi da questa esperienza, ma vorrei far conoscere alla gente, ovviamente contenta di aver trovato il risparmio sotto casa, da dove questo risparmio viene; non cuciamo i palloni e siamo tutti maggiorenni, ma sopportiamo soprusi e condizioni di lavoro non certo degni di un paese che ha la pretesa di far parte dell'unione europea (il monte ore mensile, 16 ore al giorno per 28 giorni, è di 448 per una base oraria di 3,48 euro, con un contratto da 42 ore settimanali elastiche e l'inquadramento da quadro).
Vorrei scrivere un milione di altre cose, far parlare insieme con me decine di colleghi costretti alle situazioni più impensabili, ma spero almeno di aver aperto una strada per riuscire a far conoscere tutto questo, in modo che nessuno più si trovi nelle condizioni di dover sposare la società per cui lavora e doverLe riconoscere anche i "doveri coniugali".. passivi chiaramente..
Grazie per l'impegno che metti in quello che fai, per tutti."

Emanuele
12.07.06 15:21

Materazzi santo subito!

Gli attributi di Materazzi sono italiani. I francesi vogliono appropriarsene dopo la Gioconda ed esibirli al Louvre. La subdola conferenza stampa tenuta ieri da Zidane, acclamato eroe nazionale per aver difeso l'onore delle sue donne, è stata in realtà una pietosa messa in scena per privare l'Italia di un poderoso paio di palle. Le false dichiarazioni attribuite alla madre di Zizou (datemi le sue palle su un piatto) e riportate dal quotidiano inglese *The Mirror* sono veline dei servizi segreti francesi. Chirac vuole una Francia forte e virile. La sconfitta ai mondiali deve essere vendicata. Blatter, che ha pianto con Zidane negli spogliatoi francesi e non è riuscito per questo a partecipare alla premiazione, ha deciso di introdurre il calcio d'onore quando gioca la Francia. Una moviola labiale consentirà di sentire gli insulti rivolti a mamme, sorelle, mogli, figlie e zie dei francesi. Per ogni "figlio di p..a" o "quella z..la di tua moglie" saranno previste punizioni corporali del colpevole sul campo che potranno arrivare fino alla castrazione chimica. Uno spettacolo nello spettacolo. Per ogni insulto alle donne francesi saranno inoltre assegnati tre rigori alla Francia. Chirac vorrebbe anche reintrodurre la ghigliottina.
Zidane, che è stato premiato miglior giocatore del torneo prima che si giocasse la finale, verrà proposto al settimanale Time come "vero uomo dell'anno" e ambasciatore permanente dell'Unicef come esempio per i bambini di tutto il mondo.
Molti illustri italiani stanno correndo ai ripari per limitare la figuraccia internazionale. Esponenti politici e della cultura hanno deplorato la provocazione di Materazzi pur non avendo la minima idea di quello che ha realmente detto, e hanno scusato l'incornata di Zidane. Cossiga ha presentato le sue scuse al presidente dell'Algeria facendo forse un po' di confusione con la Francia. Dicono che abbia anche offerto ciò che ha di più prezioso a Chirac per compensazione. Un gesto da patriota. E che Chirac abbia però rifiutato. Allez les bleus!
13.07.06 18:27

Guantanamo, Italia: le interviste

Chi sbaglia (e non ha il colletto bianco) paga. Per tutti.
Sembra questa la morale della triste storia di corso Buenos Aires, Milano. Vi ricordate dei 25 ragazzi arrestati dopo i disordini dell'undici marzo, scoppiati in reazione a una manifestazione fascista? Li avevamo lasciati dietro le sbarre di San Vittore. Sono ancora lì, da oltre quattro mesi. Presunti colpevoli in attesa di giudizio.
Mercoledì prossimo è attesa la sentenza. Il pubblico ministero ha chiesto pene esemplari: cinque anni e otto mesi di reclusione per gli incensurati, che diventano sei per due ragazzi con precedenti. E per fortuna nel rito abbreviato le pene si riducono di un terzo! Le accuse formano una antologia del codice penale: concorso morale e materiale in devastazione e incendio, resistenza e violenza a pubblico ufficiale, adunata sediziosa, lesioni, porto abusivo di armi improprie. La fregatura s'annida in quel "concorso morale": prove precise che dimostrino le responsabilità dei singoli, necessarie in uno Stato di diritto, non ce ne sono, ripetono da mesi gli avvocati. Che hanno chiesto l'assoluzione degli imputati (tranne un paio che hanno preferito patteggiare), dopo aver chiesto invano gli arresti domiciliari, negati per il rischio di fuga e di reiterazione del reato (!), forse temevano che incendiassero il divano in salotto. Per completare il quadro, le parti civili, Comune di Milano e Ministeri della Difesa e dell'Interno, hanno chiesto circa 290mila euro come risarcimento danni. In questi video, a cura di Piero Ricca, un'intervista all'avvocato Mirko Mazzali che difende la maggior parte degli imputati e all'insegnante Tiziana Ferrario, che spiega come a uno dei reclusi, Riccardo, 19 anni, ora in cella con un rapinatore dopo alcune settimane di isolamento, non sia stato permesso di provare a concludere regolarmente l'anno scolastico. Per onorare fino in fondo il principio della finalità rieducativa della pena, naturalmente. Riflettevo: se uno dei nostri figli si trovasse in una manifestazione, se fosse arrestato senza aver compiuto alcun reato se non quello di protestare, se fosse detenuto per mesi senza processo in isolamento, se non potesse neppure studiare, noi, padri, madri, cosa dovremmo pensare? Che l'Italia non è uno Stato di diritto? Che in Italia la legge è uguale solo per Previti?
14.07.06 17:00

Religioni, guerra e petrolio

Non mi interessa sapere chi ha torto o ragione: gli hezbollah, i palestinesi o gli israeliani. In Medio Oriente si sta consumando una miccia da decine di anni, una miccia che potrebbe far saltare una polveriera. Una terza guerra mondiale. Si dice che Israele abbia le atomiche, forse 100, puntate sui Paesi arabi. Se venisse messa in pericolo la sua esistenza non esiterebbe ad usarle. L'Iran avrà, o forse ha già, l'atomica. Chi controlla il Golfo Persico controlla i flussi di petrolio e l'economia mondiale. La Cina ha un disperato bisogno di petrolio per sostenere il suo sviluppo. La Cina ha un atteggiamento benevolo verso l'Iran che è accusato di armare il gruppo degli hezbollah in Libano insieme alla Siria.
Nel frattempo Israele distrugge la sede del governo palestinese e prende in ostaggio un po' di ministri, bombarda Beirut e impone il blocco aeronavale.
E l'Italia è qui, in mezzo al mare, portaerei americana sempre più armata, come sta avvenendo a Vicenza. Io sono preoccupato, e voi?
Se c'è una situazione in cui l'Onu deve intervenire è questa. Vanno create zone cuscinetto tra Palestina, Libano, Siria e Israele presidiate dai caschi blu. Israele avrà tutte le ragioni a sentirsi in pericolo, ma se ogni nazione bombardasse un paio di Stati confinanti il mondo precipiterebbe nella barbarie. Accetto che Israele sia più a rischio di altri, l'Olocausto e tutto il resto. Ma ora il problema è mondiale, siamo tutti in pericolo. Credo che sia necessaria una nuova Conferenza per la pace in Medio Oriente per trovare una soluzione. Stare a guardare è troppo pericoloso.
15.07.06 19:30

I G8 nel deserto del Gobi

I G8 mi ricordano le foto di famiglia di una volta.
Grandi tavolate, sorrisi, fotografie di gruppo su due file, dichiarazioni, strette di mano per i fotografi.
Le nazioni del G8 rappresentano il 65% dell'economia mondiale. Si può

tranquillamente affermare che siano responsabili, almeno in parte, del surriscaldamento globale, della morte dell'Africa, delle disuguaglianze economiche, di un numero imprecisato di guerre e guerriglie e di ingerenze negli affari di altri Stati. Sia ben chiaro: il tutto (quasi sempre) in modo indiretto, tramite le leve economiche, le pressioni diplomatiche, i media. Pulito, bianco che più bianco non si può.
Nel palazzo di Konstatinovskij, residenza estiva degli zar di San Pietroburgo, si è pasteggiato con caviale Beluga, zefiro di aragostine e fragole al pepe nero. Nel frattempo si è amabilmente conversato di energia, clima, povertà e fame nel mondo in un'atmosfera di serenità e di pace. La città è sotto il controllo di 200.000 soldati. Un gruppo di manifestanti contrari al G8 è stato ospitato da Putin nel grande stadio Kirov, fuori città, circondato da boschi secolari e dalla polizia militare. Barboni e senzatetto sono scomparsi da San Pietroburgo e inviati in Siberia in treni piombati ripristinati per l'occasione. Bush non ha mancato di dire una fregnaccia citando l'Iraq come esempio di libertà di stampa e di libertà religiosa, Putin ha replicato con una controfregnaccia specificando che in Russia non vogliono il tipo di democrazia che c'è in Iraq. Lui la democrazia la preferisce alla cecena. I capi di Stato si sono presentati tutti con la consorte, tranne l'unico vero uomo presente, Angela Merkel, che indossava la pelliccia dell'orso Bruno donatale dalla municipalità di Monaco.
I G8 sono sempre più a rischio di partecipazione democratica. La gente presa dall'entusiasmo vuol dire la sua. Il futuro si annuncia perciò difficile per i prossimi incontri. Non sempre si hanno a disposizione Putin, la Santa Madre Russia e l'esercito post sovietico schierato per le strade. I summit potrebbero tenersi nelle Fosse delle Marianne in un grande batiscafo, nel deserto dei Gobi travestiti da cammellieri o sulle cime dell'Himalaya in tende ad ossigeno. Luoghi riservati per persone che discutono in modo riservato dei problemi del mondo. Senza condizionamenti. In privato.
16.07.06 18:59

I Magnifici Ottantadue

Marco Travaglio mi ha inviato una lettera di aggiornamento sulla contabilità dei condannati in Parlamento.

" Caro Beppe, sei rimasto indietro. Nella campagna "Parlamento pulito", intendo. Dopo tre mesi passati insieme a Peter Gomez ad analizzare i precedenti penali dei 900 e passa dipendenti appena eletti nel nuovo Parlamento per il nostro nuovo libro appena pubblicato da Editori Riuniti, *Onorevoli Wanted,* sono lieto di comunicarti che i pregiudicati hanno di nuovo raggiunto quota 25, eguagliando il record della passata legislatura. Considerando poi le altre categorie dei "diversamente onesti", e cioè quelle degli indagati, degli imputati, dei condannati in primo o secondo grado, dei miracolati dalla prescrizione o dalle varie leggi-canaglia, siamo arrivati a 82: quasi il 10 per cento dell'intero Parlamento, una percentuale che nemmeno nei quartieri dello Zen di Palermo o di Scampia e Secondigliano a Napoli. Per l'esattezza: 25 condannati definitivi (compresi quelli che hanno patteggiato la pena), 10 prescritti, 8 condannati in primo grado, 17 imputati in primo grado, 19 indagati, 1 imputato in udienza preliminare, 1 prosciolto per immunità parlamentare, 1 colpevole assolto per legge. L'hit parade dei partiti vede al primo posto Forza Italia (con 29 diversamente onesti), seguita da Alleanza Nazionale (14), Udc (10), Lega Nord (8), Movimento per l'autonomia (1), Dc (1), Psi (1), Gruppo Misto (1: Andreotti). In tutto, il centrodestra è a quota 65. Il centrosinistra insegue a quota 17, ma ce la sta mettendo tutta:
Margherita (6), Ds (6), Udeur (2), Rifondazione Comunista (2), Rosa nel pugno (1).
Interessante anche la classifica dei reati preferiti dai nostri dipendenti in Parlamento: 18 casi di corruzione; 16 di finanziamento illecito; 10 di truffa; 9 di abuso d'ufficio e di falso; 8 di associazione mafiosa; 7 di bancarotta fraudolenta e turbativa d'asta; 6 di associazione per delinquere, resistenza a pubblico ufficiale e falso in bilancio; 5 di attentato alla Costituzione, attentato all'unità dello Stato e formazione di struttura paramilitare fuorilegge; 4 di favoreggiamento, concussione e frode fiscale; 3 di diffamazione, abuso edilizio e lesioni personali; 2 di banda armata, corruzione giudiziaria, peculato, estorsione, rivelazione di segreti; 1 di omicidio, associazione sovversiva, istigazione a delinquere, favoreggiamento mafioso, aggiotaggio, percosse, violenza a corpo politico, incendio aggravato, calunnia, falsa testimonianza, voto di scambio, appropriazione indebita, violazione della privacy, oltraggio, fabbrica-

zione di esplosivi, violazione diritti d'autore, frode in pubblico concorso e adulterazione di vini.
Le storie e le sentenze dei nostri Magnifici Ottantadue (più i miracolati dal caso Parmalat: vedrai quante sorprese, di destra ma soprattutto di sinistra!) le trovi nel libro. Concludo con l'elenco dei 25 condannati definitivi, perché tu possa aggiornare la contabilità:
1. Berruti Massimo Maria (FI): favoreggiamento.
2. Biondi Alfredo (FI): evasione fiscale (reato poi depenalizzato).
3. Bonsignore Vito (Udc): corruzione.
4. Borghezio Mario (Lega Nord): incendio aggravato.
5. Bossi Umberto (Lega Nord): finanziamento illecito e istigazione a delinquere.
6. Cantoni Giampiero (FI): corruzione e bancarotta.
7. Carra Enzo (Margherita): falsa testimonianza.
8. Cirino Pomicino Paolo (Dc): corruzione e finanziamento illecito.
9. De Angelis Marcello (An): banda armata e associazione sovversiva.
10. D'Elia Sergio (Rosa nel pugno): banda armata e concorso in omicidio.
11. Dell'Utri Marcello (FI): false fatture, falso in bilancio e frode fiscale.
12. Del Pennino Antonio (FI): finanziamento illecito.
13. De Michelis Gianni (Psi): corruzione e finanziamento illecito.
14. Farina Daniele (Prc): fabbricazione, detenzione e porto abusivo di ordigni esplosivi, resistenza a pubblico ufficiale, lesioni personali gravi e inosservanza degli ordini dell'autorità.
15. Jannuzzi Lino (FI): diffamazione aggravata.
16. La Malfa Giorgio (FI): finanziamento illecito.
17. Maroni Roberto (Lega Nord): resistenza a pubblico ufficiale.
18. Mauro Giovanni (FI): diffamazione aggravata.
19. Nania Domenico (An): lesioni volontarie personali.
20. Patriciello Aldo (Udc): finanziamento illecito.
21. Previti Cesare (FI): corruzione giudiziaria.
22. Sterpa Egidio (FI): finanziamento illecito.
23. Tomassini Antonio (FI): falso in atto pubblico.
24. Visco Vincenzo (Ds): abuso edilizio.
25. Vito Alfredo (FI): corruzione".

Marco Travaglio
17.07.06 19:49

L'Eni risponde al blog

L'Eni risponde al post *Manager Wanted.*

"Egregio signor Grillo,
torno a scriverle per precisare le informazioni contenute nel suo blog dell'11 luglio 2006 relativamente a Eni.
In assenza di nuove infrastrutture come i rigassificatori, capaci di allargare l'orizzonte dei fornitori e di abbassare di conseguenza il prezzo del gas, l'Italia, che produce poco più del 10% del gas che consuma, si trova costretta a dipendere quasi esclusivamente dalle importazioni estere.
Desidero ricordare che due soli paesi, la Russia e l'Algeria, forniscono all'Italia quasi il 70% del suo fabbisogno di gas.
L'accezione di monopolista non può certo essere rivolta a chi questo gas lo compra. D'altra parte tutte le principali aziende operanti sul mercato italiano potrebbero farlo. È da capire quali vantaggi ricadano poi sul consumatore finale.
In aggiunta a ciò, il Decreto Legislativo 23 maggio 2000 n. 164 - meglio conosciuto come Decreto Letta - ha stabilito, tra le altre cose, l'imposizione fino al 31 dicembre 2010 di limiti dimensionali agli operatori, dettando in altre parole le norme per la liberalizzazione del mercato interno del gas naturale con un forte impatto sull'operatività di Eni: con i tetti imposti alla nostra compagnia si è creata in Italia una posizione dell'attore dominante certamente minore di quella che hanno gli ex monopolisti di altri paesi europei.
Da ultimo, il prezzo del gas ai consumatori non viene fissato dalle compagnie, bensì dalla preposta Autorità per l'Energia Elettrica ed il Gas con la volontà di tutelare il più possibile gli utenti finali. Il prezzo del gas, oltre a essere strettamente collegato a quello del petrolio, subisce inoltre un notevole carico fiscale: senza le imposte, il prezzo del gas in Italia, relativamente al gennaio di quest'anno, sarebbe stato pari a 373 euro per 1.000 metri cubi, contro una media europea di 433 euro (459 per Germania, 418 per Spagna e 399 per Francia). Con le imposte, però, si è arrivati a 651 euro per 1.000 metri cubi in Italia, a 600 euro in Germania, 485 in Spagna e 471 in Francia (543 euro la media europea).
Secondo la recente indagine di Eurostat, in Italia tra gennaio 2005 e

gennaio 2006 il prezzo del gas è aumentato del 15,2% per l'impresa e del 7,6% per la famiglia, a fronte di una media Ue che vede un aumento del 33% per le imprese e del 16% per le famiglie. In termini assoluti, il prezzo del gas per gigajoule in Italia per l'impresa è il decimo più elevato: 7,65 euro contro 11,58 in Germania, 8,27 in Francia, 7,24 in Spagna, dove ci sono molti rigassificatori (media Ue 8,20 euro); per le famiglie il prezzo è di 16,50 euro (il quarto più elevato) contro 15,98 euro in Germania, 12,72 in Francia e 13,63 in Spagna. Da notare che nel caso delle famiglie, il prezzo si dimostra più alto della media perché l'Italia è seconda in Europa come incidenza fiscale sul prezzo del gas.
Certo che vorrà riportare ai suoi lettori questi nostri concetti, la saluto".

Gianni Di Giovanni, Responsabile Comunicazione Esterna Eni
18.07.06 12:20

Ménage à trois

Banche, imprese e media. Il terno al lotto italiano. Le banche possiedono le imprese o più spesso i loro debiti. E quando sono troppi li trasformano in bond per gli affezionati clienti. Banche e imprese possiedono i media che ne esaltano le virtù. I grandi editori italiani si chiamano Tronchetti, Benetton, De Benedetti, Berlusconi, Luca Cordero. Figure emergenti dell'imprenditoreditorbancario. Individui dai super poteri. Onnipresenti nei consigli di amministrazione. In prima persona o, come ventriloqui, con i consiglieri indipendenti.
Una matassa senza bandoli, nella quale ci sta tutto e il contrario di tutto. Gestita da una oligarchia che ha i debiti in azienda e i profitti sul proprio conto corrente. I media non possono giudicare le imprese e le banche che li possiedono, le banche non hanno alcun interesse a far fallire aziende partecipate e già fallite, le imprese in difficoltà usano le banche per trasferire il debito e i media per non fare emergere il collasso. Un triangolo delle Bermude, un'associazione di interessi, un buco nero in cui il cittadino scompare, l'azionista scompare, il lettore scompare. In piedi, solidamente ancorate al potere politico, rimangono sempre le banche. Le imprese, una dopo l'altra, vengono depredate. I media vivono di sussistenza statale, con le nostre tasse, e di pubblicità.

C'è qualcosa di morboso, di malato, di film a luci rosse per manager sadomaso in questi legami. Perchè la banca non deve fare solo la banca, il giornale solo il giornale, l'impresa solo l'impresa? Perchè al posto di un'economia ci deve essere un sistema? Forse perché non c'è più un'economia?
Prodi ha colpito i tassisti che hanno colpito i giornalisti. Bersani ha pareggiato e gli italiani hanno perso. Se Prodi dovesse colpire i poteri forti cosa succederà? Perderà 10 a 0? Se imporrà una divisione netta tra informazione, finanza e impresa quanto durerà il suo governo? Una settimana? Ma se non lo farà quanto durerà l'Italia?
19.07.06 17:10

Il mercato degli indulti

L'indulto è il tema del giorno. I giornali ne parlano poco e malvolentieri, nonostante possa farci tornare alle urne a primavera.
Il governo lo vuole estendere ai reati più in voga tra i parlamentari: la corruzione, le tangenti, il falso in bilancio. Si è opposto il solo Di Pietro che ha detto che darà le dimissioni da Ministro se passerà questa inciuciata con la Casa circondariale delle libertà.

L'Italia è piena di emergenze, ma i nostri dipendenti hanno le loro. Quando scappa, scappa. E un bel indulto è sempre meglio che finire in galera. Questa legge, così hanno dichiarato le anime belle e pie del governo, serve per liberare le carceri. Può darsi. Ma serve anche a non farle occupare. E mondare Previti dai suoi peccati, così potrà raggiungere i suoi colleghi in Parlamento e deliberare delle belle leggi sulla giustizia. Come sembra lontano il 9 aprile. Il mercato degli indulti è aperto, continuazione ideale del mercato delle indulgenze della Chiesa di una volta. Per redimersi dai peccati basta un'indultino, in cambio si potrà poi votare tutti insieme per delle leggi ad cdlulivum. Se passerà questo indulto, con Di Pietro dimissionario, Prodi sarà trasformato in zombi con Letta e Casini a dettargli i compiti. Tutto è libero o liberalizzabile in Italia, tranne i cittadini.
20.07.06 20:20

Più Stato e meno mercato delle vacche

Il Ministro dipendente Tommaso Padoa Schioppa ha detto: "Se un'impresa resta pubblica e dà lauti dividendi, ma poi ci fa pagare più care le tariffe, può giovare ai conti dello Stato, ma non allo sviluppo dell'economia".

Caro dipendente hai ragione, ti esprimi meglio di Catalano. Se l'Eni e l'Enel producono profitti in regime di monopolio (un po' come rubare le caramelle ad un bambino) dovrebbero reinvestirli (ad esempio nelle energie rinnovabili) e non distribuirli come profitti agli azionisti, tra cui c'è lo Stato.

Tommaso Catalano Schioppa ci dice anche che privatizzando, ma solo un po', Poste e Ferrovie, c'è il rischio Opa. In parole povere vuol dire che il controllo può passare ai privati. Una tronchettata insomma. In cui il monopolio da pubblico diventa privato e il buco, non solo quello di bilancio, si allarga con la benedizione delle banche che prestano i soldi per l'acquisto a debito. Nascono così i celebri monopoli privati autostradebenetton e telecomtronchetti.

I servizi primari: energia, trasporti, comunicazioni sono dello Stato perché costruiti nei decenni dalle nostre tasse, da quelle dei nostri padri, nonni e bisnonni. Non si vendono e non si regalano. Non sono del governo, del parlamento, o di ogni singolo nostro dipendente che sta a Roma. Lo Stato siamo noi, quei servizi sono nostri e i profitti devono essere reinvestiti per migliorarli.

È così difficile dirlo? È una cosa troppo indecente per i nostri economisti a tempo pieno? Più Stato e meno mercato delle vacche. La dorsale di Telecom va statalizzata. Le autostrade (cosa c'entrano con il mercato? Il percorso autostradale non si può scegliere) vanno restituite allo Stato. Tutti sono capaci di fare gli economisti con il c..o degli italiani.
21.07.06 23:58

Chi tocca il Radar muore

E così Adamo Bove, 43 anni, il responsabile del sistema Radar di Telecom Italia, si è buttato, o lo hanno buttato, o lo hanno costretto a buttarsi da un ponte a Napoli. Un volo di 40 metri che non poteva lasciare scampo.

Il sistema Radar è al centro di un'inchiesta per associazione a delinquere finalizzata alla rivelazione di notizie riservate da parte della Procura di Milano.

Adamo Bove, responsabile della security governance di Telecom, non era indagato. Bove ha collaborato con la procura di Milano per il rapimento dell'Iman Abu Omar e ha contribuito a mettere sotto controllo Mancini del Sismi ed il generale Pignero.

La prossima settimana era previsto un suo incontro con i pubblici ministeri milanesi sulle intercettazioni e le possibili schedature degli utenti Telecom.
Lo stesso Garante della privacy ha evidenziato "la scarsa sicurezza dei dati sul traffico cellulare".
Da Telecom è stato allontanato alcune settimane fa Tavaroli, ex responsabile della sicurezza di Telecom e di Pirelli, indagato dalla procura di Milano per associazione a delinquere finalizzata alla violazione del segreto istruttorio.

Si dice, ma nessuno può provarlo, che esistano dei fascicoli di persone potenti ma ricattabili.
Si dice, ma nessuno può provarlo, che ci sia dentro mezza Italia che conta. Una metà intercettata, l'altra metà intercettatrice. Credo che sia opportuna, e subito, una commissione parlamentare d'inchiesta che verifichi i legami tra il Sismi e la Telecom, che acquisisca, se esistono, i fascicoli delle intercettazioni e che operi in totale trasparenza verso il Paese. Prodi, se ci sei, batti un colpo.

Per evitare qualunque dubbio, tengo comunque a precisare che sono

in buona salute, non soffro di depressione e che il pensiero del suicidio non mi ha mai sfiorato.
22.07.06 23:25

Una lettera del ministro Di Pietro

Pubblico questa lettera del ministro Antonio Di Pietro.

"Caro Beppe,
a pochi mesi dalle elezioni ho deciso di scriverti una lettera che spero tu possa pubblicare sul blog. Domani Unione e Cdl voteranno a favore di una legge, quella sull'indulto, che non era prevista nel programma dell'Unione e che io ritengo del tutto estranea alla volontà degli elettori del centrosinistra. Questa legge, nata per liberare le carceri, è stata estesa ai reati di falso in bilancio, corruzione, reati fiscali e finanziari anche nei confronti della Pubblica Amministrazione.

Neppure il governo Berlusconi era arrivato a tanto. È un colpo di spugna che viene effettuato nel pieno del periodo estivo. Un atto gravissimo del quale è riportata un'informazione parziale, e spesso strumentale, da parte di giornali e televisioni. Il tuo blog, forse, può darne una diffusione maggiore e soprattutto libera.

Sono profondamente contrario al fatto che l'accordo per l'approvazione dell'indulto si basi su uno scambio politico con Forza Italia, in quanto prevede l'inclusione di reati per i quali vi sono processi e condanne di esponenti, anche di primo piano, della Casa delle Libertà. Se l'indulto passasse così com'è, tutti i fatti di mala amministrazione e di mala attività imprenditoriale, rimarrebbero impuniti. Si tratta di persone colpevoli di reati come tangentopoli, calciopoli, bancopoli. Persone che hanno occupato le indagini delle magistrature e le prime pagine dei giornali in questi ultimi anni.

Io ho scritto ai leader dei partiti dell'Unione per un vertice in cui discutere dell'indulto. Non ho avuto risposta. Nel Consiglio dei ministri dello scorso venerdì ho sottolineato la gravità di questa legge, contraria agli interessi dei cittadini, ma utile alle consorterie dei partiti.

Ho minacciato le dimissioni da ministro nella più totale indifferenza dei colleghi. L'Idv è il quarto partito della coalizione con 25 rappresentanti tra Camera e Senato. La sua uscita dalla coalizione può far cadere il Governo, ma io non mi sento di ritornare alle urne e, forse, di riconsegnare il Paese a Berlusconi.

L'Unione ha posto il veto sui nostri emendamenti per l'esclusione dei reati finanziari, societari e di corruzione dall'indulto. Lunedì e martedì prossimo l'Italia dei Valori farà tutto quello che è in suo potere per rallentare l'approvazione della legge sull'indulto attraverso una serie di emendamenti. L'Italia merita altri politici, altri governi. Non deve essere costretta a scegliere tra il peggio e il meno peggio, come tu spesso dici.

L'Italia dei Valori, da sola non può cambiare, questo Paese. Gli italiani devono fare sentire e forte la loro voce, in tutti i modi legittimi possibili, per evitare un ennesimo passo indietro della democrazia".

Antonio Di Pietro
23.07.06 21:48

Compagni che sbagliano

Certo, hanno fatto male i tassisti a malmenare qualche giornalista. Vanno condannati, come faccio io dal più profondo del cuore. Però, però... Una piccola punta di piacere, piccola, piccola, lo confesso, l'ho provata.

La categoria dei giornalisti, degli editori, dei manager giornalisti, dei direttori di giornale, tutti, o quasi, pagati con soldi pubblici non mi piace. Quando deve prendere posizione la prende sempre a favore di chi la paga, degli interessi dei suoi editori e la compagnia di giro delle presunte grandi firme è sempre quella. Nei giorni scorsi Tronchetti, Della Valle, Montezemolo e altri hanno rimosso Colao dalla direzione di Rcs, Colao era, per capirci, il capo di Mieli, direttore del Corriere. Nuova linea editorialindustriale dalla mattina alla sera, nessuno apre bocca.

I lettori in questo gioco non servono, il gruppo di controllo del Corriere (il salotto marcio) fa il bello e il cattivo tempo. Il Corriere deve fallire, deve chiudere. Così com'è adesso è solo uno strumento di potere economico finanziario gestito da interessi privati.

E gli altri giornali? Quelli della grande sinistra con un passato glorioso e un futuro da capitalisti? Quelli se è possibile sono ancora peggio. Il capitalismo non nasconde i suoi appetiti. È quello che appare. Non pretende primati morali, né di rieducarci come avviene per Rifondazione Comunista, l'amica di Previti. Il cui giornale, Liberazione, che senza le nostre tasse non potrebbe esistere, per bocca di Rina Gagliardi ha condannato senza appello la posizione di Antonio Di Pietro, giudicato "la vera mina vagante dell'Unione".

Infatti Di Pietro è l'unico nell'Unione che non vuole l'indulto per i corrotti e per i delinquenti finanziari. Ma questa non è la posizione ufficiale di Rifondazione Comunista e allora va attaccato. E l'Unità non dice nulla, fa il pesce in barile. Se questa è l'informazione di sinistra, preferisco Emilio Fede.
24.07.06 17:56

Chi evade le tasse è tre volte ladro

Chi evade le tasse è tre volte ladro.
La prima volta perché sottrae risorse alla comunità in cui vive. Risorse che non potranno essere destinate a scuole, ospedali, strade. La seconda perché altri cittadini devono pagare di più a causa sua. La terza perché comunque il triladro usa le strutture del Paese a sbafo.
Evadere le tasse è come rapinare, anzi meglio, è una rapina senza rischio: al posto del palo ci sono i politici.
Pubblico una lettera sull'argomento.

"Caro Beppe,
sono anche io un ligure (trapiantato per lavoro a Milano, ma o prima o

poi tornerò). Ho un argomento molto di moda ma che in realtà nessuno affronta mai seriamente: l'evasione fiscale, che è il primo problema del nostro Paese.

Tutti i governi lo mettono all'ordine del giorno ma, destra o sinistra non importa, e' la solita presa in giro.
Infatti risolvere l'evasione fiscale significherebbe perdere immediatamente tutti i voti di intere categorie.

E mi spiace scrivere i soliti luoghi comuni, ma in Italia le tasse vengono pagate solo dai dipendenti.
Come e' possibile che i 2/3 dichiarino da 6.000 a 15.000 Euro all'anno?
Come e' possibile che ci sono solo 50.000 persone che dichiarano più di 200.000 Euro all'anno?
E solo 150.000 persone dichiarano tra 100.000 e 200.000 Euro all'anno?
Conta solo i notai, i dentisti, i farmacisti gli oculisti e gli avvocati e i concessionari di auto che sicuramente guadagnano queste cifre: sono sicuramente più di tutti i contribuenti citati sopra.
E infatti nell'ultimo anno sono state vendute in Italia più di 100.000 auto di lusso e ci sono 70.000 panfili di più di 17 metri.

Io sono dipendente di una multinazionale e non mi lamento per nulla di quello che guadagno, anzi ritengo di avere un ottimo stipendio, sono nella categoria tra 100.000 e 200.000, ma sentendo queste statistiche mi dovrei sentire uno dei pochi ricchi italiani, e invece sono uno qualsiasi e ci sono sicuramente tantissime persone che guadagnano molto più di me e non pagano nulla (e si vede anche dalle auto, dalle case e dal tenore di vita che mantengono).

E lasciami aggiungere che la lotta all'evasione non è impossibile come ci vogliono fare credere, ma e' semplicissima, basterebbe che la Guardia di Finanza vada a controllare tutti quelli che dichiarano tra 6.000 e 10.000 euro all'anno, e questi o sono tutti ospiti di ostelli pubblici e mangiano alla mensa della Caritas o, a seconda della casa in cui vivono e dell'auto con cui viaggiano sono tutti liberi professionisti o commercianti che evadono il 99% di quello che guadagnano.

Mi ricordo che all'università io pagavo la fascia più alta della mensa ma usavo treno e tram, e d'estate lavoravo in spiaggia per guadagnare qualcosa, i figli di operai erano in fascia 2 o 3 e c'era tutta una lista di amici che avevano la fascia più bassa, o che addirittura mangiavano gratis e avevano la camera alla Casa dello studente gratis, però venivano in università con la coupé nuova o col suzukino.... indovina cosa facevano i papà?

Inoltre oggi con semplicissimi mezzi informatici si è in grado di scrivere programmi che automaticamente incrociano i dati e segnalano alla Guardia di finanza le denunce dei redditi da controllare, alcuni esempi potrebbero essere chi denuncia 10.000 euro all'anno ed ha intestate 3 case o auto, e paga 1000 euro all'anno di ICI, oppure ha intestate utenze telefoniche ed energetiche con bollette per più di 400 euro al mese. Oppure controllare le denunce di chi (persone o ditte) risulta avere intestato barche da 10 metri e auto di lusso. Inoltre controlli sulle imprese in cui sistematicamente per anni i proprietari guadagnano meno dei dipendenti o imprese che per anni di seguito danno utili ridicoli. Insomma ci sono centinaia di criteri semplici, chiari e facili da implementare, ora che le denunce dei redditi sono informatizzate, occorre solo la volontà di farlo!

In altri paesi Europei esiste comunque una evasione fisiologica che non si può eliminare, ma il problema e' enorme in Italia, per vari motivi, per la nostra mentalità e per la particolare situazione dell'Italia, l'unico Paese con tantissime aziende piccole o medie. Ciao".

C.R.
25.07.06 17:59

Escrementi rai

Piero Ricca mi ha inviato una mail che ha ricevuto da Petruccioli, quello che lavora (ancora?) come presidente alla Rai. Ricca chiedeva a quali attività fosse intento il dipendente (pagato da noi) quando si sono compiute una marea di porcate nei palinsesti della Rai e perché Vespa sia inamovibile.
La risposta, virile, spiega, senza tanti giri di parole, che in Rai ci stanno anche gli st..i. Lo sapevamo già, ma le conferme fanno sempre piacere.

Risposta di Petruccioli a Ricca:

"Mi scuso per il ritardo. Rispondo anche se con scarsa fiducia sulla sua disponibilità o il suo interesse ad avere delle risposte, lo dico a ragion veduta, lei infatti anche nella lettera del 6 giugno ripete - ad esempio - che Meocci fu nominato direttore generale anche grazie alla mia astensione, affermazione priva di qualunque fondamento, Meocci fu eletto direttore generale con i cinque voti favorevoli dei consiglieri della Casa delle libertà, i tre consiglieri del centrosinistra votarono contro io mi astenni non nel voto, ma dal voto.

Non sarebbe cambiato nulla anche se mi fossi astenuto nel voto o avessi votato contro perché in un organismo di nove membri cinque è comunque la maggioranza non avrei contribuito - in ogni caso - alla elezione di Meocci come lei ripete spero solo per ottusità anche se mi sembra impossibile che un uomo della sua intelligenza non abbia ancora capito le banalità che qui le ho ricordato. Di qualche interesse potrebbe essere, invece, conoscere i motivi che io addussi per motivare la mia astensione dal voto almeno per chi non abbia come unico obiettivo quello di confermare a chi scrive di considerarlo un mascalzone un bugiardo un ipocrita e così via come lei fa con me. Io motivai la mia astensione dal voto con l'argomento che la incompatibilità non si potesse assolutamente escludere, sottolineai che anche i consiglieri che votavano a favore di Meocci non se la sentivano di dichiararne la assoluta infondatezza e aggiunsi che - in base a queste premesse - avrei investito ufficialmente del problema l'Autorità per le garanzie nelle comunicazioni. Quella mia lettera ha formalmente avviato la procedura che - dopo il parere del Consiglio di Stato - ha portato la stessa Autorità a pronunciarsi per la incompatibilità di tutto ciò. C'è ampia e precisa documentazione se la chiedesse potrei inviargliela, ma dubito possa interessarle perché di lì non è facile derivarne la conferma che io sia - come lei è evidentemente convinto - un gran pezzo di merda. Dopo la dichiarazione di incompatibilità riguardante Meocci mi sono caricato per cinquanta giorni del peso di un lavoro doppio fino a che abbiamo nominato il nuovo direttore generale nella persona del dott. Claudio Cappon; qualora le sia sfuggito sono stato io a sostenere con il massimo di determinazione la nomina di Cappon dopo quindici giorni dalla nomina di Cappon, su proposta dello stesso, il Cda ha nominato alla unanimità Giancarlo Leone vicedirettore generale. Giancarlo Leone era stato da me proposto come direttore generale nell'agosto del 2005, quando il Cda elesse Alfredo Meocci con i cinque voti dei consiglieri della Casa delle libertà. In quella occasione, Leone ottenne, oltre al mio voto, quello dei tre consiglieri di centrosinistra (quattro voti su nove, quindi una minoranza) sui dettagli Michele Santoro si è dimesso da parlamentare europeo a metà novembre del 2005, dopo due giorni era di nuovo in Rai partecipò con grande evidenza alla trasmissione di maggior ascolto e maggior successo della stagione (Rockpolitik), dal prossimo settembre torna con una nuova trasmissione di approfondimento giornalistico in prima serata su Rai2 per 13 settimane è una delle novità più significative del palinsesto autunnale che abbiamo presentato a Cannes il 22 giugno scorso attenderà dunque inutilmente che io riconosca di essere un buffone potrà sempre dirmelo lei, ma non per Santoro.

Dal mese di ottobre 2005 al maggio 2006 Enzo Biagi è apparso otto volte sugli schermi della rai con interviste di dieci-quindici minuti (Primo piano - Che tempo che fa); stiamo studiando programmi di maggior impegno che siano tuttavia compatibili con la disponibilità dello stesso Biagi. Sul referendum poteva aspettare qualche giorno, abbiamo documentato nei minimi dettagli il grande sforzo quantitativo e l'equilibrio qualitativo della nostra informazione per rispondere a critiche superficiali e pretestuose di chi era convinto che al referendum ci sarebbe stata una partecipazione bassissima e avrebbero anche potuto vincere i si. Dopo i risultati - e in base ai dati da noi forniti (anche questi le possono

essere inviati qualora sia interessato) - le critiche prive di fondamento hanno lasciato il passo a riconoscimenti e apprezzamenti i critici che aprono bocca tanto per dargli fiato (Sartori sul *Corriere* per citare il più glorioso) hanno taciuto avevano detto: il referendum andrà a rotoli per colpa della rai di fronte ad un risultato opposto si sono guardati bene dall'applicare lo stesso teorema e dal farsi l'autocritica. Per quel che mi riguarda, io penso che il nostro lavoro sia stato nell'ambito dei doveri del servizio pubblico che non abbia dunque da rivendicare meriti particolari ma neppure da subire immeritate rampogne. Per Vespa vedo che è informato del contratto valido fino al 2010 che non ho fatto io; anche a me la presenza di Vespa sembra eccessiva penso che debba essere ridimensionata, sto lavorando e lavorerò ancora per portarla a livelli più accettabili. C'è tuttavia un motivo, uno solo, che penso possa essere addotto per difendere l'attuale presenza dilagante di Vespa sui teleschermi: è il valore educativo che può avere su persone irascibili e intolleranti come lei il dover prendere atto che esistono persone da loro diverse, anche molto diverse e magari anche stronze ma che hanno comunque diritto di esistere.
Buone vacanze".
26.07.06 20:49

L'italiano medio ruba le tartarughe.

Ho portato i miei figli in un'oasi per le tartarughe vicino a Massa Marittima sponsorizzata dalla Comunità Europea. Il primo cartello visibile in questo piccolo parco invita a depositare le borse all'ingresso a causa dei continui furti di tartarughe. Il cartello è scritto nelle principali lingue europee, ma è indirizzato, lo sappiamo bene, agli italiani. Solo a quelli medi. Gli altri sono esclusi.

L'italiano medio ruba le tartarughe,
l'italiano medio non vuole problemi,
l'italiano medio i problemi preferisce lasciarli a BorsellinoFalconeAmbrosoli, che se si facevano i c..o loro erano ancora vivi,
l'italiano medio quando è cliente vuole le liberalizzazioni,
l'italiano medio quando è industriale vuole i monopoli,

l'italiano medio se può evade le tasse,
l'italiano medio critica chi evade le tasse (lui lo fa per necessità),
l'italiano medio ama la famiglia e tiene la casa pulita,
l'italiano medio vuole uno stipendio, una laurea e un lavoro statale,
l'italiano medio è abusivo e condonista (sempre per necessità),
l'italiano medio diventa feroce, molto feroce, se gli tocchi i soldi,
l'italiano medio è buonista in pubblico e razzista in privato,
l'italiano medio si lava il c..o, ma non ha il depuratore,
l'italiano medio ha ogni diritto e nessun dovere,
l'italiano medio parcheggia in seconda fila e se protesti si inc..za,
l'italiano medio è mafioso dentro,
l'italiano medio ha sempre un amico che gli fa un favore,
l'italiano medio deve sempre ricambiare un favore,
l'italiano medio sceglie come rappresentanti altri italiani medi,
l'italiano medio induce pesantezza di stomaco e diarrea,
l'italiano medio considera privata la proprietà pubblica e, per questo, rubare al pubblico non è reato,
l'italiano medio è maggioranza assoluta nel nostro Paese,
l'italiano medio gli intellettuali li vuole organici al sistema,
l'italiano medio i giornalisti li vuole servi,
l'italiano medio i politici li vuole medi,
l'italiano medio è semilibero, lo sa e gli va bene così,
l'italiano medio è un povero cristo che ruba a sé stesso e al suo Paese e non lo sa.
27.07.06 17:05

Linkaggio morale

Fausto Bertinotti ha detto che ieri è stata "Una bella giornata perché quando le istituzioni sono capaci di atti di clemenza che alleviano anche una pena supplementare a quella comminata dal giudice, visto il sovraffollamento delle carceri, è la dimostrazione che vince la natura dello stato di diritto".
Questa pace interiore è stata però turbata dalla volontà di Di Pietro di linkare sul suo sito i nomi di coloro che avevano contribuito a una così piacevole giornata di democrazia votando per l'indulto.

La classica ritrosia dei comunisti nel vedersi messi in piazza ha avuto la meglio e Fausto ha deplorato con forza il linkaggio.

Anche il diellino Dario Franceschini che tanto aveva lavorato sotto banco con Gianni Letta per i dettagli sull'indulto non ha digerito il linkaggio ed è esploso: "Deve chiederci scusa, non si può arrivare a tanto. È una questione istituzionale, di rispetto del Parlamento". Pier Ferdinando Casini ha chiesto le dimissioni di Di Pietro sostenuto da tutta la Cdl che ha gridato in coro: "Dimissioni, dimissioni". Certo che il linkaggio fa paura. Dopo la questione morale potrebbe arrivare il linkaggio morale, una cosa mai vista, in cui i cittadini sanno cosa votano i loro dipendenti. E di link in link, i dipendenti dovrebbero rendere conto delle loro scelte a tutti i datori di lavoro e non solo ai possibili detenuti per reati finanziari e di corruzione. I link non hanno rispetto del Parlamento, sono fatti a modo loro, ti danno informazioni che si vorrebbero riservate, ma che sono pubbliche. Solo che non si sanno.
Come definire un link, come farlo capire ai nostri dipendenti? In fondo se "Un bacio è l'apostrofo rosa tra le parole t'amo", il link è "Lo spazio marrone tra le parole Fausto e Bertinotti".
28.07.06 18:28

Domani è un altro giorno si vedrà

"Non c'è niente di più triste in momenti come questi..."

Ci sono giorni in cui, al mattino, appena sveglio, un pensiero mi tormenta. All'inizio non riesco a metterlo a fuoco, ma quasi subito è lì, davanti a me. È come svegliarsi con i bruciori di stomaco. Da giorni a bordo letto mi brucia l'indulto per i reati finanziari e di corruzione che è stato approvato al Senato dal centrosinistra. Un centrosinistra che era stato votato per eliminare le leggi ad personam. E che lo ha fatto a modo suo: con una sola legge ha risolto il problema, per il passato e per il futuro.

Infatti, parole di Gerardo D'Ambrosio, "Beneficeranno dell'indulto anche i colpevoli non ancora scoperti per reati commessi fino al 2 maggio

2006: chiunque sarà processato nei prossimi tre anni parte già con un bonus di -3 in tasca. Salvo che abbia commesso delitti gravissimi, puniti in concreto con più di 6 anni, già sa che non finirà in carcere né prima né dopo la sentenza definitiva".

Ecco, forse è questa la chiave di lettura di questo accordo UnioneCdl: nelle inchieste in corso. Lo sapremo presto, appena i giudici formalizzeranno i risultati dei procedimenti. Se vi saranno nomi eccellenti di politici, industriali, finanzieri, bancari, allora ci verrà un legittimo sospetto.

Liberare le carceri da chi non c'è mai andato e forse ci poteva andare è una missione per Rutelli e Fassino. Da dove viene questo slancio umanitario?

Ma c'è un altro pensiero, non ancora del tutto a fuoco, ma più chiaro dopo l'intervista di Fausto-marron-Bertinotti alla Stampa. Che questo governo sia già a termine, che Prodi sia già stato licenziato dai suoi alleati, che dietro alle quinte sia già pronto un nuovo governo di Inciucio Nazionale, un po' alla Merkel, un po' alla D'Alema, il candidato in pectore alla Presidenza del Consiglio.
29.07.06 20:01

Chi ha paura della zanzara tigre?

Fa caldo, le zanzare imperversano come ogni anno.
Ma ci sono dei buoni pesticidi la cui "Esposizione prolungata può recare: disturbi seri al sistema immunitario, disordini sessuali, tumori, sterilità, malformazioni alla nascita, danni al sistema nervoso e danni genetici" secondo la Commissione Europea.
Pesticidi che aumentano il numero delle zanzare (autoctone e tigri), aumentano i profitti delle aziende produttrici ed i prelievi del nostro sangue da parte degli insetti irrobustiti. Insomma il solito trionfo del Pil.
Fabrizia Pratesi mi ha inviato una lettera con un paio di allegati che dovete far leggere subito ai vostri dipendenti amministratori.

"Caro Beppe,
Ti segnalo la battaglia importante che stiamo conducendo contro le irresponsabili (o criminali?) irrorazioni in atto in tutta la penisola contro le zanzare o zanzare tigre (fastidiose, ma innocue in Europa). Abbiamo ottenuto che il Comune di Roma le sospendesse, ma i privati continuano a tutto spiano sotto la spinta delle aziende chimiche che seminano il terrore degli insetti: ogni amministratore fa fare irrorazioni di sostanze oltre modo velenose, come il Temephos (usato anche dal Comune di Roma) organofosforico che porta danno al nostro sistema nervoso.
La battaglia si sovrappone a quella, più vasta, per una regolamentazione di tutte le sostanze chimiche (regolamento europeo REACH, che vedrà la seconda lettura in Parlamento prima della fine dell'anno).
Ma le irrorazioni di insetticidi, che oltretutto fanno aumentare il numero di zanzare (perché creano in esse resistenza e perché uccidono i loro predatori) sono la cosa in assoluto più facile da eliminare, basta non richiederle e usare metodi naturali (vedi il sito www.infozanzare.info).
È pura follia, per tutelarci da qualche puntura, aumentare l'incidenza di malattie come i disturbi al sistema immunitario, disordini sessuali, tumori, danni al sistema nervoso e genetici etc..

Accludo:
1) Comunicato della Associated Press su quanto la stessa Unione Europea propone come regole più severe contro i pesticidi (di cui fanno parte gli insetticidi)
2) Volantino da stampare e distribuire sugli insetticidi chimici.
Per tutelare la salute dei nostri figli e nipoti!"

Fabrizia Pratesi - Coordinatrice del Comitato Scientifico EQUIVITA
30.07.06 21:19

L'illusione parlamentare

I partiti danno le indicazioni di voto, i parlamentari eseguono. La legge elettorale non ha consentito di votare il proprio candidato, ma solo il partito. I parlamentari sono stati eletti quindi dai partiti. Le liste le hanno scritte le segreterie di partito. Non esiste oggi un parlamento

in Italia, ma una somma di partiti. I distinguo e i mal di pancia prima della votazione sulla legge sull'indulto sono stati numerosi e pubblici. La disciplina di partito ha funzionato meglio di un buon purgante e alla fine quasi tutti hanno votato si. Questi parlamentari non sono nostri dipendenti. Lo sarebbero se avessimo potuto votarli. Ma non sono neppure parlamentari. Sono dipendenti dei partiti, partitocrati. La carica di partitocrate, teso a fare il bene del partito, è stata loro assegnata dai Fassino, dai Fini, dai Rutelli. Una dozzina di persone valuta quali sono le leggi giuste per il popolo italiano.
Se i segretari di Ds, FI e Margherita decidono, magari a cena, una legge, questa è cosa fatta. Così come è successo per l'indulto con l'accordo tra Gianni Letta e Dario Franceschini. In aula i giochi erano già chiusi. Il parlamento è di fatto espropriato delle sue funzioni a favore dei ristoranti.
Io sono però ostinato, voglio dare una possibilità a questi nostri dipendenti, che ancora lo sono perché lo stipendio lo paghiamo noi e non i partiti, di comunicare con i loro datori di lavoro. Una piccola operazione di trasparenza. Nel blog inserirò in settembre un'area con le votazioni dei singoli parlamentari sulle leggi più importanti di questa legislatura. Con il passare dei mesi impareremo a conoscere l'animo votante di ognuno e a farci un'opinione.
31.07.06 16:02

INDULTO
COME SAREBBE CHE NON VUOI USCIRE??
QUESTO È L'UNICO POSTO DOVE NON C'È RISCHIO DI INCAPPARE IN QUALCHE POLITICO!
VAURO 07

Agosto

Adolf Gibson

Mel Gibson è stato fermato venerdì scorso dalla polizia a Malibu in stato di ubriachezza alla guida della sua auto. All'agente ha detto: "Gli ebrei sono responsabili per tutte le guerre nel mondo" e gli ha domandato se era ebreo. Due giorni dopo ha chiesto scusa per le sue dichiarazioni. La rete Abc ha cancellato una serie con Mel Gibson sull'Olocausto. Hollywood lo vuole mettere al bando. Alcuni opinionisti americani dicono che le scuse non bastano. Mel Gibson ha sbagliato e deve pagare. E i produttori di origine ebraica, e anche gli altri se ci sono, di Hollywood non devono dargli una seconda opportunità. Se avesse detto: "Israele è responsabile della guerra in Libano", oppure: "Israele con il suo comportamento può fare scoppiare la terza guerra mondiale" forse avrebbero riaperto Alcatraz solo per lui e buttato via le chiavi.
Israele fa paura. Il suo comportamento è irresponsabile. Ecco, l'ho detto. E non sono neppure ubriaco. Sono solo spaventato per i miei figli. Come forse siamo un po' tutti. Lo so, Veltroni mi metterà al bando da Cinecittà.
Dietro Israele ci sono gli Stati Uniti o dietro gli Stati Uniti c'è Israele, chi è la causa e chi l'effetto?
I giornali di tutti i Paesi musulmani hanno in prima pagina le foto di bambini libanesi bruciati. Il Mediterraneo è un mare di odio. In Italia siamo pieni di ordigni nucleari statunitensi. Per proteggerci meglio dicono. Ma io non voglio più essere protetto da questa gente. E se la scusa è la Nato, fuori dalla Nato e i cow boy a casa loro.
01.08.06 19:24

L'odissea delle società

Aprire un'impresa in Italia è un'impresa. È necessaria una volontà sovrumana ed una certa propensione al masochismo. Lo spiega il rapporto *Doing Business in 2006: Creating jobs* della World Bank e della International Finance Corporation.
Il rapporto confronta i diversi Paesi per l'apertura e la chiusura di una società, l'acquisizione di licenze, l'assunzione di personale, il paga-

mento delle tasse, la registrazione delle proprietà, l'accesso al credito, le cause legali e la protezione degli investitori. L'Italia nel 2005 era al 70esimo posto. Prima di lei ci sono Panama, le isole Salomon, le isole Tonga, la Colombia e la Mongolia. In questi Paesi la vita è più facile che da noi per chi voglia investire i propri soldi in un'attività e creare lavoro.
Una causa societaria per il rispetto dei propri diritti richiede in Italia in media 1.390 giorni, nel mondo ci batte solo il Guatemala, ma cos'avrà meno di noi? Per importare dei beni sono necessari in media 16 documenti, 10 firme e 38 giorni.
Ma, pur in queste condizioni di imprenditoria estrema gli italiani riescono ad aprire e, ma non sempre, tenere aperte le loro società. Gli italiani all'estero hanno successo perché devono solo lavorare, non pensare alla burocrazia. Partono temprati da anni di handicap.
Riportate le vostre odissee in questo post per condividere insieme vessazioni e atti di eroismo.
Ps: Il rapporto in lingua inglese è scaricabile gratuitamente.
02.08.06 17:00

Uccidere un cerbiatto costa 40 euro

Era ora, una buona notizia. L'Italia è piena di caprioli. L'ultima volta che ne ho visto uno è stato nel film Bambi, ma adesso, però, le cose sono cambiate. I caprioli e le loro mamme sono ovunque. Sono così tanti che rappresentano un problema per l'ordine pubblico. E allora, seppure a malincuore, non si può che approvare la decisione della Regione Piemonte della tavista Mercedes Bresso di ucciderne seicento in provincia di Alessandria. I cacciatori si sono prenotati, mentre i Verdi piemontesi hanno fatto sentire forti e chiari i loro belati di disapprovazione. I cacciatori pagheranno 40 euro per un cucciolo, 110 per un adulto. Una cifra tutto sommato modica per sparare a un cerbiatto. Non capita tutti i giorni, è meglio di un discount.
Il governatore Loiero si è offerto di ospitarne una parte in Calabria, Sgarbi si è opposto pubblicamente alla mattanza. Persino il mite Franco Frattini, vice presidente Ue, si è pronunciato esortando "Le associazioni ambientaliste a ribellarsi a questa sconsiderata decisione".

Ma Pecoraro Scanio direte voi? Lui mi risulta non pervenuto. Troppo occupato a smaltire i postumi del voto all'indulto.
Spero che altri governatori seguano l'esempio di Loiero e adottino i caprioli e che questa mattanza non abbia inizio.
Spero ancora, la speranza è l'ultima a morire, che i Verdi inizino a fare i Verdi e operino in favore dell'ambiente, della salute e della fauna, un patrimonio di tutti gli italiani e non solo di una parte.
Pecoraro!!!!!

Ps: Ho ricevuto dai Verdi il testo con le dichiarazioni di ieri di Pecoraro Scanio che riporto.
Ambiente: Pecoraro: Sospendere abbattimento caprioli
"Ho chiesto alla Regione Piemonte di sospendere l'abbattimento previsto dei 600 caprioli nell'Alessandrino. Abbiamo offerto la nostra disponibilità ad ospitare gli animali in alcuni parchi nazionali". "Ho già individuato le risorse necessarie per realizzare nei prossimi mesi un Piano di trasferimento dei caprioli nei parchi nazionali. C'è poi un problema più generale di gestione di alcune specie in soprannumero in quanto sono scomparsi i predatori naturali che garantiscono l'equilibrio delle specie. Va quindi avviato un piano nazionale per affrontare questo problema con interventi che aiutino a mantenere gli equilibri senza ricorrere ad abbattimenti cruenti".
03.08.06 18:43

Condoleezza Fantozzi

Condoleezza Rice nasce in Alabama con già due denti in bocca. Il padre decide di chiamarla "Con dolcezza" dopo che gli aveva morsicato la mano. Da qui il nome Condoleezza. Durante una vacanza in Italia insieme ai genitori è notata da Paolo Villaggio che la lusinga accostandola a Cita Hayworth e la lancia nel grande cinema con il nome d'arte di Mariangela Fantozzi.
Nonostante il successo straordinario, Condoleezza decide improvvisamente di tornare in patria per esibirsi come pianista prima di vedere George Bush in televisione. Capisce che accanto a lui potrà fare sempre una grande figura e diventerà la donna più potente degli Stati Uniti. Nel

2000 crea un gruppo politico/musicale di supporto alla campagna presidenziale e lo chiama "I vulcani". Nel 2004 fa le scarpe a Colin Powell e diventa segretario di Stato.
Le sue capacità diplomatiche e il suo linguaggio curato la rendono popolare all'estero. Auspica la fine della crudele dittatura a Cuba e Castro la definisce "mad woman". Vladimir Zhirinovsky, dopo le accuse alla Russia di uso politico del gas, le consiglia la compagnia di un plotone di soldati russi. Chavez non vuole incontrarla perché non è preparato a fare questo sacrificio per il suo Paese. Non sono invece noti i pareri dei tanti capi di Stato dove Condoleezza vorrebbe esportare la democrazia.
Dopo i recenti successi in politica estera in Iraq, Afghanistan e Libano Condoleezza è lanciata verso la presidenza degli Stati Uniti nel 2008.
Vanity Fair l'ha eletta madrina di eleganza per i suoi stivali neri con il tacco alto.
Le rimane però un cruccio. I rifiuti di Massimo D'Alema ai suoi inviti da single a cena con la scusa di diverse vedute sul Libano. Anche i nostri ministri degli Esteri, ogni tanto, nel loro piccolo si incazzano.
04.08.06 17:02

Fondoschiena a tasso variabile

Bersani ha fatto delle liberalizzazioni leggere leggere. Senza toccare per ora i poteri forti. Le banche sono state solo sfiorate da punture di spillo come l'adeguamento contestuale, a seguito di decisioni di politica monetaria, dei tassi debitori e creditori di un cliente. Una richiesta che pare ovvia. Se aumenta il costo del denaro, aumenta sia per il cliente che per la banca. E la banca non può lucrarci sopra. Anzi, le banche avrebbero dovuto allineare i tassi senza aspettare che lo imponesse lo Stato. Il nuovo presidente dell'Associazione Bancaria Italiana non ci sta e rilascia un'intervista al Corriere che va interpretata.

Intervista: Parla il neo presidente Abi, Corrado Faissola
Data: sabato 5 agosto 2006
Testata: *Corriere della Sera*

"Di questa norma non si sentiva proprio il bisogno"

va letto: "Lucrare sui clienti è legittimo"

"Non ha creato vantaggi per la concorrenza. Anzi fornisce ulteriori motivi di conflitto tra le banche e i clienti"
va letto:
"Adesso i clienti possono incazzarsi con le banche a norma di legge se li fregano"

"Quanto all'applicazione delle nuove regole decideranno le singole banche. Voglio dire che non si tratta di una norma imperativa ma di indirizzo. Ed è suscettibile di molte interpretazioni, come accade per tutte le leggi"
va letto:
"Interpreteremo la legge, anzi l'indirizzo, e poi faremo un po' come ci pare"

Faissola si è anche soffermato sull'aumento del tasso di interesse della Banca Centrale Europea e sugli aumenti dei mutui.
Al giornalista che ha chiesto se le banche sono responsabili di aver suggerito il tasso variabile aumentando i rischi dei clienti di fronte ai rialzi dei tassi, ha risposto:

"Il rincaro dei mutui sarà automatico visto che l'ammontare della rata fa riferimento al tasso di mercato"
va letto:
"Non faremo prigionieri"
e
"Mi pare strano che chi ha contratto un mutuo al 2% pensasse che i tassi sarebbero ancora scesi e non, come sta accadendo, saliti... Il cliente lo chiedeva (il tasso variabile), era troppo appetibile"
va letto:
"Noi pensiamo agli interessi della banca, non a quelli del cliente"

Gli aumenti dei mutui saranno insostenibili per molte famiglie, che fine faranno le loro case? Chi ci guadagnerà da questa situazione?
Italiani del mutuo variabile raccontate le vostre storie, le raccoglierò per inviarle all'Abi.
05.08.06 16:07

San Bernardo alla cinese

L'abbandono dei cani nelle piazzole delle autostrade ha finalmente una soluzione: i ristoranti cinesi.
Nulla si crea e nulla si distrugge. Perchè lasciare affettare i nostri fidi compagni da qualche tir e buttare via tutta quella roba buona? Diciamo no agli sprechi e portiamo i cani nei ristoranti cinesi.
Entriamo nel locale, li leghiamo a una sedia e poi ci dileguiamo in silenzio.
L'Aidaa, www.aidaa.net, associazione in difesa degli animali e dell'ambiente, ha presentato un esposto alla Procura di Milano e all'Asl. Secondo l'esposto, clienti superesclusivi sceglievano cuccioli di San Bernardo vivi ospitati nelle cucine di ristoranti milanesi. E, dopo l'abbattimento fatto in loro presenza, (perché fidarsi è bene, ma non fidarsi è meglio) se ne cibavano golosamente. Sembra infatti che la carne del San Bernardo sia ottima. A parte veniva servito come digestivo ai clienti abituali il liquore contenuto nel tradizionale barilotto.
Il San Bernardo doc potrà risollevare la nostra bilancia dei pagamenti verso la Cina. Qualche tonnellata di bistecche di San Bernardo al mese nel lontano oriente e si torna in attivo. Le associazioni animaliste hanno poco da indignarsi. La carne è debole e quella dei cucciolotti di San Bernardo è molto tenera.

Ps: *Corriere della Sera* 6/8/2006- Inserto Milano/Lombardia pag. 5 - "Carne di cane offerta nei ristoranti cinesi". Dal testo: "L'Aidaa ha presentato un esposto in Procura e all'Asl per chiedere accertamenti".
06.08.06 17:26

No oil no war

Un fatto in sé è solo un fatto. Difficile capirne le ragioni. Una somma di fatti però è interpretabile. E una somma di fatti lunga decine di anni è ancora più comprensibile. Le guerre in Medio Oriente continuano senza sosta. Il loro carburante si chiama petrolio. Un carburante non rinnovabile. Il 50% se ne è già andato. Una parte del rimanente 50% ha

costi di estrazione insostenibili. Quando la domanda aumenta, India e Cina, e l'offerta diminuisce il prezzo aumenta. E quando non c'è petrolio per tutti, i più forti, i più armati lo pretendono per loro. Il petrolio si chiama Golfo Persico. La guerra mondiale per il petrolio è in atto e finirà quando il petrolio si esaurirà. Quanto ci vorrà? Venti, trent'anni? Nel frattempo ne sarà disponibile sempre meno e la tensione internazionale crescerà. Le economie delle nazioni industrializzate sono basate sul petrolio. Chi controlla i Paesi esportatori garantisce la crescita della sua economia. Chi non li controlla imploderà. A chi toccherà? Alla Cina, all'India, all'Europa?
Al domino degli Stati Uniti nel Golfo Persico mancano la Siria e l'Iran che ha deciso di vendere il suo petrolio in euro, e i petroleuro spaventano gli americani più di Bin Laden. L'Iraq è in guerra. Il Libano è in guerra. Arabia Saudita e Kuwait sono sotto tutela americana.
Per far terminare le guerre bisogna combattere il petrolio. Le compagnie petrolifere. I loro interessi che si saldano con quelli delle industrie delle armi.
Le energie alternative sono ormai obbligatorie. Questa è la vera emergenza.
No oil, no war.
07.08.06 17:48

L'indulto secondo Fassino

Una ragazza, Sabrina, ha chiesto spiegazioni sull'indulto a Piero Fassino che ha prontamente risposto.
Riporto la lettera di Fassino per consentirgli di ricevere incoraggiamenti, suggerimenti e anche obiezioni di cui, sono certo, farà tesoro.
Chiedo a tutti il rispetto delle regole del blog per evitarmi la fatica di eliminare migliaia di commenti.
Chi volesse corrispondere direttamente con il segretario dei Ds può farlo inviando una mail a p.fassino@dsonline.it

" Rispondo volentieri alla e-mail sull'indulto che mi hai inviato.
Oggi vivere in carcere significa vivere in un inferno. La disumanità del carcere riguarda la società intera, riguarda tutti noi. Perchè nega la

missione rieducativa che la Costituzione assegna alla detenzione. Perché la civiltà di una società si misura anche dal suo sistema carcerario. Nessuno di noi, (fuori), può disinteressarsi di come vive chi è 'dentro', delle sue condizioni presenti e delle sue prospettive di reinserimento. In cinque anni, il centrodestra non ha fatto nulla per le carceri, al contrario, ha varato leggi che hanno già prodotto una inutile e dannosa moltiplicazione della popolazione carceraria, pensiamo alla ex-Cirielli, alla legge sulle tossicodipendenze e alla Bossi-Fini.

Al 31 dicembre 2005 il numero dei detenuti era pari a 59.523 unità in un sistema carcerario fatto per ospitarne 35.000. Nel 2001 erano 43.000.

Dall'entrata in vigore della Bossi-Fini, i detenuti stranieri sono diventati il 45% del totale: una cifra mai raggiunta prima. Altro dato significativo riguardo gli ingressi nelle carceri è quello relativo alla violazione delle norme in materia di stupefacenti: nel 2005 sono stati registrati 15.917 ingressi di italiani e 10.144 di stranieri.

Un provvedimento di clemenza non era più rinviabile, tenuto conto che l'ultimo indulto risale a sedici anni fa.

La Costituzione richiede, per una legge di questa natura, il voto favorevole dei due terzi dei componenti di ogni ramo del Parlamento. Una maggioranza amplissima che può essere realizzata solo con un'intesa tra il più ampio numero di forze politiche e con la ricerca di un punto di equilibrio.

Abbiamo perciò lavorato ad un testo equilibrato e ragionevole, che, rispetto ad indulti del passato, comprende la più lunga lista di reati esclusi dall'applicazione dell'indulto: associazione sovversiva; tutti i reati connessi al terrorismo; devastazione, saccheggio e strage; sequestro di persona a scopo di eversione; banda armata; associazione per delinquere finalizzata alla commissione dei delitti di cui agli articoli 600, 601 e 602 del codice penale; associazione di tipo mafioso; riduzione o mantenimento in schiavitù o in servitù; prostituzione e pornografia minorile; tratta di persone; tutte le forme di violenza sessuale; corruzione di minorenni; sequestro di persona a scopo di rapina o di estorsione; riciclaggio di denaro o beni provenienti da sequestri di persona a scopo estorsivo; produzione, traffico e detenzione illeciti di sostanze stupefacenti secondo l'articolo 73 del testo unico delle leggi in materia di disciplina degli stupefacenti e sostanze psicotrope.

Non solo, ma su tutti i reati a cui si applica l'indulto non c'è nessun colpo di spugna.

Per i reati finanziari, di corruzione e contro la Pubblica Amministrazione i processi proseguono, restano immutate le responsabilità, le condanne, i reati non si cancellano e, soprattutto resta ferma l'interdizione perpetua dai pubblici uffici, restano ferme le pene accessorie anche temporanee. Per quanto riguarda gli infortuni sul lavoro e le morti bianche, viene garantito il diritto delle vittime al risarcimento. Noi saremmo stati i primi a dire no ad un'amnistia perché questa cancella il reato. Non è questo il caso.
Abbiamo detto sì all'indulto, dunque, non per favorire qualcuno, ma perché era una risposta necessaria, doverosa e non più eludibile all'emergenza delle carceri.
Ora occorre dare avvio ad una serie di riforme per restituire efficienza all'amministrazione della giustizia e cancellare le pessime leggi - vergogna ereditate dal centrodestra, a cominciare dalla Cirami e dalla ex-Cirielli. Ed è quello che faremo.
Ringraziandoti per l'attenzione".

Piero Fassino
08.08.06 19:30

Palombella marrone

Travaglio ha deciso di aggiungere il suo commento ai vostri sulle parole di Fassino.
Io voglio solo fare notare al centrosinistra che i suoi elettori questa legge non la volevano. È stata comunque votata ignorandoli. Mi sono chiesto perché e mi sono risposto che forse dipendeva dalle circostanze giudiziarie. Anche a costo di perdere in modo consapevole qualche milione di voti e le prossime elezioni. Ubi maior (procure) minor cessat (elettori).

'Caro Beppe,
purtroppo la risposta di Fassino sull'indulto fa acqua da tutte le parti. E provo a spiegare, punto per punto, il perché.

- "Abbiamo detto sì all'indulto non per favorire qualcuno, ma perché era una risposta necessaria, doverosa e non più eludibile all'emergenza delle carceri".
Perché allora, se si proponevano di svuotare le carceri, hanno escluso dall'indulto molti reati per i quali molti sono detenuti, mentre vi hanno inserito molti reati (quelli contro la pubblica amministrazione, quelli finanziari, societari e fiscali, gli omicidi colposi per le "morti bianche" sul lavoro) per i quali sono detenute poche decine di persone?
- "Al 31 dicembre 2005 il numero dei detenuti era pari a 59.523 unità in un sistema carcerario fatto per ospitarne 35.000. Nel 2001 erano 43.000". Dunque "un provvedimento di clemenza non era più rinviabile, tenuto conto che l'ultimo indulto risale a sedici anni fa".
Per la verità l'ultimo indulto (il cosiddetto indultino) risale a due anni fa: scarcerò circa 6 mila persone, col risultato che dopo pochi mesi la popolazione carceraria non solo era tornata quella di prima, ma era addirittura aumentata. La prova del fatto che pensare di risolvere l'affollamento delle carceri mandando a casa i delinquenti è pura follia. Bisognerebbe agire sulle cause che "producono" i detenuti: e cioè, anzitutto, l'alto numero dei reati che si commettono e l'alto numero di delinquenti in circolazione; e poi alcune leggi che puniscono col carcere comportamenti che potrebbero essere sanzionati diversamente.
- Cinque anni di governo di centrodestra - osserva Fassino - hanno prodotto una "inutile e dannosa moltiplicazione della popolazione carceraria, pensiamo alla ex-Cirielli, alla legge sulle tossicodipendenze e alla Bossi-Fini".
Perfetto: e allora perché, invece di imbarcarsi nell'indulto, non si è cancellata la ex Cirielli e non si è modificata la Bossi-Fini? La ex Cirielli allunga le pene per i recidivi, la Bossi-Fini impone l'arresto dei clandestini che non lasciano l'Italia dopo l'espulsione (anche se non commettono alcun delitto): arresto che non porta mai a lunghi periodi di detenzione, perché l'arrestato viene subito scarcerato in quanto la pena prevista è minima e non giustifica la custodia cautelare. Ma questi continui arresti di massa, sia pure col meccanismo del "turn over" (5.500 all'anno), incidono enormemente sulla popolazione carceraria.
- "La Costituzione richiede, per una legge di questa natura, il voto favorevole dei due terzi dei componenti di ogni ramo del Parlamento. Una maggioranza amplissima che può essere realizzata solo con un'intesa tra il più ampio numero di forze politiche e con la ricerca di un punto

di equilibrio".
Qui, caro Beppe, casca l'asino. O meglio: cade la maschera dell'inciucio. Perché all'indulto di 3 anni allargato a corrotti & furbetti esistevano varie alternative, che avrebbero liberato ugualmente migliaia di detenuti, ma senza dover ricorrere alla maggioranza dei due terzi, cioè senza dipendere dal "ricatto" di Forza Italia (un ricatto a cui la sinistra ha ceduto molto volentieri...). Per esempio una legge ordinaria che depenalizzasse (con maggioranza semplice, 50% più uno) la Bossi-Fini, o abolisse la ex Cirielli, o trasferisse in strutture sanitarie vigilate i detenuti malati o in comunità i tossici colpevoli di piccolo spaccio. Oppure, volendo proprio ricorrere all'indulto con maggioranza dei due terzi, si poteva "scontare" un anno di pena, e non tre, a tutti i condannati: è la proposta avanzata da un senatore indipendente eletto nei Ds, l'ex procuratore Gerardo D'Ambrosio, che avrebbe liberato 11.500 persone, ma avrebbe lasciato ai domiciliari Previti per altri due anni e non avrebbe salvato platealmente dal rischio di finire in galera i vari furbetti del quartierino, Tanzi, Cragnotti, per non parlare di Berlusconi, Confalonieri e famiglia (imputati per i diritti Mediaset). In quest'ultimo caso, se Forza Italia si fosse opposta, l'Unione avrebbe avuto buon gioco a spiegare agli elettori che il Cavaliere teneva i detenuti sotto sequestro, accatastati l'uno sull'altro nelle patrie galere, solo per salvare se stesso, Previti e i grandi ladroni dei bond e di Bancopoli.
- "Per tutti i reati a cui si applica l'indulto, non c'è nessun colpo di spugna. Per i reati finanziari, di corruzione e contro la pubblica amministrazione i processi proseguono, restano immutate le responsabilità, le condanne, i reati non si cancellano e, soprattutto resta ferma l'interdizione perpetua dai pubblici uffici, restano ferme le pene accessorie anche temporanee. Per quanto riguarda gli infortuni sul lavoro e le morti bianche, viene garantito il diritto delle vittime al risarcimento".
Fassino, essendo stato Ministro della Giustizia, sa benissimo che per questi reati le pene non superano quasi mai i 3 anni di reclusione: chi, grazie all'indulto, parte da "meno tre", sa che in caso di condanna la pena da scontare sarà pari a zero o sottozero. Per rischiare la galera, bisognerebbe esser condannati a più di 6 anni (sotto i 3 in Italia non si va in carcere): il che non accade mai. È vero che i processi continuano: ma le pene saranno del tutto virtuali. Se un rapinatore viene condannato a 10-12 anni e gliene abbuonano 3, qualche anno di galera se la fa. Ma se un colletto bianco viene condannato a 3 anni e gliene abbuona-

no 3, non paga nemmeno per un giorno. Non solo: quando rischia la galera, il colletto bianco è indotto a patteggiare la pena per guadagnarsi lo sconto; in questo caso il pm può condizionare il patteggiamento al risarcimento delle vittime (cioè dello Stato, nei casi di Tangentopoli, o dei morti e feriti sul lavoro, nei casi di omicidio colposo in fabbrica o in cantiere). Quando non rischia la galera, invece, il colletto bianco imputato si guarda bene dal risarcire le vittime durante il processo penale: preferisce costringerle a far causa civile, rinviando il tutto di 10-15 anni, quando saranno tutti morti. Bel risultato, non c'è che dire.
- Fassino conclude promettendo di abrogare la Cirami e la Cirielli.
Gli ricordo che esistono anche la Gasparri, la Pecorella (abolizione dell'appello per il pm, ma non per l'imputato) e il falso in bilancio. E faccio rispettosamente osservare che trattasi di promesse. I fatti, per ora, si chiamano indulto salvacorrotti e, prossimamente, legge contro i pm che fanno intercettazioni e i giornalisti che le pubblicano. Altra trovata di Mastella, su testi e musica di Berlusconi. Se queste porcate le facesse il Cavaliere, scenderemmo tutti in piazza. Spero che lo faremo anche se le fanno i centrosinistri insieme a Berlusconi. Anzi, soprattutto per questo. Li abbiamo votati, ma ce la pagheranno".

Marco Travaglio.
09.08.06 16:29

Al Capone for President

Un ventiseienne dell'Ohio, Matthew Godfrey scatta delle foto alla Cappella di San Severo a Napoli. Viene scippato della macchina fotografica da due rapinatori. Li insegue e li blocca in Vico Maiorani. Grida "Aiuto polizia". Vede allora decine di persone che corrono verso di lui. Tira un sospiro di sollievo. "Credevo che tutta quella gente volesse aiutare me, ma non era così, non posso crederci...". La gente accorre in soccorso dei ladri. Pesta a sangue Matthew che viene ricoverato in ospedale con una prognosi di sette giorni. Rosa Russo Jervolino, sindaco della città, colpita dal fatto, dichiara che si tratta di "un malinteso senso di solidarietà del vicinato".
È la nuova Italia che avanza.

Quella del dopo indulto che può finalmente farsi ingiustizia da sola. Se la giustizia non si può applicare, allora perché non deve essere permessa l'ingiustizia? "Ingiustizia è fatta" diventerà lo slogan di tutti coloro che in modo trasparente, cristallino, con leggi ad hoc, condoni, amnistie, ma anche con rivolte di piazza, se necessario, difenderanno i loro illegittimi interessi nei confronti del resto della comunità.
Se un controllore trova un passeggero senza biglietto gli altri viaggiatori potranno buttare il controllore giù dal treno in corsa, se un politico finisce in galera si potrà farlo uscire con un indulto, se uno collabora con i magistrati lo si potrà lanciare da un cavalcavia.
Basta con l'etica, con moralismi pelosi alla Berlinguer. Gli italiani ne hanno piene le tasche di divieti e sanzioni. La giustizia è un concetto astratto, c'è e non c'è, dipende dai punti di vista. Oggi resistono solo alcuni rompic...ni forcaioli, che in realtà non vogliono giustizia, ma uno schifoso giustizialismo. Mettiamo in galera loro.
La libertà di delinquere deve essere resa costituzionale. Il codice penale deve essere depenalizzato.
I delinquenti non devono più essere criminalizzati e costretti a nascondersi. Propongo un 'Al Capone Pride Day' in cui chiunque potrà fare outing: truffatori, imprenditori, politici, senza doversi più vergognare.
L'ingiustizia è giusta e va applicata, senza nessuno sconto per gli onesti.
10.08.06 15:40

Il girotondo dell'economia

Dunque, se un governo, uno a caso, quello italiano, mi permette di comprare la concessione delle Autostrade a debito e mi chiamo Benetton cosa dovrei fare? Accetto subito. Chiedo i prestiti alle banche. Se ci sono utili distribuisco i dividendi.
Se, non per colpa mia, rimango in arretrato con gli investimenti (si parla di due miliardi di euro) faccio una fusione con Abertis e incasso 670 milioni di euro di dividendi straordinari. Il debito, è ovvio, rimane alla società. Nel frattempo ho costruito tanti Autogrill sulle autostrade: pedaggio + cappuccio + brioche + succo d'arancia. Tutto mio.
Il governo è intervenuto in merito alla fusione con Abertis. Padoa Schioppa e Di Pietro non hanno permesso che la concessione data ad

Autostrade venisse trasferita a Abertis-Autostrade. Forse il primo atto di governo degli ultimi anni.
Da quel momento per la stampa l'Italia è protezionista, bolscevica e contro il mercato.
Io faccio il comico, ma questi mi rubano il mestiere.
Le Autostrade sono dello Stato, che le può dare in concessione e con il mercato non c'entrano nulla. Se devo andare da Milano a Bologna quante autostrade posso scegliere? Una. E allora il mercato non c'è. Chi le gestisce dovrebbe investire i profitti per migliorarle. Punto e basta. Altro che dividendi.
A cosa servono i soldi derivanti dalla fusione con Abertis a Benetton? Questa è una bella domanda. Forse, ma dico solo forse, a sostenere la sua posizione in Olimpia che controlla Telecom Italia. E chi c'è in Olimpia? Il tronchetto che ha bisogno di nuovi soci e di liquidità dopo la decisione di Unicredit e di Banca Intesa di uscire.
Mi sembra un girotondo: Stato-concessione-industria-debiti-banche-fusione-giornali-cessione. Giro, girotondo, casca il mondo, casca la terra,...
11.08.06 20:50

Ma gli italiani sognano pecorari elettrici?

"Ho visto cose che voi umani italiani non potreste immaginare... spiagge libere pulite nella intera Europa. E ho visto docce gratis balenare nella luce accecante del sole di estate. E tutte queste sensazioni andranno per voi perdute nel tempo per le speculazioni, per le concessioni, per le privatizzazioni. È tempo di un ombrellone, di una sdraio, di spiagge private. È tempo di pagare per ciò che è vostro..."
Unità Meetup GRILLS6 Roy Batty n6MMA10816EUROMent.LEV A

Il muro di Berlino, la muraglia cinese e la barriera di acciaio di Padova non sono nulla a confronto delle spiagge italiane. Ci sono state confiscate. Per arrivare ad una spiaggia libera bisogna fare marce massacranti nei boschi o camminare per chilometri lungo una statale. Per poi trovare uno scarico senza depuratore. Spiaggia libera. È il solito incantesimo delle parole. La spiaggia è spiaggia e basta. Senza aggettivi.

Perchè le spiagge diventano private? Chi concede ciò che è di tutti ai privati per il loro profitto? Chi lo autorizza? Le amministrazioni comunali? Ma la spiaggia è dei cittadini, non delle amministrazioni. Il discorso è sempre il solito. Autostrade, telefonia, acqua, spiagge. Roba nostra, roba dello Stato viene privatizzata ignorando i nostri diritti. In Europa le spiagge sono quasi sempre libere, in Italia sono semi libere. Un po' come tutto in questo Paese. Propongo un movimento di liberazione delle spiagge. Almeno quelle. Libere spiagge in semi libero Stato.
12.08.06 19:38

Nessuno tocchi il nano!

La legge italiana è inflessibile nei confronti di chi ruba o danneggia i nani da giardino. Quattro ragazze, due minorenni, tutte incensurate, sono state sorprese durante il furto di 14 gnomi a Olgiate Olona. Le ladre di nani sono state arrestate da una pattuglia dei carabinieri intervenuta immediatamente alle 4 di notte su segnalazione al 112 di un vicino di casa. I vicini di casa non si fanno mai i c...i loro. Le ragazze dovranno rispondere di furto aggravato in concorso. Le due maggiorenni sono state arrestate e trasferite al carcere di Monza e rilasciate solo il giorno dopo. Gli inquirenti sono al lavoro. Ufficialmente per sapere se le giovani facciano parte del Fronte di Liberazione dei nani da giardino che in Francia ha già liberato 7000 nani. In realtà l'indagine ha lo scopo di capire se il furto è avvenuto a scopo dimostrativo. Un po' come per la presa del campanile di San Marco da parte di leghisti in gita. E condannati in seguito a pene da corte marziale. Cosa significa questo gesto? Cosa simboleggia? Le ragazze volevano trasmettere un messaggio? Oggi un nano di gesso, domani chissà. Oggi Olgiate Olona, domani Arcore? E se un gruppo di fanatici volesse trafugare un nano da giardino dalla villa di Arcore e liberarlo in un bosco spagnolo a disposizione del giudice Garzon? Ad Arcore per sicurezza sono stati acquistati tremila nanetti da giardino a scopo mimetico, un centinaio di Biancaneve e tre calchi di Previti per terrorizzare i ladri. Di questa vicenda l'aspetto più sorprendente non è l'arresto delle ragazze, in fondo avevano rubato poco e se lo meritavano. Ma l'efficienza della macchina della giustizia. Di questo passo, con questo spirito (altro che giustizialismo), per Ferragosto gli

indultati sono di nuovo tutti dentro. Tranne i corruttori e i delinquenti finanziari che dentro non c'erano mai andati.
13.08.06 20:49

Fate l'amore, non fate la guerra

Quante guerre si sono combattute in nome o a causa delle religioni?
La religione dovrebbe portare la pace, l'amore universale, non l'odio.
Ragiono ad alta voce, a casa mia. Non ho nessuna pretesa di sostituirmi ai grandi pensatori, ai filosofi. Ma questa contraddizione delle religioni che vogliono la pace e per una serie di casi sfortunati producono le guerre non la capisco. Non riesco a venirne a capo. Poi, però, vedo i volti dei cardinali, dei mullah, dei rabbini e penso che sono tutti uomini, solo uomini. Alle quote rosa non ci pensano nemmeno.
E forse questa è una chiave. L'esclusione delle donne dal potere religioso, la loro subordinazione all'uomo quando è possibile. E, insieme a questo apartheid religioso, un terrore del sesso, la volontà di controllarlo. Negli stessi credenti oltre che nelle organizzazioni religiose. Il sesso a norma di regolamento. Chiaro che se uno non scopa poi diventa nervoso. Certo bisogna moderarsi, ma sotto le lenzuola ognuno dovrebbe sentirsi libero di comportarsi come crede. "È come stare calmi quando si fa all'amore" cantava Jannacci.
Il fanatismo religioso è spesso sessuofobo, mai visto una pornostar che pretenda di spiegare agli altri cosa è bene o cosa è male. La guerra si combatte anche scopando bene e di più. Un antidoto che produce effetti collaterali come il relax, la pace interiore e il rispetto per il diverso. Il sesso fa bene a te, al tuo partner e anche alle relazioni internazionali.
14.08.06 20:57

L'ozio è rivoluzionario

È Ferragosto. Quale miglior regalo di un libro? E di un libro che insegna l'arte dell'ozio?
Il libro è: "L'ozio come stile di vita" di Tom Hodgkinson. Cito dalla prefazione: "Oziare significa essere liberi, e non soltanto di scegliere

fra McDonald's e Burger King o fra Volvo e Saab. Significa essere liberi di vivere la vita che vogliamo fare, liberi da capi, salari, pendolarismo, consumo, debiti. Oziare significa divertimento, piacere e gioia. C'è una rivoluzione che sta fermentando, e la cosa grandiosa è che per prendervi parte non dovete fare assolutamente nulla."
Chi vive solo per lavorare quindi è un miserabile, chi ozia un rivoluzionario.
Paul Lafargue, genero di Karl Marx scriveva nel suo libro *Il diritto all'ozio:* "Una strana follia possiede le classi operaie delle nazioni in cui domina la società capitalistica. È una follia che porta con sé miserie individuali e sociali che da due secoli stanno torturando la triste umanità. Questa follia è l'amore del lavoro, la passione esiziale del lavoro, spinta sino all'esaurimento delle forze vitali dell'individuo e della sua progenie".
Il lavoro nobilita il capitalista, il manager, il finanziere e immiserisce il lavoratore dipendente, il precario, il co.co.co. che assomiglia sempre più a una bestia in gabbia. Una bestia che deve sviluppare enormi quantità di lavoro per rimanere in vita.
Prendete la vostra ora di noia quotidiana, senza fare nulla, guardando fuori dalla finestra o il soffitto. È la vostra ora d'aria, quella che viene concessa anche ai carcerati. Insegnatela ai vostri figli, spiegategli che non far niente, non avere nessuno che ti dica cosa devi fare è importante. L'ozio è il padre e la madre di tutte le idee migliori. Andrebbe insegnato a scuola, come ora di meditazione. Siamo dentro a un meccanismo che ci impedisce di pensare, un tapis roulant dalla culla alla tomba. Fermi! Fatelo adesso: non fate nulla.
15.08.06 20:20

Bertinotti chiama Houston

Nel 1969 Tito Stagno entrò nella storia. Confuse i tempi dell'allunaggio. Diventò un esempio per il nostro giornalismo che, da allora, le notizie le dà quando vuole. Stagno è rimasto nella memoria degli italiani. I nomi degli astronauti, invece, non se li ricorda nessuno.
Il filmato originale della missione dell'Apollo 11 è scomparso. L'ingegnere della Nasa Richard Nafzger che le sta cercando tra 2000 scatoloni ha dichiarato: "Sono probabilmente troppo sensibile alla parola 'perso'.

Io non credo che il filmato sia perso." E: "Abbiamo usato delle ottime procedure per classificare i filmati". Infine ha aggiunto che con la sua squadra di cinque persone impiegherà sei mesi per ritrovarlo. Una persona rassicurante. Sei ingegneri della Nasa che cercano un filmato aprendo scatole di cartone... Meglio di Gianni e Pinotto.
Sono sconfortato, dopo bancopoli e calciopoli, anche allunopoli. Qualcuno è sceso davvero sulla Luna il 21 luglio 1969? Quella notte le immagini sono state trasmesse da Houston usando un video registrato ripreso da una telecamera. Il filmato scomparso era l'unica prova. Strano che non sia mai stato digitalizzato e trasmesso in versione originale. Come siamo ridotti. Per avere la certezza che l'uomo è stato sulla Luna dobbiamo affidarci a un filmato. Quando rifletto su cosa è vero e cosa è falso mi vengono mille dubbi. Il Prodi che ho incontrato a Palazzo Chigi era un ologramma? Mastella è Ministro della Giustizia? Il duo Letta-Letta esiste veramente? D'Alema era a Beirut o a Cinecittà? Ed esiste un filmato che provi che Bertinotti è comunista? Domande a cui non è possibile dare risposte. "The answer, my friend, is blowing in the wind..."
16.08.06 20:55

I figli di Matusalemme

"Diritto di voto dalla nascita" è il titolo di un congresso tenutosi a Berlino in giugno, organizzato dalla Fondazione per i Diritti delle Generazioni Future. Alle ultime elezioni tedesche un terzo degli elettori aveva più di sessant'anni. In Europa i vecchi vivono sempre più a lungo e i giovani fanno sempre meno figli. Il risultato è che gli anziani hanno un peso sempre maggiore nel scegliere il destino delle future generazioni. La soluzione proposta è stata il diritto di voto dalla nascita, esercitato dai genitori in nome dei figli fino al diciottesimo anno.
Forse è ora di pensarci anche da noi. L'Italia ha il record mondiale di anzianità della popolazione. Il potere elettorale è sempre più squilibrato verso gli anziani. Il futuro lo decidono quelli che non lo vedranno mai. Secondo Regis Debray sociologo francese, nel suo ultimo libro la "Catastrofe della longevità", l'allungamento della vita media è una catastrofe. Il tasso di crescita degli anziani attivi è la metà di quello degli anziani

inattivi. Nel 2020 i 65enni saranno più dei ventenni. Le spese sanitarie crescono con l'età: 1/3 delle prescrizioni mediche riguarda il 10% degli anziani che consumano in media otto farmaci al giorno.
I pensionati sono il vero freno alla ripresa, aggravano il debito pubblico.
Anche l'eredità è un grosso problema: una volta si ereditava a 30/40 anni, oggi a 60/65 anni (l'unico modo per ereditare da giovane è far fuori il padre di 80 anni).
La pubblicità di un'acqua minerale, anni fa, diceva: "Hai quarant'anni e ne dimostri il doppio". Oggi direbbe: "Hai ottant'anni e ne dimostri il doppio".
Perchè la crema antirughe è più costosa di quella dell'acne? Ed esiste una commissione educazione e gioventù, ma non una commissione solitudine e anzianità? A quando il ministero della Vecchiaia e dei Cimiteri?
Bisogna avanzare delle proposte coraggiose. Creare dei bioparchi da destinare a chi abbia compiuto 69 anni. Da sfoltire di tanto in tanto con delle battute di caccia stile caprioli dando però degli handicap, da veri sportivi. Ogni anno in più un chilometro di fuga in carrozzella. Anche l'introduzione della data di morte alla nascita potrebbe essere una soluzione. Una data di morte certa che tenga conto della situazione demografica del Paese. Potrebbe essere aumentata in seguito solo a causa di eventi fortunati come tsunami, peste bubbonica, guerre nucleari che riducano la popolazione.
17.08.06 22:20

Indultollah

Prodi ha dichiarato che non disarmerà Hezbollah. La Rice ha spiegato che il compito spetta all'esercito libanese. Chirac voleva inviare Zidane come forza di interposizione, ma ha ripiegato su un contingente di 200 uomini. La Germania darà solo un appoggio navale, nel senso che starà al largo.
Hezbollah fa paura. Israele ha cercato di disarmarlo, ma poi ha desistito e nessuno si è più fatto avanti. Bush figlio in realtà voleva farlo. Quando c'è una guerra non si tira mai indietro. Ma Bush padre è intervenuto e non se ne è fatto più niente. Hezbollah è presente nel parlamento liba-

nese con propri deputati. Il suo esercito è ritenuto legittimo da quasi tutti i libanesi e da molti Paesi musulmani.
E allora l'Onu e l'Italia cosa faranno? Hezbollah non disarma spontaneamente. Le soluzioni non sono molte. Ma il genio italico viene sempre in aiuto. Potremmo chiedere a Mastella da Ceppaloni un suo alto intervento all'Onu. Per introdurre l'indulto anche per Hezbollah. Un indultollah. Gli hezbollah che hanno combattuto contro Israele negli ultimi tre anni potranno essere indultati e tenersi le armi. E per quelli che comunque combatteranno durante la presenza dell'Onu si potrà avviare un bel condono di guerra. L'indultollah e il condono di guerra, un contributo italiano all'Onu, nel segno della nostra invidiata tradizione giudiziaria.

Ps: Chi vende le armi a Hezbollah, all'Iran, a Israele, a tutte le nazioni coinvolte nella guerra senza fine in Medio Oriente? Perchè non disarmiamo le industrie delle armi prima degli hezbollah?
18.08.06 18:34

L'Eni e il gioco delle tre carte

Il petrolio costa sempre di più. La benzina costa sempre di più. Il gasolio da riscaldamento è ormai un bene di lusso. Ma c'è chi vigila su di noi: l'Eni.
L'Eni, società gestita da Scaroni, condannato in via definitiva per corruzione, e con azionista di controllo il Tesoro, quindi noi, sta facendo utili su utili. CINQUEMILIARDIDIEUROVIRGOLAVENTOTTO di utile netto nel primo semestre, con un incremento del 21,5% rispetto al 2005.
Ma gli aumenti che abbiamo subito a cosa sono serviti? Non eravamo in emergenza petrolio? Se il petrolio costa di più e noi paghiamo di più, mi sfugge come l'Eni possa guadagnarci di più. È una magia della finanza. Un mistero gaudioso. Un gioco delle tre carte.

Paolo Scaroni, CEO Eni, ha commentato così i risultati del primo semestre:
"Nel primo semestre Eni ha conseguito eccellenti risultati operando

in un contesto caratterizzato da elevate quotazioni del greggio, da un significativo aumento della nostra produzione di idrocarburi e dalla sensibile crescita della domanda europea di gas. Sono fiducioso che il 2006 sarà per Eni un altro anno positivo ed è per questo che intendo proporre al cda del 21 settembre un acconto sul dividendo 2006 di 0,60 euro per azione".
Questo, ovviamente, seguendo la:
"Interim dividend 2006 secondo la best practice internazionale di reporting.
Sulla base dell'esame dei risultati del primo semestre 2006 e in linea con la best practice internazionale di reporting, l'Amministratore Delegato intende proporre al Consiglio di Amministrazione del 21 settembre programmato per l'approvazione della Relazione semestrale la distribuzione agli azionisti di un acconto dividendo di 0,60 euro per azione (0,45 euro nel 2005, +33,3%) da mettere in pagamento a partire dal 26 ottobre 2006 con stacco cedola il 23 ottobre 2006".

Un consiglio al Governo, cambi tutto all'Eni, è un suo preciso dovere nei confronti degli italiani. Chi gestisce monopoli di beni primari, e l'energia lo è, non può pensare prima ai dividendi e poi al Paese. Gli utili vanno reinvestiti in energie alternative per diminuire la dipendenza dal petrolio. L'energia in Italia non è un mercato, ma un distributore di euro per gli azionisti dell'Eni.

Ps: Chiedo a Mincato, precedente amministratore delegato di Eni rimosso senza ragioni, di telefonarmi per farmi capire. Chiamami Mincato...
19.08.06 18:02

Il tabù dell'immigrazione

La parola immigrazione è un tabù. Qualcosa di cui si deve parlare in modo 'politically correct' per non passare da razzisti. L'immigrato ha, per definizione, bisogno di aiuto e cerca in Italia la sopravvivenza. Il Ministro Ferrero ha dichiarato: "...Bisogna mettere in campo una strategia articolata. Prima di tutto dobbiamo facilitare gli ingressi legali nel

nostro Paese", e: "Nel continente africano ci sarebbero trenta milioni di giovani, di età compresa tra i 18 e i 25 anni, pronti a lasciare casa e affetti", infine: " Sono loro che vengono a fare lavori che spesso gli italiani non vogliono più fare... oggi dobbiamo capire di essere diventati un Paese di immigrazione".
Queste dichiarazioni sono irresponsabili, anche se "electorally correct" per il partito del ministro Ferrero. L'Italia è ancora un Paese di emigrazione. Una volta emigravano i contadini, oggi i laureati. L'Italia ha una densità di abitanti per territorio tra le più alte del mondo. In confronto gli Stati Uniti sono spopolati e l'Africa deserta. Non è vero che gli italiani non vogliono più fare "certi lavori", ma quali sono questi lavori?
Le migliaia di mail che ho ricevuto nei post "Schiavi moderni" testimoniano il contrario. Descrivono una generazione di italiani pagata qualche centinaio di euro al mese o disoccupata. Ragazzi e ragazze che accetterebbero di corsa quei "certi lavori", ma in condizioni di sicurezza e con uno stipendio dignitoso. Ma i "certi lavori" forse sono quelli delle fabbrichette che importano mano d'opera sotto pagata e scaricano i costi sociali sulla comunità. E avvantaggiano i padroncini, non l'economia italiana.
Ferrero cita ragazzi che vogliono emigrare in Paesi ricchi, non famiglie. Ma ragazzi così nel mondo ce ne sono centinaia di milioni. Quanti Cpt sono necessari per ospitarli? La casa del ministro è abbastanza capiente? Questa demagogia è pericolosa.
I flussi migratori vanno gestiti all'origine. Le nazioni più sviluppate dovrebbero destinare una parte del loro Pil, almeno quanto spendono in armi, magari al posto delle armi, per aiutare i Paesi poveri. Distribuire la ricchezza nel mondo per non importare schiavi e instabilità sociale.
20.08.06 16:50

Calcio Truman Show

Cos'è oggi il calcio? Nel migliore dei casi è come il wrestling. Si sa prima chi vince, chi deve retrocedere. Chi partecipa alle coppe europee. Calciopoli è come se non fosse mai esistita. La vittoria dei Mondiali l'ha cancellata. Sembra ormai una storia dei tempi di Meazza, di Piola. Rimangono alcune interviste, quasi imbarazzanti per il loro candore, di Rossi che vuole riformare il calcio. Poveretto, nessuno gli ha ancora detto nulla. Lui crede veramente di fare il commissario.
In questa situazione la Juve in A è un dovere, sarebbe l'unica a pagare per il 'Calcio Truman Show' a cui abbiamo assistito. Prima però deve risarcire fino all'ultimo centesimo tutti coloro che hanno comprato le sue azioni. Abbiamo pagato soldi veri alla Rai e a Sky per vedere partite finte. Comprato biglietti per assistere a delle sceneggiate. I soldi almeno ce li devono dare indietro. Altro che abbonamenti per la prossima stagione e rinnovo di Sky. Perchè la Rai e Sky non fanno causa a nome dei loro utenti alle squadre di calcio?
E la vittoria dell'Inter a tavolino? Una squadra senza intercettazioni che aveva tronchetti, presidente di Telecom, come azionista. È una contraddizione in termini.
Garante del cambiamento è stato nominato Matarrese a capo della Lega Calcio. La sua prima affermazione e' stata: ridiamo il calcio a "chi lo conosce". Moggi gli ha telefonato subito. Le squadre quotate in Borsa, i soldi degli sponsor, i guadagni televisivi. In campo non scendono più dei ragazzi, ma delle banconote con le gambe. Banconote false. E allora W l'Italia, ma soprattutto peccato per il Ghana.
21.08.06 19:33

Il cavalcavia fa 90

Adamo Bove e il suo volo dal cavalcavia sono scomparsi, citati solo in alcuni articoli della Stampa che vi invito a leggere: 1, 2.
Adamo Bove sapeva di essere in pericolo, come riportato dalla Stampa: "Mi stanno diffamando. Aggiunse che era fortemente preoccupato per il fatto che l'attacco era partito dalla sua azienda, dalla Telecom. Che

una indagine interna dell'ispettorato (l'Internal auditing, ndr) lo aveva messo sotto senza avvisarlo, e che questa relazione finì sul giornale il giorno dopo essere stata consegnata".
Chi ha ordinato l'indagine interna? Il tronchetto ne era informato?
E perché NESSUNO DEI NOSTRI POLITICI SI È INTERESSATO ALLE CAUSE DELLA MORTE DI BOVE? Paura delle intercettazioni di Radar?

Un'amica di Adamo Bove ha scritto al blog, ne riporto la lettera:

" Adamo Bove era un mio caro amico, era stato testimone alle mie nozze e con la sua fidanzata, poi moglie, mi è stato vicino in momenti difficili. E con lui ho anche festeggiato qualche compleanno, essendo nati nello stesso giorno. Purtroppo per le rispettive vicende di vita era da qualche anno che non ci vedevamo, ma posso testimoniare che si trattava di un uomo eccezionale. Era onesto, coraggioso e capace di affrontare con calma e lucidità situazioni complesse. Di chiunque potrei credere che avesse potuto suicidarsi, ma non riesco a credere che possa averlo fatto lui. Mi chiedo come mai un uomo che dal liceo ha la stessa donna (ed io so quanto le era legato), non le lascia un biglietto... mi chiedo come un uomo così preciso possa non aver avuto addosso i suoi documenti... mi chiedo come mai un uomo abituato ad utilizzare le armi (era sempre armato quando si usciva insieme) si uccida buttandosi da un ponte... e non solo, mi chiedo come un uomo così attento agli altri possa essersi buttato su una strada rischiando di provocare un incidente.
Io l'ho conosciuto come uomo intelligente, generoso, straordinariamente attento e coraggioso. Un uomo come pochi ed al quale ho voluto bene.
Riposi in pace".

F. B.
22.08.06 21:40

Il Ministro Paolo Ferrero risponde sull'immigrazione

Il Ministro Paolo Ferrero ha inviato una lettera di risposta al post "Il tabù dell'immigrazione".

"Caro Grillo,
ho visto che sul suo blog mi definisce irresponsabile. Penso che si tratti di una accusa sbagliata. Ogni anno decine di migliaia di persone entrano illegalmente in Italia e a decine muoiono nel canale di Sicilia. Penso che dobbiamo capire come fare a evitare queste morti e questa sofferenza e per questo è necessario prendere atto che oggi l'Italia, da cui un tempo erano i nostri nonni a partire (quasi 30 milioni di emigrati) è diventato un paese di immigrazione. Prima ce ne rendiamo conto e meglio potremo affrontare il problema in modo non demagogico. Nelle 2000 battute che ho a disposizione mi preme sottolineare tre priorità:
1) È necessario aumentare nettamente gli aiuti dei paesi "sviluppati" ai paesi più poveri, costruire una seria cooperazione - come Italia e come Europa - per favorire lo sviluppo sociale ed economico a partire dal Nord Africa.
2) È necessario superare la legge Bossi Fini perché sostanzialmente questa legge non rende possibile l'ingresso legale degli immigrati in Italia e li costringe alla clandestinità e a diventare preda dei criminali che organizzano la tratta delle persone. Per poter entrare legalmente in Italia è infatti oggi necessario che un datore di lavoro italiano faccia richiesta nominativa al paese d'origine dell'immigrato. Non accade mai perché i datori di lavoro vogliono prima conoscere le persone e poi assumerle.
3) È necessario fare una lotta spietata alla malavita che organizza la tratta delle persone.
Agire e lottare per rimuovere le cause dell'ineguaglianza a livello mondiale non ci esime dal cercare di riportare nella regolarità quello che oggi avviene nella clandestinità. Trattare i migranti come persone e non come merci, garantire loro i diritti civili è la condizione anche per evitare che vengano utilizzati come manodopera a basso costo e

affinché anche loro possano giustamente lottare contro lo sfruttamento e l'ingiustizia di questo mondo. Con immutata stima.

Paolo Ferrero, Ministro della Solidarietà Sociale
23.08.06 19:28

Nazismo editoriale

L'Ucoii, l'Unione delle comunità islamiche in Italia, ha pubblicato una pagina a pagamento su alcuni quotidiani. Ha paragonato Israele alla Germania nazista. I bombardamenti del Libano sono stati un grave errore che ha colpito i civili e creato dal nulla migliaia di nuovi terroristi. Ma Hitler è stato un'altra cosa. I confronti dell'Ucoii sui morti: Marzabotto uguale Gaza, Fosse Ardeatine uguale Libano sono improponibili. Molti ebrei, israeliani e non, hanno attaccato la politica di Israele in Libano. Nessuna autorevole voce musulmana si è espressa invece contro la volontà dichiarata di Hezbollah di eliminare lo Stato di Israele.
L'Ucoii non è da biasimare. Ha scritto quello che pensa. Ma quello che pensa non era pubblicabile. I giornali che lo hanno permesso andrebbero perseguiti per istigazione all'odio razziale a pagamento. Il grande alibi del multiculturalismo.
Nessun giornale italiano ha voluto pubblicare l'elenco dei condannati in via definitiva in Parlamento. Ho dovuto riparare all'estero con l'Herald Tribune. Nessun giornale italiano ha voluto pubblicare l'elenco degli sponsor della Nazionale di calcio con un invito al boicottaggio.
Se non tocchi i politici e gli interessi economici puoi pubblicare di tutto. C'è stata, è vero, qualche eccezione con le intercettazioni. Che hanno dimostrato che in torta ci sono tutti. Banche, partiti, aziende, giornali. Ma il nuovo governo ha messo rimedio a questa anomalia democratica con la legge sulle intercettazioni. Legge che prevede sanzioni severe per editori e giornalisti che pubblicano conversazioni intercettate. Ho il dubbio che il precedente governo sia rimasto in carica e il lavoro sporco (indulto, intercettazioni) lo facciano dei prestanome.
Ma forse il nome è sempre lo stesso: Letta primo e Letta secondo. Una dinastia.
24.08.06 22:14

Stangate di Stato

Un contribuente può aspettare fino a 24 anni prima di essere rimborsato dal Fisco. Per riavere i nostri soldi il tempo di attesa è, in media, di 11,3 anni. Secondo contribuenti.it, lo Stato ha in cassa 26 miliardi di euro che dovrebbe restituire ai cittadini. E negli ultimi tre anni questo debito è quasi raddoppiato.
Insomma, chi paga le tasse, se paga in eccesso, è cornuto e mazziato. Il rimborso lo avranno i suoi eredi. Chi non paga non ha questi problemi, al primo condono che passa si mette in regola. La lotta all'evasione annunciata da questo Governo è cosa buona e giusta, ma per renderla credibile bisogna PRIMA che si occupi di chi ha pagato di più e restituisca i soldi. Altrimenti la prossima volta potrebbe insospettirsi e trasformarsi in evasore.
Ma perché il contribuente non può dedurre il suo credito alla prima dichiarazione. È così difficile? Se dovesse sbagliare, il Fisco potrà sempre controllare e rivalersi. Ad agosto l'indice di fiducia dei contribuenti italiani è crollato ed è aumentata dell'8,45% l'evasione fiscale. È un risultato ovvio con gli onesti bastonati e i disonesti condonati ed indultati.
Il cittadino che sbaglia la dichiarazione dei redditi è minacciato di espropri, denunce, sovrattasse, multe. Se non paga lo Stato, invece, va tutto bene. Per reciprocità propongo che lo Stato corrisponda il 30% in più della somma dovuta per ogni anno di ritardo.
Quando una società o una persona non onora un debito posso citarla in giudizio. Perchè non citare lo Stato? Se poi non fosse in grado di pagare, l'ufficiale giudiziario potrà mettere all'incanto i mobili e i quadri dei ministeri e provvedere al licenziamento di qualche migliaio di dipendenti statali. A partire da quelli che si occupano dei rimborsi fiscali.

Ps: Indovinate quanti sono i dipendenti del Ministero dell'Economia.
25.08.06 21:54

Gli schiavi moderni/5

Ho l'impressione che i politici vivano in un mondo a parte, lontano dai cittadini. E che si cibino di intenzioni di voto, di tendenze elettorali, di poltrone e poltroncine. Ma anche una sedia a dondolo gli può bastare. L'unica realtà che conoscono è la loro e il cittadino è sempre suddito. Nessuno ha chiesto truppe in Libano, indulto, aumento della clandestinità e bavaglio alle intercettazioni. Se Prodi si fosse presentato con un programma del genere, l'originale avrebbe preso il 90% dei voti.
La legge Biagi è uno scandalo, perché il Governo non ci ha messo mano nei primi 100 giorni? I ragazzi italiani valgono meno dei delinquenti? Che spettacolo: importiamo schiavi e li creiamo contemporaneamente a casa nostra.

Pubblico un'analisi degli effetti della legge Biagi di Roberto Leombruni di LABOR e di Mauro Gallegati della Facoltà di Economia di Ancona.

"Caro Grillo,
quello che è successo all'Atesia, cui l'Ispettorato del lavoro ha imposto di assumere a tempo indeterminato 3200 collaboratori "a progetto" (le virgolette sono s'obbligo, perché il "progetto" era quello di rispondere ai telefoni di un call-center), dimostra quanto sia urgente tornare su un contratto di lavoro - il contratto di collaborazione coordinata e continuativa - che è talmente precario che quando hai finito di dire come si chiama è già finito. A meno che non intervenga un giudice, appunto. Bene, dato che Prodi ha affermato più volte che la lotta al precariato è una priorità del suo governo, sarebbe una buona idea aiutare i giudici e riformare radicalmente un contratto che negli ultimi dieci anni ha tenuto milioni di giovani ai margini del mercato del lavoro - posizione dalla quale è stato più agevole un loro pacato sfruttamento.
Quanti sono veramente i collaboratori? Sì, sono milioni. Era da dieci anni che aspettavamo stime affidabili. Basti dire che l'Istat - forse pensando fossero pochi - ha atteso il 2004 prima di introdurre una domanda ad hoc nelle sue indagini, e dalle prime stime sembrava non fossero poi molti (se 400.000 vi sembran pochi). Pochi giorni fa però l'Inps ha finalmente pubblicato il suo osservatorio basato su dati reali, e ora

sappiamo la verità: i collaboratori, solo nel 2004, erano quasi il triplo, erano più di un milione. Non stiamo parlando dei soli collaboratori, tenendo quindi fuori i professionisti, che di solito vengono considerati tra i salvati (ma su questo vedi più sotto, alla voce "apri la partita IVA o ti licenzio"). E anche considerando solo le persone per le quali la collaborazione è l'unica forma di lavoro, e hanno un contratto con un solo committente - categoria di solito identificata come la più debole - sempre al 2004 se ne contavano 840.000.

Perché sono da cambiare.

Per tanti motivi, che vengono fuori da tante storie che si leggono anche in questo blog. Ma il vero problema è che son nate male. Prima del '96 l'unico modo regolare per prendere un lavoratore per un periodo breve era quello di assumerlo con un tempo determinato, pagando contributi sociali di circa il 33%, e - come in tutto il mondo civile, da un secolo a questa parte - pagandogli ferie, tredicesima e liquidazione. Esisteva però una prassi molto vicina al lavoro nero, che era quella di proporre un contratto di prestazione d'opera occasionale "e poi magari vediamo", evitando così di pagare contributi e tutto il resto. Nel '96 però nasce la famigerata formula della "collaborazione coordinata e continuativa", che se ha regalato un 10% di contributi a quei lavoratori quasi in nero, di fatto ha finito per legalizzare la prassi di mascherare dei rapporti di lavoro dipendente sotto una etichetta ancora più innocente della prestazione occasionale. In assenza di controlli efficaci non c'è voluto molto perché si cominciassero a utilizzare le collaborazioni anche nei call-center (l'equivalente moderno della catena di montaggio) e per lavori di durata di anni. Chi ne ha voluto approfittare si è garantito una forma di lavoro a costi stracciati - rispetto al lavoro dipendente il risparmio era di circa il 40%, meglio di un tre per due al supermercato - e una generazione di lavoratori si è trovata a lavorare per anni senza quasi mettere da parte nulla per la propria pensione, e con un livello di tutele da Inghilterra dei tempi della rivoluzione industriale. Basti pensare che solo nel 2000 è arrivata la copertura per gli infortuni e le malattie professionali. Del diritto di sciopero ovviamente ancora niente.

Perché la riforma Biagi ha peggiorato le cose.

Per la verità una riforma c'è appena stata, con la legge Biagi, ma a parte cambiare il nome in un "cocoprò" dal suono appena meno avicolo è stata una riforma per molti versi peggiorativa. Le intenzioni erano di limitare l'utilizzo improprio delle collaborazioni, e per far questo la

legge richiede una forma scritta al contratto (prima non era necessaria, anche all'invenzione della scrittura ci abbiamo messo un po' ad arrivarci), e che si identifichi uno specifico progetto. Se non si può identificare un progetto l'impresa può essere obbligata ad assumere il lavoratore con un contratto di lavoro dipendente. È questa la clausola che è stata applicata per Atesia (come è stato osservato, è poco credibile che più di tremila lavoratori di un call-center abbiano ciascuno il proprio progettino specifico da svolgere). Peccato che la stessa legge stabilisca (art. 69) che il controllo del giudice "Non può essere esteso fino al punto di sindacare nel merito valutazioni e scelte tecniche, organizzative o produttive che spettano al committente". E che con la circolare 1/2004 Maroni, come ulteriore liberalità, abbia precisato che una cocoprò può essere rinnovata quante volte vi pare. Come dire, basta far la fatica di scrivere una volta all'anno un progetto ah hoc e si può tenere un dipendente a vita come collaboratore. Nei fatti, la Biagi ha provocato una reazione quasi schizofrenica da parte delle imprese. In molti casi, le vecchie cococò sono state semplicemente trasformate in cocoprò. Altri, temendo la clausola citata sopra, hanno reagito con l'arma del ricatto. Lo dimostra una ricerca dell'Ires, condotta su un campione di persone che hanno aperto una partita IVA tra il 2003 e il 2004, dalla quale è venuto fuori come nel 50% dei casi questi l'hanno aperta perché gli è stato chiesto dal datore di lavoro, pena il non rinnovo del contratto. Peccato che il 40% di loro abbiano un unico committente (l'80% contando i rapporti quasi esclusivi), e continuino a essere a tutti gli effetti in quella categoria dei "collaboratori puri" che si diceva".
26.08.06 18:36

Una famiglia da mantenere

La sera, prima di dormire, gli italiani pensano ai loro dipendenti pubblici. Per ognuno una preghierina della sera. Come dei buoni padri di famiglia ci preoccupiamo di riuscire a garantirgli pranzo e cena. Un pensiero, che per i più scrupolosi tra noi, che temono sempre di non rispettare gli impegni, si trasforma in un incubo. Produce mugolii nel sonno che svegliano i familiari preoccupati. La mattina, aperti gli occhi, ci precipitiamo al lavoro per mantenere i nostri TREMILIONITRE-

CENTOSETTANTASETTEMILANOVECENTODICIOTTO dipendenti. Non sempre ci riusciamo, è vero. E, quando succede, ci indebitiamo un po'. Il debito pubblico aumenta e il costo dei dipendenti pubblici pure. Lineare. Una popolazione pari quasi all'intera Irlanda pesa sulle nostre spalle. In pratica manteniamo l'Irlanda. In compenso abbiamo servizi efficienti, puntuali, da fare invidia alla Svezia. Non dobbiamo sempre lamentarci. Anzi.
I dipendenti pubblici dovrebbero aumentare fino a raggiungere l'intera popolazione attiva italiana. Assumiamoci tutti ed eliminiamo i datori di lavoro. Diventiamo datori di lavoro di noi stessi.
Il Pil diminuirà? Moriremo di fame? No, perché potremo sempre lavorare in outsourcing per gli altri Paesi, per qualche ministero del Terzo Mondo. E, se non bastasse, cedere quote di dipendenti alla Cee.
Aboliamo il privato e premiamo il pubblico. Questa odiosa discriminazione per cui solo alcuni cittadini possono diventare dipendenti pubblici deve cessare. Il pubblico deve essere pubblico, di tutti. Nessuno si lamenterà più dell'inefficienza, gli aumenti saranno programmati per tutti. Saremo tutti una grande famiglia da mantenere.
27.08.06 18:57

Imagine a Middle East...

Riporto un appello di padre Alex Zanotelli e della Rete Lilliput sulla missione in Libano. Appello che io sottoscrivo e che pone molte domande a cui spero il Governo voglia rispondere.
"Sembra essersi formato un consenso generale sull'opportunità/necessità che l'Italia partecipi alla Forza Internazionale di Interposizione in Libano. È indubbio che per arrestare la spirale di violenza che sempre più insanguina il Medio Oriente, e si estende pericolosamente al resto del mondo, sia più che mai necessario un impegno attivo della comunità internazionale, sotto la guida dell'Onu. L'esito di un tale impegno dipende tuttavia in modo determinante dalle condizioni in cui verrà attuato e condotto. Sembra più che mai necessario richiamare l'attenzione del Governo, del Parlamento e di tutti i cittadini su alcuni punti molto delicati.
Una prima considerazione doverosa è che la guerra in Libano ha

occultato il problema palestinese. Non sembra accettabile, in particolare, che la comunità internazionale ignori completamente il fatto che Ministri e Parlamentari di un paese che dovrebbe essere sovrano siano stati sequestrati (ancora sabato 19 agosto il vice-premier, Nasser-as-Shaer), imprigionati, ed almeno in un caso anche torturati. In nessun altro Paese un simile intervento straniero potrebbe venire tollerato: perché nessuno reagisce nel caso di Israele? È inaccettabile il silenzio del Governo italiano.

Venendo alla costituzione di una Forza Internazionale di Interposizione, essa deve ubbidire ad alcune condizioni fondamentali ed elementari: è evidente che non possono farne parte militari di un paese che non sia rigorosamente equidistante tra i due belligeranti. L'Italia ha stipulato lo scorso anno un impegnativo Accordo di Cooperazione Militare con Israele, che inficia in modo sostanziale e irrimediabile la nostra equidistanza. Il Diritto Internazionale impone, come minimo, la preventiva sospensione di tale Accordo, i cui termini dettagliati devono assolutamente essere resi noti all'opinione pubblica.

È il caso di ricordare ancora che Israele ha partecipato a manovre militari della Nato svoltesi in Sardegna, nelle quali si saranno indubbiamente addestrati piloti ad altri militari israeliani, impegnati poi nella guerra in Libano. Da queste circostanze discende una ulteriore condizione: è necessaria una garanzia assoluta che il comando di questa Forza di Interposizione rimanga strettamente sotto il comando dell'Onu, e non possa essere trasferita in nessun momento alla Nato.

È assolutamente necessario, inoltre, che le spese della missione non gravino ulteriormente sul bilancio dello stato italiano, e in particolare non comportino riduzioni delle spese sociali, ma rientrino nel bilancio del Ministero della Difesa per le missioni militari italiane all'estero.

Queste sembrano condizioni fondamentali e irrinunciabili per la partecipazione del nostro paese.

Rimangono però altre riserve. Appare singolare e tutt'altro che neutrale il fatto che una Forza Internazionale di Interposizione venga schierata sul territorio di uno dei due Paesi belligeranti, quello attaccato, e non sul loro confine. Deve essere chiaro pertanto che, finché tale forza opererà in territorio libanese, essa deve essere soggetta alla sovranità libanese, e che non potrà in alcun modo essere incaricata del disarmo né dello scioglimento di Hezbollah. Queste condizioni operative esporranno comunque i militari che compongono questa forza ad agire nel

caso in cui avvengano (reali o pretese) provocazioni: come potranno opporsi con la forza all'esercito israeliano, tutt'ora presente in territorio libanese? Non ci si facciano illusioni sulle regole d'ingaggio, che verranno decise dall'organismo che guiderà la missione, e non dal nostro Governo. Riteniamo giusto richiedere anche che il contingente militare sia affiancato da un congruo numero di volontari disarmati.
Deve infine risultare estremamente chiaro che questa Forza di Interposizione non potrà mai, e in alcun modo, essere coinvolta in una ripresa o in una estensione del conflitto. Così come deve essere escluso un suo impiego per proteggere le ditte italiane che si lanceranno nel lucroso business della ricostruzione del Libano.
É necessario fugare con molta chiarezza qualsiasi illusione che l'interposizione militare, anche nelle migliori condizioni, sia risolutiva per il conflitto in Medio Oriente, soprattutto per risolvere la fondamentale questione palestinese. Chi arresterà la distruzione delle case, delle coltivazioni e delle infrastrutture dei palestinesi, gli omicidi mirati (in palese violazione di qualsiasi norma giuridica)? Chiediamo pertanto che, prima di inviare un contingente italiano, il nostro Governo ponga con forza a livello internazionale l'esigenza irrinunciabile del dispiegamento di una forza internazionale di pace anche a Gaza e in Cisgiordania, a garanzia della sicurezza di Israele e come condizione per la creazione di uno Stato Palestinese.
Chiediamo che su queste questioni fondamentali vengano prese ufficialmente decisioni chiare, esplicite e trasparenti, e si esigano le dovute garanzie a livello internazionale".
28.08.06 19:29

Il nuovo femminismo

Le donne non sono mai state così desiderate. Il desiderio maschile cede alla passione che poi cede allo stupro. È da animali, ma è così. La natura fa il suo corso. Accoppiamenti abusivi avvengono ovunque. Nei bagni pubblici, dietro ai cespugli, nelle carrozze dei treni in sosta. Non esiste più intimità per chi vuole farsi una passeggiata in santa pace.
Le donne non devono stupirsi, ma coprirsi.

Le religioni sono maschiliste, i governi sono maschilisti, le aziende sono maschiliste, la pubblicità è maschilista. Perchè il sesso maschile non dovrebbe essere maschilista?
Persino le signore di una certa età sono palpeggiate in pubblico. Per risolvere il problema delle penetrazioni moleste va introdotta la segregazione razziale. Autobus, scuole, taxi, bar, ristoranti rosa. Un mondo rosa. Per donne e gestito da donne. Il burka per legge e il velo solo dopo gli ottant'anni. Odoranti nauseabondi per le più attraenti. L'automutilazione dei seni è un buon rimedio, se si vuole andare sul sicuro c'è l'espianto dell'organo. Misure che devono essere attuate però nel massimo riserbo. Senza manifestazioni di protesta per eventuali stupri per far valere i propri diritti. Senza cortei, petizioni, raccolte di firme. Esattamente come le donne fanno adesso. Forse, perché, in fondo in fondo, ci stanno.
29.08.06 20:29

Giornalisti Ogm: Riotta

Qualcuno si ricorda ancora di me. È Riotta in uno dei suoi imperdibili editoriali dal titolo: "Il vero pericolo per gli italiani: non essere capaci di uscire dal coro". Di cui lui non fa parte. Così scrive: "Grillo... quando vi assicura che la ricerca genetica vi ammazzerà seduta stante è un conformista della più bell'acqua, parla di cose di cui poco sa e fa un danno ai poveri che di quella ricerca han bisogno". Prima di leggere il mio articolo ripetete con me: "Riotta non è un conformista, Riotta è un giornalista - Riotta non è un conformista, Riotta è un giornalista".
"Cos'è un organismo transgenico? È un nuovo tipo di essere vivente creato dagli ingegneri molecolari incorporando con una forte scarica elettrica i geni di una specie, cioè alcune molecole, dentro le molecole del genoma di una cellula riproduttiva di un'altra specie. Nei rarissimi casi in cui il trapianto ha successo, si crea un organismo transgenico. Questa tecnica viene usata per trapiantare i geni anche tra specie molto diverse, per esempio da un merluzzo a un pomodoro. Se invece si vogliono mescolare i geni di due animali molto simili come un cavallo e un'asina, non occorre l'ingegneria genetica; basta favorire la copulazione tra i due animali, al resto pensa la natura.

Se io però avvicino, anche molto, un merluzzo a un pomodoro, difficilmente la natura li indurrà ad accoppiarsi. Ma gli ingegneri molecolari sì. Lo hanno fatto sperando di rendere il pomodoro resistente al gelo con una sostanza presente nel sangue del merluzzo. Negli Usa, per esempio, hanno creato il pecoragno, un pecora che produce seta. Hanno prelevato da un ragno il gene per la seta e lo hanno incastrato nel genoma di una pecora. Forse con una piccola modifica si potrà un giorno fargli fare anche le uova, magari già sode. La seta pecoreccia si munge dalle mammelle del pecoragno: servirà all'esercito statunitense per i giubbotti antiproiettile.
Non esistono limiti alla fantasia degli ingegneri genetici, se non l'incapacità di sopravvivere della maggioranza degli organismi transgenici. Per questo motivo è più giusto parlare di manipolazioni che non di modificazioni genetiche. Hanno incastrato geni di batteri nelle piante, geni umani in maiali e topi, geni di pesci nelle fragole.
Anni fa il marketing delle multinazionali della genetica escogitò una trovata pubblicitaria che suonava così: da sempre l'uomo crea specie nuove: ha creato il mulo dall'asino e dal cavallo; ha creato le odierne specie dei cani; ha creato le odierne rose; ha creato gli ibridi del mais. Gli ingegneri genetici fanno la stessa cosa che gli antichi agricoltori e gli antichi allevatori. Continuano quest'opera di miglioramento della natura, aiutandola a creare nuove specie dove essa non arriva da sola. Questo argomento pubblicitario, secondo cui un mulo e un pecoragno sarebbero egualmente "innaturali", ha talmente coperto di ridicolo le multinazionali che le azioni di molte di loro hanno perso valore. Secondo i sondaggi, la grande maggioranza degli europei non hanno fiducia nei cibi transgenici di queste aziende e tendono a non credergli, anche quando dicono la verità. In Gran Bretagna, per esempio, i giornalisti hanno spiegato bene la differenza tra un mulo e un pecoragno e la necessità di diffidare della propaganda commerciale. In Italia invece molti dei maggiori quotidiani fanno campagna per creare accettazione dei cibi transgenici con argomenti che gli stessi pubblicitari delle multinazionali hanno abbandonato perché controproducenti.

L'esempio migliore che ho trovato, finora ineguagliato, è un editoriale su La Stampa di qualche anno fa (Gianni Riotta, *Il nostro pane quotidiano*, 17.7.2000) (i punti esclamativi sono miei): "I nostri alpini durante la ritirata di Russia si nutrirono a malincuore dei carissimi

muli, caduti stremati. Era carne transgenica (!), ottenuta artificialmente (!) accoppiando un asino a una cavalla. Il mulo è un animale il cui Dna ibrido è identico (!) a quello che gli scienziati creano in laboratorio tra tanta paura. Nessun alpino soffrì per il cibo transgenico (!), molti ne ebbero salva la vita." (...) "... i cani e i gatti che amiamo, le specie di ovini, bovini e suini che proteggiamo con cura non sono naturali (!). Sono ibridi, innestati, selezionati, da antichi ingegneri genetici (!) che si chiamavano contadini e pastori." Una delle missioni del giornalista è fare chiarezza sulle cose complesse. Quando invece semina confusione, siamo di fronte a un giornalista mutante. Definire "cibo transgenico" la carne di mulo e "ingegneri genetici" gli antichi contadini e pastori è una tale sciocchezza, che non salverebbe uno scolaro da un cattivo voto. Definire non naturali gli ovini e suini ottenuti facendo copulare diverse varietà è inoltre socialmente pericoloso. Non naturale sarebbe allora anche il figlio mulatto di un piemontese e di una nigeriana.
Il giornalista mutante attribuisce la diffidenza verso i cibi transgenici alla "paura" (tre volte), alla "irrazionalità" (due volte) e alla "fobia", forse senza rendersi conto che è proprio la confusione che favorisce l'irrazionalità. Il giornalista mutante definisce poi innocui i cibi transgenici e assicura che ridurranno l'uso dei pesticidi e sfameranno il mondo. Le stesse multinazionali dei cibi transgenici ammettono invece che nessuno - nemmeno loro - può ora accertare se una pianta o un cibo transgenico saranno davvero innocui in tempi medi o lunghi. Il giornalista mutante, sembra invece essere l'unico a saperlo.
Le due promesse dell'ingegneria genetica, "meno pesticidi" e "più cibi per gli affamati", sono già state smontate da biologi e agronomi. Le stesse multinazionali sono ora più prudenti con questi argomenti. Se un propagandista delle multinazionali dell'ingegneria genetica scrivesse ora nei suoi comunicati stampa che quella di mulo è "carne transgenica", probabilmente verrebbe licenziato e citato per danni. Invece Riotta continua a fare il giornalista anche se modificato geneticamente".
30.08.06 18:36

Tarcisio Bertone e l'aldiquà

Il giorno di Ferragosto pubblico il post: *L'ozio è rivoluzionario* con:

"Questa follia è l'amore del lavoro, la passione esiziale del lavoro, spinta sino all'esaurimento delle forze vitali dell'individuo e della sua progenie". Papa Benedetto XVI all'Angelus, il 19 agosto, afferma che bisogna "Guardarsi dai pericoli di una attività eccessiva, qualunque sia la condizione e l'ufficio che si ricopre, perché le molte occupazioni conducono spesso alla durezza del cuore". L'otto di agosto pubblico il post 'No Oil, no war' in cui scrivo: "Le energie alternative sono ormai obbligatorie. Questa è la vera emergenza". L'arcivescovo di Genova, Tarcisio Bertone, prossimo segretario di Stato, il 29 agosto afferma: "Dipendiamo quasi esclusivamente da una sola fonte di energia: il petrolio. Dobbiamo trovare fonti alternative" e "Beppe Grillo, nel suo piccolo è un esempio che potremmo seguire". Nel mio piccolo mi sto montando veramente la testa. In questo meccanismo non capisco più chi è la causa e chi l'effetto. Ma qualche royalty, un 5 per mille, il Vaticano dovrebbe darmela. Tarcisio Bertone è un uomo di Chiesa che si occupa dell'aldiquà oltre che dell'aldilà. Della bellezza di questo mondo e delle energie alternative. Un uomo così lo vedo come un segno che le cose possono cambiare. La Chiesa, pur con i suoi limiti, i suoi dogmi sembra più avanti della società italiana. I miti del lavoro fine a sé stesso, delle risorse infinite, del consumismo, del possesso, del denaro sono (posso dirlo?) malvagi. Certamente nell'aldiquà. Per l'aldilà non so, ma lo chiederò a Tarcisio Bertone se vorrà incontrarmi insieme a esperti di energie alternative. Vorrei convincerlo ad adottarle ed iniziare a dare il buon esempio, risparmiando, dalla Città del Vaticano e dagli edifici della Chiesa (ospedali, case di riposo ecc.). Invito i politici italiani, che tanto hanno nominato Papa Giovanni Paolo II a sproposito sull'indulto, a riportare anche le parole di Tarcisio Bertone.
31.08.06 16:49

TELECOM
DOVE PASSO IO NON CRESCE PIÚ L'ERBA
SPIACENTE SIGNOR ATTILA È GIÁ PASSATO TRONCHETTI PROVERA!
VAURO 02

Settembre

Qualcuno volò sul nido del passero

Passera, prossimo amministratore delegato di Intesa-San Paolo, è a Cernobbio sul lago di Como. È contento come Napoleone al termine della Campagna d'Italia. E chi non lo sarebbe al suo posto sommando stipendio e stock option?
Il luogo e il sole lo hanno spinto a dichiarazioni liriche: "Il progetto di integrazione SanPaolo-Intesa è bellissimo". Un quadro del Caravaggio, una statua del Canova. Ha poi rassicurato i clienti: "Possono stare tranquilli, se lavorano con tutte e due le banche potranno vedere i fidi sommati e non ridotti". La dichiarazione, nel suo candore, affascina. Ricorda il confetto Falqui: "Basta la parola". Se ho due fidi con due banche che si fondono, mi aspetto un aumento del fido, dato che ho fornito a suo tempo garanzie a entrambe.
Passera continua: "È un'operazione dove ci sono solo vincitori". Perdenti nessuno, ma la fusione non comporta la soave parola: razionalizzazione? Che tradotta in prosa significa il 30% di tagli del personale? Ma forse mi sbaglio.
I clienti saranno comunque contenti. Più contenti, molto contenti. Il cliente di SanPaolo-Intesa è bellissimo. Potrà, subito dopo la fusione, accedere a servizi a costi europei. Il costo medio dei servizi bancari italiani è più alto, molto più alto di quelli europei. Siamo primi, primissimi, bellissimi. E gli sventurati che hanno comprato tango bond e Parmalat saranno rimborsati, ma solo dopo una certa età. Preso da sincera esaltazione ha aggiunto: "Se non avessimo avuto comunanza di visione, di valori, di voglia di lavorare insieme, di simpatia reciproca, in così poche settimane non sarebbe stato possibile mettere in moto un progetto stupendo come quello che è stato messo in moto". Che simpatia, che messa in moto.
01.09.06 18:30

Quei bravi ragazzi

Hitler era un dilettante. Doveva presentarsi come campione della democrazia. E parlare di povertà, di progresso, di lavoro. Soprattutto

di lavoro, una parola che fa tanto sinistra, che piace. Poi, con comodo, avrebbe potuto prendersi delle libertà. Rispettando le regole della democrazia s'intende. Regole che dicono che chi è di sinistra è legittimato a fare cose di destra, di ultradestra e anche qualcosa in più. Comunque vada, saranno sempre giudicate di sinistra, democratiche, liberali. Insomma, roba buona.
Bill Clinton parlerà oggi e domani alla Cnn sul tema della povertà. Parlerà del miliardo di persone che vive con un dollaro al giorno. Di come combattere gli effetti del capitalismo. Che brava persona. Un piccolo ripassino. Taglia i fondi ai centri statali che forniscono avvocati difensori ai detenuti indigenti. Approva una legge che toglie gli stanziamenti federali alle class action. Estende la pena di morte a nuovi crimini. Taglia i buoni alimentari e gli assegni per anziani e disabili agli immigrati legali poveri senza cittadinanza. Riduce drasticamente i sussidi federali alle famiglie povere con figli a carico distribuiti sin dai tempi di Roosevelt.
Bill, il democratico, ha tagliato fondi sociali, ha impoverito i poveri, umiliato gli immigrati. Lo ha fatto per esigenze di bilancio, per far tornare i conti. E potersi permettere investimenti di 250 miliardi di dollari all'anno nel vero business americano: quello delle armi: quattro volte più della Cina, ottanta volte più dell'Iraq di Saddam. Armi democratiche che hanno ucciso, uccidono civili nella proporzione di dieci a uno.
Se Clinton parla alla Cnn, Blair dei New Labour, vero democratico di sinistra, parla alla BBC. E dice a proposito dei criminali: dobbiamo identificarli "Anche prima della nascita... se non siamo pronti a prevedere e a intervenire molto presto, avremo bambini che cresceranno in famiglie che noi sappiamo completamente disfunzionali e, dopo pochi anni, questi bambini cresceranno come una minaccia per la società e per loro stessi".

Ps: Il patrigno di Bill, Roger Clinton, era alcolizzato ed un violento in famiglia. Una famiglia disfunzionale...
02.09.06 19:31

Opa alla genovese

La Telecom è scalabile. Il suo valore in Borsa vale circa la metà di quando arrivò Tronchetti. La quota del tronchetto, quella che gli consente attraverso una sequenza di scatole cinesi da trapezista della finanza di controllare la Telecom, vale sempre il doppio del mercato. Anche se vale la metà. Il perché non si sa. Non lo sanno la Consob, la Borsa, la Banca d'Italia. Lo sa però il tronchetto che, almeno in questo è umano, per cedere il pacchetto di controllo vorrebbe, nostalgicamente, il valore del 2001. Del resto anche tutti gli altri azionisti lo vorrebbero per le loro azioni. Come dargli torto?
Se ci fosse un'Opa, un'offerta pubblica di acquisto, sulle azioni Telecom a un prezzo di poco superiore a quello della Borsa, Tronchetti andrebbe a casa. E dovrebbe svalutare le azioni di sua proprietà. Io i soldi per fare un'Opa non li ho. Però ho pensato a un'alternativa. Un'alternativa alla genovese.
Un'Opa alla genovese. Senza tirare fuori un soldo, un po' come i finanzieri italiani, ma, rispetto a loro, senza indebitarmi con le banche.

Chiederò attraverso il blog e con il supporto di uno studio legale la rappresentanza di tutti coloro che possiedono azioni della Telecom. Se raggiungerò un numero sufficiente di adesioni convocherò un'assemblea e licenzierò il consiglio di amministrazione. Non è uno scherzo. Visto che di 'class action' ancora non si sente nulla, passiamo ai fatti, alla 'share action'. Piccoli azionisti di tutto il mondo unitevi (prima che arrivi Merdock, il cavaliere marrone).
03.09.06 17:18

Il nulla esiste, si chiama Rai

Prosegue la libera interpretazione delle interviste pubblicate sui giornali. Oggi è il turno del logorroico Petruccioli, la cui intervista, tolti preamboli, citazioni, aggettivi, distinguo, premesse, puntualizzazioni, aforismi e giochi di parole si ridurrebbe a due righe. Un nulla mediatico come la Rai che presiede.

Intervista: Il presidente Rai e le scelte della Tv pubblica, Paolo Conti
Data: domenica 3 settembre 2006
Testata: *Corriere della Sera*

"Il servizio pubblico che non guadagna uno spazio di autonomia rispetto alle maggioranze che si susseguono, è destinato a finire"
va letto:
"Il servizio pubblico è finito"

"Il nostro metodo è individuare scelte solo in base a valutazioni professionali"
va letto:
"mi piace prendervi per il c..o"

Alla domanda: "Il Tg1 tornerà filo-governativo?"
risponde:
"È il più importante notiziario del servizio pubblico. A prescindere da chi lo dirige, il Tg1 ha una sua 'ufficiosità' che, come i massimi quotidiani nazionali, non può ignorare l'orientamento del governo"
che va letto:
"Il Tg1 è governativo!"

"In Italia occorrerebbe una riflessione generale sul futuro della Rai"
che va letto:
"Il futuro della Rai non è un mio compito, ma della riflessione generale"

"Io sono stato designato dal ministero dell'Economia, votato da due terzi della Vigilanza e all'unanimità dal Cda Rai. La garanzia non è nella collocazione politica, ma nel concorso di tre diversi soggetti e nell'ampiezza del consenso parlamentare. Non lo dico per difendere me stesso ma per esprimere un auspicio: se dovessero arrivare nuove regole per la nomina del presidente, bisognerebbe mantenere il voto a maggioranza qualificata per sottrarre la nomina al volere della maggioranza di turno"
che va letto:
"Io di qua non me ne vado"

"Il mio rapporto con Prodi non è né freddo né caldo: io non lo chiamo mai così come non chiamo i ministri. Ho troppo rispetto per il loro

impegno. Prodi mi chiama, così come fanno altri membri del governo, quando ritiene di avere qualcosa da dirmi"
che va letto:
"Sono sempre a disposizione"

Prodi, fai un'ultima telefonata, quella di licenziamento. Ogni tanto una piccola soddisfazione...
04.09.06 18:17

Sindaco fai da te

Io abito a Nervi e, disponendo di una famiglia numerosa (sei figli), ho deciso di fare domanda per trasformare casa mia in un comune. Se trasferisco la residenza dei miei suoceri, di un paio di amici e della famiglia di mio fratello arrivo a venti persone. Staremo un po' stretti, ma una carica non la negherò a nessuno. Sindaco, vicesindaco, assessori, tecnico comunale, segretario comunale, messo comunale, polizia comunale, qualche segretaria, un usciere. Tutti avranno una posizione. Sia chiaro: io non tiro fuori una lira, deve pagare lo Stato. Unirei il dilettevole delle cariche all'utile dei soldi pubblici.
Il comune di Grillo (Genova-Nervi) farebbe concorrenza ai comuni di Pedesina (Sondrio), 38 abitanti e di Morterone (Lecco), 35 abitanti. In Italia esistono 8.100 comuni (fonte: www.ds.unifi.it), di questi 819 fino a 500 abitanti, 1.140 tra 501 e 1.000, 1.708 tra 1.001 e 2.000.
SETTEMILASESSANTUNO comuni sono sotto i 10.000 abitanti. E 10.000 è il tetto previsto nel Testo Unico sull'ordinamento degli enti locali per i comuni di nuova formazione. L'obiettivo del legislatore era, nel tempo, di diminuire il numero dei comuni. Il testo infatti prevede contributi statali ai comuni che si fondono. Facciamo due conti: i comuni fino a 10.000 abitanti sono 7.061 per una popolazione pari a 8.049.053 abitanti. Se la dividiamo per 10.000 otteniamo circa 800 comuni per accorpamento.
OTTOCENTO contro SETTEMILASESSANTUNO.
Quanto farebbe risparmiare lo chiedo a Padoa Schioppa che qualcosa dovrà pur fare anche lui. Ma non c'è solo il risparmio, c'è anche l'efficienza. I comuni di uno stesso territorio hanno gli stessi problemi.

Frazionare i municipi, oltre a essere un esercizio costoso, porta spesso all'immobilismo o a decisioni divergenti. Un comune fa il depuratore a valle e quello a monte non ha nemmeno la fognatura. Risultato: costi pubblici (depuratore) insieme alla m..da privata. Gli esempi possono essere moltissimi e invito i blogger a riportare i loro. Nei piccoli comuni non si elegge il sindaco, ma uno di famiglia. Talvolta il figlio del sindaco precedente. O comunque un familiare di secondo o terzo grado comunale.
05.09.06 19:13

Il caffè di Helenio Herrera

Parlare male di Facchetti in questi giorni è come bestemmiare in chiesa. Non lo farò neppure io. Ma parlare della sua morte è invece doveroso. Gli articoli dei giornalisti Grandi Firme, tutti ugualimielosiioloconoscevoiolostimavoioavevoilsuocellulareemelotengomemorizzatoinmemoria, farebbero probabilmente vomitare Giacinto.
Alessandro Gilioli dell'*Espresso* ha pubblicato lo scorso anno un'intervista, dal titolo: *Pasticca nerazzura*, a Ferruccio Mazzola, fratello di Sandro, che giocò per un breve periodo nell'Inter. Ne riporto alcuni brani:

"... Ho vissuto in prima persona le pratiche a cui erano sottoposti i calciatori. Ho visto l'allenatore, Helenio Herrera, che dava le pasticche da mettere sotto la lingua. Le sperimentava sulle riserve (io ero spesso tra quelle) e poi le dava anche ai titolari. Qualcuno le prendeva, qualcuno le sputava di nascosto. Fu mio fratello Sandro a dirmi: se non vuoi mandarla giù, vai in bagno e buttala via. Così facevano in molti. Poi però un giorno Herrera si accorse che le sputavamo, allora si mise a sciogliere nel caffè. Da quel giorno 'il caffè' di Herrera divenne una prassi all'Inter".
"I miei compagni di allora che si sono ammalati e magari ci hanno lasciato la pelle. Tanti, troppi... Il primo è stato Armando Picchi, il capitano di quella squadra, morto a 36 anni di tumore alla colonna vertebrale. Poi è stato il turno di Marcello Giusti, che giocava nelle riserve, ucciso da un cancro al cervello alla fine degli anni '90. Carlo Tagnin, uno che le pasticche non le rifiutava mai perché non era un fuoriclasse e voleva

allungarsi la carriera correndo come un ragazzino, è morto di osteosarcoma nel 2000. Mauro Bicicli se n'è andato nel 2001 per un tumore al fegato. Ferdinando Miniussi, il portiere di riserva, è morto nel 2002 per una cirrosi epatica evoluta da epatite C. Enea Masiero, all'Inter tra il '55 e il '64, sta facendo la chemioterapia. Pino Longoni, che è passato per le giovanili dell'Inter prima di andare alla Fiorentina, ha una vasculopatia ed è su una sedia a rotelle, senza speranze di guarigione...".
"... Nei campionati dilettanti, dove non esistono controlli lì si bombano come bestie. Quello che più mi fa male però sono i ragazzini... ormai iniziano a dare pillole e beveroni a partire dai 14-15 anni. Io lavoro con la squadra della Borghesiana, a Roma, dove gioca anche mio figlio Michele, e dico sempre ai ragazzi di stare attenti anche al tè caldo, se non sanno cosa c'è dentro. Ho fatto anche una deposizione per il tribunale dei minori di Milano: stanno arrivando decine di denunce di padri e madri i cui figli prendono roba strana, magari corrono come dei matti in campo e poi si addormentano sul banco il giorno dopo, a scuola. Ecco, è per loro che io sto tirando fuori tutto".

Se Ferruccio Mazzola ha ragione ci sono in giro dei delinquenti che drogano i ragazzi. Che gli inoculano i tumori. Chi sono, per che squadre lavorano, da chi prendono gli ordini? Forse Facchetti vorrebbe saperlo, forse anche noi.
06.09.06 18:34

Attenti al würstel

Importiamo carne dalla Germania, carne adulterata. Nessuno in Italia segnala nulla, come spiega la lettera che pubblico. Eppure i media tedeschi ne hanno parlato. Ma il silenzio è d'oro. E se è un po' avariato nessuno ci fa più caso. I controlli si dirà. I controlli. Chi controlla la carne in ingresso in Italia? Perchè dobbiamo importarla? Se dobbiamo mangiarla adulterata ci riusciamo da soli. E, forse, anche meglio dei tedeschi.

"Salve,
da qualche giorno e' scoppiato uno scandalo in Germania di vaste pro-

porzioni sulla carne adulterata (per lo più congelata) che è stata posta in commercio in tutta Europa.
L'opinione pubblica qui nulla sa in proposito.
Le dimensioni dello scandalo: presso un grossista a Monaco di Baviera la polizia tedesca sequestrava circa 10 tonnellate di carne scaduta da oltre quattro anni che veniva posta ancora in commercio ed esportata in Italia, Francia, Danimarca, Cecoslovacchia e nei tre paesi del Benelux.
Le autorità italiane venivano informate della circostanza con invito a trovare la merce sospetta già importata dalla Germania (*der Spiegel*).
L'implicazione dell'Italia nello scandalo la ricavo da questa notizia della Zdf (canale secondo tv tedesca): Le autorità bavaresi già dal dicembre del 2005 erano a conoscenza dell'esistenza del commercio internazionale della carne avariata e/o scaduta. In seguito ad un controllo un distributore tedesco si giustificò all'autorità del mero errore materiale in cui era stato indotto producendo della documentazione dell'importatore italiano che avrebbe erroneamente etichettato la merce congelata (si tratta di polli) come fresca.
Ma adesso lo scandalo ha raggiunto tali proporzioni che non può essere più tenuto segreto.
In ogni modo, questa mattina il grossista 74enne tedesco Georg Bruner si è suicidato.
Le proporzioni dello scandalo sono però più vaste. La polizia tedesca a Metten, Ruderting e Ratisbona, in Baviera, sequestrava presso la catena tedesca " centrale della carne Reiß" oltre 40 tonnellate di carne non più commestibile.
A Gröbenzell su 700 pallett di alimentari ben 70 portavano la data di scadenza cambiata.
In Austria, nel Tirolo, sono state sequestrate in via cautelare sei tonnellate di carne adulterata.
Soltanto qui in Italia i media tacciono, possibile che nessuno conosce il tedesco oppure altre sono le ragioni a tutela della lobby alimentare?
Spero che verificata la copiosa documentazione on line almeno sul blog possa esser dato spazio alla notizia che credo interessi tutti".

P. L.
07.09.06 19:25

Conigliera Rai

La Rai non è soggetta a interferenze politiche. Va detto. È invece un ambiente familiare di figli, padri, cugine, cognati e nuore. Impermeabile ai partiti. Un blocco di relazioni indistruttibile che sopravvive a qualunque governo. Con matrimoni combinati sin dalla nascita tra i figli di capostrutture e di programmisti. Una difesa naturale dall'ingerenza della politica e anche della libera informazione. Una riaffermazione dei valori della famiglia e dell'impiego statale. L'elenco che pubblico è in rete da tempo. È probabile che sia incompleto o in parte superato. E che tra relazioni affettuose e accoppiamenti dei circa 11.000 dipendenti del gruppo, all'interno e all'esterno della struttura, il numero dei figli di, nipoti di, cognati di, sia proliferato. Un po' come avviene nelle conigliere.

Figli (f):
Tinni Andreatta, responsabile fiction di Raiuno, (f) dell'ex ministro dc Beniamino. Natalia Augias, Gr, (f) del giornalista e scrittore Corrado. Gianfranco Agus, inviato, (f) dell'attore Gianni. Roberto Averardi, Gr, (f) di Giuseppe, ex deputato Psdi. Francesca Barzini, Tg3, (f) dello scrittore e giornalista Luigi junior. Bianca Berlinguer, conduttrice del Tg3, (f) di Enrico, segretario del Pci. Barbara Boncompagni, autrice, (f) di Gianni. Claudio Cappon, direttore generale, (f) di Giorgio, ex direttore generale dell'Imi. Antonio De Martino, Gr, (f) dell'ex ministro socialista Francesco. Antonio Di Bella, direttore Tg3, (f) di Franco, ex direttore del "Corriere della Sera". Claudio Donat-Cattin, capostruttura Raiuno, (f) dell'ex ministro democristiano Carlo. Jessica Japino, programmista regista delle edizioni di "Carramba", (f) di Sergio. Giancarlo Leone, amministratore delegato di Rai Cinema e responsabile della Divisione Uno, (f) dell'ex presidente della Repubblica Giovanni. Marina Letta, contrattista a tempo determinato, (f) di Gianni, sottosegretario alla Presidenza a Palazzo Chigi. Pietro Mancini, Gr, (f) del socialista Giacomo. Maurizio Martinelli, Tg2, (f) del giornalista Roberto. Stefania Pennacchini, Relazioni istituzionali Rai, (f) di Erminio, ex sottosegretario Dc. Claudia Piga, Tg1, (f) dell'ex ministro dc, Franco. Francesco Pionati, notista politico del Tg1, (f) dell'ex sindaco di Avellino. Alessandra Rauti, redattore del Gr, (f) di Pino, segretario del Movimento Sociale-Fiamma

Tricolore. Silvia Ronchey, autrice e conduttrice di programmi, (f) di Alberto, ex ministro dell'Ulivo ed ex presidente di Rcs. Paolo Ruffini, direttore Gr, nipote del cardinale e (f) di Attilio, ex deputato e ministro Dc. Sara Scalia, capostruttura di Raidue, (f) della giornalista Miriam Mafai. Maurizio Scelba, Tg1, (f) di Tanino, ex portavoce del presidente della Repubblica Oscar Luigi Scalfaro. Mariano Squillante, ex corrispondente da Londra, poi a RaiNews 24, (f) dell'ex giudice Renato. Giovanna Tatò, Raitre, (f) di Tonino, consigliere di Enrico Berlinguer. Carlotta Tedeschi, Gr, (f) di Mario, senatore Msi. Daniel Toaff, capostruttura e autore della 'Vita in diretta', (f) dell 'ex rabbino di Roma, Elio. Stefano Vicario, regista di Giorgio Panariello, (f) del regista cinematografico Marco. Rossella Alimenti, Tg1, (f) di Dante, ex vaticanista Rai. Paola Bernabei, Ufficio stampa, (f) dell'ex direttore generale della Rai, Ettore, proprietario della società di produzione Lux. Giovanna Botteri, Tg3, (f) di Guido, ex direttore sede Trieste Raï. Manuela De Luca, conduttrice Tg1, (f) di Willy, ex direttore generale Rai. Giampiero Di Schiena, Tg1, (f) di Luca, ex direttore dc del Tg3. Annalisa Guglielmi, sede Rai di Milano, (f) di Angelo Guglielmi, ex direttore di Raitre. Piero Marrazzo, conduttore di 'Mi manda Raitre', (f) dello scomparso giornalista Giò. Simonetta Martellini, Raiuno, (f) di Nando, radiocronista sportivo. Luca Milano, dell' ufficio contratti, (f) di Emanuele, ex direttore Tg1 ed ex vice direttore generale. Barbara Modesti, Tg1, (f) dell'annunciatrice Gabriella Farinon e del regista Rai Dore. Monica Petacco, Tg2, (f) di Arrigo, storico e consulente di programmi Rai. Andrea Rispoli, Raidue, (f) del conduttore Luciano, ex Rai. Fiammetta Rossi, Tg3, (f) di Nerino, ex direttore del Gr2, e moglie del ex segretario dell'Usigrai, Giorgio Balzoni, caporedattore al politico del Tg1. Cecilia Valmarana, (f) di Paolo, uno dei padri del cinema coprodotto dalla Rai, nella struttura di RaiCinema. Paolo Zefferi, (f) di Ezio, giornalista, è a Rainews 24.

Fratelli (fr) e sorelle (s):
Angela Buttiglione, direttore dei Servizi Parlamentari, (s) di Rocco, segretario del Cdu. Nicola Cariglia, sede Rai di Firenze, (fr) di Antonio, ex segretario del Psdi. Silvio Giulietti, telecineoperatore nella sede Rai di Venezia, (fr) di Giuseppe, uomo Rai e Usigrai, ex responsabile dell'informazione dei Ds. Max Gusberti, vice di Stefano Munafò a Raifiction, (fr) di Simona, capostruttura di Raidue. Sandro Marini, Tg3, (fr)

di Franco, ex segretario del Ppi. Giampiero Raveggi, capostruttura di Raiuno, (fr) dell'ideatore del programma "Odeon" Emilio Ravel (nome d'arte). Antonio Sottile, programmista regista di "Linea Verde", (fr) di Salvo, portavoce di Gianfranco Fini. Maria Zanda, capo della segreteria di Roberto Zaccaria, (s) di Luigi, ex responsabile dell'Agenzia del Giubileo.

Mogli e mariti (m):
Milva Andriolli, sede Rai di Venezia, è l'ex (m) di Silvio Giulietti, fratello di Giuseppe. Anna Maria Callini, dirigente alla segreteria di Raidue, (m) di Gianfranco Comanducci, vice direttore della Divisione Uno. Roberta Carlotto, direttore Radiotre, (m) dell'ex esponente Pci Alfredo Reichlin. Sandra Cimarelli, Palinsesto Raidue, (m) di Franco Modugno, direttore dei Servizi immobiliari Rai. Antonella Del Prino, collaboratrice a "La vita in diretta", (m) del giornalista Oscar Orefice. Simona Ercolani, autrice di programmi Rai, (m) del giornalista Fabrizio Rondolino, ex portavoce di Massimo D'Alema. Paola Ferrari, conduttrice, (m) di Marco De Benedetti. Anna Fraschetti, vice del capo ufficio stampa Bepi Nava, (m) di Mario Colangeli, vice direttore Tg3 e sorella di Luciano, quirinalista Tg3. Giovanna Genovese, compagna di Sergio Silva, padre della 'Piovra' è delegata alla produzione. Ginevra Giannetti, consulente Rai International, (m) di Altero Matteoli, ministro dell'Ambiente, An. Giuseppe Grandinetti, Gr, (m) della senatrice verde Loredana De Petris. Francesca Manuti, produttrice di "Sereno variabile" di Raidue, (m) di Paolo Carmignani, vicedirettore Raidue. Lucia Restivo, capo struttura Raidue, (m) di Sergio Valzania, direttore Radiodue. Anna Scalfati, Tg1, conduttrice di programmi, (m) di Giuseppe Sangiorgi, membro dell'Authority ed ex portavoce di De Mita. Cristina Tarantelli, Servizi Parlamentari, (m) di Carlo Brienza, RaiSport. Daniela Vergara, anchorwoman del Tg2, (m) del conduttore Luca Giurato.

Nipoti (n), cognati (c) e vari:
Ferdinando Andreatta, dirigente di Rai- Way, (n) di Nino. Guido Barendson, conduttore Tg2, (n) di Maurizio. Aldo Mancino, dirigente RaiWay (n) dell'ex presidente del Senato, Nicola. Giuseppe Saccà, (n) di Agostino, direttore di Raiuno, nell'orchestra del programma di Raiuno 'Torno sabato-La lotteria'. Adriana Giannuzzi, ufficio Diritti d'autore, (c) dell'ex senatore ed ex membro del Csm Ernesto Stajano e moglie del

vicedirettore della Divisione Due Luigi Ferrari. Alfonso Marrazzo, Tg2, cugino di Piero. Marco Ravaglioli, Tg1, marito di Serena Andreotti, figlia di Giulio. Tommaso Ricci, Tg2, (c) di Angela e Rocco Buttiglione. Carlotta Riccio, regista, (c) di Claudio Cappon direttore generale Rai. Luigi Rocchi, dirigente area Business&development, genero di Biagio Agnes. Laura Terzani, Tg3, nuora di Antonio Ghirelli.

Richiesta di integrazione: Milva Andriolli è entrata in Rai per concorso (bandito dall'azienda nel '88) e ha incontrato il futuro e poi ex marito Silvio (e futuro e poi ex cognato Beppe) solo nel '92 con l'assunzione presso la sede di Venezia il 2 marzo 1992 (il matrimonio il 26 agosto 1992).
08.09.06 15:27

Il rigattiere

Rigattiere. Persona che esercita il commercio di compravendita di roba usata [dal fr. Regrattier, affine a grattare]
Devoto-Oli.
'Le azioni Pirelli e Telecom in volo. Piazza Affari scommette sul riassetto (*Repubblica* 9/9/2006).
'Tronchetti lancia il segnale di svolta, ora anche Tim può essere venduta (*Repubblica* 9/9/2006).
'Dietro alla trattativa tra Telecom e Murdoch, una strategia industriale che accomuna i maggiori gruppi europei' (*Repubblica* 9/9/2006).
'La febbre sul riassetto mette le ali alla Pirelli' (*Corriere della Sera* 9/9/2006).

La svolta, la scommessa, il riassetto, le ali, la strategia industriale, la febbre. Parole incantate. Proviamo a tradurle.

Telecom è indebitata per 41,3 miliardi di euro. Hopa, Unicredit e Banca Intesa sono uscite da Olimpia. Il tronchetto e l'esattore autostradale Benetton sono rimasti soli. Il tronchetto ha bisogno di liquidità. Dopo aver venduto 'per riassettare' Telespazio, Seat PG, Finsiel, Pirelli Cavi ecc. ecc. Dopo il crollo del valore azionario di Pirelli e di Telecom negli

ultimi cinque anni. Dopo aver esternalizzato per dare 'il segnale di svolta' parte di Telecom. Dopo aver fuso per 'strategia industriale' Tim e Telecom, indebitando Telecom per disporre della liquidità generata da Tim. Dopo aver distribuito utili agli azionisti invece di usarli per ridurre il debito o fare investimenti. Dopo aver inutilmente cercato di piazzare in borsa Pirelli Tyre (gomme). Insomma, dopo averle provate tutte, secondo le indiscrezioni potrebbe vendere Tim, la rete di telefonia fissa, l'ultimo miglio. Tutto.
Quest'uomo è estenuante. Attraverso una serie di scatole cinesi Mgmp>Mtp&cSapa>Gpi>Camfin>Pirelli&c>Olimpia controlla con una percentuale da prefisso telefonico la Telecom. Non ha soldi, ma li vuole. Il titolo di Telecom in carico ad Olimpia vale il doppio rispetto alla quotazione di borsa. Non viene svalutato. Nessuno sa perché.
La telefonia e la dorsale sono centrali per lo sviluppo del Paese. Il governo non può stare a guardare. Cosa guarda Prodi? Chiude gli occhi, e sorride beato. Invito Prodi (invitatelo anche voi con una email) a dare un segnale con una lettera a questo blog.

Ps: Presto sarà possibile attraverso il blog avviare l'iniziativa 'share action' per l'Opa alla genovese.
09.09.06 19:50

L'Italia di Beccaria

Cinque anni fa, prima del G8, si sapeva già cosa sarebbe successo. Era nell'aria. I black blocks si esercitavano e venivano filmati. Solo filmati, non arrestati. Né prima, né dopo. Chissà perché.
Il 20 luglio 2001 con Gino Paoli e i suoi boys, tutti vestiti di bianco, i 'white blocks', lanciai l'allarme. Chiesi ai genovesi di lasciare Genova e andare a La Spezia. Cantai "Senza fine" in uno spettacolo improvvisato mentre Gino, armato di una mazza, sfasciava con entusiasmo una macchina usata comprata da un carrozziere.
Della denuncia di Amnesty International che allego e di cui riporto alcuni passi mi stupisce una cosa.
Non l'impunità dei funzionari di polizia implicati nel pestaggio di ragazzi mentre dormivano, molti dei quali stranieri. Non l'assenza

del Governo prima, durante e dopo. E neppure la mancanza di una istituzione indipendente italiana per i diritti umani. Mi stupisce che la tortura nel nostro codice penale non sia ancora considerata un crimine. Adesso mi spiego l'occhio di riguardo verso il rapimento di Abu Omar a Milano e il suo trasferimento in Egitto per torturarlo in tutta serenità. La serenità che deriva dall'applicazione della legge.

Da Amnesty:
"Cinque anni dopo l'operazione di polizia durante il G8 di Genova del luglio 2001, le autorità italiane sono ancora inattive nel prendere misure che definiscano chiaramente le responsabilità della polizia. Passi concreti in questa direzione sono urgentemente richiesti in relazione alle serie prove di brutalità avvenute durante il G8 e nel più ampio contesto di frequenti impunità per l'applicazione della legge e per l'eccessivo uso della forza e guardie carcerarie accusate di tortura..."
"Nell'aprile del 2005, quasi quattro anni dopo gli eventi, è iniziato il processo per i funzionari di polizia coinvolti in un raid notturno di polizia in una scuola usata come dormitorio dai dimostranti e come centro del Genoa Social Forum, il gruppo di riferimento per il principale programma di dimostrazioni. Dozzine di persone arrestate durante il raid riportarono ferite, per alcune fu richiesto un ricovero ospedaliero urgente e, in alcuni casi, operazioni chirurgiche. I funzionari sotto processo sono accusati di varie offese, come aggressione e percosse, falsificazione e occultamento di prove, e abuso di potere. Nessuno di loro, comunque, è stato sospeso..."
"L'Italia, che ancora non ha una istituzione indipendente nazionale per i diritti umani, non ha istituito una pubblica commissione di inchiesta indipendente per gli eventi del G8, come richiesto da Amnesty International sulla base della dimensione e della gravità delle prove..."
"L'Italia deve adottare delle misure urgenti per eliminare l'impunità delle forze di polizia. Queste misure includono l'introduzione nel suo codice penale della tortura come crimine, diciotto anni dopo la ratifica della Convenzione delle Nazioni Unite contro la tortura, così mettendo fine a una deplorevole e cruciale mancanza nel suo sistema legale".
10.09.06 22:34

Gli orchi e i ciechi

Nelle città, intorno a noi, esiste un mondo separato. Un mondo di orchi, di ciechi, di vittime. Gli orchi sono squallidi delinquenti che sfruttano i bambini. I ciechi siamo noi. Noi quando ci voltiamo dall'altra parte. Le vittime sono bambini di cinque/otto/dieci anni che chiedono l'elemosina ai semafori. O nelle metropolitane suonando un violino e vergognandosi di chiedere la carità abbassando gli occhi. Bambini picchiati se non raccolgono qualche centinaio di euro al giorno. Bambini costretti al furto. Importati in Italia per prostituirsi pubblicamente in strada.
Una volta, alla vista di un bambino solo, in difficoltà, lo si prendeva per mano. Gli si chiedeva il nome. Lo si accompagnava dai vigili, alla polizia, in chiesa. Gli si offriva una caramella, un gelato, una carezza.
Tra i ciechi e i delinquenti c'è una differenza sottile, sempre più sottile. Impalpabile.
A Milano, davanti a un cimitero, quello di Musocco, i bambini dell'Est sono merce a buon mercato. Dai 20 ai 100 euro per prestazione. È certo merito della globalizzazione. Una volta costavano di più e si correvano maggiori rischi. Adesso è tutto più facile, più comodo. Non c'è bisogno di andare all'estero per godere dei piaceri della carne. Tra qualche anno li ordineremo da casa.
Oggi voglio fare pubblicità a un numero: il 114, per l'emergenza infanzia. Se siete testimoni di un abuso su un bambino, non voltatevi più da un'altra parte, ma telefonate al 114. Fatelo per voi, oltre che per i bambini. Vi sentirete meglio, dopo.
11.09.06 18:02

Share action, proviamoci

Di chi è la Telecom? E chi l'ha costruita anno dopo anno con le tasse se non generazioni di italiani? E allora proviamo a riprendercela. Il meccanismo è semplice. Se tutti coloro in possesso di azioni Telecom vorranno darmi la delega, mi presenterò all' assemblea di Telecom e farò sentire la vostra voce licenziando il cda. Vale quindi la pena di tentare.

Per attuare il progetto, occorre essere in tanti. Inviatemi le vostre manifestazioni di interesse attraverso il form del modulo di adesione per consentirmi di valutare la fattibilità del progetto e tentarne la realizzazione.
Riporto di seguito una spiegazione del legale sull'iter per esercitare il diritto di voto:

"Telecom è quotata in borsa per cui le azioni vengono negoziate nei mercati regolamentati e non sono fisicamente in mano agli azionisti ma sono figurativamente depositate in Banca e la titolarità delle azioni si dimostra attraverso una serie di registrazioni.
L'azionista che intende partecipare all'assemblea della Telecom deve pertanto chiedere alla Banca depositaria il biglietto di ammissione per partecipare all'assemblea indicando la persona che l'azionista intende delegare per l'intervento".
Il conferimento della delega, per un progetto come il nostro, è sottoposto al rispetto di precise regole prescritte dagli articoli 136 e seguenti del dlgs 58/98.
Manifestatemi il vostro interesse e darò concreto impulso al progetto.

Fatemi godere. Rifatevi delle umiliazioni subite in questi anni come utenti e come azionisti. Il cda licenziato dai veri azionisti attraverso un comico. Una cosa mai vista al mondo. Un undici settembre dei capitalisti senza capitali che ammorbano la nostra società. Ragazze e ragazzi, dateci dentro. Aderite, aderite, aderite.
12.09.06 21:20

I serpenti di cemento

L'edilizia è un serpente che si mangia la coda. Che divora sé stesso. All'ingresso delle città ci accolgono foreste di gru al posto di mura e giardini. Nelle strade nuovi svincoli, rotonde, sottopassi. Terze, quarte corsie. I paesi investono i bilanci comunali nell'edilizia. L'Ici è il nuovo motore del mattone. Si tassano le case per costruire le case. Seconde, terze case. I capannoni industriali, vuoti, in vendita, in affitto costeggiano le autostrade per decine di chilometri. Le cave appaiono d'incanto

tra boschi e montagne. Non si costruisce più per abitare, per necessità. Si costruisce per lucrare. Per 'investire'. La stabilità o la discesa dei prezzi è un rischio, un problema, una sciagura. Ma per chi?
Ogni nuova costruzione occupa spazio, risorse, distrugge il territorio. L'Italia vista dall'alto è uno stivale di cemento con un po' di verde intorno. La provincia italiana è piena di case abbandonate da ristrutturare e di case nuove disabitate. Le città italiane sono piene di uffici vuoti (o anche vuote di uffici pieni) e traboccanti di nuovi edifici in costruzione. C'è un'orgia da cemento in giro. Ma il cemento non produce nulla. Piuttosto, se non è necessario, distrugge soltanto.
Le richieste di nuove licenze edilizie andrebbero autorizzate solo in mancanza di alternative già presenti. Incentivate le ristrutturazioni di case esistenti. Quanti uffici, appartamenti, edifici sono vuoti in Italia? Quanti in costruzione? L'edilizia si giustifica perché rende, perché il mattone è sicuro. Ma è un gioco al massacro del territorio. E delle risorse economiche che potrebbero essere destinate, almeno da parte delle amministrazioni pubbliche, al territorio, ai servizi ai cittadini. Che senso ha investire in cubi di cemento invece che in ricerca? Un senso ci deve essere in attesa della bolla immobiliare prossima ventura. Un vento sta spirando da oltre Atlantico verso l'Europa. Dopo potremo investire in demolizioni e nel recupero del territorio. Serpenti che si mangiano la coda.

Ps: "Fabbricare fabbricare fabbricare
Preferisco il rumore del mare
Che dice fabbricare fare e disfare
Fare e disfare è tutto un lavorare" (Dino Campana)
13.09.06 20:16

Mourad Akhay

Mourad Akhay si butta nell'Arno lo scorso dicembre per salvare un ragazzo italiano con disturbi mentali. Mourad è marocchino e lavora in nero come ambulante al Mercato Multietnico di Firenze. Il sindaco di Firenze, stupito dal coraggio di Mourad nello sfidare terribili malattie infettive tuffandosi nella cloaca che attraversa Firenze, gli chiede di

esprimere un desiderio. Quello che desidera più di ogni altra cosa. Un po' come nelle favole. Mourad esprime il suo desiderio: un permesso di soggiorno che gli consenta di lavorare in Italia. Domenici promette. In marzo Mourad, non ricevendo notizie dal sindaco, gli scrive una lettera in occasione del "Decreto Flussi 2006" per gli stranieri chiedendo l'inoltro di una domanda al governo per la sua permanenza in Italia per motivi di lavoro. Nessuna risposta.
Nove mesi dopo Mourad è sempre in Italia, è sempre vicino all'Arno in caso di bisogno, è sempre ambulante, è sempre in nero. Domenici è sempre sindaco. Una storia a lieto fine. Domenici per evitare altre imbarazzanti manifestazioni di riconoscimento nei confronti di Mourad, o di altri marocchini dediti al salvataggio, ha allestito, vicino al Ponte Vecchio, un allevamento di cani Terranova da usare in caso di necessità. Salvano le persone, ma poi non chiedono nulla, tranne qualche osso. Al posto del permesso di soggiorno gli basta una medaglietta.

"Domenici,
lei dovrebbe incentivare i salvataggi in Arno. Inizi quindi a mantenere la parola data. Poi, con un'apposita ordinanza comunale, ufficializzi le ricompense per gli extracomunitari dediti al salvataggio. Un salvataggio, un permesso di soggiorno. Due, la cittadinanza. Tre, un lavoro da bagnino.
Pensi a che responsabilità si sta assumendo se nessun clandestino, per protesta nei suoi confronti, si buttasse più in Arno per motivi umanitari. A Mourad per ora la carta d'identità onoraria la dà il blog, a nome di molti italiani".

Beppe Grillo
14.09.06 19:09

Back to the future

Enzo Ferrari, meccanico, pilota, e poi capo azienda. Camillo Olivetti, progettista di macchine da scrivere, e poi capo azienda. Arnoldo Mondadori, impiegato in una cartoleria, piccolo editore, e poi capo azienda. In tempi più moderni, Bill Gates, programmatore e poi capo azienda. Chi sono oggi i capi azienda in Italia? Cosa ne sanno Catania di ferrovie, Tronchetti di telefonia e di rete, Cimoli di aerei. Cosa ne sapeva Romiti di automobili? Chiedetelo a Ghidella, cacciato non per incompetenza, ma per troppa competenza. Il denaro, la finanza sono un risultato, una derivata. E, oggi, i derivati di una derivata comandano e distruggono le società. Trasformano le società in dividendi, in stock option, in bilanci in rosso, in debiti. Il loro conto corrente è però sempre nero come la notte.

Quando vengono cacciati (qualche volta succede) esigono buone uscite di milioni di euro anche se la società è sull'orlo del fallimento. Lo Stato, si è visto per le Ferrovie, lo si vedrà per l'Alitalia, cede subito. Li paga invece di cacciarli per giusta causa. Con i nostri soldi, con le nostre finanziarie. Per la logica del potere e dell'apparenza più guadagnano più sono ritenuti importanti. I giornali ne vanno pazzi. Non importa quanti danni hanno fatto finora. Si è sicuri che in futuro gli sarà permesso di farne certamente di più.

Gli enormi stipendi dati a manager pubblici e privati, spesso incompetenti di ciò di cui si occupano, sono un incantesimo. Loro stessi sono un incantesimo da trasferire su un'isola, vanno bene sia Alcatraz che l'Isola dei Famosi, circondate però da squali. Per metterli a loro agio. Perchè un tecnico, un operaio, un impiegato di un'azienda deve guadagnare 1.000 o 1.500 euro al mese e l'amministratore delegato, il presidente, il direttore generale milioni di euro? Dove sta la logica? Se il tecnico sbaglia viene cacciato, se succede al manager viene liquidato. Dove risiede questo grande valore aggiunto dei capi azienda? Moderni Einstein che proclamano un anno la valenza strategica della fusione fisso mobile e l'anno successivo esattamente il contrario senza che nessuno gli rida in faccia. È un valore nascosto, molto nascosto. Misterioso. È ora che venga alla luce, che si capisca e che dopo si tolgano dai piedi.
15.09.06 19:36

Addio Oriana

Morta Oriana Fallaci quanti giornalisti liberi di nazionalità italiana rimangono in giro? La Fallaci ha scritto cose che non condividevo e altre su cui ero d'accordo. Ma si è presa sempre dei rischi. Diceva la sua

verità, ci metteva la sua faccia. Lascia, più che un vuoto, un baratro nel giornalismo italiano. Fare il giornalista non è facile, ci vuole il protettore. Giornalisti senza padroni non ce ne sono più, e quelli che resistono sono sempre più anziani. E anche ripetitivi, ma non ditelo a Eugenio Scalfari. Bisogna andare nella biblioteca comunale e leggersi vecchi pezzi di Montanelli per tirarsi un po' su. E Travaglio? Mi si chiederà. Ma Travaglio non è un giornalista, è una persona informatasuifattiatempopieno. Un testimone multioculare. Un fenomeno vivente. Uno da fare Ministro della Giustizia.
Essere giornalista e non anche servo è una questione di astuzia. Io comunque preferisco il giornalista schierato senza se e senza ma. È più pulito, mi è quasi simpatico. Anche se nessuno lo prende sul serio, come un ubriaco al bar, e tutti gli vogliono bene. Fa la pubblicità, ma non è una pubblicità ingannevole. Feltri, Fede, Ferrara, Rossella, la vecchia guardia, gente semplice, una razza in estinzione. Insidiata dagli opinionisti che hanno, soprattutto, una grande opinione di sé stessi.
I fighetti del giornalismo, intellettualmente onesti, con la cravatta giusta e la rubrica. Leggi i loro articoli e alla fine ti rimane un senso di vuoto. Non hanno più bisogno di mentire per coprire i fatti. Li annullano con il nulla. E non fanno neppure fatica. I Riotta, i Severgnini, i Mentana.
Oriana, ci mancherai.
16.09.06 21:18

Detrazioni fiscali per le baby sitter

Un papà con due figli mi scrive proponendo di detrarre fiscalmente il costo delle baby sitter e delle badanti. Mi trovo completamente d'accordo con lui. Sia per eliminare il lavoro nero, sia per i più piccoli dei miei sei figli che mi costano una cifra. I nostri dipendenti non si smentiscono mai. La Melandri, la fatina del Governo, propone detrazioni per le palestre. Berlusconi le aveva proposte per le sue duecentoventuno guardie del corpo.
Le detrazioni fiscali ad personam. D'Alema le richiederà per i marinai, Prodi per il training autogeno, Mastella per gli ex detenuti colti in flagranza di reato, Gentiloni per Mediaset, Bersani per Colaninno e Gnutti, Bertinotti per le cooperative rosse.

"Egregio Signor Grillo,
l'onorevole Melandri avrebbe proposto la detraibilità fiscale della iscrizione a palestre ed associazioni Sportive. Mi sono permesso di scrivere quanto segue all'onorevole, al suo sito presso la Camera dei Deputati:

Gentile Onorevole,
leggo sui giornali di oggi 15/9/06 la sua proposta relativa alla detraibilità fiscale delle spese per iscrizioni/frequentazioni di palestre ed associazioni sportive. Sono un vostro elettore, dirigente di azienda e con moglie imprenditrice. Abbiamo due figli, di cui uno di 8 anni. Per poter lavorare entrambi abbiamo da anni una baby sitter, regolarmente assunta, paghiamo quindi contributi all'Inps e Silvia (la baby sitter) versa regolarmente l'Irpef. Questa è una condizione diffusissima in Italia, centinaia di migliaia di famiglie usufruiscono dei servigi di baby sitter (quasi sempre 'in nero').
Non parliamo poi del vasto mondo delle badanti per anziani non autosufficienti. Qualche anno fa, se non erro, il centrodestra propose di dedurre fiscalmente il costo delle guardie del corpo. Mi andò il sangue al cervello, perché questa idea denotava un disprezzo totale verso le famiglie in cui entrambi i coniugi lavorano e che quindi necessitano di baby sitter.
Sono quindi molto stupito che un esponente di punta del centro sinistra, donna, mi pare con figli, si ponga il problema dell'obesità e non della gestione della famiglia. Onorevole Melandri: aprite gli occhi! Il problema per milioni di italiani non è la linea fisica, il problema è a chi lasciare i figli quando si va a lavorare; gli asili non bastano, perché hanno orari rigidi, mentre chi lavora sa bene che le esigenze lavorative ti portano ad avere orari sballati. Non parliamo poi del periodo in cui i marmocchi hanno meno di tre anni: asili nido insufficienti, orari rigidi, malattie a ripetizione dei piccoli marmocchi ecc.
Faccio infine notare che, se fosse possibile detrarre fiscalmente il costo delle baby sitter, emergerebbe una bella fetta di lavoro nero, con incremento dei contributi Inps e crescita del Pil.
Ne parli con il suo collega Visco..."

C.S.
17.09.06 22:30

Parole cinesi

Prodi è andato in Cina per occuparsi finalmente di Telecom. Per non rischiare troppo tra un viadotto dell'autostrada e l'altro. Sotto la protezione dei servizi segreti cinesi ha potuto finalmente esprimersi. Non parlava così da anni. E si è capito pure cosa diceva. Un'altra persona. Rinato. In Italia balbettava, lì invece le ha cantate chiare e forti.
I cinesi non erano granché interessati alla Telecom e alla vendita della Tim, ma hanno dovuto sciropparsele. È come se il primo ministro cinese venisse a Roma per una settimana e si piazzasse in Confindustria per tenere conferenze stampa sul fiume Giallo dalla mattina alla sera.
Prodi è stato assistito dal suo fido consigliere, l'ex giocatore di pallacanestro Rovati che dopo l'entusiasmo sollevato in Patria dalle sue dichiarazioni e dalla memoria 'artigianale' fatta avere in gran segreto al tronchetto si è dovuto dimettere. E questa è sicuramente una buona notizia per il Governo che potrà fare a meno dei suoi consigli.
Prodi rientra in Italia da trionfatore anche se nessuno ha capito esattamente cosa ha fatto in Cina insieme ai circa mille politici e imprenditori. E chi ha pagato loro biglietto, vitto e alloggio. Prodi dovrà ora recarsi in Parlamento a riferire, non sulla Cina, ma su Tronchetti. Farà il suo solito discorso che risulterà incomprensibile al largo pubblico, ma molto rassicurante.
Il quasi ottuagenario Guido Rossi è ora presidente di Telecom, beati i Paesi che non hanno bisogno dei pensionati. Carlo Buora, il dito medio della mano sinistra di Tronchetti è vice presidente operativo. Insomma, va tutto bene, non è cambiato niente. L'opposizione chiede le dimissioni di Prodi senza vergognarsi di aver consentito a Tronchetti di tutto e di più per cinque anni. Ma forse sono solo manovre di Berlusconi per comprare la rete fissa in nome dell'italianità. Il rovesciamento delle parti operato dai giornali in tutta questa vicenda è sensazionale. Tronchetti è la vittima e Prodi il carnefice. La verità è più terra terra: le vittime sono, come sempre, gli italiani.
18.09.06 23:29

L'Eni contro il pianeta Terra

Scaroni è andato all'Opec. Ha fatto un bel discorso in inglese. Prima di partire per Vienna ha preso ripetizioni da Totti. L'accento non era dei più oxfordiani, ma la sua figura da italiano all'estero l'ha fatta. Bisogna riconoscerglielo. Io non porto rancore e, anche se l'Eni oscura questo blog, ho deciso di riprenderlo. È utile per le lezioni di lingua inglese, meglio dello Shenker, da ascoltare a scuola, si capisce tutto, sembra quasi che parli in italiano.
Per completezza allego il testo e ne riporto qualche frase con un mio commento.

"Le riserve recuperabili di olio non convenzionale, olio pesante e bitume naturale, ammontano a quasi 5.000 miliardi di barili, per una durata superiore a 100 anni".
L'emissione di anidride carbonica e il rilascio di sostanze inquinanti delle riserve recuperabili ucciderà il pianeta ben prima di 100 anni.

"La crescita della domanda a livello globale sta iniziando a rallentare".
Cina? India? Brasile? Nessuno ne ha parlato a Scaroni?

"Per quanto concerne la raffinazione, ci sono buone ragioni per essere ottimisti. Secondo le stime, la capacità di raffinazione primaria crescerà di 9,0 mb/d tra il 2006 e il 2011...
Tecnologie e competenze avanzate sono essenziali per aumentare il recupero del petrolio, per salvare i giacimenti petroliferi dal declino, per raffinare oli pesanti e non convenzionali".
Io non sono così ottimista, il pianeta non è così ottimista. Le tecnologie devono essere messe al servizio della ricerca, non delle raffinerie.

"Un così alto prezzo del petrolio ci offre l'opportunità di investire nel futuro".
Ma se Scaroni ha ragione e la domanda diminuisce, perché i prezzi salgono? Perchè dobbiamo finanziare con il pizzo sul petrolio l'estrazione di altro petrolio invece delle energie rinnovabili?

Pecoraro, Bertinotti, Di Pietro, Prodi, Fassino, e anche voi dell'opposizione, dove c..o vi nascondete? È in ballo il futuro dei vostri figli, non il bilancio dell'Eni e i suoi dividendi. Cosa gli racconterete domani? Che Scaroni è stato un incidente di percorso e che voi non ne sapevate nulla?
19.09.06 19:40

I funerali di Berlinguer

I meetup di Beppe Grillo di Pavia e Milano insieme a Piero Ricca sono andati alla Festa dell'*Unità* per discutere dell'indulto. Ecco come è andata.

"Rivoglio il mio microfono.
Potrei iniziare da qui, con involontaria citazione dal Santoro rockpolitik, questa cronachetta dalla serata fassiniana alla festa dell'*Unità* di Milano.
Il microfono del mio megafono Ikarus, intendo, che mi è stato strappato da un militante diessino violento e ladro.
Non è stato semplice, lunedì sera, alla festa dei 'democratici di sinistra' esprimere il nostro democratico diritto al dissenso. Meglio: esprimere l'opinione della maggioranza degli italiani sull'indulto vip di mezza estate. Ma l'avevamo messo in conto. E tutto sommato ci è andata di lusso: siamo rincasati sani e salvi. Ecco com'è andata.
Alle 20,20 ci ritroviamo, come convenuto con i grilli milanesi, alla fermata del metrò Lampugnano. Siamo una quindicina, con duemila volantini e i soliti cartelli. In pochi minuti raggiungiamo lo spazio antistante il palamazda (quel palamazda, dove con l'amico Ric Farina sfidammo la tribù forzista, che oggi quasi rivaluto al confronto di tanti militanti diessini). Indossati i cartelli, iniziamo a volantinare a tutto spiano. A un certo punto, in attesa di Fassino, annuncio la nostra presenza al megafono, con breve comiziettto. In un attimo mi arrivano addosso in tre o quattro, c'è anche una donna, con la voce roca, i capelli biondastri e l'aria della padrona di casa. Segue un'accesa discussione: nel senso che loro ci aggrediscono e noi cerchiamo di toglierceli di torno. Vogliono impedirci di parlare al megafono e di filmare. Un tizio

prende alcuni volantini e li strappa. La biondastra rocamente mi intima di smettere di megafonare. Gli altri ringhiano senza sosta.
Rispondo con le pacate argomentazioni di sempre:
1 - Questa è una piazza pubblica
2 - La festa dell'Unità non è luogo extraterritoriale
3 - Anche qui, dunque, vige l'articolo 21 della Costituzione italiana, che garantisce la libertà di espressione
4 - Peraltro siamo anche noi elettori del centrosinistra: possiamo criticare o andiamo bene solo alle elezioni?
5 - In tema di indulto, inoltre, la maggioranza degli elettori del governo Prodi è con noi.
Le repliche dei sempre più agitati compagni sono un campionario di ritardo culturale. Eccole riassunte:
1 - Questa è una festa privata
2 - Questa piazza l'abbiamo affittata noi, per questa sera è nostra
3 - Ma a voi chi vi paga, Berlusconi?
4 - Se lo andaste a fare alle feste delle destra, questo lavoro, vedreste cosa vi capita
5 - Andate fuori dai c...ni brutti str...zi!

Volti, espressioni, modi sono incarogniti, minacciosi, penosi. Gli amici della Digos vigilano in disparte, inutile è il mio tentativo di farli intervenire per difendere i nostri diritti. Alle feste 'private' dei Partiti-Stato la vera forza pubblica è il servizio d'ordine. Il primo assalto si conclude con la sospensione del mio comizio al megafono. Poi inizia l'entusiasmante esternazione fassiniana; la seguiamo da uno schermo esterno continuando a volantinare e a esporre i cartelli. C'è il tempo di uno scambio di battute con l'uomo di punta della Quercia a Milano: il presidente della provincia Filippo Penati. Provo a scuoterlo dal suo lugubre torpore obiettando che in un'epoca di corruzione dilagante varare come primo provvedimento parlamentare un indulto esteso ai vip del crimine e a reati non ancora scoperti. Mi risponde: l'indulto è servito ai poveri cristi, tanto i vip in galera non ci andranno mai, Consorte non è stato ancora condannato. Ha capito tutto.
Verso le 23 Fassino s'avvia al ristorante Valtellina per il rituale saluto ai volontari della festa. Lo avviciniamo chiedendogli di prendere il volantino e di rispondere alle nostre critiche. Lui tira dritto, mesto e indifferente.

A quel punto riprendo il megafono, salgo su una panca e riassumo le nostre ragioni, anche evocando la figura di Enrico Berlinguer e la sua battaglia sulla questione morale.
Apriti cielo. Evocare la questione morale alla festa dei diesse? Peggio che bestemmiare in chiesa! Si leva una sorta di boato, un frastuono indistinto di insulti, minacce, fischi e ululati. I più esagitati ci vengono addosso. Fisico tracagnotto, mezz'età, volti ottusi: il giorno dopo me li ricordo così, gli ultimi residui della vecchia guardia stalinista. Nuovo parapiglia. Si sfiora il linciaggio. Questa volta i gendarmi si mettono in mezzo, limitando i danni. Nel trambusto uno degli stalinisti tracagnotti, protetto dalla massa, per zittirmi mi strappa il microfono del megafono. Non son più riuscito a recuperarlo. Naturalmente i poliziotti - ben attenti a proteggere Fassino dal terribile rischio di una pernacchia - fanno finta di non vedere, benché siano a mezzo metro di distanza. Alle feste 'private' dei Partiti-Chiesa si può aggredire e derubare impunemente un dissenziente sotto lo sguardo vigile della Digos. Ma questa storia non finisce qui. Anche le maggioranze, dopo tutto, hanno diritto a far sentire la propria voce".

Piero Ricca
20.09.06 18:50

L'orgia della Borsa

I consigli dei consiglieri di Telecom Italia non l'hanno portata molto lontano. Non hanno la stoffa di Robert Duvall nel Padrino. Marlon Brando lo pagava per ascoltarlo. Questi sono stati pagati per ascoltare il tronchetto. In questi anni di buona sorte sono sempre stati d'accordo con il loro presidente. E lo sono anche ora nella cattiva sorte. Ammirevoli nell'incorporo del 2005, nello scorporo del 2006 e, spero, molto presto, anche nell'andata di corpo. L'82% degli azionisti forse non è del tutto in sintonia con loro. Ma non si possono recepire le istanze di tutti: il 18% basta e avanza. I giornali parlano di intercettazioni passate attraverso i vertici Telecom, di fatture di milioni di euro pagate a società indiziate di spionaggio. Il consiglio nulla sapeva? Nulla sentiva? Nulla vedeva? Delle due l'una. O sapeva e ha taciuto e va rimosso. O non

sapeva e allora va comunque rimosso per incapacità.
La mappa di Telecom, aggiornata a marzo 2006, che ho presentato in parte durante i miei spettacoli, è un'orgia. Le stesse persone sono ovunque nella Borsa, consiglieri e sindaci, multiruolo, multigettone.
La figura va un po' spiegata. Al centro c'è la Telecom, intorno ad essa, nel primo cerchio, i suoi consiglieri, collegati con una linea verde, e i suoi sindaci collegati con una linea viola. I consiglieri e i sindaci presenti anche in altri consigli hanno una linea verde o viola che li collega alle società del secondo cerchio. Nel terzo cerchio ci sono i consiglieri presenti in almeno due società collegate a Telecom.
La mappa allegata va ingrandita per leggere i nomi.
Buona lettura e buoni investimenti.
21.09.06 18:50

Giornalisti Ogm: De Bortoli

Non mi piace infierire sulle persone. E così, adesso, che di Tronchetti parlano tutti male, io voglio parlarne bene. Ma, per quanto mi sforzi, non ci riesco. Ho deciso di farmi aiutare da una delle penne migliori del giornalismo italiano: Ferruccio De Bortoli, direttore del *Sole 24 Ore*, e estrarre dalla sua prefazione a una recente biografia di Tronchetti, *L'industriale*, i passi più felici. I più veri.

" C'è la storia di una passione, ormai rara: l'industria. Con molte sfide accettate, alcune vinte, altre aperte e difficili"

" Contano i risultati; la riservatezza è un valore; l'ostentazione una debolezza; la convinzione che il merito vada spartito con tutti i collaboratori una parola d'ordine"

"... Diviene stretto collaboratore di Sozzani alla Pirelli & C.; collabora alla prima semplificazione societaria del gruppo, esperienza che gli sarà utile negli anni di Telecom per accorciare la catena di controllo e gestire meglio il problematico rapporto tra indebitamento e cash flow"

" La leadership la ottiene sul campo, non la ottiene per motivi dinastici. Leopoldo Pirelli lo sceglie come successore guardando alle qualità personali non ai legami familiari"

"... Il caso Optical o meglio Otusa, della più grande creazione di valore della storia recente dell'industria... la possibilità di concludere con la Corning, che ambisce a essere leader mondiale, la cessione della società di fotonica per quasi 4 miliardi di euro! Pirelli è pagata in contanti..."

"... Ingresso di Pirelli in Telecom... Non fa l'Opa, con grande scandalo. Ma confessa Tronchetti all'autore: 'Quelli che gridano sono gli stessi che negli anni Ottanta hanno contribuito a far nascere i junk bond e applaudito a un'operazione tra le più brutte che siano mai avvenute in Italia, l'Opa Telecom'. Quella con cui la razza padana, oggi tristemente famosa, fece laute plusvalenze sottratte al Fisco"

" La sfida (in Telecom) sia industriale sia finanziaria è tutt'altro che vinta. Ma i risultati ci sono. In un solo anno, per esempio, si realizzano due miliardi di euro di risparmi sui costi. La piramide di controllo è semplificata con la fusione fra Olivetti e quella successiva con Tim"

"... Certamente non si può dire che non sia un industriale. Ed è forse questo il più grande complimento che gli si possa fare. Di industriali veri ne sono rimasti così pochi. E Tronchetti è convinto, e lo ha più volte sostenuto anche nel suo ruolo di vicepresidente di Confindustria, che un sistema Paese moderno deve far leva su una nuova e solida generazione di imprenditori disposti a innovare e rischiare".

Ho una foto di De Bortoli sul comodino. Mio figlio Ciro, ogni sera, prima di dormire, mi chiede sempre di raccontargli la favola quotidiana di De Bortoli.
22.09.06 17:45

Le SuperBalle di SuperQuark

Piero Angela e suo figlio (o suo figlio e Piero Angela...) sono simpatici. Il figlio più del padre perché si rivolge anche al pubblico dei non udenti

quando spiega. Altrimenti non si spiegherebbe perché si spiega con un mulinare di arti. Ma forse sono spasmi da esaltazione scientifica. Figlio e padre, ben remunerati dalla Rai, ma non informati. E come faranno allora a informarci? Li informo io. E non chiedo un euro.
L'altra sera ho visto il servizio di Lorenzo Pinna a SuperQuark sugli inceneritori dove si spiegava quanto sono belli, moderni, sicuri. Partendo da quello di Barcellona.
Così veniva presentato il servizio:
"Inceneritori e depuratori: due impianti che nessuno desidera sotto casa propria. Eppure a Barcellona, con l'utilizzo di moderne ed efficienti tecnologie, hanno realizzato questi impianti in piena città, costruendoci sopra anche un auditorium, un centro congressi e alberghi a cinque stelle delle più grandi catene internazionali. Nel servizio di Lorenzo Pinna."

Silenzio sulle emissioni di nanopolveri killer da Pm 2.5 a Pm 0.1 che nessun filtro può fermare o sulle emissioni di diossine.
Silenzio sulle ricerche scientifiche che dimostrano come gli inceneritori di rifiuti siano dannosi alla salute umana e non siano una soluzione per i rifiuti e per l'energia. Silenzio sulle città che hanno adottato la strategia 'Rifiuti Zero' e che puntano su tecniche alternative senza combustione come il Trattamento biologico, alla raccolta differenziata con il 'porta a porta' e alla riduzione a monte di rifiuti ed imballaggi.
La Rai è un servizio pubblico e vorrei che nella prossima edizione di 'SuperQuark' si parli delle ricerche sui danni da inceneritori e dei sistemi alternativi senza combustione esistenti. Questo per la par condicio dell'informazione.

Materiale per rinfrescare la memoria a Piero Angela:
- Articoli del dott. Stefano Montanari e della dott.sa Antonietta Gatti sui danni da nanoparticelle prodotti dagli inceneritori
- Documento Isde- Medici per l'Ambiente Italia
- Rapporto dell'Associazione Britannica di Medicina Ecologica
- Articolo della Federazione Italiana Medici di Medicina Generale
- Ricerca del dr. Micheal Ryan sui difetti alla nascita in Inghilterra dovuti agli inceneritori (1995-2002), dove si spiega che i danni alla salute emessi dalle polveri Pm 2.5 vengono registrati in un area di 20 miglia (32 chilometri) di distanza dai camini

- Ricerca del prof. Annibale Biggeri dell'Università di Firenze sulla mortalità per linfomi non Hodgkin nei comuni della regione Toscana con inceneritori
- Articolo del professor Massimo Gulisano, ordinario dell' Università di Firenze sui danni biologici causati degli inceneritori
- Articolo sul tema nanoparticelle e inceneritori del prof. Ugo Bardi, del Dipartimento di Chimica dell'Università di Firenze
- Articolo sulle alternative reali agli inceneritori: il Trattamento meccanico biologico, a cura del prof. Federico Valerio, direttore del dipartimento di Chimica Ambientale dell' Istituto per la Ricerca sul Cancro di Genova
- Parere scientifico del prof. Lorenzo Tomatis, Ex Direttore Esecutivo dello Iarc International Agency for Research on Cancer, del dr. Valerio Gennaro, Medico Epidemiologo presso l' Istituto Nazionale per la Ricerca sul Cancro di Genova e del professor Paul Connet, della St. Lawrence University - New York, che è il massimo esperto americano delle strategie alternative agli inceneritori ed ideatore della politica "Rifiuti Zero". Già che ci siamo caro Piero Angela sarebbe interessantissimo un servizio sulle alternative senza combustione esistenti o sulla città di Buenos Aires che ha l'obiettivo di chiudere tutti gli inceneritori e riciclare tutti i rifiuti entro il 2020, o sulla Contea del Lancashire (1.2 milioni di abitanti), in Inghilterra, che nel settembre 2005 ha rinunciato a costruire un mega-inceneritore puntando sul Trattamento meccanico biologico "a freddo" ritenuto anche da Greenpeace un metodo più rispettoso per ambiente e salute umana. Sempre più Province rinunciano a costruire inceneritori. Da ultime Savona, Alessandria e Novara, dove grazie al 'porta a porta', arrivato al 70% di raccolta differenziata, sono stati cancellati i progetti di un inceneritore e di una discarica. Per finire la ciliegina sulla torta della trasmissione... un bel servizio sui sussidi statali agli inceneritori spacciati solo in Italia come 'fonti d'energia rinnovabile' e che paghiamo sulle bollette Enel.

Chiedo a Pecoraro Scanio di inviare una lettera su questo tema al blog. Una lettera operativa, da vero dipendente pubblico, che spieghi cosa il suo ministero ha intenzione di fare e quando per gli inceneritori e sull'informazione della Rai (mandi lo studioso Maurizio Pallante a SuperQuark).
23.09.06 22:18

Diarrea da intercettazioni

Il Paese sta tracimando. Non il Governo soltanto. Tutto il Paese. Governo e Opposizione, entrambi Santi, hanno benedetto un decreto legge per bruciare le intercettazioni illegali. Intercettazioni eretiche. Roghi in Procura. La prossima volta toccherà ai giudici, non un rogo, basterà una piccola scottatura. La fretta, la rapidità e il consenso politico (unanime) del decreto portano il cittadino a un legittimo sospetto. Che le intercettazioni illegali contengano prove di attività illegali.
La domanda da porsi è:
"È legale distruggere prove illegali di atti, se illegali, che riguardano i nostri rappresentanti in Parlamento?".
Se lo chiedi a loro la risposta è sì, senza no e senza se. Un sì incondizionato. Ma, se non c'è nulla di illegale nei contenuti delle intercettazioni, perché non lasciare invece ai magistrati la decisione se distruggerle o se utilizzarle? La m..da tracima da tutte le parti. La paura dei politici di essere sputtanati dalle conversazioni telefoniche è una paura lecita. Probabilmente molto fondata. Ma inutile. Devono stare tranquilli. L'Italia non è l'Ungheria e neppure la Thailandia. Qualunque informazione sui politici venisse riportata sui giornali, gli italiani dopo una sana indignazione, vera e vissuta, tirerebbero dritto alla pagina sportiva.
Nessuno si chiede chi ha ordinato le intercettazioni e perché ha spiato. I nomi di Buora o di Tavaroli vanno bene per giocarci a biglie. Al massimo esecutori degli esecutori degli esecutori. Terzo o quarto livello. Quelli usati per il lavoro sporco. Forse qualcuno all'interno delle istituzioni dirigeva il gioco. Il Governo, se ne ha la forza, ma ne dubito, accenda un faro sui mandanti e non un falò sulle intercettazioni. Il gioco del chi è. Se non sono i partiti, non è la Telecom diventata improvvisamente uno Stato nello Stato, non è Licio Gelli (per motivi di età), non è la criminalità organizzata (non ne ha bisogno), rimangono i servizi segreti, Bin Laden e l'usciere della Pirelli. Ed è lui che pagherà per tutti.
24.09.06 18:30

Cinema assistito, Rete tassata

Il cinema italiano è in crisi? Nessuna paura. Ci pensa la Margherita con il suo alfiere culturale Andrea Colasio.
Colasio, responsabile cultura della Margherita ha presentato una proposta di legge di 'Disciplina delle attività cinematografiche e audiovisive', introdotta da queste parole:
"Onorevoli Colleghi! - L'idea che il cinema italiano sia attraversato da una crisi strutturale, nella quale si alternano con intensità diversa fasi di latenza e di 'eruzione', pare essere un dato condiviso dagli operatori e dagli osservatori. È questa coesistenza di lunga durata con la 'crisi', la quasi assuefazione generatasi nel tempo al fenomeno, con il correlato evocare la mitica età dell'oro del 'Grande cinema italiano' che rischia tuttavia di fare da schermo ad un'analisi che, seppur impietosa sullo stato di salute di questa nostra industria culturale, ci permetta di modulare proposte innovative in termini di politiche pubbliche di settore".
La soluzione per risollevare le sorti del cinema italiano compare all'articolo 32 della proposta (Risorse finanziarie). L'articolo prevede che attraverso una nuova Agenzia venga succhiato il sangue a Internet per darlo al cinema già in 'rigor mortis':
"Una quota pari al 3,5% del fatturato annuo lordo degli operatori Internet derivante da traffico Iptv, streaming tv e, in genere, da traffico di contenuti di immagini in movimento".
Se la Margherita vuole il cinema assistito se lo finanzi con i suoi soldi. È demenziale che si voglia far pagare a chi utilizza Internet lo stipendio di registi falliti. Il Governo pensi a allineare le tariffe Internet a quelle europee, non a tassarle ulteriormente.
Vi lascio con un altro (piccolo, non abbiate paura) pezzo di prosa di Colasio:
"A questo punto si può scegliere tra 'sopravvivere', alternando cicli di sconforto a euforia transitoria, o optare per un drastico intervento che possa apportare nuova linfa all'intero settore..."
Scegliete, optate, sconfortatevi e poi scrivetegli una mail.

Riporto la risposta di Andrea Colasio:

«Caro Grillo,

da affezionato lettore del suo Blog, rispondo al suo "Post" relativo alla mia proposta di legge n. 120 di cui sono primo firmatario, perché è mio dovere fare chiarezza e fugare i legittimi dubbi nati a seguito della sua pubblica "opinione". Spero altresì che la mia pronta replica venga accolta e pubblicata secondo il costume di questo Blog, spazio libero e democratico di idee e confronti. Illustrerò ora in breve le mie osservazioni.
Innanzitutto, non v'è motivo di preoccuparsi. Estrapolando un unico comma (nella fattispecie il primo dell'articolo 32) da un articolato di Legge, è facile cadere in conclusioni affrettate. Nessuno vuole "tassare Internet". Nell'anno 2006, ciò sarebbe una follia.
La ragione di questo "prelievo" non ce la siamo inventata di sana pianta. Esiste già da tempo in Francia, nazione di cui non si può dire certo che manchi di attenzione alla Cultura ed alle nuove tecnologie. In Francia la chiamano "tassa di scopo" e si applica sui fatturati degli operatori di telecomunicazioni.
Ma il punto, che dovrebbe chiarire i suoi dubbi, caro Grillo, è che tale percentuale non viene "estorta", come sembra dalla sua "opinione", agli utenti della rete, cioè a noi tutti.
È assolutamente fuori discussione l'ipotesi di "tassare" l'utenza di Internet!

Ciò che si vuole ottenere è che quella parte di Internet Provider che generano i loro utili di impresa grazie alla commercializzazione di contenuti audiovisivi prodotti da altri, contribuiscano, con una percentuale dei loro fatturati, proprio a quell'industria che tali contenuti produce. Tale percentuale, oggi ipotizzata nel 3,5% del fatturato, non potrà che essere, naturalmente, oggetto di discussione e confronto proprio con i diretti interessati: gli Internet Provider.
Tali risorse, dunque, serviranno ad alimentare una sorta di "circolo virtuoso" del Cinema, andando a toccare tutti gli anelli della filiera cinematografica, dalla produzione alla distribuzione. L'auspicio è quello di generare ulteriori risorse, e raggiungere quindi, col tempo, quell'autonomia finanziaria di cui tutte le "industrie" dovrebbero godere.
È per tale ragione che il meccanismo da me ipotizzato viene chiamato (atecnicamente, non trattandosi affatto di una "tassa" ma solo di una

nuova e precisa destinazione di scopo di quanto già esistente) "tassa di scopo".

Spero, caro Grillo, di essermi spiegato e di aver sciolto i suoi dubbi e quelli dei suoi lettori. Non è intento mio, né del mio partito, danneggiare o frenare in alcun modo lo sviluppo di Internet, perché credo che esso rappresenti oggi il maggior potenziale strumento di comunicazione. Si tratta più semplicemente di re-indirizzare una quota piccolissima di risorse provenienti dai fatturati di grandi gruppi privati verso un settore, quello del Cinema, che oggi, di fatto, ha ancora bisogno di aiuto.
Da ultimo, mi sentirei di spezzare una lancia in favore di quelli che Lei definisce "registi falliti" che molto spesso, invece, sono ottimi registi che esportano - o tentano di esportare - anche all'estero testimonianze della cultura e della realtà sociale nazionale e che, purtroppo, si trovano non di rado stritolati dal "sistema cinema" italiano che non solo non li aiuta ma, spesso, sembra davvero "remare contro".
Cordialmente,

On. Andrea Colasio
25.09.06 19:30

Telecom: una storia italiana

L'iniziativa 'share action' ha raccolto finora 1750 adesioni per un totale di circa 4.800.000 azioni. Grazie per la fiducia. L'Internazionale di questa settimana mi ha dedicato la copertina, riporto il mio articolo che parla di una storia che per il momento non ha ancora un finale. Speriamo che sia almeno un finale sostenibile, come il debito di Telecom secondo Guido Rossi. Ma se il debito è sostenibile, il credito cosa sarà?

"Tronchetti si è dimesso da presidente di Telecom un venerdì, qualche minuto prima delle otto di sera, ora di cena. A Milano pioveva, un tempo autunnale, non c'era nessuno in giro per lo sciopero dei mezzi urbani. La tristezza era nell'aria. La voce di Aznavour cantava "Com'è triste la Borsa a Milano", ma forse era solo un'eco in Galleria. Il giorno dopo un Tronchetti dimesso, senza cravatta, si aggirava in via della

Spiga con i parenti. La sera riceveva nella tribuna d'onore di San Siro attestati di solidarietà simili a condoglianze. L'Inter, pareggiando con la Sampdoria, aggiungeva una nota di depressione quasi surreale al fine settimana di Tronchetti. Ma, come nella migliore tradizione giallistica, bisogna porsi la domanda: chi è il responsabile della caduta del tronchetto dell'infelicità? Il nome corso subito sulla bocca di tutti è stato quello di Romano Prodi, per la sua conformazione da maggiordomo ciclista. Il maggiordomo è il primo sospettato. Prodi è però da escludere in quanto persona da sempre non informata sui fatti e, in più, con un consigliere, Rovati, che inviando a Tronchetti una memoria 'artigianale' ha inguaiato tutto il Governo. La missiva, privata, privatissima, ipotizzava un riassetto del gruppo Telecom e il tronchetto, da perfetto uomo d'affari, di quelli che bastava la stretta di mano, l'ha subito passata al Corriere della Sera, il quotidiano indipendente del salotto buono in cui siede Pirelli. Rovati si è dimesso. Prodi dovrà riferire alla Camera non si sa bene che cosa, ma un suo silenzio eloquente potrà bastare insieme a un lancio di pomodori. Escluso Prodi chi rimane? Per capirlo bisogna tornare indietro nel tempo. Al tempo dell'Ulivo e di D'Alema. Il tempo delle privatizzazioni, il tempo dei 'capitani coraggiosi', ma senza una lira. Regnava da poco su Telecom Italia Franco Bernabè, un regnante dignitoso che aveva dato buona prova di sé all'Eni. Telecom non aveva praticamente debiti e generava tutti i giorni denaro sonante. Telecom possedeva società, immobili, aveva, tanto per dire, la flotta di auto aziendali più grande d'Italia. Un patrimonio costruito con le tasse di generazioni di italiani. D'Alema, allora presidente del consiglio, per motivi che nessuna mente umana (e forse neppure aliena) è in grado di capire avalla la cessione al duo Colaninno-Gnutti. Colaninno cede Omnitel e lancia un'Opa sulla Telecom. Il ricavo ottenuto dalla vendita di Omnitel non è certo sufficiente per l'Opa, che va sostenuta indebitando l'azienda. Per incanto una Telecom senza debiti si ritrova indebitata fino al collo. Franco Bernabè che aveva cercato di opporsi sostenendo la fusione con Deutsche Telekom, anche attraverso un confronto durissimo con il merchant banker D'Alema, noto industriale e economista, deve dimettersi. Da questo momento la sorte della più grande azienda del Paese, quella con le migliori prospettive industriali e i maggiori tassi di innovazione, è segnata.

Inoltre, la vendita in blocco di dorsale, telefonia fissa e mobile è un macigno sullo sviluppo del mercato delle telecomunicazioni. Non può infatti esistere un vero mercato se chi possiede la rete eroga anche i servizi. La rete doveva rimanere in mani pubbliche o, almeno, essere soggetta al controllo dello Stato con una partecipazione rilevante. Colaninno e Gnutti, che sanno fare i loro affari, cercano di ridurre il debito vendendo Tim, o almeno fondendola con Telecom, anticipando di cinque anni le mosse di Tronchetti, ma non gli è consentito. Colaninno cerca comunque di impostare un piano industriale che però non ha neppure il tempo di vedere la luce. Al governo arriva Berlusconi e per Colaninno si fa notte. A luglio 2001 Colaninno va in Argentina per una battuta di caccia e Gnutti, vista l'aria che tira, ne approfitta, incontra Tronchetti e vende. Tronchetti disponeva della liquidità ottenuta dalla vendita fatta nel 2000, durante il periodo della bolla speculativa, della divisione dei cavi per telecomunicazioni Optical Technologies alla statunitense Corning per l'incredibile cifra di settemila miliardi in contanti. Mille miliardi se li spartisce in stock option con Buora (200) e Morchio (300), a lui 450. Tronchetti acquista il controllo di Telecom con le scatole cinesi, in sostanza una serie di società in cui al vertice della catena c'è una piccola società che ne controlla una più grande fino ad arrivare alla Telecom. Tronchetti con lo 0,8 per cento di azioni (è lui il vero piccolo azionista) si ritrova a controllare un impero attraverso Olimpia in compagnia di Benetton, Gnutti, Unicredit e Banca Intesa. I debiti però rimangono, per ridurli la nuova strategia è semplice, è quella del rigattiere: vendere, esternalizzare. Seat, Telespazio, Finsiel, una parte di Tim, gli immobili di Telecom vengono venduti per fare cassa. Molte attività del gruppo vengono enucleate e date all'esterno. Ma questo non basta, i margini sulla telefonia fissa e mobile si riducono e il debito non permette di fare gli investimenti necessari. Si rischia l'implosione o la perdita di controllo se subentrassero nuovi soci in Olimpia. Si arriva al 2005, Tronchetti fonde Telecom e Tim con l'acquisto di quest'ultima attraverso un'Opa. Telecom si indebita ancora di più, ma accede ai contanti prodotti tutti i giorni dai telefonini. L'operazione è annunciata come strategica. Una strategia industriale che dura 18 mesi. Poi si ritorna all'antico. Si divide il fisso dal mobile per venderli a pezzi, uno o entrambi non si sa. Unicredit, Banca Intesa e Hopa lasciano Tronchetti al suo destino. Benetton svaluta le azioni Telecom che al momento dell'acquisto, nel 2001, erano state valorizzate a più di quattro euro e oggi valgono solo la metà. Tronchetti le azioni le ha invece mantenute a un valore d'affezione, ma le deve finalmente

svalutare con effetti a catena sul gruppo Pirelli. Si dimette lasciando 41 miliardi di debiti che rimangono, escludendo obbligazioni e cartolarizzazioni varie (i pagherò agli investitori), suppergiù quelli di Colaninno. Ma con in meno tutte le aziende vendute. Il colpevole è quindi chiaro. È il dito medio della mano invisibile del mercato. Che ha colpito tutti coloro che hanno perso il loro posto di lavoro e i loro risparmi investiti in azioni Telecom. È un dito che ci vede bene, benissimo. Per questo ignora manager e azionisti di controllo per i quali la Telecom è stato un grande affare, il migliore della loro vita.
Per Parmalat era venuta a prelevarmi a Nervi la Guardia di Finanza. Voleva sapere come ero venuto a conoscenza del fatti. Mi portai una cartellina con scritto sopra Telecom per aiutarli a portarsi avanti con il lavoro. Ma non mi presero sul serio, del resto è giusto così, io sono solo un comico. Questa volta mi aspetto un'assunzione alla Consob o alla Borsa. Da comico a consulente finanziario globale. Ho deciso di fare il grande salto. Di controllare la Telecom senza tirare fuori neppure un euro. Un'Opa alla genovese. Ho lanciato la 'share action' per chiedere la rappresentanza dei piccoli azionisti, andare in assemblea e cacciare a calci nel culo i consiglieri, partendo da quelli indipendenti. Chi vuole partecipare può farlo collegandosi al mio blog ".
26.09.06 18:02

Cultura libera

La televisione negli anni '50 e '60 tra censure, mutandoni alle ballerine, telefonate del politico baciapile di turno al direttore di testata, ha comunque prodotto qualcosa. Un qualcosa che si chiama cultura.
Fo e la Rame furono cacciati, Walter Chiari fu sospeso per un paio d'anni per una battuta. Disse che dalle tasche di Mussolini non cadde nulla quando fu attaccato per i piedi a piazzale Loreto. Se ci fossero stati i democristiani al suo posto sarebbe venuta giù la cassa del mezzogiorno. Di quella Rai si può rimpiangere poco, ma quel poco basta e avanza. I dirigenti della Rai pensano che gli italiani siano lobotomizzati o, invece, lo sono loro?
Questa domanda è decisiva per capire il palinsesto. Chi decide che la spazzatura si deve vedere nell'ora di massimo ascolto e la cultura a

mezzanotte? Rutelli? Petruccioli? Marini e Bertinotti riuniti?
Il maestro Manzi insegnò a leggere e a scrivere a una generazione di italiani con 'Non è mai troppo tardi'. Questi sono l'analfabetismo di ritorno. La cosa più rivoluzionaria che potrebbe fare oggi la Rai è pensare, credere, che gli italiani siano persone intelligenti, non audience, non m..da per vendergli prodotti a suono amplificato (Gentiloni quando ci togli dai c..ni la pubblicità megafonata, è illegale porca put..na!, violazione acustica di domicilio). I soldi poi, soldi regalati. I nostri soldi, tasse o canone, buttati con pacchi, scatole, domande da subnormali. I soldi sono nostri. Non si possono regalare 100.000 euro per una risposta del c..o. È diseducativo. Da vietare ai bambini. Non so, non credo che un servizio pubblico, legalmente, possa dilapidare i soldi dei contribuenti e degli utenti. Ma mi informerò. Dilapidi se vuole con i soldi dei presentatori e del pubblico in sala. Un'elemosina non si nega a nessuno. 5 euro a domanda sarebbe già troppo. L'italiano in sé non nasce deficiente, ma la Rai ambisce che lo diventi. Un piano quasi riuscito. La Rai è, sulla carta, un servizio pubblico: lo diventi. Giornalisti indipendenti, abolizione dei salotti untuosi di approfondimento, cultura in prima serata e i politici, i nostri dipendenti, in televisione solo se hanno qualcosa da dire. Sarà di rado, forse mai, ma sarà meglio. Per noi e per loro.

I programmi di informazione e di cultura prodotti dalla Rai, almeno quelli, devono essere riutilizzabili gratuitamente in rete. Devono poter essere diffusi con licenza Creative Commons. Una volta trasmessi diventare di tutti.

Ps: Un'altra domanda per Gentiloni, che fine ha fatto la proposta di legge popolare con 50.000 firme Perunaltratv che le è stata presentata?
27.09.06 17:05

@@@ Le authority e il dit-segnale

Le authority ci proteggono. Noi comuni cittadini, noi utenti, noi consumatori. Sorvegliano le aziende del Paese. Sono come Superman o Batman quando nella notte (sempre di notte) vede il bat-segnale. Loro vedono il segnale del dito medio, il dit-segnale, di giorno e di notte e,

ormai, non ci fanno più caso.
Le authority, l'inglese conferisce più autorità, mi ricordano una battuta del magistrato Piercamillo Davigo. Disse che soltanto in Italia ci sono cartelli con scritto: "Assolutamente vietato". Negli altri Paesi basta la parola: "Vietato". Qui, anche con 'assolutamente', ognuno continua a fare quello che gli pare. Questo, è ovvio, se non ci fossero le authority preposte. Preposte, mai posposte, forse supposte: Parmalat, Cirio, Tango bond, Banca Popolare di Lodi.
I monopoli telefonici, elettrici, dell'energia, delle autostrade tremano all'arrivo dell'autorità delle authority. Ma le authority non dovrebbero proibire i monopoli? E se ci sono i monopoli saranno almeno autorevoli? Domande difficili, come il voler sapere perché i servizi da noi costano sempre di più che nel resto d'Europa. Forse le authority hanno un effetto stimolatore sui prezzi? Più in Italia che altrove? È la famosa teoria dell'aumento di prezzo sostenibile. È sostenibile fino a quando il cittadino utente non ha alternative o si inc..za e dà fuori di matto.
L'Italia con le sue authority è un caso di studio mondiale. Le authority permettono al cittadino di usufruire di costi non richiesti a pagamento. Costi inutili, ma nazionali. Un orgoglio dei nostri monopoli invidiatoci da tutti i magliari del mondo. Un esempio sono i costi di ricarica. Costi pagati quando si ricarica il telefono cellulare. A seguito di una petizione popolare per la loro abolizione un tandem di Authority, Antitrust e Agcom, ha aperto un'inchiesta. Senza una soffiata non ci sarebbero mai arrivate da sole. Loro il telefono non lo ricaricano. Il costo di ricarica esiste solo in Italia. O lo esportiamo o lo cancelliamo insieme alle authority di competenza. Dopo quattro mesi non è successo nulla. Diamogli una mano.
Ricordiamo con una mail al presidente, e nostro dipendente, dell'Agcom Corrado Calabrò di occuparsene, ma con authority.
28.09.06 19:40

La fatica di nascere in Italia

Un mio amico ha avuto un bambino. Da tempo, per precisa scelta, cercava di evitare qualunque tipo di contatto con la pubblica amministrazione. Ma il ruolo di padre lo ha obbligato. Per iscrivere il figlio dal pediatra ha dovuto recarsi all'Asl che aveva bisogno del codice fiscale rilasciato dagli uffici della Agenzia delle Entrate che aveva bisogno del certificato di nascita rilasciato dal Comune che aveva bisogno dell'atto di nascita rilasciato dall'ospedale. Ospedale-comune-agenzia entrate-Asl-pediatra. All'agenzia delle entrate ha dovuto recarsi quattro volte perché all'apertura degli uffici i bigliettini per le richieste erano già esauriti (con gli extra-comunitari in fila dalle cinque di mattina) e alla fine un impiegato ha avuto pietà di lui. La pediatra che gli è stata assegnata è a tre chilometri da casa sua. Ma è così difficile fornire di certificato di nascita, codice fiscale e pediatra il neonato in ospedale? Basterebbe un minimo di efficienza nella pubblica amministrazione e fare tutto via rete, con la consulenza dell'innovativo Stanca che si è imboscato in Senato.

Una pediatra mi ha scritto, pubblico la sua lettera. Andrà a finire che dovremo partorire all'estero.

"Mi chiamo Lorella L.,
lavoro come pediatra di base. Vi suggerisco una inchiesta che secondo me potrebbe rivelarsi molto interessante. Lo stato miserevole in cui versa la pediatria italiana. Per vedere l'operato di noi pediatri basta girare per le strade. Bambini sempre più grassi, con denti da squalo e gambe storte. Pieni di medicine.
Eppure i pediatri aumentano i massimali, non permettono nuovi inserimenti, non fanno rimpiazzare i morti. I pediatri di città con 1.000 assistiti non fanno visite domiciliari, tanto i cittadini non hanno la possibilità di cambiare, si associano per guadagnare di più, si sostituiscono fra loro. I pediatri periferici lavorano da soli, senza alcuna garanzia. Questo avviene nella mia zona, la Asl di Ancona, ma credo sia un problema generalizzato.
Piuttosto che inserire un nuovo pediatra si ricusano i più grandicelli, privandoli di un loro diritto, ovvero di avere un pediatra fino a 14 anni. La Asl chiaramente favorisce il tutto perché paga meno i pazienti in esubero di quanto dovrebbe pagare i primi 500. Per fare questo ci si basa sulla convenzione siglata da una oligarchia di pediatri massimalisti. La convenzione dice che per calcolare una carenza si devono contare i bambini fra 0 e 6 anni. Però i bambini restano per lo più fino a 14 (se non li mandano via) per cui i pediatri sono strapieni, guadagnano

cifre folli, ma garantiscono un pessimo servizio, perché è impossibile fare un buon lavoro con 1.000 bambini. La convenzione però non sarebbe tassativa. infatti la regione Umbria ha inserito nuovi pediatri calcolando una percentuale fra gli assistiti fra 6 e 14 anni. Ma altre regioni non ne vogliono sapere.
Praticamente se non si faranno nuovi inserimenti la pediatria in città come Ancona finirà quando i 14 pediatri attuali andranno in pensione, tutti contemporaneamente. Uno degli alibi è che non ci sono ricambi. Ma per formare un pediatra ci vogliono 5 anni e nelle scuole di specializzazione attualmente sono ammessi tre quattro medici per anno. Basterebbe programmare un numero maggiore. Chiaro che uno non pensa di fare il pediatra se sa che non entrerà in specialità o peggio che non riuscirà a lavorare. Il tutto sembra un discorso banale ma non lo è perché riguarda la salute di milioni di bambini".

Lorella
29.09.06 17:50

Il trionfo della Giustizia

Da quanto tempo in questo blog ci battiamo, senza cavare un ragno dal buco, per il ripristino della legalità? È per questo che oggi possiamo e dobbiamo celebrarla. Oggi che la giustizia, quella giusta, che non guarda in faccia a nessuno, neppure alle bambine di 10 anni, la giustizia ceppalonica dell'indulto, ha trovato la sua giornata di gloria.
Uno spiegamento di poliziotti e agenti in borghese ha circondato il pericoloso convento di Sant Oyen in Valle D'Aosta. Ha prelevato una bambina bielorussa di nome Maria. L'ha accompagnata in aeroporto e rimpatriata con urgenza.
Maria ha minacciato il suicidio, ma la Bielorussia l'aspetta. Sarà ospitata nel suo vecchio e accogliente orfanatrofio di Vilejka dove ha, secondo la coppia genovese che vuole adottarla, subito violenze inaudite. Sono sicuro che il nostro Ministro della Giustizia manderà degli ispettori per le opportune verifiche.
I genitori affidatari hanno fatto ricorso alla Corte d'appello di Genova per trattenere Maria in Italia. Ma non si è aspettato neppure che si

pronunciasse prima di metterla su un aereo. Una extracomunitaria in meno.
Tornerà forse un giorno nel nostro Paese. Chissà, la troveremo lungo qualche viale cittadino, importata dalle mafie dell'Est. Addio Maria.
30.09.06 14:29

PRECARI
LA SCHIAVITÚ É STATA ABOLITA
COSÍ CI SIAMO GIOCATI ANCHE L'ULTIMA POSSIBILITÁ DI TROVARE UN POSTO FISSO!
VAURO

Ottobre

Il listone democratico

Nessuno ha eletto le persone che oggi siedono in Parlamento. Sono degli abusivi. La legge elettorale voluta dal centro destra per vincere le elezioni ha impedito ai cittadini italiani di scegliere il proprio candidato. Quindi nessun deputato o senatore può dire di essere stato eletto dal popolo. Può invece affermare di essere stato scelto da un partito.
È un dipendente del partito, non degli italiani. E, correttamente, parla e agisce a nome del partito sino a quando non cambia casacca. Infatti, un parlamentare abusivo può scegliere di esercitare il suo abusivismo anche in altri partiti. Dipende da chi lo paga di più.
Le professioni di questi abusivi della democrazia elettorale sono più o meno sempre le stesse, talvolta intercambiabili e anche cumulabili: avvocati, ex sindacalisti, giornalisti, pregiudicati. Quest'ultima, pur non essendo in sé una professione, ma un'aggravante, è comunque di grande aiuto per essere scelti dalle segreterie di partito.
Il centro sinistra disse di voler immediatamente cambiare la legge elettorale. Ma non ha fatto nulla perché gli conviene. I partiti hanno però introdotto, a loro tutela, la 'class action parlamentare'. A livello popolare non è ancora (e non lo sarà mai) consentita, ma a livello parlamentare sì. Destra e sinistra non fanno alcuna differenza. Di fronte a una 'class action parlamentare' sono tutti uguali, perché serve a parare il c..o dai cittadini e dai magistrati. Indulto e legge sulle intercettazioni hanno avuto un consenso da parte dei partiti che la Merkel con la sua Grosse Koalition nemmeno si sogna. Leggi parac..o.
Il primato della politica, se mai c'è stato, si è trasformato nel primato dei partiti. Una democrazia di cartapesta che spende il suo tempo a legiferare per proteggersi mi ricorda, molto vagamente, una dittatura. Una dittatura dolce in cui il cittadino può incazzarsi, protestare. Magari scendere in piazza per una bella gita in pullman con i sindacati o pagato dal partito. Nulla di più. Siamo al carnevale della democrazia. La legge elettorale ci impedisce di esercitare un nostro legittimo diritto. Se il Governo non la cambia, il Governo è, esso stesso, illegittimo.
01.10.06 22:24

Pornografia della morte

Pensando alla morte viene la nostalgia. Bei tempi quando andavi all'altro mondo per i ca..i tuoi. L'unica cosa certa dell'unica cosa certa nella vita era che sarebbe accaduto 'alla sua ora'.
Ma tutto si è evoluto, oltre al cellulare con la televisione e il c..o di tua nipote sopra, oltre ai Suv e alle Mercedes utilitarie adesso ci sono le rianimazioni. Nascono loro e non possiamo morire più in pace noi. Ti fanno respirare, stabilizzano le tue funzioni vitali e ti mantengono in vita quando saresti morto: una quarta dimensione dello stare al mondo. A volte questo fa montare la testa ai medici. Quando si parla di queste cose Dio salta subito fuori. Tirato in ballo per fare conversazione. La precisione rassicura, bombe intelligenti, frigoriferi che ti fanno la spesa via Internet, automobili che ti coprono le spalle mentre fai manovra, tazze del cesso che si scaldano e ti salutano. Che cosa c'entra Dio con tutto questo? Questo uomo nuovo che si commuove per il suo tostapane, rimane imprigionato nel nulla, in un limbo tecnologico, quando dovrebbe incontrare il Creatore!
Ed ecco che gli italiani si pongono il problema etico della morte: un disperato è in una situazione disperata. Chiede a Napolitano di poter morire. Basterebbe farsi mettere da qualcuno un piede sul tubo: è a casa sua. Ma lui scrive al Presidente. Che gli risponde, in pratica, che sono c..i suoi.
Quell'uomo è allo stremo, ma vuole pensare anche agli altri, cosa risponde il Paese?
Risponde con il feticismo della morte, la tragedia buca il video, un video molle... poco più di una bolla di sapone. Entriamo anche noi in rianimazione. Prendiamo confidenza con i respiratori, le pompe di infusione, i contropulsatori aortici, i tubi, gli aspiratori e i materassi antidecubito da ventimila euro. È bello vedere i monitor con le tracce colorate che accompagnano le telecamere in sala operatoria. Non si venderà più il proprio corpo all'università, lo venderemo a un reality show che quando crepi, ti fa l'autopsia in diretta.
Dopo un corso intensivo sulle tecniche di rianimazione e dichiarazioni di ogni tipo, infine, il Paese non decide nulla.
Chi deve staccare la spina al morente non siamo noi. Terminato il

voyeurismo della sofferenza potrà iniziare una discussione etica, con il rispetto della morte. Un fatto privato. Non voglio crepare pensando al rapporto costi/benefici. Spegniamo tutto prima che nasca il fitness del cadavere.
Pannella si è offerto di staccare la spina se Piergiorgio Welby lo chiederà. Ma lo possono fare già ora, in ogni momento, i suoi parenti. Io vado oltre, offro a Piergiorgio, da subito, di buttare fuori da casa sua la televisione, i giornalisti e tutti i pornografi della morte.
02.10.06 23:06

Robertino e la Finanziaria

Robertino è un bambino di tre anni. Vive in Sardegna e soffre di una rara malattia genetica, la leucodistrofia metacromatica che porta a un progressivo ed inesorabile deterioramento delle funzioni neurologiche e mentali. Per salvarlo sono necessari 800.000 euro. È nato un comitato www.proroberto.it per raccogliere la somma e salvargli la vita. Sono stati raccolti circa 500.000 euro. Ne mancano 300.000. Aiutiamolo con un versamento. Non facciamolo morire.

Molte persone mi chiedono di commentare la Finanziaria. Cosa devo dire? Una finanziaria che lascia morire di malattia i bambini, ma pensa al ceto medio, a quello medio alto, all'imposta progressiva, alle Suv, alla stretta sulle auto aziendali, alle addizionali pesanti. Di questa finanziaria non mi interessa un c..o e meno ancora dei girotondi di protesta. Quali sono le priorità degli italiani? Quanti sono i bambini affetti da malattie rare? Dove sono ministri e ministresse in questi casi? L'opposizione e il Governo? Contano di più il ponte di Messina e l'aumento degli stipendi dei parlamentari o la vita dei nostri bambini?
Mi domando perché una famiglia italiana debba ridursi a chiedere, implorare, mendicare la beneficenza delle persone per salvare il proprio figlio mentre il Governo spende miliardi di euro per pattugliare il Libano e fare conversazione con gli Hezbollah.
Uno Stato che non salva i suoi bambini dalla morte per malattia non è uno Stato civile. È una banca, un consorzio di interessi, una cosa estranea, quasi ripugnante.

Quanti bambini ci sono in Italia come Robertino? Chiedo alle famiglie di descrivere la loro vicenda in questo post. Sono 1.000, 10.000, 1000.000 bambini? Vanno salvati tutti.
Rosy Bindi, Prodi e lo Schioppa trovino i soldi in fretta, facciano una finanziaria addizionale, si diano una mossa.
03.10.06 17:51

La prevalenza del potere

Fininvest ha perso la causa per diffamazione contro di me per la pubblicazione di un mio articolo su *Internazionale* nel gennaio 2004, in cui era accusata di fondi neri e falso in bilancio. Devo dire che non sono contento. Non lo sono perché la giustizia italiana ha perso tempo per niente, l'ho perso io, il mio avvocato. Le cause di diffamazione di grandi aziende contro privati sono nel migliore dei casi intimidazione. Intasano i nostri tribunali. Mettono a tacere le voci scomode. Ho un paio di proposte: condoniamo tutte le diffamazioni in attesa di giudizio. E depenalizziamo il reato di diffamazione. Un giudice di pace e una multa possono bastare con le scuse pubbliche del diffamatore.
Fininvest però non si rassegna (troppi avvocati) e ha citato un dirigente della Banca d'Italia per danni morali. Un suo amico mi ha inviato questa lettera.

"Desidero rivolgermi a te per un appello di solidarietà che riguarda una persona, mio caro amico da sempre, Francesco Giuffrida.
Per chi non lo ricorda, dirò che Francesco Giuffrida è il coraggioso dirigente della Banca d'Italia (Vice-direttore a Palermo) che su richiesta e incarico della Procura della Repubblica di Palermo ha condotto una accurata e scrupolosa perizia tecnica sui flussi di capitali diretti alla Fininvest, per il processo a Marcello Dell'Utri.
Per questo suo lavoro Francesco dovrà comparire in giudizio il 12 ottobre, citato dalla Fininvest per presunti danni morali. La citazione è arrivata alla vigilia del processo d'appello per Dell'Utri, e in corrispondenza con un altro incarico attribuito, sempre a Francesco, questa volta dalla Procura di Roma, che evidentemente lo ritiene un tecnico assai affidabile, per indagare sui movimenti di capitali legati alla vicenda di

Roberto Calvi. "Sembra una minaccia, un modo per zittirlo e intimorirlo al processo" ha dichiarato in giugno un magistrato al giornalista del Corriere Cavallaro. Non solo: la citazione comporta il concreto rischio che tutta la tutta la sua attività di esperto, e le perizie che gli sono state affidate, vengano delegittimate.
Francesco Giuffrida dovrà andare a difendersi di fronte ad un uomo che è stato condannato per mafia, solo per aver fatto il suo lavoro e per averlo fatto bene, e dovrà farlo da solo, visto che nemmeno la Banca d'Italia, ovviamente a conoscenza della sua collaborazione con il tribunale, si è mossa per un 'azione di sostegno, o per tutelarlo in sede di giudizio.
Perchè questo appello? per rompere il silenzio e la solitudine che lo circondano (solo Felice Cavallaro ha scritto un articolo sul Corriere, e un'altro è uscito sulla Repubblica, entrambi in giugno, poi più nessuna informazione), contro il pericolo che questo isolamento, quasi omertoso, può comportare per Francesco e la sua famiglia.
Per questo chiedo a chi leggerà questa lettera di non lasciare solo Francesco e dare il giusto risalto a comportamenti di integrità, rigore personale e coraggio che meritano di essere conosciuti e portati ad esempio."

Giuseppe G.
04.10.06 19:05

Il dipendente terapeutico

Cosa faremmo senza i nostri dipendenti? Diciamo la verità, ci sentiremmo più soli. La vita sarebbe migliore, è vero. Ma ci resterebbe dentro un senso di vuoto. La nostalgia del nulla. Senza dipendenti dello spessore culturale di un Buttiglione la nostra esistenza non sarebbe più la stessa. Quando lo ascoltiamo ci sentiamo meglio, sappiamo che se ce l'ha fatta lui abbiamo tutti, proprio tutti, una speranza, un futuro. È un dipendente terapeutico, fa miracoli, risolleva i depressi, rianima gli aspiranti suicidi, resuscita le speranze in chi le aveva perdute per sempre. Un blogger lo ha intervistato sui pregiudicati in Parlamento e lui ha risposto, con filosofia.

"Caro Beppe,
due settimane fa sono stato invitato a Vasto, in occasione della festa di Italia dei Valori, per seguire l'evento. Di Pietro ha voluto concedere a me e ad altri blogger l'accredito stampa, pertanto ho avuto la possibilità di avvicinare qualche nostro dipendente.
Attraverso il mio blog ho lanciato l'iniziativa "Giornalismo Diretto": ho chiesto ai miei lettori di consigliarmi qualche domanda da rivolgere agli ospiti che sarebbero intervenuti e così ho fatto, telecamera alla mano.
Ti vorrei segnalare due video particolarmente divertenti, riguardano uno il dipendente dell'Udc Rocco Buttiglione, l'altro il dipendente dell'ambiente Pecoraro Scanio. Al primo ho chiesto come facciamo a fidarci di un Parlamento in cui siedono 25 condannati in via definitiva: la risposta è stata "Li hanno eletti gli Italiani, se li tengano". A parte il fatto che mi son sentito, come italiano, trattato da imbecille, e a parte l'illuminante, filosofico e intellettualmente onesto invito, anche a lui ho provato a spiegare che in realtà noi abbiamo solo potuto delegare un partito alla scelta dei nostri rappresentanti...e anche lui ha fatto lo gnorri. Al secondo ho rivolto la domanda su Scaroni che hai lanciato tu dal blog: quando lo mandiamo a casa? Pecoraro Scanio ha risposto che ci deve pensare il Governo, che fosse per lui licenzierebbe tutti e così via...ho provato a spiegargli che fare il Ministro significa anche stare nel Governo, ma non sono riuscito a concludere la frase. Altri sono stati altrettanto "esilaranti", come Formigoni che non ci voleva credere (sempre sui condannati); magari guardali nei giorni di pioggia, potrebbero tirare un po' su il morale."

Marco Canestrari
05.10.06 18:10

Sei ottobre 2006: 'Free Information Day'

Oggi è un gran giorno per l'informazione. Scioperano infatti i giornalisti. I megafoni dei gruppi economici e dei partiti per un giorno riposano. C'è, ve ne sarete accorti, un senso di pace in giro. È come se, all'improvviso, si fosse interrotto un fastidioso rumore di fondo. La controinformazione tace. Un giorno così merita di essere istituzionalizzato. Deve diventare, questo sei ottobre, il giorno della libera informazione. Da celebrarsi ogni anno. I giornalisti non sono liberi, loro lo sanno, noi anche. Lo stipendio lo prendono dall'editore. E l'editore ubbidisce agli azionisti e agli inserzionisti. Queste due figure possono anche coincidere. I giornalisti tengono famiglia, editore e azionisti. Vanno perciò interpretati.

Oggi è il turno di Paola Pica, giornalista del Corriere della Sera, sezione Economia, che ha fatto un'analisi del riassetto del gruppo Telecom.

Titolo: *Il Riassetto. La Pirelli stacca il maxi assegno. E sale all'80% di Olimpia.*
Data: mercoledì 4 ottobre
Testata: *Corriere della Sera*

"Marco Tronchetti Provera riparte da Olimpia e dai piani alti della filiera che porta a Telecom con l'obiettivo di dotare il gruppo di un assetto adeguato"
va letto:
"Marco Tronchetti Provera dopo essere uscito da Telecom come presidente rischia di uscire anche come azionista e deve dotare le sue scatole cinesi di un assetto adeguato. Le scatole cinesi, non il gruppo Telecom".

"Il primo passo, di sicuro il più oneroso, il presidente di Pirelli lo compie oggi staccando un assegno da 1,17 miliardi per liquidare come previsto dagli accordi... le due banche, Intesa e Unicredit, fin qui azioniste di Olimpia"
va letto:
"Intesa e Unicredit hanno mollato Tronchetti e hanno preteso come previsto dagli accordi il pagamento delle azioni Telecom al valore del 2001, più o meno il doppio di quello attuale".

"L'addio alle banche avrà un impatto sulla posizione debitoria di Pirelli di 1,04 miliardi... per compensare l'aumento dell'indebitamento la Bicocca ha già varato alcune operazioni straordinarie fra cui la cessione del 39% di Pirelli Tyre per 740 milioni e la dismissione di partecipazioni, fra cui quella in Capitalia..."
va letto:

"Tramontata la vendita di Tim che avrebbe consentito di ripianare i debiti, la Pirelli è costretta a vendere, vendere, vendere. Come ha fatto Telecom in questi anni. La strategia del rigattiere".

Il titolo Pirelli è salvo grazie al maxi-assegno e alla proprietà dell'80% dei debiti di Olimpia.
Se la pubblicità ingannevole è un reato, l'informazione ingannevole lo è molto di più. Va penalizzata. E i danni li devono pagare le società azioniste dei giornali, le vere mandanti.
06.10.06 23:10

Energia fai da te

In questi giorni si parla solo di Finanziaria. Dei soldi che sottrarrà a questa e a quella categoria sociale. Per commentare la Finanziaria dovrei assumere a tempo pieno un dottore commercialista e pubblicare per settimane tabelle, numeri, percentuali, confronti statistici e storici. Chi si ricorda la Finanziaria del '98, o quella d'annata dell'89? Cosa hanno rappresentato per tutti noi? La Finanziaria non cambia nulla nel Paese. Qualcuno la prenderà più nel c..o di prima, svilupperà gli anticorpi e cercherà di evadere. Tutto qui. La Finanziaria è finanza e di finanza il Paese ne ha vista anche troppa. Ora servono i fatti. I politici non faranno nulla, sono vecchi nello spirito e nel linguaggio. Un linguaggio da banchieri. La Finanziaria, o meglio l'Impresaria dobbiamo farcela da soli. Un'Impresaria fai da te.
Prendiamo esempio dal comune di Berlingo. Cloniamolo in tutti i nostri comuni.

" Avendo riscontrato la sua attenzione alle tematiche ambientali e delle energie rinnovabili, mi permetto di segnalare un intervento che il Comune di Berlingo (Bs) ha recentemente approvato e che verrà realizzato nel prossimo anno: si tratta di un impianto combinato fotovoltaico-geotermico che fornirà energia elettrica e riscaldamento al nuovo polo scolastico in costruzione (materna e elementare) e al già realizzato centro sportivo.
L'opera, che per un Comune di ridotte dimensioni (2200 abitanti) come

il nostro è di notevole entità, si rende realizzabile grazie al contributo in conto energia ottenuto dal Grtn e permette di azzerare le emissioni in atmosfera, rendere autosufficienti da un punto di vista energetico gli edifici pubblici sopra citati e ridurre drasticamente, se non azzerare, i futuri costi di gestione derivanti da energia elettrica e riscaldamento. Da sottolineare come il polo scolastico e il centro sportivo sorgono in una zona centrale del paese, dove, fino al 2000, esisteva una discarica abusiva di rifiuti pericolosi (piombo e scorie di batterie) interamente bonificata mediante la totale rimozione del materiale inquinante, con il contributo della Regione Lombardia: un sito altamente pericoloso diventa quindi, per una sorta di contrappasso dantesco, un luogo fortemente significativo per la salvaguardia dell'ambiente.
Il nostro Comune ha già messo in funzione (2005) un impianto solare termico per il riscaldamento dell'acqua sanitaria del centro sportivo e un impianto fotovoltaico (2006) per il municipio.
Ha avviato una partnership con una cooperativa sociale specializzata nel settore delle energie rinnovabili, proponendo, nello scorso mese di febbraio, un incontro alla cittadinanza sul "conto energia" e promuovendo quindi installazione di pannelli fotovoltaici anche presso le abitazioni private.
Il nostro vuole essere un esempio e uno stimolo di come, al di là di proclami spesso fini a se stessi, anche realtà piccole come la nostra possono realizzare programmi di intervento significativi e eco-compatibili. Ringrazio per l'attenzione e saluto cordialmente".

Dario Ciapetti - sindaco di Berlingo
07.10.06 19:10

È peggio il Gilbertòn del buso

I Benetton attraverso la società Schemaventotto vogliono fare causa al Governo e alla società Fintecna da cui avevano rilevato nel 1999 la concessione di parte delle autostrade italiane. Il consiglio di amministrazione ha valutato attentamente il decreto legge 262 che ridefinisce i rapporti tra Stato e gestori. E ha deciso che non gli sta bene. A Gilberto Benetton non vanno proprio giù due contenuti del decreto. Primo:

gli aumenti dei pedaggi autostradali sono possibili soltanto se sono realizzate le opere previste. Secondo: gli automobilisti hanno diritto al rimborso di profitti extra collegati a investimenti non eseguiti.
A me sembrano cose normali, una tutela minima per gli utenti. Ma non al Gilbertòn assistito dalla pugnace Emma Bonino, santa protettrice comunitaria degli interessi delle aziende (non la capisco, Pannella vuole staccare il tubo a Welby e lei lo vuole attaccare a Benetton).
Mi sembra di aver capito che la società Autostrade non ha fatto ancora lavori previsti per due miliardi di euro. Dove sono questi soldi? Perchè non vengono restituiti o messi a disposizione? Non sono soldi del Gilbertòn. Mi sembra anche di aver capito che, con i nostri pedaggi, Gilbertòn ha finanziato la campagna elettorale dei partiti. Prendendo l'autostrada ho dato i soldi a Forza Italia e ai Ds e non lo sapevo...
I concessionari sono gestori, ma le autostrade sono nostre. Il Gilbertòn gestisce roba nostra. Un mezzadro moderno che non cura i campi e ci fa pure causa. La gestione è passata dallo Stato ai privati e la situazione è peggiorata. Percorrere un'autostrada costa di più che un volo low cost per Londra o Parigi. È peggio il Gilbertòn del buso.
Se Gilbertòn fa causa allo Stato, allora noi cittadini utenti delle nostre autostrade possiamo fare causa a lui per inadempienza. Gli italiani oltre che navigatori e santi sono soprattutto automobilisti. E guidando ne hanno viste e ne vedono di tutti i colori. Voglio raccogliere le vostre testimonianze in un dossier e far causa al gestore, al nostro mezzadro. Una road class action.
08.10.06 19:01

Anna Politkovskaja

È morta una giornalista vera. Si chiamava Anna Politkovskaja. Le hanno sparato prima al cuore e poi alla testa all'ingresso di casa sua. Un edificio alla periferia di Mosca. Lascia due figli. Lascia un'inchiesta sulle torture in Cecenia dei russi che non potrà più essere pubblicata dal suo giornale, la *Novaja Gazeta*. Lascia tutti i suoi documenti, archivi, foto, pc alla polizia russa, che come prima misura dopo la sua morte ha sequestrato tutto ciò che ha trovato nel suo modesto appartamento. Per leggerlo con calma durante le indagini. Lascia Putin, un ex membro del

Kgb, alla guida della Russia. Lascia Kadyrov, uomo di Putin, da lei accusato di crimini contro la popolazione cecena alla guida della Cecenia. Lascia il silenzio del Cremlino, forse in lutto stretto. Lascia Chirac che decora Putin con la Gran Croce della Legion d'Onore. Lascia un libro: *La Russia di Putin* che vi consiglio di leggere. Nel libro Anna scrive di Putin: "La Russia ha già avuto governanti di questa risma. Ed è finita in tragedia. In un bagno di sangue. In guerre civili. Io non voglio che accada di nuovo".
Anna ricorda l'omicidio Matteotti. Sequestrato e ucciso dopo un suo discorso di accusa contro il fascismo in Parlamento. L'ultimo prima del Regime e del discorso ufficiale di Mussolini del 1925 alla Camera di insediamento della dittatura: "Se il fascismo non è stato che olio di ricino e manganello, e non invece una passione superba della migliore gioventù italiana, a me la colpa! Se il fascismo è stato un'associazione a delinquere, io sono il capo di questa associazione a delinquere!". Ma almeno il duce non sequestrò i documenti privati di Matteotti.
Cosa avverrà ora in Russia? Ma questa non è una domanda che possono farsi le democrazie occidentali. La Russia, su questo non si discute, è una democrazia fondata sul gas e sul petrolio che esporta. Se non li esportasse tornerebbe a essere la buona, vecchia dittatura di un tempo.
09.10.06 19:00

La mia droga si chiama Tamara

Ricevo e pubblico una drammatica lettera.

"Egregio signor Grillo,
Le scrivo in quanto so che lei è sensibile ai problemi degli animali a quattro e due zampe. Mi chiamo Tamara e sono una bufala campana. Già da tempo avevo notato uno strano sapore nei mangimi, e anomale reazioni digestive nelle mie colleghe. La mia amica bufala Sofronia, ad esempio, dopo ogni pasto, produce trecento litri di latte cantando *Ricominciamo* di Pappalardo. La bufala Camilla arrotola l'erba medica formando spinelli di un metro e mezzo di lunghezza. La bufala Armida si è fatta tatuare su una coscia una foglia di marijuana e sull'altra un ritratto di Gasparri. Per ultima la bufala Mary, in un crisi di astinenza, ha

mangiato un contenitore di plastica e ha sparato fuori, al posto del latte, più di seicento mozzarelle imbustate, con relativa data di scadenza. Totò o'pushero, il nostro allevatore, ha detto che non è vero, che c'erano soltanto piccole dosi di hashish nel fieno, ma sappiate che siamo drogate da anni. Alcune di noi, di notte, vanno a cercare stramonio e funghi allucinogeni nei pascoli. Altre guardano Bonolis. La nostra vita è devastata.
Ma oltre al danno, la beffa. Ho letto sui giornali la rivelazione che un politico italiano su tre consuma droga. Ebbene subito deputati e senatori si sono affrettati a dire che è colpa nostra. Che essendo notoriamente questo un parlamento di abbuffoni, tutti dopo la seduta correvano a ingozzarsi di mozzarella di bufala nei ristoranti romani, e questo li ha inconsapevolmente drogati.
Ebbene no. Basta guardarli. Osservate gli occhi sbarrati di Calderoli, il tremito del baffo di D'Alema, l'occhio pendulo di Bondi, il labbro tremante di Gasparri, i tic di Cicchitto, l'ipereccitabilità di Rutelli, la narcosi di Fini, il biascicamento di Prodi, lo sguardo non più umano di Silvio.
Qua non c'entra la mozzarella. Qua non siamo nella modica quantità. Non sappiamo che mostruosi tipi di droghe circolano nel parlamento italiano, ma noi non c'entriamo.
E se vi dicono che non è vero, è una bufala".

Testo di Stefano Benni, il lupo.
10.10.06 17:40

Porci con le ali

"L'Alitalia sta attraversando il momento più difficile della sua storia. La situazione è completamente fuori controllo e non vedo un paracadute". Romano Prodi, Presidente del Consiglio in carica, 10/10/2006.

"A distruggere il patrimonio di Alitalia hanno contribuito le regole sulla concorrenza che hanno favorito l'ingresso delle low cost. Con il risultato che, mentre Air France e Lufthansa hanno dal 75% all'80% del loro mercato interno, Alitalia arriva a fatica al 50%, nonostante il maggiore azionista sia lo Stato". Roberto Maroni (ex ministro), 25/10/2005.

"... È proprio questo il problema: che l'azionista è lo Stato, lo stesso Stato che paga cifre da capogiro ai dirigenti Alitalia e che ne ha frenato sviluppo e alleanze in questi anni. Riporto una classifica europea di Ryanair, anche per Maroni, dei ricavi e costi per posto (pax) e il margine netto riferiti al 2005 delle compagnie aeree. Alitalia è in perdita, le altre low cost e non, sono in utile". Beppe Grillo, comico, 26/10/2005.

L'Alitalia è una compagnia di bandiera, la citazione alla bandiera ci sta sempre bene. Siamo tutti 'fratelli di Alitalia'. Ma anche finanziatori, benefattori. O meglio genitori, genitori adottivi. Ogni famiglia italiana ha infatti adottato a distanza da anni un dipendente dell'Alitalia. Con le sue tasse gli paga lo stipendio. Per quello di Cimoli di 190.375 euro al mese è necessaria una comunità di medie dimensioni.
L'Alitalia ha perso 221,5 milioni di euro nei primi sei mesi del 2006. I bilanci dell'Alitalia sono in rosso da molti anni, la gestione è un disastro da molti anni, sta attraversando il suo momento più difficile da molti anni, accumula ritardi nei voli da molti anni, taglieggia gli italiani sulla tratta Milano-Roma con tariffe da giro del mondo da sempre, impiega dirigenti raccomandati da sempre.
Se Prodi ha un minimo di pudore deve licenziare Cimoli (chiedendogli i danni), il consiglio di amministrazione e i principali dirigenti. E mettere un commissario. Domani.
Oppure abbia il pudore di tacere e di volare low cost.
11.10.06 23:14

I dipendenti a punti

I nostri dipendenti vivono sotto l'alta protezione dei garanti, delle immunità parlamentari, delle authority e delle scorte. Sono una specie protetta dai media. Una specie che produce anticorpi contro i tribunali. Stranamente, rispetto ad altre specie protette, non è mai in via di estinzione. Nel suo istinto di sopravvivenza cerca l'isolamento sociale. Sfugge al confronto con la realtà. È diventata un reality show, una compagnia di giro, un parlamento dei fumosi, che si esibisce in 'panini' nei

telegiornali e nelle porte a porte. Una specie da mettere sotto controllo, ma che non vuole farsi controllare. Una casta di liste chiuse che si autolegittima. L'antidoto a questi dipendenti è l'informazione.
Ho deciso di provarci, di lanciare l'iniziativa del dipendente a punti che partirà tra qualche settimana in questo blog.

Patente per il dipendente a punti.

Per chi ha votato l'indulto: tre punti.
Per chi è stato eletto per più di due legislature: un punto per ogni legislatura in più.
Per chi è stato condannato in via definitiva: due punti ogni sei mesi di condanna.
Per chi è sotto processo: un punto (solo uno per solidarietà).
Per chi ha cambiato partito dopo le elezioni: due punti.
Per chi è stato solo e sempre un politico: dieci punti.
Per chi è stato iscritto alla P2: quattro punti.

La classifica verrà aggiornata periodicamente con la (s)hit parade del dipendente a punti e la classifica generale. Contribuiranno a muovere la classifica le votazioni alle varie leggi porcate che si succederanno, ne sono sicuro, da qui alla fine della legislatura.
12.10.06 22:40

Safàno e procro

La sacralità del profano e la volgarizzazione del sacro. È in corso un'integrazione degli opposti. Un sincretismo buffone e insieme assolutorio. Che ridefinisce la realtà per mondarsi da ogni peccato. Chi è senza peccato si scagli contro i peccatori redenti dall'indulto. Santificati. Ceppalonati. Il peccato è santo. San Moggi, santa Wanna Marchi, santi pregiudicati parlamentari. La sacralità del denaro prevale sulla religione secolarizzata, diventata oggetto politico e di consumo. Il relativismo, con buona pace del Papa, trionfa. Se tutto è relativo, il bene e il male sono relativi, la giustizia è relativa, i reati sono relativi. Più paghi più sono relativi. Il capitale li rende impalpabili, angelici.

Un turista straniero in visita a Milano non ha dubbi. Per un prelievo o un mutuo va in Duomo. Dopo essersi inginocchiato, rispettoso delle usanze locali, si rivolge al prete o al sagrestano. Che, alle sue richieste, gli indicano gentilmente il più vicino sportello del loro sponsor bancario. In futuro in Duomo ci saranno cash dispenser sopra alle acquasantiere, il consulente finanziario nel confessionale e il ticket per la comunione.

Lo stesso turista si reca in gita nella bella provincia savonese. In Val Bormida. Forte dell'esperienza milanese, il turista cerca nuove testimonianze della presenza della religione nella realtà e della realtà nella religione. Ha capito che in Italia è tutto relativo. Un melting pot tra l'insalata russa, il minestrone di verdure della nonna e la camera dei deputati. Si ferma di fronte a una chiesetta in uno dei luoghi più inquinati del mondo: la cokeria di Cairo.
Insieme alla Madonna e al Bambin Gesù trova raffigurate centrali nucleari e industrie inquinanti.
Pensa a un ex voto dei sopravvissuti, ma poi capisce che è solo pubblicità aziendale e si tranquillizza.

"Gesù salì a Gerusalemme. Trovò nel tempio gente che vendeva buoi, pecore e colombe, e i cambiavalute seduti al banco. Fatta allora una sferza di cordicelle, scacciò tutti fuori del tempio con le pecore e i buoi; gettò a terra il denaro dei cambiavalute e ne rovesciò i banchi, e ai venditori di colombe disse: "Portate via queste cose e non fate della casa del Padre mio un luogo di mercato". Vangelo di Giovanni (2,13-25)

Primo ps: Una volta c'erano i preti operai, oggi ci sono i preti consulenti globali.
Secondo ps: Grazie al meetup di Savona per le foto e per tutte le sue iniziative.
13.10.06 18:32

La televisione dei morti viventi

Il successore di Ghino di Tacco ha gridato: "Banditi". Non importa se mentre lo diceva si tratteneva dal ridere. Quest'uomo ha ragione. La riforma Gentiloni è un atto di banditismo, una porcata calderoniana. Ma per eccesso di prudenza e mancanza di lungimiranza. Due reti andranno sul digitale terrestre tra un paio d'anni. Il digitale terrestre è già morto oggi. Tra due anni sarà una cripta in cui rinchiudere Fede e Rai2. E questa è una buona cosa. Ma le altre cinque reti rimarranno in vitalizio agli interessi economici del gruppo Telecom, del gruppo Fininvest e degli scalcinati politici che non sanno riconoscere il Darfur dal Toblerone e Mandela da un lecca-lecca (altro che programmi culturali, per questi ci vogliono i campi di rieducazione delle Guardie Rosse di Mao). Quindi non cambia nulla. L'informazione sarà come è adesso. Uno strumento di disinformazione di massa.
Le emittenti private devono diventare public company, senza proprietari di riferimento o in alternativa chiudere, domani, per decreto legge. E se qualcuno gridasse: "Gaglioffi", "Comunistacci" o anche "Perdirindindina", pazienza. Non ce la prenderemo.
La Rai deve avere una sola rete, senza pubblicità, senza alcun legame con il Governo o con i partiti. Siamo seri, ormai tranne che per la Gabanelli e pochi altri, dal televisore ci arriva in faccia solo m..da.
La pubblicità vada tutta, proprio tutta alle reti private, senza tetti. È il miglior modo per suicidarle.
La televisione è comunque moribonda, tra un po' sarà seppellita. Il ministro Gentiloni dia un colpo di telefono a Mark Thompson, direttore generale della Bbc. Si faccia spiegare il suo programma 'Creative Future' per portare la Bbc in Rete. Dia un'occhiata a Google Video e a Youtube che sono oggi la più grande emittente di programmi in Rete del mondo. Porti l'Adsl in ogni casa. Abolisca il canone. Dimezzi le tariffe Adsl. Le porti al livello di Francia e Germania dove c'è una vera concorrenza. Denunci l'Authority, la cambi, la distrugga, se vuole la venda a Telecom con cui ha da sempre ottimi rapporti.
Ascolto dei dementi parlare di televisione, di media company, di digitale terrestre come se fossero sull'Enterprise di Star Trek. Quando il futuro è invece nella produzione di massa dei contenuti, nelle connes-

sioni veloci e nella loro diffusione, nel libero accesso alla conoscenza, nel WiMax.
La Rai e la Mediaset faranno la fine dell'Alitalia. La Rete è 'low cost' e, per ora, senza padroni.
14.10.06 20:15

Il nuovo proibizionismo

L'antefatto.
Il canale televisivo cinese Cctv trasmette in chiaro in Cina partite di calcio regolarmente acquistate. Synacast, società di capitali cinese, invia il segnale su Internet, in apparente accordo con Cctv. Le partite del campionato italiano comprate da Cctv si possono quindi vedere in tutto il mondo in Rete con applicazioni p2p, che consentono lo scambio di informazioni.

Il fattaccio, Sky e la Giustizia.
- Due ragazzi italiani inseriscono nei loro portali dei link al sito cinese
- Sky li denuncia
- I portali sono chiusi dalla Guardia di Finanza e i ragazzi inseriti nel registro degli indagati per violazione delle norme sui diritti d'autore per aver consentito la visione di partite del campionato italiano di serie A e B
-La richiesta è respinta dal giudice e i pc sono restituiti
- Sky non si arrende e un pm porta la causa in Cassazione. La grande Corporation contro due ragazzi
- Questo blog fornisce un aiuto economico per l' assistenza legale a uno dei due ragazzi, Luca De Maio.

L'epilogo (per ora).
La Cassazione ordina un nuovo processo nei confronti dei due ragazzi perché hanno "Illecitamente diffuso e trasmesso via Internet con la modalità peer to peer eventi sportivi dei quali Sky vantava appunto l'esclusiva".

Considerazioni finali.

La Cassazione ha introdotto il reato di linkaggio.
Chi inserisce un link a un programma televisivo, un filmato, una qualunque opera coperta da diritto d'autore, già venduti on line in un altro Paese, potrebbe essere perseguibile. Se cerco con Google il link al sito cinese e poi lo uso, ho forse commesso un linkaggio giudiziario? Perchè Merdock non fa causa anche a Google e, visto che c'è, a tutta la Rete. Quanti siti nel mondo ospitano il link al sito cinese? Decine di migliaia? Autodenuciatevi alla Cassazione inviandole una mail. Nel frattempo noi del blog potremmo dare un aiuto ai supremi giudici con un corso gratuito di introduzione a Internet.
15.10.06 19:45

Il buco nero degli italiani

Dicesi priorità: "Il venire prima rispetto ad altro, il diritto di precedere per urgenza, importanza, valori e simili", Dizionario Garzanti 2006. L'Italia è stata fondata sulle priorità. Sono le sue stesse fondamenta. Senza le priorità del Mezzogiorno, del Lavoro, dei Giovani, della Mafia e, ultimamente, dei Clandestini e degli Scarcerati, questo Paese non durerebbe due giorni. Del resto un Paese senza fondamenta non può durare.
Perciò ci sono in Italia delle priorità che aspettano prioritariamente da un secolo. Sono priorità ultimarie. Su tutte brilla la Src, Salerno-Reggio Calabria.
Da tempo nell'Italia dell'Alta Velocità e del Grande Ingorgo, quando c'è da riparare un' autostrada o migliorare una tangenziale ingorgata, viene fuori la priorità della Salerno-Reggio Calabria.
Lo diceva già Andreotti quando era vice-faraone. Lo hanno ripetuto ministri democristiani, socialisti, ulivisti e perfino Emmenthal Lunardi. Anche lui ammise "La Salerno-Reggio Calabria è una priorità, specialmente se qualcuno ha fretta di andare a Milano". Poi Emmenthal ha fatto costruire decine di tunnel agli amici, mentre la Salerno-Reggio Calabria è rimasta un nastro bombardato, pieno di cantieri fantasma e lavori abbandonati, e soprattutto con decine di chilometri a una sola corsia, tanto che per i suoi ingorghi è stata ribattezzata Src, Strada Rottura di Coglioni.

La Src è lunga 443 chilometri, ma la media di percorrenza è di otto ore. Doveva essere pronta nel 2008, ma col ritmo fin ora tenuto, si è calcolato che potrebbe essere inaugurata nel 2036 dal nuovo ministro dei trasporti Lapuccio Elkann junior.
Ora la Src è stata indicata come priorità rispetto al Ponte di Messina, ovvero il delirio megalomane nato nel parrucchino di Berlusconi, il giorno che Dell'Utri gli ha regalato un Golden Gate fatto col Lego. Il ponte sullo stretto sarebbe costosissimo, e il più grande ingegnere giapponese ha detto:"Sì, potrebbe reggere, se togliete da sotto il mare".
Quindi ci va bene la priorità della Salerno-Reggio Calabria. Ma stavolta, teniamo gli occhi aperti..
Controlleremo se tra un anno ci saranno ancora cantieri fermi, se metà autostrada sarà a una corsia e mezzo, se ci saranno nuovi appalti fantasma, ruspe abbandonate, montarozzi di ghiaia alti dieci metri e piazzole di emergenza per sole biciclette.
Se insomma la Salerno-Reggio Calabria, tra tratti chiusi, rifatti o in rifacimento sembrerà ancora un cocktail tra Stalingrado e Simona Ventura, allora la parola priorità sarà stata usata per fregarci.
Controlleremo che la Src, Strada Rottura Coglioni, diventi Src, Strada Regolarmente Completata con la sicurezza che vincerà ancora lo scassamento di coglioni. Ma l'Italia almeno sarà salva.

di Beppe Grillo e Stefano Benni (il lupo)
16.10.06 19:24

Oltre il semplice No!

Sì e No. Il Sì è positivo e il No è negativo. Il Sì è il semaforo verde, il No è il semaforo rosso. Il Sì è il futuro, il No il trapassato prossimo. I media sono sempre dalla parte del Sì. I politici sono sempre dalla parte del Sì. I filibusti-finanzieri della Colf-industria sono sempre dalla parte del Sì. benettontronchettigeronzicimoliscaroni annuiscono sempre. Entusiasmati dal loro conto corrente positivo. Sì!
Sono tutti dalla parte del progresso. Degli inceneritori, delle privatizzazioni di acqua, autostrade, comunicazioni, delle centrali nucleari, dei tunnel per rimanere in Europa e del ponte per ricongiungere la

Sicilia alla Madre Patria, della Legge Biagi, delle esternalizzazioni, delle razionalizzazioni. Sprizzano ottimismo, gioia e tanta, tanta, ma mai sufficiente riprovazione per chi dice No.
Il No è provinciale, infantile, di chi non ha ancora capito, tipico di quelli che hanno un giardino e non un posto macchina. Dei Nimby, dei No-Global, degli estremisti rispetto a chi sta al centro. Dei Valsusini, dei No-Tav, No-Tac, No-Parcheggi, No-Smog, No-Macchine, No-Consumi, No-Inquinamento.
Tutta feccia finanziariamente inutile. Dannosa per il business. Dannosa per le alleanze. E le alleanze sono sempre positive per chi ci guadagna. L'amministratore delegato di Abertis Salvador Alemany Mas, che dal nome ricorda Chico: Cico Felipe Cayetano Lopez Martinez y Gonzales, di Zagor, lo sa bene. Dopo l'operazione politica a novantagradi Zapatero (attivo) – Prodi (passivo), ha dichiarato: "Il problema è il sistema tariffario, non gli investimenti". Sì all'aumento dei pedaggi, Sì all'azione che vola in Borsa. Ecco, questa frase è illuminante. Gli investimenti sono sempre a carico dei retrogradi del No e il pedaggio lo incassano sempre gli alfieri del Sì. I No non vogliono piegarsi. I Sì vogliono sempre procedere in avanti. Questa polarizzazione va invertita. Un No semplice non è più sufficiente. Bisogna andare oltre. E imparare a dire: "Sì: va a fanculo".

Ps: Voglio ricordare Andrea Parodi dei Tazenda, un amico che ci ha lasciato.
17.10.06 19:29

Editoria suicida

Oggi mi sento ottimista. Guardo il cielo della mia Liguria e respiro e mi sento bene. Ho appena letto il decreto a favore della Rete e dell'informazione che riporto.
Rilassatevi e leggetelo.

"Disposizioni urgenti in materia tributaria e finanziaria".
pubblicato nella *Gazzetta Ufficiale* n. 230 del 3 ottobre 2006.
Art. 32.

Riproduzione di articoli di riviste o giornali.
All'articolo 65 della legge 22 aprile 1941, n. 633, dopo il comma 1, e' inserito il seguente:
«1-bis. I soggetti che realizzano, con qualsiasi mezzo, la riproduzione totale o parziale di articoli di riviste o giornali, devono corrispondere un compenso agli editori per le opere da cui i suddetti articoli sono tratti. La misura di tale compenso e le modalità di riscossione sono determinate sulla base di accordi tra i soggetti di cui al periodo precedente e le associazioni delle categorie interessate. Sono escluse dalla corresponsione del compenso le amministrazioni pubbliche di cui all'articolo 1 del decreto legislativo 30 marzo 2001, n. 165».

La legge dice nella sostanza che bisogna pagare per riportare on line parte degli articoli pubblicati dai giornali o dalle riviste. È un incentivo a non copiare più il falso, a non diffondere le menzogne dei gruppi economici e dei partiti. È come la legge che vietava il fumo, anzi meglio, è una legge che frena la diffusione delle balle. Il legislatore è certamente un infiltrato della Rete. Grazie legislatore!
Gli editori non la prenderanno troppo bene. Quando vedranno il numero di citazioni e di riferimenti ai loro siti scendere. Quando il traffico diminuirà. Quando gli inserzionisti pubblicitari non gli telefoneranno più. Allora potranno suicidarsi in modo definitivo, virile. E fornire solo a pagamento l'accesso ai loro siti. Diffondiamo il Creative Commons in tutti i blog, in tutti i siti di informazione libera, per permettere la distribuzione dei contenuti pubblicati. Se i gruppi editoriali italiani vorranno citarci lo potranno fare in tutta libertà. Noi, in compenso, non li citeremo più.
18.10.06 19:30

Un futuro da mendicanti

Tfr significa Trattamento di Fine Rapporto. Sono i soldi che mettiamo da parte per la nostra vecchiaia. O in caso di perdita del lavoro. Un investimento per il futuro, per le emergenze. Un salvagente sempre più pesante, importante, ogni anno che passa.
Una cosa va chiarita: sono soldi nostri. Il datore di lavoro li tiene in

banca per noi. Non appartengono allo Stato, non all'azienda, non alle banche. Se ci rompiamo le balle e ci licenziamo finiscono dritti dritti sul nostro conto corrente. Se vogliamo comprare casa possiamo chiederne una parte. Se ci vengono gli incubi di notte per l'Italia che si inabissa (con noi sopra) il Tfr è un piccolo sollievo. Una brezza gentile che ci fa riprendere sonno.
L'Inps è ormai una vecchia baldracca che nessuno paga più. I soldi che le abbiamo dato, quando era più attraente di adesso (sempre un cesso, ma almeno più giovane) non li ha più. La dava, li dava, a tutti. Le pensioni si devono però pagare. Se non si pagassero in Italia ci sarebbe la Rivoluzione. Altro che Argentina. Cadrebbero, metaforicamente o meno, molte teste nei cesti. La valutazione del Governo di trasferire con destrezza il 50% del Tfr all'Inps è un chiaro segnale al Paese: "Nessuno, se paga le tasse, è intoccabile". Accompagnato da un'altro: "L'Inps è fallita". E ancora da un altro: "Ciò che è dei cittadini è proprietà dello Stato".
Tutti sanno che le aziende usano in parte il piccolo, o grande, capitale dei TFR dei dipendenti per finanziarsi. Non ci nascondiamo dietro a un dito: le banche finanziano Tronchetti o Benetton, ma non la media e piccola impresa. E a questa sarà sottratto il Tfr. All'unica parte del Paese che produce ancora qualcosa. Ma non è meglio dichiarare bancarotta? Sarebbe più onesto. Un punto fermo e si riparte, invece di sprofondare in una palude quotidiana fatta di Cimoli che resiste (ma cosa resiste a fare?), di Tronchetti che si rafforza e di Benetton che vuole aumentare i pedaggi. Perchè questa, e non altro, è oggi l'economia dell'Italia.
19.10.06 19:50

Denti d'oro alla Patria

Il problema dello Stato italiano è finanziario. Non ha più soldi. Ho quindi pensato di dare una mano con una serie di suggerimenti a Prodi dal nome: 'Oro alla Patria'.
Inizio oggi dai vecchi pensionati. Senza la loro pensione i giovani precari non riuscirebbero a tirare avanti. Se non ci fossero le pensioni i giovani sarebbero pagati di più. La pensione del nonno è quindi la vera pietra angolare della politica economica del Paese. Ma i vecchi, che non

si vergognano di farsi i lifting, di viaggiare low cost e di fare largo uso del Viagra, devono meritarsi il vantaggio acquisito. Contribuire come tutti gli altri. Dare un segnale di solidarietà. Il vecchio, si sa, ha l'oro in bocca. Quest'oro va messo a disposizione della Patria.
Un apposito decreto legge imporrà a tutti i portatori di pensione di recarsi dal dentista. Il decreto (siamo in Italia) dovrà, necessariamente, essere coercitivo. Chi non si farà asportare almeno due denti d'oro, perderà la pensione. Chi non dispone dei denti potrà autodenunciarsi allegando una panoramica dentaria e due denti d'oro acquistati nella più vicina gioielleria.
L'asportazione dentaria ha in sé una serie di vantaggi collaterali. Il dentista incaricato dell'operazione potrà infatti dedurne il costo, a totale carico del pensionato, dalla sua dichiarazione dei redditi. Con una prevedibile emersione dell'evasione. Se, per un caso disgraziato, il pensionato dovesse decedere durante l'asportazione, le casse dello Stato ne avrebbero un ulteriore beneficio, con una pensione in meno da erogare. In questo caso, il dentista dovrebbe essere esente da qualunque conseguenza civile o penale. Si potrebbe, in caso di morti multiple, conferirgli anche il titolo di Cavaliere del Debito Pubblico. Il dente d'oro alla Patria potrebbe però non essere gradito ai soliti evasori. I vigili andrebbero quindi muniti di gas esilarante o anche di una foto di Buttiglione o di Mastella a scelta. Uscire in perlustrazione nei parchi e nei giardini. Il vecchio si sganascerebbe dando evidenza del reato. A questi delinquenti sociali andrebbe tolta, oltre ai denti, anche la pensione. Meno pensioni, più oro, emersione del sommerso: tutti vantaggi ottenibili con un semplice decreto.
I parlamentari che già godono di pensione dovrebbero dare l'esempio alla Nazione e, in diretta televisiva dalla Camera, farsi estrarre i loro denti d'oro. Il successo di pubblico sarebbe assicurato con ricchi incassi pubblicitari. Si potrebbe andare anche oltre e mettere all'asta su Ebay a favore del Tesoro il dente di Prodi o di Berlusconi o anche di Previti Zanna d'Oro.
20.10.06 18:20

Un Paese sull'orlo di una crisi di nervi

Ho una strana sensazione. Avverto degli scricchiolii. Micro fratture nei muri. Leggo dei fischi alla bandiera italiana a Vicenza. Con il palco gremito dei rappresentanti della finta opposizione che sorridono senza fare una piega.
Ascolto da mesi discorsi imbarazzanti del Governo. Imbarazzanti per la loro inconsistenza. Per la loro ignoranza. E soprattutto per la mancanza di coraggio. È inutile personalizzare, parlare male di Prodi o di Berlusconi. È un'intera classe politica, dall'usciere comunale al Presidente della Camera, che si aggrappa ai suoi privilegi. In modo sempre più infantile. Plateale. Per loro noi siamo solo caramelle, gelati, pop corn. Per cambiare veramente bisogna spazzarli via. Ci vuole la ramazza popolare. La democrazia diretta e facce nuove, non queste cariatidi supponenti che passano il tempo a mettersi il fard.
Gli italiani, fino ad ora, sono stati alla finestra. Per vedere come andava a finire. Come se assistessero a un film un po' scarso che non li riguardava. Forse il finale è arrivato. In pensione si va da morti. I risparmi di una vita, il Tfr, sono espropriati. Ma anche questo ha ormai poca importanza in un Paese di precari e di senza lavoro. Di finti industriali che controllano le televisioni e i giornali. Che ci stanno spolpando da dentro, grazie al meccanismo delle concessioni. Lo Stato gli concede le frequenze radiotelevisive, l'acqua, le autostrade, la dorsale telefonica, tutto. Roba nostra, soldi loro. E tanta riconoscenza, tante donazioni per i partiti. Che così rimangono alla loro mangiatoia.
La classe politica vuole conservare i propri privilegi in un Paese che sta perdendo tutto. Gli italiani cominciano ad accorgersene. Ad avvertire odore di bruciato. E a capire che la differenza è tra noi e loro. Non tra destra e sinistra. C'è una sensazione di irrealtà in giro. Se si ascoltano Casini o Bersani sembra di essere ai tempi di Ceaucescu. Tira un'aria tra il venticinqueluglio e l'ottosettembre. Un'aria che non promette nulla di buono. Non l'avvertite anche voi?
21.10.06 19:10

Giochi di Borsa

Immaginate di avere delle azioni.

E che dopo cinque anni queste azioni valgono la metà.
E che queste azioni vi consentono di mantenere il controllo della più grande azienda italiana.
E che l'azienda si chiama Telecom Italia.
E che nessuno vi faccia notare che dovete svalutarle.
E che se le svalutate perdete il controllo della Telecom.
E che per non svalutarle dovete tirare fuori la differenza, ma i soldi non li avete.
E che la società che ha le azioni dimezzate si chiama Olimpia.
E che l'80% di Olimpia è della Pirelli.
E che l'altro 20% è di proprietà di Benetton che però ha aggiornato il valore al mercato.
E che il tronchetto dimezzato ha ancora tutta la sua squadra che comanda in Telecom.
E che se fosse aggiornato il valore delle azioni di Olimpia, da più di quattro euro a bilancio al valore di Borsa di circa la metà, Olimpia non conterebbe più nulla.
E che tutti gli uomini di Tronchetti non sarebbero più ai posti di comando.
E che Tavaroli chiama in causa Buora.
E che Buora gli risponde per le rime sulla Gazzetta dello Sport che lui è un amministratore delegato srl. A responsabilità limitata.
E che non sapeva niente.
E che forse il Sismi replica a Buora con un comunicato su Topolino.
E che tutti i piccoli azionisti della Telecom vogliono avere il valore delle azioni a più di quattro euro.
E che chiedono alle loro banche di farlo.
E che le banche spiegano per iscritto perché Olimpia sì e loro no.
E che le azioni devono essere tutte uguali.
E che è incredibile quanto ci prendono per il c..o.
22.10.06 23:25

RESET

Bisogna fare RESET. Stampare magliette con sopra scritto RESET. Tatuarsi RESET. Telefonare alla fidanzata e dirle: "Da oggi ti insegno una nuova posizione: RESET". Spegnere la televisione al nonno e gridargli nell'orecchio: "RESEEETT!". Ripartire da capo. Non è possibile vivere con la sicurezza di andare verso la catastrofe, anche se con ottimismo. Il Paese è allo sbando. Il Partito Democratico che vogliono far nascere esiste già, si chiama dsmargheritaforzaitalia. È ovunque. È la camicia di forza del Paese. La soluzione non è un nuovo leader. Un nuovo partito. Questa democrazia con il buco intorno è fallita. Lo Stato Unitario dopo 150 anni sembra un ferrovecchio. Un coniuge con cui si convive, ma non si sa più il perché. Bisogna iniziare con pazienza dalle fondamenta. Dai comportamenti individuali. Dal fare rispettare i nostri diritti. Dall'acqua, dall'energia, dalla spazzatura, dalla connettività, dai trasporti. Le Authority e i Garanti non si sa a cosa servono. I politici sono peggio dei mattoni autobloccanti. Al funzionario pubblico che non fa il suo lavoro urliamo: "RESET-RESET-RESET". A chi vuole farci digerire le porcate dell'indulto gridiamo: "RESET". Direttamente nelle loro feste del c...o. Nelle loro email. A chi vuole consegnare i monopoli naturali nelle mani degli strozzini mandiamo un "RESET".
Questo Parlamento non è lo specchio del Paese, queste industrie non sono lo specchio di chi le gestisce. Basta pagare uscite milionarie a degli incapaci con precari che non arrivano a fine mese. Cimoli è ancora lì?
Il Paese si sta incazzando, lo sento. E più si incazza, più si parla di spirito riformista e di diritti degli evasori. Ognuno si trovi il suo spazio per dire: "RESET", ogni giorno, tutti i giorni, fino a sfinirli, a ritrovare il nostro Paese che ci stanno portando via.
In questo blog sono sempre più numerosi coloro che scrivono dall'estero o che vogliono emigrare. Ma stiamo scherzando? All'estero ci vadano loro, la nomenclatura della democrazia autoreferenziale. Le iniziative per fare RESET non me le posso inventare tutte da solo. Datemi una mano. Scrivete la vostra, le votiamo e poi ci proviamo.
23.10.06 21:18

I veleni nelle città

Da qualcosa bisogna iniziare per fare RESET. Partiamo da ciò che ci circonda ogni giorno nelle nostre città. Dal veleno che respiriamo. Del quale bisogna essere grati ai padroni dei media. Alla loro ossessiva pubblicità di automobili. I giornali e la televisione fanno ormai concorrenza a *Quattroruote*. Chi detta la linea petrolindustriale ai media? Lo Stato che vive di tasse sul carburante, i petrolieri e i fabbricanti di automobili. I politici, come diceva Mattei, sono solo tassisti che si liquidano con una mancia dopo la corsa. Che fare? Scriviamo un dodecalogo per il dipendente sindaco, chiediamo e pretendiamo un incontro nel quale firma tutti o in parte i punti proposti, o anche nessuno se non è d'accordo. Si potrà filmare l'incontro e sentire le ragioni del dipendente su questo blog. Ho ascoltato dei veri esperti di veleni in città: due mamme con bambini piccoli. Quelli che il tubo di scappamento lo respirano dal passeggino. Quelli che se va bene hanno la tosse cronica e se va male la leucemia.

Ecco i loro consigli:
1. Ticket di ingresso per le auto
2. Pista ciclabile che attraversi ogni percorso cittadino
3. Eliminazione progressiva dei parcheggi in città
4. Creazione di zone verdi dove ora ci sono parcheggi
5. Car sharing pubblicizzato e incentivato dai Comuni
6. Autobus e taxi elettrici
7. Diminuzione dell'Ici del 30% al residente che non possiede una macchina
8. Tempo di attesa al semaforo per le macchine doppio rispetto ai pedoni
9. Carico e scarico dalle 5 alle 7 del mattino
10. Mezzi pubblici gratuiti
11. Tassa per l'occupazione di suolo pubblico per le macchine parcheggiate
12. Uffici pubblici di nuova costruzione tassativamente senza parcheggi.

Le nostre città sono cimiteri di automobili e discariche di gas.
Cambiamole.

Ps: *Il Corriere della Sera* ha oggi pubblicato la classifica di Legambiente-*Sole 24 Ore* per l'inquinamento nelle città con il vergognoso titolo: *Ambiente, la rivincita delle grandi città.*
24.10.06 21:07

Uno, due, RESET!

RESET. Se non faccio un RESET al giorno non mi diverto più.
Oggi è il turno dei nostri dipendenti. Quelli che stanno accampati nei corridoi di Camera e Senato e negli studi televisivi. Fanno una vita miserabile e lo fanno per noi. Fanno un po' di gossip, votano in aula, qualche dichiarazione. Sono alla deriva. Per evitare una controderiva populista voglio fare una proposta da vero demagogo. Insomma derivare in modo demagogico e populista da uomo qualunque. Una cosa per persone semplici, non da raffinati cultori della supremazia della Politica. Qualcosa di cui hanno bisogno le democrazie in fase terminale. Una proposta di legge popolare con raccolta di firme per ridurre a due il numero di legislature per i parlamentari. Effetto retroattivo. Due e basta. Poi si torna a lavorare.
Prestati alla politica si diceva una volta. Un cittadino lasciava temporaneamente la sua professione. Per servire il Paese. La politica è diventata una professione permanente dai contorni indistinti. L'Italia è, populisticamente parlando, nella m..da.
Ma chi ci ha portato? E perché consentirgli di fare ancora danni? Presto pubblicherò l'elenco dei parlamentari con più di due legislature perché lo possiate divulgare in tutta la Rete. Sono i nomi dei responsabili dello sfascio, quelli che hanno guidato il Paese. O la colpa sarà sempre della recessione, del boom, del caldo d'estate e del conflitto di interessi d'inverno? I parlamentari festeggiano pure gli anniversari, i decennali, i trentennali di permanenza. Ma cos'è? Una gara di resistenza del seggio elettorale? Se non ci sono giovani in politica è perché i posti sono occupati da generazioni. Rinnoviamo il Parlamento. Non graviamo di ulteriori responsabilità questi parlamentari di lungo corso.
Uno, Due, RESET.
25.10.06 23:10

Adotta un pinguino

L'Italia ha bisogno di soldi. E io voglio sempre aiutarla. L'iniziativa: "Oro alla Patria" continua.
Le applicazioni software della Pubblica amministrazione non costeranno più niente. Non costano già più niente. Basta passare al software Open Source, software libero che non costa un euro. Nei ministeri, nelle regioni, nelle scuole, negli ospedali pubblici, nei tribunali, eccetera, eccetera.
Quanto spende lo Stato per comprare, aggiornare le applicazioni Microsoft? Da domani potrà costare zeroeuro. L'Europa si sta muovendo, come la Norvegia.
Chavez è già partito e entro il 2007 metà del settore pubblico venezuelano sarà Open Source. L'Open Source si può adottare subito, perché aspettare?
Le amministrazioni pubbliche che lo hanno fatto, forse ci sono, mi contattino inviando una mail. Le citeremo tutte nel blog dopo una ispezione di tecnici di fiducia dei Meetup. Tutte le altre si diano una mossa perché stanno buttando nel cesso le nostre tasse. Invito un ministro, chiunque voglia, a battere un colpo, a dare un esempio e scrivere a questo blog quando e come passerà all'Open Source e quanto farà risparmiare ai cittadini.
Belin, mi sto facendo un c..o così a studiare l'informatica per fare un po' di risparmio. E i nostri dipendenti sono rimasti al pallottoliere. Questo è il vero problema. La loro forza dell'ignoranza unita alla nostra rassegnazione.
RESETTA Microsoft, passa all'Open Source.
26.10.06 23:00

I raccoglitori di margherite

La Finanza ci spiava, il Sismi ci spiava, la Telecom ci spiava. Chi sarà il mandante?
Mi viene da ridere a fare la domanda. Chi aveva il potere di farlo se non il precedente governo? Se le elezioni fossero andate diversamente c'era

il colpo di Stato. Come faccio a dirlo? Sensazioni. Le stesse che, credo, avete anche voi.
Però adesso basta. Da chi dipendevano il Sismi, da chi l'Agenzia delle Entrate, da chi la Telecom? Questi personaggi come si chiamano? Facciamo un ripassino: Pollari, Tremonti, Tronchetti. E allora è così difficile arrivare alla verità? Li si convoca in commissariato. Li si interroga con dolcezza. In caso di reticenza li si trattiene in carcere il tempo necessario. Anche tutta la vita. Per non inquinare le prove e per nostra tranquillità.
Poi si istituisce una commissione di inchiesta popolare. Evitiamo per favore quella parlamentare. Ci sarebbe un palese conflitto di interessi. I giudici sarebbero gli stessi intercettati. Quelli che hanno fatto carte false per bruciare le carte. Certo, lo hanno fatto per la democrazia. E anche per il contenuto delle intercettazioni. I cittadini, dopo aver esaminato le prove, decideranno. Sotto gli occhi di tutti.
Demagogia? Certo demagogia populistica qualunquistica. Parole con cui i coglioni e le anime belle prendono le distanze dai cittadini. Ma il garante della privacy cosa fa nella vita? Raccoglie le margherite?
E Prodi cosa aspetta a parlare al Paese a reti unificate per dire chiaro e tondo che i responsabili verranno puniti senza sconti? Forse un cenno di assenso di bertinottidalemarutelli, padrefiglioespiritosanto?
I cittadini si aspettano ben altro da lei, dipendente Prodi. Se non sa comunicare, almeno ci provi. Noi la correggeremo.
27.10.06 19:00

I morti della mutua

Tra i poteri occulti dello Stato ci sono gli ospedali. Operano con discrezione e senza sosta per migliorare le casse dell'Inps. Praticano l'eutanasia da inefficienza. Un approccio tutto italiano, non perseguibile dalla legge, ma che produce grandi risultati, soprattutto per i pazienti anziani. Dicono che muoiano 90 pazienti al giorno per errori medici negli ospedali. Io non ci credo. Non ci voglio credere. È un numero ridicolo. Devono essere molti di più. Nessuno però sa quanti sono veramente. Non c'è una statistica ufficiale. Meglio non sapere. L'anno scorso l'Istituto superiore di sanità ha provato a misurare la mortalità

da bypass nei centri di cardiochirurgia. Il solo risultato è stata una rissa all'italiana. Una serie di querele.
Un dato certo però esiste. Ed è che su due pazienti che muoiono nel mondo a causa di un errore medico, uno si potrebbe salvare. Prendendo per buono il numero di 90 morti al giorno per 365 giorni. Totale annuo 32.850. Salvabili 16.425. L'equivalente di una trentina di gommoni a Lampedusa.
Donald Berwick con il suo Institute for Health Care Improvement, un ente no profit, lo ha dimostrato con l'iniziativa: '100.000 lives'. Nei tremila ospedali americani che hanno aderito la mortalità è crollata. 120 mila decessi in meno rispetto al precedente periodo di 18 mesi.
Basta poco per salvare una vita. Non si è contato quasi nessun caso di polmonite da respiratore meccanico grazie a semplici accorgimenti come il tenere il paziente con la testa del letto sollevata. Gli operatori si sono impegnati a lavarsi le mani prima di toccare i cateteri. È stata prescritta un'aspirinetta prima di dimettere gli infartuati.
Cosa preferiamo, ridurre le tasse o tenerci uno stuolo di pensionati? Io sono incerto, ma un po' mi dispiace per i pazienti. Chiedo quindi a Berwick di venirmi a trovare, di incontrare i responsabili di alcuni ospedali italiani per replicare la sua iniziativa. Poi, se ci riusciremo, faremo da soli. RESET!
28.10.06 18:40

Esaurimento nervoso

Non so voi. Ma le mie valvole cominciano a fumare. Non funziona più nulla e nessuno. È un giorno di ordinaria follia tutto l'anno. La temperatura sale, sale, sale. La richiesta di una patente, di un passaporto, di una licenza, di un c..o qualunque ci riduce a esseri idrofobi. Se ripari un elettrodomestico il tecnico deve uscire tre volte prima che funzioni. E di solito è il frigorifero o lo scaldabagno. Se prendi un treno è in ritardo. Se prendi un aereo è in sciopero. Se hai bisogno di un posto all'asilo comunale è già occupato. Se lo Stato ti deve rimborsare il rimborso non arriva. Se non paghi una bolletta ti pignorano il garage. Se alzi la voce per far rispettare le tue ragioni ti querelano. Se attraversi la strada sulle strisce ti arrotano. Se sei costretto in carrozzina trovi l'immancabile

Suv parcheggiata sugli scivoli per portatori di handicap. Se hai una fuga di gas nel palazzo ti può saltare la casa prima che qualcuno intervenga. Se fai il commerciante devi trasformarti in Charles Bronson. Se non funziona la linea telefonica sei isolato per settimane. Se parcheggi sei bloccato da una macchina in seconda fila, e se protesti ti picchiano (da quel momento prendi il porto d'armi). Se cammini in un bosco arrivano le moto e i fuoristrada. Se cammini lungo un fiume è una cloaca. Se passeggi in un parco pubblico è un deposito rifiuti. Se c'è la mafia devi anche convivere con lo Stato.
E la colpa è sempre degli altri. Maledetti altri. Gente senza rispetto.
Noi, ovvio, siamo meglio. Se non paghiamo le tasse è perché sono troppe. Se non denunciamo il funzionario comunale è per non avere fastidi. Se non paghiamo il tecnico per un lavoro mal fatto è perché è meglio lasciar perdere. Se non telefoniamo al sindaco, a casa sua, a mezzanotte, per urlare in modo disumano che un asilo è più importante di un parcheggio, è perché non si fa.
È faticoso, sempre più faticoso, vivere in Italia. Siamo sommersi dalla me..da. Forse è meglio cominciare subito a riemergere. Forse dobbiamo scendere. Fate qualcosa. Difendetevi. Io sono a tolleranza sottozero.

Ps: Oltre alla deriva populista, secondo voi ho anche un esaurimento nervoso?
29.10.06 23:30

An inconvenient truth

Se vogliamo evitare che le generazioni future ci sputino in faccia e ci chiedano i danni dobbiamo fare qualcosa per il pianeta. Le iguane, fuori dalla finestra di casa mia a Genova, mi guardano come un estraneo al sole estivo di ottobre. I grilli cantano tutta la notte. Le api fanno il doppio lavoro estate/inverno. I dati dell'effetto serra sono ormai quotidiani come le previsioni del tempo. Ci sommergono. Come faranno le acque con le coste e le città.
Ma ci sono sempre gli scettici. Quelli che non ci credono e che ci sono sempre alternative. Senza mai dire quali. Altri che più modestamente se ne fregano. I ghiacciai si sciolgono. I fiumi si seccano. Le falde acquifere

scendono.
Basta con il catastrofismo. Con la solita deriva catastrofista per non affrontare i veri problemi. 279 specie di piante e di animali si stanno spostando verso nord. La malaria è arrivata sulle Ande. Lo scioglimento dei ghiacciai della Groenlandia è raddoppiato negli ultimi dieci anni. E la deriva catastrofista continua con le previsioni per i nostri nipotini. Quelli che butteranno le nostre ossa in una discarica. Entro il 2050 il Polo Nord scomparirà, un milione di specie si estinguerà, il livello del mare salirà fino a cinque metri.

Al Gore ha prodotto un film: *An inconvenient truth*. Uscirà il 21 novembre in versione inglese. È la prima volta che faccio pubblicità a un film. È un piccolo tributo, un'inezia per la salvezza del pianeta.
Da subito possiamo dare un contributo per migliorare la Terra con tenthingstodo, diecicosedafare.
1 - Usa lampadine fluorescenti e compatte
2 - Usa la macchina il meno possibile
3 - Ricicla
4 - Verifica la pressione delle gomme dell'auto
5 - Non sprecare acqua calda
6 - Non comprare prodotti con molte confezioni
7 - Regola il termostato di casa
8 - Pianta un albero
9 - Spegni gli elettrodomestici non in uso
10 - Fai girare questo elenco

Sono azioni da boy scout, non prevedono grandi strategie. Non ci sono scuse. Io ne aggiungo un'altra. Una convenzione con le banche che mi contatteranno per prestiti finalizzati all'acquisto di pannelli solari per i lettori del blog. E poi un'altra per Prodi: telelavoro per le amministrazioni pubbliche, arrivare entro pochi anni al 30/40%. Per oggi basta così. Sono esausto. Guardatevi il trailer.
30.10.06 22:10

Game Over

Vorrei fare un appello alla criminalità organizzata. La prima potenza economica del Paese. La prima industria. Temuta anche da Putin, che dopo alcune affermazioni avventate ha subito ritrattato. Bush invece non ha mai sollevato problemi da quando è stato informato sulla fine di John Kennedy.
Le mafie hanno vinto. Si sono annesse città, province, regioni. Bisogna essere leali e riconoscerlo. Chi vince, vince. Ma non bisogna esagerare. Senza un avversario si perde il senso della competizione. Le Procure stanno fallendo. Non hanno più carta, benzina, toner, computer. La Procura nazionale antimafia si è subito attivata. Ha inviato alla Procura di Catania 20 ticket benzina da 10 euro. Servono giusto per mezz'ora di inseguimento. Se i magistrati del pool antimafia si dimettono. Se i fondi vengono tagliati del 50%. Se la giustizia è ceppalonica. Allora non c'è più gioco.
La criminalità fattura in alcune regioni più di tutto il resto dell'economia messo insieme. Una donazione in nero, estero su estero alle Procure è quindi un nonnulla. Va fatto per senso di sportività. Ognuno si adotta la sua. Il rischio di perdere non ci sarebbe comunque e sarebbe assicurata una bella figura. Ogni mafia adotti, per competenza territoriale, la sua Procura. Faccia recapitare qualche pacco di carta da fax, dei pc di contrabbando, qualche auto rubata con il pieno. Magari anche rotoli di carta igienica. Dia ai cittadini la sensazione che lo Stato esiste ancora. È solo un'illusione. Ma è meglio di niente.
31.10.06 19:35

INCENERITORI
MA É BRUCIATA...
TERMOVALORIZZATA IGNORANTE!
VAURO 07

Novembre

Morti e Santi d'Italia

Le persone vanno oggi per cimiteri con mazzi di fiori per i loro morti. I miei vengono spesso a trovarmi. Entrano nei miei sogni, mi tengono compagnia per poi andarsene al mattino. L'Italia ha avuto migliaia di morti ammazzati dalle mafie, non di rado con la collusione di parte dello Stato. Le loro morti hanno un merito. Quello di aver mantenuto un brandello di dignità, di autostima negli italiani. Sapere che qualcuno non ha ceduto alla criminalità, alle collusioni politiche. Che non ha piegato la testa. E si è fatto sparare, saltare in aria, calunniare. Queste testimonianze ci fanno sentire meno vigliacchi. Lo Stato, forse, non morirà grazie a loro. Impastato, Ambrosoli, Dalla Chiesa, Falcone, Borsellino... L'elenco è lunghissimo. Una strage che prosegue da decenni. Quasi sempre dei migliori.
A Washington, su una grande lapide nera, ci sono tutti i caduti in Vietnam. A Roma si dovrebbe fare lo stesso per i morti di mafia. Un monumento con decine di migliaia di nomi davanti al Parlamento. Rimarrebbe, è vero, il problema della gestione. Ogni giorno andrebbero aggiunti nuovi nomi. È una guerra senza data di scadenza. In Libano i nostri soldati giocano a carte con gli hezbollah e il nostro Sud è senza legge. È tempo di calendari 2007. Ne sto preparando uno scaricabile dal sito. Al posto dei santi della Chiesa ci saranno, nel giorno della loro scomparsa, i santi d'Italia. 23 maggio san Falcone Martire, 29 luglio san Rocco Chinnici esploso...
01.11.06 18:25

Effetti della burocrazia

In Italia abbiamo degli enormi data base distribuiti ovunque. Data base tradotto in italiano significa enorme faldone di documenti cartacei. Archiviato o, più spesso, appoggiato comodamente per terra. A portata di mano dell'impiegato. I data base sono strettamente personali. Ogni amministrazione ha il suo del quale è molto gelosa. Non lo condivide con nessuno. C'è, va detto, l'eccezione dei servizi segreti deviati. Ma quella, appunto, è un'eccezione. E più che altro riguarda Prodi.

Se un'informazione che ci riguarda può essere duplicata, triplicata, moltiplicata per un numero a piacere di amministrazioni pubbliche, questo accadrà. E, ogni volta, ci verrà richiesta dal Comune, dalla Regione, dall'Agenzia delle Entrate, dalla municipalizzata, dalla Provincia la stessa dichiarazione. Sempre la stessa.
Qui sorge un problema per i meno precisi tra noi. Quello di confondersi e di contraddirsi. E poi finire nei guai. Ma forse è proprio questo l'obiettivo degli accertamenti. Cogliere il cittadino in errore. E punirlo con sanzioni. Un atteggiamento che genera crisi di identità. Io sarò io? E il mio figlio a carico si chiama ancora Giovanni come l'anno scorso? E il mio numero civico si è incrementato? Domande che richiedono una costante attenzione da parte del cittadino. Nessuna distrazione è permessa. Pena la decadenza del domicilio, l'interruzione di servizio pubblico, gli interessi di mora, la maggiorazione tributaria.
Propongo l'istituzione del Ministero dei Rapporti con il Cittadino. Che sia l'unico a parlare con noi. Che ci chieda le cose gentilmente. Ci spieghi il perché. E, se non lo sa, si possa mandare a FAN..LO!
Questo Ministero avrà il compito di raccordare le diverse amministrazioni per determinare le informazioni sul cittadino. Ci costerà qualcosa, ma volete mettere la soddisfazione... Nel frattempo, se ci viene richiesta un'informazione già in possesso dell'amministrazione pubblica scriviamole l'indirizzo dell'ente dove l'informazione è già presente. Con una postilla: INCAPACI! RESET!
02.11.06 22:50

Gomorra

Roberto Saviano mi ha inviato una copia del suo libro: *Gomorra* con una dedica. Leggendolo ho pensato a Pasolini. Ho pensato che Roberto è un ragazzo coraggioso che va protetto. Roberto ha scritto un libro da rendere obbligatorio nelle scuole. Un libro che rappresenta l'Italia di oggi e che andrebbe letto in classe al posto di *Cuore* di Edmondo De Amicis. I ragazzi napoletani lavorano a progetto per la Camorra. Sono cocopro in nero. Generazioni perdute. È da loro che bisogna partire per salvare Napoli. "Li arruolano appena diventano capaci di essere fedeli al clan. Hanno dai dodici ai diciassette anni, molti sono figli o fratelli

di affiliati, molti altri provengono da famiglie di precari. Sono il nuovo esercito dei clan della camorra napoletana. Vengono dal centro storico, dal quartiere Sanità, da Forcella, da Secondigliano, dal rione San Gaetano, dai Quartieri Spagnoli, dal Pallonetto, vengono reclutati attraverso affiliazioni strutturate in diversi clan. Per numero sono un vero e proprio esercito. I vantaggi per i clan sono molteplici, un ragazzino prende meno della metà dello stipendio di un affiliato adulto di basso rango, raramente deve mantenere i genitori, non ha le incombenze di una famiglia, non ha orari, non ha necessità di un salario puntuale e soprattutto è disposto a essere perennemente per strada. Le mansioni sono diverse e di diversa responsabilità. Si inizia con lo spaccio di droga leggera, hashish soprattutto. Quasi sempre i ragazzini si posizionano nelle strade più affollate, col tempo iniziano a spacciare pasticche e ricevono quasi sempre in dotazione un motorino. Infine la cocaina, che portano direttamente nelle università, fuori dai locali, dinanzi agli alberghi, alle stazioni della metropolitana. I gruppi di baby-spacciatori sono fondamentali nell'economia flessibile dello spaccio perché danno meno nell'occhio, vendono droga tra un tiro di pallone e una corsa in motorino e spesso vanno direttamente al domicilio del cliente. Il clan in molti casi non costringe i ragazzini a lavorare di mattina, continuano infatti a frequentare la scuola dell'obbligo, anche perché se decidessero di evaderla sarebbero più facilmente rintracciabili. Spesso i ragazzini affiliati dopo i primi mesi di lavoro vanno in giro armati, un modo per difendersi e farsi valere, una promozione sul campo che promette la possibilità di scalare i vertici del clan; pistole automatiche e semiautomatiche che imparano a usare nelle discariche di spazzatura della provincia o nelle caverne della Napoli sotterranea.
Quando diventano affidabili e ricevono la totale fiducia di un capozona, allora possono rivestire un ruolo che va ben oltre quello di pusher, diventano 'pali'. Controllano in una strada della città, a loro affidata, che i camion che accedono per scaricare merce a supermarket, negozi o salumerie, siano quelli che il clan impone oppure, in caso contrario, segnalano quando il distributore di un negozio non è quello 'prescelto'. Anche nella copertura dei cantieri è fondamentale la presenza dei 'pali'. Le ditte appaltatrici spesso subappaltano a imprese edili dei gruppi camorristici, ma a volte il lavoro è assegnato a ditte 'non consigliate'".
Da *Gomorra* di Roberto Saviano.
03.11.06 15:23

La Coop sono io

Dopo il caso dell'Antonveneta, dell'Unipol, della Banca Popolare Italiana, di Fazio, di Consorte, di Gnutti, di Ricucci, di Fiorani, della difesa dell'italianità e di una vicenda in cui in galera non ci sono andati soltanto i politici. Dopo tutto questo siamo punto e capo con la difesa del sacro suolo della Patria. Da quanto risulta Caprotti, il proprietario dell'Esselunga, vuole vendere alla multinazionale inglese Tesco. La Coop non è d'accordo. La Coop sei tu, ma anche Fassino, Bersani e D'Alema. È il forziere dei voti dei nuovi socialisti italiani: i Ds.
Esselunga ha comprato due pagine sul *Corriere della Sera* di oggi. Ci sono dichiarazioni interessanti degli ultimi anni. Alla faccia delle liberalizzazioni di Bersani.

"Mi dicono che Caprotti voglia vendere, guai a perdere Esselunga, deve rimanere in mani italiane. Mi sono spiegato?"
Cesare Geronzi
"...Io credo che il sistema amministrativo abbia anche delle leve in mano. Così come il governo...Di sicuro nessuno entra in un mercato a dispetto della sua classe dirigente, politica, economica"
Pierluigi Bersani
"...Sono rimaste le Coop e c'è ancora la Esselunga... il governo può metterle insieme... può fare una politica perché stiano assieme..."
Romano Prodi

Caprotti venda alla Tesco. Portiamo in Italia i prezzi al dettaglio presenti negli altri Paesi europei. Importiamo la concorrenza. Evitiamo le tradotte familiari il fine settimana in Francia e in Svizzera per comprare prodotti alla metà della metà.
Il governo si occupi dei prezzi e non della Esselunga. E anche del fatto che tutta la distribuzione on line (il futuro) è già nelle mani degli stranieri.

Ps: Lo stabilimento Fruttagel di Senigallia con circa 200 dipendenti chiude. La Coop, se vuole e può, intervenga.
04.11.06 19:20

Australia

In Italia, se togliamo le seguenti categorie:

- bambini
- pensionati
- dipendenti pubblici
- sindacalisti
- evasori
- politici
- falsi invalidi
- disoccupati
- criminalità organizzata
- carcerati

ciò che rimane sono due milioni di persone che producono per tutti. Persone che vengono vessate dai dipendenti pubblici, rapinate dalla criminalità organizzata, prese per il c..o dai politici, sbeffeggiate dai carcerati indultati, derise dagli evasori, compatite dai falsi invalidi, segnate a dito dai sindacalisti. Persone che versano i contributi per i pensionati e il sussidio di disoccupazione ai disoccupati. Due milioni di persone che tutto il pianeta ci invidia. Un miracolo economico. Ognuna mantiene un nucleo familiare di una trentina di unità. Ma è una razza da soma che si sta pian piano estinguendo. Gli italiani presto dovranno mantenersi da soli. Due milioni di persone sostengono, con le loro tasse, intere regioni italiane e classi sociali. Se qualcuno di questi due milioni è in ascolto, avrei una proposta. Contiamoci, firmiamo una richiesta di asilo all'Australia. Due milioni di lavoratori che producono l'intero Pil italiano sono una ricchezza non trascurabile. Un patrimonio dell'umanità. Ci basterebbe un pezzetto del Queensland o del Victoria. Una nuova vita senza parassiti. I circa 56 milioni di italiani rimanenti potrebbero farsi adottare dalla Fao. Ne avrebbero certamente bisogno.

Ps: Spero che Bossi non mi telefoni.
05.11.06 18:40

Una lettera dal fronte

Un medico mi ha scritto sulla solitudine di chi fa il suo lavoro cercando di salvare ogni giorno delle vite umane.

"Caro Beppe,
ho letto il post sulle morti evitabili. Riprendi direttamente i numeri dati dalla informazione ufficiale e sarebbe utile una interpretazione più che il sensazionalismo. In Italia lo scaricabarile è uno degli sport più praticati e noi siamo presi in mezzo fra gente che vuole campare oltre l'infinito e società di assicurazione che la girano ai medici in modo da non pagare loro. Un esempio semplice ed efficace: un tizio muore, i parenti aprono un contenzioso, l'ospedale ha una assicurazione che si accorda con i parenti su una cifra relativamente bassa che spessissimo viene accettata subito (si acchiappano 15 20 mila e se ne vanno). Il problema è che, dal punto di vista penale, il medico viene lasciato a se stesso perché la denuncia mica si estingue perché l'assicurazione ha dato il contentino (l'azione penale in Italia è obbligatoria) e la sua situazione peggiora perché l'ospedale lo scarica per non affrontare altre spese (di concerto con l'assicurazione che se no si rifiuta di proseguire ad ottemperare il contratto). Risultato: il medico è nella m...a, l'assicurazione ha risparmiato perché non ha rischiato e via dicendo.
La gente che ama i suoi congiunti in modo assolutamente disinteressato è una piccola parte, e purtroppo è davvero così, spesso anche se tutto è andato nel modo più corretto vengono intentate cause a vuoto, nella speranza di fare un po' di soldi. Negli Usa si sta verificando una situazione gravissima: moltissimi medici di area critica si danno a settori più facili o addirittura cambiano lavoro perché le assicurazioni non ne vogliono sapere più niente di loro. In non mi ricordo più in quale stato degli Usa sono rimasti 4 gatti disposti ad operare d'urgenza/emergenza... troppi guai. C'è un comportamento difensivo sempre più diffuso: oltre a stare la notte in piedi e magari anche la mattina dopo, oltre a passare 16 ore filate a prendere decisioni difficilissime e farsi sanguinare addosso, vomitare, urlare, ascoltare matti e cercare posti letto che continuano a ridursi di numero dovrei pure passare il resto della giornata tra avvocati e giudici? No iniziano a dire molti colleghi. C'è troppa

ignoranza e troppa malafede perché qualcuno mi venga a giudicare mentre sto cercando di evitare che crolli la pressione e poi, sistemata quella, inizia un'aritmia e l'amiodarone che inietto in vena appena in tempo... fa venire una reazione allergica al paziente che così da aritmico diventa uno che ha uno shock anafilattico, diventa rosso e blu, i bronchi iniziano a fischiare e l'aria non passa più... allora cerchi di riparare a quell'altro casino e mentre lo stai facendo il telefono squilla cento volte perché la e qua ci stano altri casini. Cerchi di fare il possibile e sei pieno di caffè, ti brucia lo stomaco ma devi restare concentrato. Ok, va bene, ma poi la mattina finalmente al bar leggi il giornale c'è scritto: "un altro caso di mala sanità" come se fosse un omicidio di camorra, come se fossimo una associazione a delinquere omogenea, come se non fosse un fatto che va analizzato in sè, studiato e capito, e presa una decisione... c'è colpa o no!!

Se in Italia deve aumentare la meritocrazia e ridursi il nepotismo, ti posso assicurare che conosco un'infinità di colleghi che si fanno un c..o della madonna e si sentono sempre più stretti fra queste maglie di rompicoglioni ignoranti e cercasoldi, avvocati st...zi e baroni dell'oncologia che fanno la lezioncina a tutti con dati da controllare.

Se il medico deve essere anche un po' manager e anche un po' psicologo e anche un po' fratello... ma perché c..o la gente non prova ad essere 'un po' medico'? magari, dopo aver chiuso il loro ufficetto del c...o oppure fra una riunione di marketing e l'altra si fanno una bella corsa sull'autostrada dove c'è un camionista tedesco ubriaco fradicio che ha appena trasformato una Punto in un puntino con dentro due fidanzatini mescolati, uno morto e l'altra quasi e i pompieri per radio dicono 'cinque minuti e siamo lì' e tu sei li a tagliuzzarti con le lamiere per cercare di prendere una vena a quello che speri sia almeno il braccio giusto. Dopo due mesi magari con l'epatite C presa dalla tizia che era una tossica e una bella denuncia da sbrigarti perché l'ex marito ha deciso di fare un esposto cautelativo sono sicuro che la gente avrebbe qualche elemento in più per capire come stanno davvero le cose. E poi le Vap (polmoniti associate al ventilatore) ti assicuro che sono un problema molto più complesso (ad esempio lo sapevi che il 40% di tutti i ricoverati in rianimazione, per qualunque causa, sviluppa una immunodepressione più grave dell'aids conclamata entro le prime 24 ore?). Altro che tirare su lo schienale, noi li mettiamo pure a pancia in giù (materasso da circa 18.000 euro) e ci pigliamo botte di radiazioni per fargli l' rx torace con

l'apparecchio portatile per non lasciarlo solo.
La realtà è che un buon rompicoglioni oramai ci può tranquillamente tenere sotto scacco anche per mesi, credimi, noi abbiamo sempre torto. E se certe notizie sono sui tg della Rai, fidati, c'è molta approssimazione e molta demagogia probabilmente perché è più facile dare la colpa a chi lavora invece che affrontare problemi di tipo strutturale e culturali. Po... a Put...na! questa settimana ho fatto 74 ore di lavoro, me ne pagheranno 38 e poi... merda, pure sul tuo sito trovo motivo per sentirmi ancora stressato. Viene voglia di cambiare lavoro e questo di solito non viene in mente a chi ha vantaggio da quello che fa tutti i giorni".

Marco
06.11.06 17:10

Con Api un Aldilà a risparmio energetico

L'aspettativa di vita è scesa di tre anni nella Pianura Padana per via dei pm 2.5. L'Api si è subito attivata: ha deciso di regalarci un futuro luminoso con il Kyoto Box: due lampadine e due riduttori per rubinetti per abbassare l'inquinamento da CO2 nell'Aldilà.
Il Kyoto box è anche noto come la "scatola magica", per via dei suoi poteri occulti. La raffineria dell'Api è diventata il "Polo energetico ambientale avanzato", l'avanzamento dell'ambiente verso l'Ade.
I soldi che paghiamo con la nostra bolletta dell'Enel alla voce A3 per "nuovi impianti da fonti rinnovabili e assimilati" sono stati assimilati alle raffinerie ed agli inceneritori, per rinnovare il pianeta partendo da zero.
Con il denaro risparmiato con la scatola magica potremmo però ripagare i 60 miliardi di euro che l'inquinamento italiano ci costa in termini di danni economici e socio-sanitari.
La scatola magica sarà distribuita a 1680 persone che potranno riservarsi un regno dei morti illuminato. Questo sabato allo stabilimento di Falconara per ringraziare l'Api uniamoci ai Comitati di Falconara e ai ragazzi del Meetup.
07.11.06 20:42

Premio fai da te degli inceneritori

La verità sta nell'onestà delle persone che ci portano l'informazione. Secondo Repubblica una "commissione indipendente" ha premiato l'Asm di Brescia per il miglior inceneritore del mondo. Pubblico in parte una lettera aperta diretta al presidente dell'ordine dei giornalisti lombardo di un cittadino bresciano che è in leggera controtendenza...

"Le scrivo per proporLe un correttivo ad un malcostume diffuso tra i giornalisti: la pubblicazione di notizie di successi scientifici o tecnici legati a grandi interessi privati, senza che sia disponibile la relativa documentazione scientifica o tecnica. Questa prassi scorretta asseconda la diffusione di notizie false o tendenziose che favoriscono grandi interessi privati ma spesso danneggiano il pubblico; soprattutto quando si tratta di temi relativi alla salute. L'esempio più recente è quello della notizia di un premio all'inceneritore dell'Asm di Brescia." [...]
"I giornalisti dovrebbero sempre ottenere una copia del rapporto scientifico sul quale si basa la notizia che comunicano al pubblico, e conservarla in archivio." [...] "Con queste notizie "scientifiche" prima si cattura la fiducia del pubblico ad authoritatem, basandosi sul prestigio della scienza e di istituzioni o personaggi pubblici - in questo caso la Columbia University e il sindaco - poi, a posteriori, con il prestigio così ottenuto si giustifica quanto affermato." [...]

"Per esempio, se invece di limitarsi a passare e amplificare comunicati stampa si fosse controllato su Internet chi ha conferito il riconoscimento, si sarebbe facilmente appreso che l'ente premiatore, la Wtert della Columbia University, annovera la Martin GmbH tra gli "Sponsors and Supporting organizatons". La Martin GmbH è tra i costruttori dell'inceneritore premiato. Sul sito della Martin Gmbh, raggiungibile da quello della Wtert, si legge, sotto una bella foto dell' inceneritore Asm, che in Italia la Martin è in partnership con la Technip, un'altra multinazionale. Un conflitto di interessi grande quanto un inceneritore: un conflitto non potenziale ma attuale, perché la Martin, forte delle protezioni politiche agli inceneritori, intende partecipare, come afferma nel suo sito sempre sotto la foto dell'inceneritore di Brescia, alla costruzione di altri impianti; impianti che in Italia sono già stati programmati, superando, con le tecniche di pubbliche relazioni e a volte con l'uso della forza, le opposizioni che provengono dai comitati di cittadini e da esperti qualificati. La Technip sta già partecipando ad un impopolare piano del presidente Cuffaro di costruzione e gestione di inceneritori in Sicilia."[...]

"Gli interessi del business degli inceneritori, impianti poco graditi in altre nazioni, [...] sono state "sbaragliate" dall'Italia in questa gara a chi è più bravo a bruciare la mondezza." [...] "I giornalisti dovrebbero considerare di stabilire (o ribadire) il principio di non rendere pubbliche notizie di successi scientifici la cui documentazione tecnica non è stata resa pubblica in forma adeguata." [...] "Oggi i numeri hanno assunto un valore mistico: poiché nelle misure compaiono numeri, si attribuisce alle misure la certezza della matematica pura. [...] Si dimentica che "figures don't lie, but liars can figure"." [...]

"Brescia ha ottenuto incontestabilmente i record per la produzione e lo smaltimento dei rifiuti, così come un tempo Prato era la capitale degli stracci. Brescia ha anche una mortalità generale e una mortalità per cancro tra le più elevate in Italia, [..] ma insegna agli altri come ridurre i cancerogeni ambientali." [...] "L'azienda e il Comune rifiutano la Valutazione di impatto ambientale, tanto da configurare una situazione nella quale l'assessore comunale dei Verdi viene scavalcato a sinistra dagli organi di controllo pubblici della Ue, notoriamente più che rispettosa degli interessi capitalistici". [...]

"La diffusione di notizie come questa del premio è una delle due facce della manipolazione. L'altra è la soppressione delle verifiche e delle voci critiche; un autentico servizio, necessario a quelle imprese di grandi dimensioni, spesso multinazionali, che impongono prodotti eticamente sensibili." [...] "Questa rete non si tira indietro se occorre screditare, boicottare e intimidire qualche singolo che potrebbe smentire le versioni ufficiali con le sue critiche."

Francesco Pansera
08.11.06 20:07

We Shall Overcome

Ma insomma, è vero che l'Italia assomiglia sempre di più agli Usa? Vediamo. Nelle elezioni Usa, dopo anni oscuri, i progressisti battono i conservatori.
E proprio come in Italia, gli eletti progressisti sono a volte conservatori esattamente come i vecchi conservatori.
E ci sono dei pasticci nella procedura elettorale, i computer non funzionano e Bush, gran rubacchiatore di voti, e Berlusconi, gran compratore di consensi, si lamentano.
Ma Bush ammette la sconfitta, mentre Berlusconi ancora rosica.
Rumsfeld si dimette, Previti vuole tornare.
Gli americani hanno più paura del rincaro della benzina che della guerra in Iraq. Gli italiani preferiscono il ritiro dell'Ici al ritiro dall'Iraq.
Gli Usa in Iraq combattono e muoiono, gli italiani muoiono, ma non si sa cosa restano a fare.
Gli Usa hanno i servizi segreti più potenti del mondo ma si fanno abbattere le Torri gemelle da venti terroristi che hanno imparato a volare negli aeroclub e sugli ottovolanti.
L'Italia ha dei servizi segreti costosissimi, li chiama intelligence, ma ancora non hanno scoperto chi ha messo le bombe e Gelli li ha deviati e presi in giro per anni.
Gli Usa cercano la verità sull'attacco al Pentagono, noi su Pio Pompa.
Gli americani adorano e comprano le pistole italiane, le giacche firmate e i nostri spaghetti. Gli italiani adorano guardare i film americani dove gli italiani sono tutti mafiosi con pistole, spaghetti e giacche italiane.
Noi abbiamo Venezia vera che affonda, loro ne hanno costruita una finta a Las Vegas.
In Italia metà dei negozi hanno scritte in inglese, a New York metà hanno le scritte in italiano.
Gli Usa hanno Hillary Clinton e Swarzenegger, noi la Melandri e Calderoli.
Loro hanno dieci basi americane in Italia, noi nessuna base italiana in Usa, solo trecentomila pizzerie.
Loro abbattono le nostre funivie con i loro aerei, noi non possiamo attaccare Disneyland coi nostri.

Quindi, facendo le somme, siamo pari: grandi similitudini e grandi differenze.

Forse in questo momento la vera differenza è questa:
Da noi cresce la speranza che la vittoria democratica americana migliori la situazione per tutti, mentre cala la speranza che la vittoria degli elettori democratici italiani diventi un miglioramento per qualcuno...
Ma per dirla in Italiano, we shall overcome.

di Beppe Grillo e Stefano Benni, il lupo.
09.11.06 20:00

Facce da c..o. RESET!

RESET! I deputati hanno diritto alla pensione dopo 30 mesi di legislatura. Siamo perciò tranquilli che il Parlamento terrà fino alla fine del 2008. Ci sono più di 400 parlamentari al primo mandato. E puntano tutti alla pensione dei 30 mesi. I dipendenti plurimi invece la pensione ce l'hanno già in tasca. Tra un paio d'anni Napolitano potrà sciogliere quello che gli pare, con o senza conati anti secessionisti, faccia un po' lui. Gli italiani, quando sopravvivono, vanno in pensione dopo 35 anni. Tra noi e i nostri dipendenti c'è quindi una evidente disparità di trattamento.
Qui, caro Dipendente del consiglio Prodi, ci arriva una tassa al minuto, ma i senatori e i deputati non pagano mai dazio. Perchè dovremmo pagare noi anche per loro? O le pensioni maturano per ogni italiano dopo 30 mesi, o i parlamentari si adeguano a tutti gli altri.
So che i nostri dipendenti non accoglieranno questo appello. Anche in questo caso avvierò un'iniziativa di legge popolare. Lo farò insieme alla legge che riduce a due le legislature per ogni dipendente (con effetto retroattivo). RESET!
La pensione dei parlamentari è una vergogna minima, di quelle che si dicono sottovoce. Cercando di non farsi notare. E di portare a casa il bottino. I privilegi per loro, i sacrifici per gli italiani. Ma questi dipendenti sono in realtà comparse televisive. Vedersi gli piace. Sono sempre lì a guardarsi parlare. Il pubblico in sala, i meetup presenti, gli facciano

allora questa domanda: "Non provate vergogna a maturare la pensione dopo appena 30 mesi?". Riprendete domanda e risposta (o fuga) e inviate al blog. I video saranno tutti pubblicati in una nuova area ad hoc: "Facce da c..o". RESET!
10.11.06 21:50

Italia mannara

Cosa devo dire ancora? Cosa posso fare ancora? Ho voglia di trasformarmi in un lupo mannaro, uscire per strada e urlare alla luna per sfogarmi. E morsicare l'orecchio di Rutelli. La bellezza in Italia è stata deturpata, sfregiata, cementificata. Ne rimane ancora, ma è in estinzione. I coraggiosi turisti che vengono nell'ex Bel Paese spendono più a Milano che San Francisco, più a Rimini che alle Maldive. I servizi non esistono, le autostrade sono tra le più care del mondo, i trasporti inqualificabili. Il turismo è una delle poche attività economiche che ci tiene ancora in piedi. Una mucca sempre più munta, facendo uscire sangue dalle mammelle insieme al latte.
Il portale www.italia.it che doveva contribuire allo sviluppo del Turismo fa ridere il mondo. Sulla sua home page, l'unica page che ha, c'è scritto: 'Il Portale Italiano del Turismo è in fase di realizzazione'. E per dare un tocco internazionale è riportato anche in inglese: 'The Italian Tourist Portal is coming soon'. È costato 45 milioni di euro. Il responsabile è Stanca, l'ex capo magazziniere dell'Ibm, quindi ministro dell'Involuzione e ora imboscato con un grasso stipendio al Senato. Ma andiamo avanti. L'otto per mille dato dagli italiani per l'arte e la cultura è stato usato per la missione in Iraq secondo quanto denunciato dal presidente del Fai, Giulia Maria Crespi. Pallottole al posto di restauri. Mitragliatori artistici.
E adesso la tassa di soggiorno. Una gabella sul turismo. Ogni turista pagherà per ammirare città e paesaggi. L'albergo costerà fino a cinque euro in più per notte. Un incentivo al turismo. Una geniale manovra economica di una mente brillante, sì, proprio quella di Rutelli, Ministro della Cultura. Che si offende pure per le critiche. E con dovuta spocchia riprende chi non è d'accordo con il suo pensiero radicaldemocristiano: "Un piagnisteo assurdo". Non sopporta i suoi datori di lavoro. Bisogna

capirlo. Neppure loro lo sopportano.
Riassumiamo: ci stanno fott..do anche il turismo. Chiedo a qualche magistrato che abbia voglia di occuparsene di avviare un'indagine su come siano stati spesi i 45 milioni di euro per il portale del turismo e sull'esistenza di un'ipotesi di reato per la distrazione di fondi destinati alla Cultura e finiti alla Guerra. RESET!
11.11.06 22:42

W la scuola!

A scuola si può andare ormai solo sotto scorta. Le baby gang ti rubano il cellulare. La coca per venti euro, l'equivalente di una paghetta da fame, la trovi all'ingresso. Se hai qualche handicap vieni tormentato dai compagni di classe. E se è disponibile un down che non può difendersi la scena del pestaggio viene veramente bene. Da urlo. E finisce su Google video e diventa un hit. Un mongoloide buono da picchiare, bello da vedere. Cosa c'è di meglio nella vita? Forse una professoressa di matematica (*) che insegna seni e coseni ai ragazzini delle medie. Sorpresa nuda come Eva con gli studenti a pantaloni abbassati. La scuola è maestra di vita. Una palestra piena di sesso, droga e pestaggi. Ti fai le ossa e poi sei pronto per fare l'esperto di alta finanza, il politico, l'amministratore pubblico. Per gli ultimi, quelli che fanno sempre fatica, rimangono le professioni, intramontabili, del ladro, dello spacciatore, della puttana o del protettore. Ma questi si sa, sono ormai ripieghi da falliti. La scuola ha bisogno di rinforzi. I nostri ragazzi hanno bisogno di guide per sopravvivere in questa giungla. I politici sono le persone giuste per sviluppare una serie di audiovideo da proiettare in classe. I temi sono inesauribili: "Falso in bilancio", "Il crimine indultato", "La corruzione dei giudici", "Come non fare un c..o tutta la vita a spese dei cittadini", "Il condono per tutti".

Se si viene interrogati dal solito professore rompic......i è sufficiente fargli ascoltare le risposte a domande di cultura generale date dai nostri dipendenti deputati. Quelle su Darfur, Nelson Mandela, Rcs e Rabin. Il professore capirà i motivi della vostra ignoranza e vi assegnerà un bel voto. Se quelli sono arrivati dove sono arrivati ci sarà un perché. Ed è

per questo che la scuola si sta trasformando. Per essere all'altezza dei massimi rappresentanti dello Stato.
(*) La professoressa di matematica che avrei voluto avere io
12.11.06 20:24

I poltronissimi

In un RESET mi sono occupato del numero di legislature dei nostri dipendenti. Ho proposto un'iniziativa popolare per ridurre al massimo a due i mandati parlamentari. Poi, dopo aver servito il Paese, il loro ritorno a una professione. Il politico a tempo indeterminato è contro il pubblico decoro. Alla fine della loro vita cosa penseranno figli e parenti? La loro dignità, insieme alla nostra, è in gioco.
Vi sono persone che però persistono nella loro permanenza. Dipendenti persistenti, una malaria parlamentare. Immuni a qualsiasi catastrofe politica. Breznev e Mao erano presidenti. Mazzola e Rivera giocavano in nazionale e Papa Giovanni Paolo II non era stato ancora eletto. Loro erano lì. Sfidano i decenni. Passano i secoli.
Nella classifica che pubblico mancano i senatori a vita come Andreotti e Cossiga. Ormai eterni e quindi fuori dal giudizio umano. L'attaccamento alla poltrona è bipartisan. Ci sono la Bonino (7), Mastella (9), Cossutta (10), La Malfa (9), De Mita (8), Violante (8), Casini (7), Fini (7). L'intero arco parlamentare. Propongo un istituto di rieducazione per i parlamentari di lungo corso. Per restituirli alla società civile con una professione. Riabilitiamoli.
In buona fede alcuni degli eletti festeggiano la loro persistenza in Parlamento. Tagliano torte e nastri. Hanno bisogno di uno psicologo, o forse di uno psichiatra. Non si accorgono di essere disconnessi dalla realtà. Cos'è infatti la professione del politico a tempo pieno? Come vogliamo giudicarla? E, sopra ad ogni cosa, come possiamo continuare a sopportarla? RESET!
13.11.06 19:47

La Olivetti

Non sento più parlare dell'Olivetti. Che fine ha fatto? Esiste ancora? Camillo Olivetti, giovane ingegnere, il fondatore, partì per gli Stati Uniti all'inizio del 1900. Al suo ritorno progettò la migliore macchina da scrivere del mondo. Camillo passava la domenica con i suoi operai. Costruì per loro una città a misura d'uomo. Anticipò di anni le conquiste sindacali. Un'utopia che fu poi anche di suo figlio Adriano. Negli anni '80 l'Olivetti faceva concorrenza nel mondo a Ibm, Hp, Bull. Aveva laboratori di ricerca in California. Sedi ovunque. Migliaia di tecnici e ingegneri. Dirlo oggi sembra un sogno ad occhi aperti. Ma è successo ieri, appena ieri.
Cos'è oggi l'Olivetti? Chi la dirige? Che cosa produce? Quanti dipendenti ha? Perchè il mondo politico non ne parla mai? Così come non si interessa dello sviluppo dell'information technology a parte le sfilate-carnevalate allo Smau di Milano una volta all'anno.
Se l'Olivetti, una delle poche aziende italiane il cui marchio è ancora conosciuto nel mondo, è morta, se ne celebrino i funerali. Funerali di Stato. In pompa magna. Per ricordare qualche grande italiano e qualcuno meno grande che l'affossò. E che i funerali servano anche per riflettere sul futuro.
Se quello che vogliamo sono ponti, supermercati, strade, viadotti, marciapiedi, catrame, mattoni, parcheggi, l'unico futuro comprensibile a questa sottospecie di politici e di industriali. Se questo è quello che vogliamo, seppelliamo insieme all'Olivetti anche lo sviluppo tecnologico del Paese. Va fatto però in modo ufficiale, almeno questo all'Olivetti è dovuto.
14.11.06 19:57

Le Ferrovie di Pantalone

"Ferrovie svenate e senza risorse: lo sbilancio è tale da non permettere più di proseguire in uno stato di indebitamento finanziario... gli immobili di proprietà sono stati venduti tutti", Mauro Moretti, amministratore delegato delle Ferrovie dello Stato.

1,8 miliardi di euro è il buco di bilancio previsto per il 2006.
6,1 miliardi di euro sono necessari per non portare i libri in tribunale.
RESET!
Chi ha amministrato le Ferrovie negli ultimi anni? Catania.
Chi è stato Ministro dei Trasporti negli ultimi anni? Lunardi.
Chi era Presidente del Consiglio negli ultimi anni? Berlusconi.
E Moretti dove ha lavorato negli ultimi vent'anni?
I SEIVIRGOLAUNO miliardi di euro li paghino loro.
Non sono debiti nostri, sono cosa loro.
Romano Prodi ha detto che interverrà, ma come? Nel solito modo.
Tasse ai cittadini. E ai responsabili del fallimento liquidazioni di milioni di euro, cariche parlamentari riccamente pagate, scorte a carico dello Stato.
RESET!
Prodi deve quantificare i danni prodotti e ottenere un risarcimento.
Questa gente deve vergognarsi a uscire di casa. Con i treni in una situazione da Terzo Mondo abbiamo investito nell'alta velocità, nei deliri della Tav in Val di Susa.
Qualcuno deve pagare, fosse un euro, ma deve pagare.
Gli elettori del centrosinistra sono stati definiti dei coglioni. Se il Governo non interviene è sicuramente vero.
Chi ha sbagliato paghi. E fuori dalle balle anche tutti i vertici politicizzati delle Ferrovie.

Ps: Cimoli (Cimoletor) ha contribuito a distruggere le Ferrovie, ora sta terminando il lavoro in Alitalia. Tra qualche mese ci verrà comunicato che è fallita. I responsabili in quel caso hanno già due cognomi: Bianchi e Prodi.
15.11.06 18:56

Un bel respiro profondo

Respiriamo veleni. Costruiamo fabbriche di veleni. Seppelliamo rifiuti tossici in mezza Italia. Trasformiamo le città in parcheggi e l'aria in ossido di carbonio. Chi inquina ti toglie la vita. Quanta? Non si sa. Di certo una modica quantità. Perchè lo fa? È sotto controllo. Non può

reagire. I media lo tengono sotto ipnosi. Nella classifica mondiale le prime industrie sono il petrolio e le auto. L'opinione pubblica è creata da queste aziende. Dalla loro ideologia: il profitto. Gli italiani vogliono il loro posto al sole per le fabbriche di veleni. All'italiana. Non paga chi inquina, ma chi viene inquinato. È il business degli inceneritori. Commesse pubbliche, veleni privati. L'inceneritore non è una soluzione ai rifiuti. È una scorciatoia che trasforma l'organismo umano in rifiuto. I nostri dipendenti politici amano gli inceneritori. Ne vogliono uno per città. Porta lavoro, lavoro, lavoro. La grande mistica del lavoro della sinistra. La grande mistica del profitto della destra. Una mistica bipartisan. Gli inceneritori ci avvelenano.
La Regione Veneto e l'Istituto Oncologico Veneto con il Registro dei Tumori del Veneto, il Comune e la Provincia di Venezia hanno pubblicato uno studio: 'Rischio di sarcoma in rapporto all'esposizione ambientale a diossine emesse dagli inceneritori'.
Le conclusioni:
- La Provincia di Venezia ha subìto un massiccio inquinamento atmosferico da sostanze diossino-simili rilasciate dagli inceneritori...
- Nella popolazione esaminata risulta un significativo eccesso di rischio di sarcoma correlato sia alla durata che all'intensità dell'esposizione...
- Gli inceneritori con più alto livello di emissioni in atmosfera sono stati quelli che bruciavano rifiuti urbani..

Chi costruisce inceneritori causa tumori. Va informato sui fatti e poi accompagnato alla porta o, se proprio insiste, rigassificato.
16.11.06 21:51

Ségolène

Qualcosa sta cambiando.
Se una donna nata a Dakar in Senegal. Madre di quattro figli senza essere sposata. Che convive da venticinque anni. Una donna che dichiara che gli insegnanti francesi devono lavorare a tempo pieno e non solo diciassette ore. Con scandalo dei sindacati e delle sinistre francesi. Che ha introdotto gratuitamente la pillola del giorno dopo in tutti i licei. Che ha previsto il congedo di paternità per la nascita dei figli. Che è

definita populista, antiparlamentare sommaria, guardia rossa di Mao. Ma anche Zapatera francesa.
Se una bella signora di 53 anni che propone giurie popolari estratte a sorte che a scadenze fisse giudichino l'operato dei politici. Che vuole ridurre a due i mandati per ogni politico o funzionario pubblico. Che chiede di eliminare l'uso dell'amnistia per i politici. Che pensa che le rivolte nelle banlieue parigine nascano anche dalla corruzione dei politici.
Se un'elegante socialista francese che crede al rinnovamento dello Stato dal basso. Dalle realtà e dai movimenti locali. Che pensa ai cittadini in termini di intelligenza collettiva. Che parla con le persone nel suo blog. Che se ne infischia dell'apparato.
Se una donna così vince le primarie socialiste per la corsa alla presidenza francese qualcosa sta cambiando.
Poi guardo Prodi, Bertinotti, Berlusconi. Settantenni d'oro. E Fini, Casini e D'Alema, cinquantenni di piombo. E mi riprende lo sconforto.
Liberalizziamo la politica europea. Libera circolazione di deputati. Proponiamo uno scambio tre per uno ai francesi: Bindi, Turco e Santanchè per Ségolène Royal. E un conguaglio di un paio di miliardi di euro a carico degli italiani. Pagherebbero tutti, volentieri e subito.
17.11.06 17:41

Cosa Loro

Hanno interrotto il dipendente del Consiglio Prodi durante gli Stati generali dell'antimafia. Mentre diceva che il governo sta adottando misure efficaci per combattere la mafia. Gli hanno gridato: "In Parlamento ci sono 25 persone con sentenze passate in giudizio!" e "Cacciate i deputati condannati in via definitiva dalla commissione Antimafia!". Prodi ha reagito con il vigore di un tortellino bollito: "Vengono poste al presidente del Consiglio domande che andrebbero fatte al Parlamento". Era impreparato, può succedere. Ma nascondersi dietro al Parlamento non si fa. È un'ammissione di impotenza. Se non sa rispondere a domande fondamentali per la democrazia non può rappresentarci.
Alla commissione Antimafia va cambiato il nome. In commissione AntiStato. Da quando esiste, le mafie sono in piena espansione. L'An-

timafia ha due nuovi membri condannati in via definitiva: Pomicino, tangenti, e Vito, corruzione. I loro sponsor sono Dc-Psi e Forza Italia. Ma gli altri partiti sono stati a guardare.
C'è una frattura tra il Paese e questa gente, questi partiti. Una spaccatura che non si nutre più di speranze di cambiamento, ma di frustrazione e di rabbia. Non sono un veggente. Non so come andrà a finire. Ma sono pessimista. E un comico pessimista non è un bello spettacolo. Ex corruttori e ex tangentisti contro le mafie. Chi vincerà?
Voglio Provenzano all'Antimafia. Mi dà più fiducia. Si è esposto in prima persona e non ha mai invocato l'immunità parlamentare. Rispetto a questi è un galantuomo.
18.11.06 19:10

Il Gatto della Concorrenza e la Volpe delle Comunicazioni

Due Authority hanno avviato un'indagine conoscitiva sulle ricariche telefoniche. Le Authority per la Concorrenza e per le Comunicazioni. Il Gatto Catricalà e la Volpe Calabrò. L'approfondita indagine ha permesso di arrivare a una importante conclusione sul costo di ricarica: "rappresenta un'anomalia italiana". Infatti non è presente in nessun Paese europeo.
Quanto ci sarà costata questa approfondita indagine?
Ma le Authority vanno oltre e auspicano con un linguaggio da perizia psichiatrica: "Un intervento di rimodulazione sul contributo di ricarica dei cellulari, per restituire alla concorrenza tutte le componenti di prezzo della telefonia mobile e ottenere in prospettiva rilevanti riduzioni di tariffe". E proseguono, come se sapessero solo ora del costo di ricarica. Forse abbagliati sulla via di Damasco da 600.000 firme di cittadini imbestialiti: "Una revisione, anche totale, del contributo fisso renderebbe più trasparente le offerte e ne aumenterebbe la comparabilità". Era sufficiente che dicessero: "Le ricariche sono un furto, frutto di un cartello delle società di telefonia mobile in Italia, e vanno abolite". E che aggiungessero: "È un'anomalia tutta italiana anche grazie a noi, che prima di muoverci abbiamo bisogno di un potentissimo calcio nel c..o

da parte degli italiani".

Voglio rivolgere due inviti agli italiani:
- firmate per l'abolizione delle ricariche
- NON FATE PIU' RICARICHE fino all' abolizione del costo di ricarica.

E uno al Governo:
- abolisca le due Auhority, la loro funzione di presesa per il c..o dei cittadini italiani ci costa più delle ricariche.
19.11.06 19:26

Stati Mafiosi d'Italia

Campania, Calabria e Sicilia hanno già avviato e concluso la loro secessione. La Puglia è in lista di attesa. Sono ormai governate da movimenti secessionisti con il consenso di parte della popolazione. Hanno decine di migliaia di uomini armati. Trattano, tanto per dire, la vendita di armi con l'Eta dei Paesi Baschi e con altri movimenti internazionali. Importano ed esportano merci per miliardi di euro. Comprano quote di banche e assicurazioni in tutto il mondo. Costruiscono grattacieli e città. Gestiscono i politici come dei taxi. Si fanno portare e poi pagano la corsa. Qualche volta fanno fuori anche il tassista. Controllano tutto. Territorio, economia, politica. Con discrezione e, quando serve, con le maniere forti.
Se una volta ci si chiedeva quanti ministri e deputati erano in quota alla cosiddetta criminalità organizzata, oggi questa domanda non ha più senso. Non è più criminalità, ma una forma diversa di Stato. Può non piacere, ma è così. E non ha più bisogno di farsi rappresentare da nessuno.
La Lega parlava e comiziava e al Sud facevano i fatti. Bossi deve cambiare strategia. Istituire la 'ndrangheta della Madunina. La Sacra Corona delle valli bergamasche. La Camorra di San Marco. Cosa Nostra Piemunteisa. Senza referendum. Senza dare troppo nell'occhio. Si faccia dare qualche consiglio in una delle cene di Arcore. In quattro-cinque anni anche il Nord sarà criminalizzato e libero.
Un Governo centrale di coordinamento sarà comunque necessario per

evitare conflitti di interessi sanguinosi. Una Cupola Parlamentare degli Stati Mafiosi d'Italia. Dei ministeri ne terrei uno solo, quello della Giustizia insieme al suo attuale inquilino. Un ministero di garanzia.
20.11.06 18:50

Gorgo elettorale

Nelle ultime elezioni c'era uno strano odore nell'aria. Il risultato elettorale che dava vincente l'Unione con cinque punti di vantaggio a mezzogiorno svaniva di minuto in minuto. Sempre a favore della Casa circondariale delle libertà. Se il conteggio proseguiva un'altra mezz'ora Prodi sarebbe un ciclista in pensione. Cose strane sono successe quella notte. Pisanu convocato d'urgenza dallo psiconano. Prodi che proclama la vittoria dell'Unione il più in fretta possibile. Deaglio ha prodotto un video: *Uccidete la democrazia* su cui ho ricevuto molte lettere. Ne pubblico due. Una di Aldo di Albenga e una di Stefano Benni.

"Caro Beppe,
ho visto ieri la trasmissione di Lucia Annunziata su Rai3 nella quale Enrico Deaglio avanzava un'ipotesi inquietante sullo svolgimento delle ultime elezioni politiche. Per farla breve, le schede bianche che normalmente si sono sempre attestate su percentuali variabili nelle diverse province tra il 4% e l'11% si sarebbero miracolosamente ridotte su tutto il territorio nazionale a percentuali comprese tra l'1% e il 2%. Questo milioncino di non-voti si sarebbe trasformato, per merito di qualche responsabile del Viminale e di un software da cinquemilalire, in altrettanti voti per un partito a caso della Cdl. Ad oggi non si è ancora provveduto al ri-conteggio di queste schede. A domanda della Annunziata sul motivo per cui il centro-sx non abbia denunciato il fatto, Deaglio (ingenuo??) risponde: avranno detto "abbiamo vinto lo stesso". Ma se ogni minuto devono ricorrere alla fiducia per colpa di una maggioranza quasi invisibile al senato! 1.200.000 voti in meno alla Cdl avrebbero significato ben altra distribuzione dei seggi! Devo FORSE pensare ad accordi sottobanco da fare impallidire le trame dei servizi e la P2, e che il 99% di ciò che ci viene quotidianamente riportato sia solo il solito teatrino delle apparenze? Mi sono detto (ingenuo!!) "domani scoppierà

un casino sui giornali e FORSE anche nel Paese". Stamattina il Corriere della Sera riportava un trafiletto in cronaca nel quale la notizia non era il milione di voti trasformato, ma la protesta dei vari interessati e dei vertici Rai per l'eccessivo tempo concesso a Deaglio. La stampa non riportava neppure la notizia. Ci stanno rubando la democrazia dalla base, dal voto, e nessuno fa niente per impedirlo. Né chi ci governa, né chi dovrebbe vigilare, né chi ci dovrebbe informare, né chi dovrebbe indagare, né noi italiani, perché tanto siamo i campioni del mondo".
Aldo - Albenga

" Ho visto il video di Deaglio sulle ultime elezioni. L'ho trovato documentato, preciso, interessante. In esso si ipotizza un broglio di più di un milione di voti a favore di Berlusconi e della Casa della Libertà. Mi sembrerebbe necessario che su questo ci fosse perlomeno un'inchiesta parlamentare. O almeno l'interesse della magistratura, dei media, delle segreterie dei partiti. Mi sembrerebbe onesto nei confronti degli elettori di sinistra e di destra. Non mi stupisce il silenzio della destra, ma quello della sinistra. Per la classe politica italiana, un attentato di questa gravità alla democrazia è poca cosa. Ma un cittadino vorrebbe sapere se il voto in Italia ha ancora senso, o se si vota per scherzo. Tante volte c'è stata oscurità su episodi della vita pubblica italiana. Se questo buio resta, forse è meglio cancellare la parola 'repubblica democratica fondata sul lavoro' dalla costituzione. Diciamo 'repubblica mediocratica fondata sul patteggiamento e il silenzio'. Forse anche il voto è troppo pericoloso per questo paese. Almeno ce lo dicano, sapremo regolarci...".

Stefano Benni, il lupo
21.11.06 23:08

Satelliti e torri saracene

Capita di porsi domande senza trovare una risposta. E, nel caso la risposta sembri ovvia, di scartarla. È troppo ovvia e quindi non plausibile. Le navi che arrivano ogni giorno a Lampedusa sono uno dei grandi misteri d'Italia. Imbarcazioni che partono da tutte le coste del Mediterraneo. Viaggi organizzati da tour operator per parecchie migliaia di

euro a passeggero. Le navi sono avvistate direttamente dalla spiaggia. I turisti danno un grido alle Autorità che avviano le procedure di accoglienza. L'Italia ha dei confini. È incredibile a dirsi, ma i confini esistono anche in mare. E definiscono le acque territoriali. Ma sono confini colabrodo. Ci passa di tutto. Barconi, navi da crociera, zattere da diporto. Una volta eravamo più avanti. Usavamo le torri saracene per scrutare il mare. Adesso abbiamo i satelliti che mettono a fuoco anche il nostro buco del c..o. Con Google earth leggiamo il numero civico delle case. Potremmo fotografare e contare i clandestini che si imbarcano dalla Libia o dal Marocco e inviare un sms alla capitaneria di porto di Tripoli. Ma la tecnologia è un nostro limite. Oltre al binocolo da spiaggia e all'ex ministro Stanca non andiamo.
Se un terrorista di Al Qaeda prende l'aereo gli danno l'ergastolo. Se viene in nave finisce in un Cpt. Una soluzione comunque ci sarebbe. Dopo lo sbarco dei clandestini, di solito uomini in salute sui vent'anni destinati al lavoro nero e alle mafie. Dopo l'accoglienza rituale a questi sventurati che non sanno cosa li aspetta. Dopo il tam tam spiaggia-telegrafo-Viminale-RaiRadioTelevisioneItaliana-giornali del giorno dopo. Dopo tutto questo si potrà agire. Gli scafisti a casa dovranno tornare. Sono illegalmente nei nostri confini? Non hanno più a bordo nessuno? Bombardiamoli. In qualche settimana la situazione si risolverà da sola. Se per motivi umanitari non si vuole usare il cannone di bordo si potrà passare alla monnezza. Quella radioattiva che viene sepolta nel Meridione. Due risultati in uno: li contaminiamo e ripuliamo l'Italia.
22.11.06 19:40

Fisco rosa

La quota rosa non c'è ancora, ma il fisco rosa sì. L'articolo della Finanziaria citato dalla lettera sui padri separati produrrà alcuni effetti collaterali. I casi di divorzio diminuiranno. I padri legittimi diminuiranno, alcuni si vestiranno da Batman. Gli alimenti regolarmente versati alle madri separate diminuiranno. Aumenteranno però i processi per l'affidamento dei figli e i padri che daranno fuori di matto.

"Caro Beppe,

ti scrivo per un fatto che toccherà i milioni di 'padri separati' (o disgraziati, scegli tu) presenti in Italia. L'art. 3 comma 1 della Finanziaria approvato alla Camera, partorito dalla mente probabilmente malata di omofobia di un consigliere giuridico del nostro dipendente Visco, ha stabilito che tutti i padri separati, divorziati o con sentenze di annullamento degli effetti civili del proprio matrimonio, qualora non abbiano l'affido condiviso dei propri figli (cosa pochissimo usuale visto che la legge è entrata da poco in vigore e c'è una forte opposizione delle donne), non avranno più il diritto a detrazioni fiscali al 50% sul proprio stipendio per i figli a carico.
Pur dovendo giustamente pagare (spesso oltre le proprie possibilità) un assegno alimentare più il 50% di tutte le spese sanitarie, scolastiche, sportive ecc. nessun papà avrà più il beneficio di una equa detrazione fiscale sulla propria busta paga.
Per chiarire meglio: dalla nuova norma deriva che il genitore non affidatario non ha diritto alla detrazione a fronte dell'obbligo di sostenere spese per il mantenimento dei figli. Per il genitore non affidatario la norma risulta particolarmente penalizzante in quanto tenuto al mantenimento dei figli mediante un assegno che, per le norme tributarie non fruisce di beneficio fiscale. Con la nuova disposizione il genitore non affidatario sostiene un onere che incide sulla capacità contributiva.
A questo danno se ne aggiunge un altro ancor più grave: pur sostenendo io come gli altri papà separati le spese sanitarie per il mio bambino al 50% con la madre (spese spesso elevate), non potrò più dedurle dal mio imponibile, ma tutto andrà a beneficio del genitore affidatario, che è quasi sempre la madre. Si rischierà di perdere la possibilità di un sussidio per la malattia dei propri figli per i papà lavoratori che hanno forme di assistenza previdenziale da loro pagate con trattenute mensili, in quanto questi figli non saranno più riconosciuti come portatori di benefici fiscali. Il papà dovrà continuare a pagare ogni spesa per i propri figli al 50%, ma i benefici ed il recupero fiscale senza l'affido condiviso saranno a vantaggio della sola madre.
Saremo tutti costretti a chiedere l'affido condiviso. Molti padri tra cui il sottoscritto non l'hanno ancora richiesto solo per evitare nuovi conflitti con l'ex coniuge, generalmente contrario.
Mi chiedo in quale Paese vivo e perché, io che ho votato centrosinistra, mi ritrovo a considerare che una delle poche leggi avanzate e civili di questo Paese, cioè quella dell'affido congiunto, che ci pone (almeno in

teoria) al pari di Germania, Inghilterra e Paesi Scandinavi l'abbia fatta il Governo Berlusconi, ed ora cerchino di riportarci al Medio Evo".

Stefano T.
23.11.06 20:51

RESET in action

Non mi sono dimenticato di RESET. Il mio tour 2007 si chiamerà RESET. I meetup saranno invitati a ogni spettacolo per proposte sulle città e sul territorio. Sarà un tour di azione. Ormai sappiamo tutto (quasi tutto). E sappiamo che dobbiamo cambiare. Che non possiamo più delegare la nostra vita ai partiti. Ségolène si è riferita ai francesi chiamandoli intelligenza collettiva. In Italia non manchiamo di intelligenza. Ci manca il collettivo.
La Rete crea il collettivo. La conoscenza crea il collettivo.

Qualche informazione sulle iniziative RESET:
- Il calendario 2007 degli eroi d'Italia sarà scaricabile dal blog gratuitamente entro fine anno
- Il libro *Schiavi Moderni* sarà scaricabile gratuitamente o acquistabile nella versione libro entro Natale
- La 'Share Action' sta proseguendo. Ha raggiunto 2.585 adesioni. La Consob mi ha chiesto formalmente delle spiegazioni che altrettanto formalmente ho fornito. Costituirò un'associazione, ci vuole ancora qualche tempo, e poi partiremo
- Il microscopio elettronico è in dirittura d'arrivo, sono stati raccolti 290.000 euro su 378.000
-L'iniziativa di legge popolare per ridurre a due le legislature dei parlamentari e equiparare le loro pensioni al resto del Paese partirà a gennaio 2007 e durerà per tutto il tour RESET
- Le 'diecicosedafare' e le 'dodiciazioniincittà' per la nostra salute saranno promosse attraverso il blog e i meetup
-Le azioni RESET proposte da voi saranno pubblicate con la possibilità di voto
- Il comitato di difesa della Rete sarà attivo entro gennaio 2007

Di certo ho tralasciato qualcosa. Dopo questo ripasso sono esausto. Mi sento come se lavorassi più di dieci commissioni parlamentari. E senza neppure la pensione dopo 30 mesi.
24.11.06 18:51

Siamo tutti borbonici

E se il Borbone fosse in realtà il Savoia? E i veri patrioti i briganti? Il Regno delle due Sicilie esisteva, in modo assolutamente legittimo, da secoli. Napoli era la terza capitale d'Europa. Napoli aveva istituito la prima cattedra di economia in Europa. La prima linea ferroviaria: Napoli-Portici. Poi arrivarono i Savoia. La resistenza durò dieci anni. Qualcuno pensa che sia attiva ancora oggi. Dopo l'occupazione piemontese i capitali si trasferirono al Nord e, grazie alla tassa sul macinato, i meridionali nelle Americhe. Il Sud non fu liberato, ma consegnato al sottosviluppo. La Questione Meridionale deriva da un esproprio. Tutto è stato oggetto di revisionismo in Italia tranne il Risorgimento. Garibaldi è l'eroe dei due mondi e Francesco II un miserabile. Le piazze nel Meridione sono intitolate agli occupanti e allo stesso tempo si dice ancora 'cattivo come un piemontese'. Nulla contro i piemontesi, molto contro la feroce repressione del generale Cialdini. Alla guida di un esercito di più di 100.000 uomini. Un po' come la guerra di liberazione in Iraq. Molto contro paesi incendiati e massacri. Contro deportazioni. E decine di migliaia di morti.
A scuola il Borbone è il cattivo e il Savoia il buono. Stato borbonico è sinonimo di degrado delle istituzioni. Brigante di protomafioso. Forse vanno cambiati i testi di scuola oltre al significato delle parole. Rivalutati i patrioti che persero la vita contro l'esercito piemontese. Forse dobbiamo raccontarci un'altra storia. In cui il Risorgimento è stato in parte, in gran parte, espansionismo di una dinastia. Che ci ha lasciato in eredità l'emigrazione di milioni di persone che fuggivano dalla fame, due guerre mondiali, il fascismo. E uno stato savoiardo. Quello che ci ostiniamo a chiamare borbonico.
Lo so, dopo il populismo, sto scivolando nel revisionismo.
25.11.06 20:14

Stupri rimborsati

Tutto ha un prezzo e per fortuna che c'è chi pensa al rimborso. Il Comune di Brescia, come esposto nella lettera di una sua cittadina, è avanti. Ha stabilito un vero prezziario dei furti e degli atti di violenza. Lo stupro di una ventenne vale 260€. Dopo i sessant'anni va già meglio, si portano a casa 310€. Per le struprate anziane un po' indigenti, con reddito fino a 15.000€, ben 360€. Lo stupro di gruppo o singolo non fa invece differenza. E questa, va detto, è una vera ingiustizia.

"Che bella Brescia di notte! Sembra un'altra città. Una città mediterranea. Araba, precisamente. Ma può anche sembrare una città del misterioso oriente. Cinese, ad esempio. O pakistana. O indiana, perché no! Dipende dalla zona in cui arrivi. Il centro storico è diviso a spicchi. Come un'arancia. È diviso a quartieri. Come New York. È controllata da piccole mafie e giri di malavita, che cominciano a guerreggiare tra loro e a fare i primi morti, nell'omertà generale e nell'indifferenza delle forze dell'ordine. Come Napoli. Ogni area ha la sua lingua, i suoi negozi, i suoi abitanti. Le vie si sono svuotate di negozi e di boutique. Qualcuno ha tentato di resistere, ma dopo un po' ti passa la poesia. E poi è arrivato un grande guru: un assessore all'ecologia che sognava una città pedonale in stretta intesa con un sindaco affamato di contravvenzioni per far quadrare i conti dei mille interventi nella rete stradale urbana e ha posizionato telecamere che impediscano l'accesso al centro storico alle automobili. Risultato: il deserto dei tartari. O, meglio, dei barbari: la città è talmente multietnica che non c'è più nessun bresciano. E per i vicoli della città vecchia spadroneggiano e vivacchiano tuttofare di ogni genere e perdigiorno dal passo svelto e dalle intenzioni poco intuibili. Ma che non promettono nulla di buono. Succede di tutto, nei vicoletti della città. Tanto che il nostro generoso comune ha deciso di attuare serie ed efficaci misure per porre rimedio a una situazione che ormai non è grave: è tragica. Quello che allego è un volantino prelevato al comando dei vigili del centro di Brescia. Io sono sola e abito in centro, al limite del quartiere pericoloso. Da quando sono state attivate le telecamere nessuno mi può più accompagnare fin sotto casa in automobile. Al di là dei problemi logistici di una vita quotidiana come tante, ogni giorno e ad ogni ora io corro seri rischi per la mia incolumità. Ai vigili che, con savoir faire, mi propongono un rimborso lordo di 260€ se qualcuno mi accoltella o mi violenta, mi sono permessa di fare una domanda. Perché non attivate un servizio di pattuglie a piedi, magari munite di cicalino e con un numero verde che io possa contattare per farmi scortare fino a casa in caso di pericolo? La risposta è stata sorprendente: non siamo tenuti a farlo. Però puoi chiedere in Questura. Così una sera in cui è tardi, piove e le uniche facce in giro sono davvero da film di Scorsese, suono in Questura. E la risposta è di nuovo sorprendente: non siamo tenuti a farlo. Allora chiedo all'assessore che ormai è un mito in questa città. Domando: perché non realizzate un servizio di parcheggi rosa, di scorte, di pattuglie a piedi per i residenti del centro? La risposta non mi sorprende più: non siamo tenuti a farlo. '... e i bresciani?' vi chiederete. Beh, siamo la città col numero più elevato di automezzi in Europa. Ci sarà pure un motivo, no?"

Nadia B.
26.11.06 17:57

Polmoni puliti

Le città italiane si stanno svuotando di bambini. Sono stati sostituiti dalle macchine. Da parcheggi. Da pendolari motorizzati. Chi ha un bambino deve rassegnarsi a una tosse cronica. A malattie respiratorie. A un rapporto quotidiano con il pediatra. Oppure andarsene. In città entrano le macchine ed escono i bambini e le loro famiglie. Che diventano pendolari. E prendono la macchina per entrare in città e parcheggiano. Per la mancanza di mezzi pubblici efficienti. Una paranoia che produce veleni per i cittadini e utili per i petrolieri. I rappresentanti dei cittadini non muovono un dito. In questo destra e sinistra sono entrambe petrolizzate.
A Milano la stessa famiglia di petrolieri, la famiglia Moratti, è sia al governo che all'opposizione. Io credo che sia ora di un nuovo RESET. Per evitare di tagliare adenoidi e tonsille ai nostri figli. E vederli giocare in un parco cittadino senza che si avvelenino. Per i nostri governanti sono più importanti i consumi di carburante e le società immobiliari

della salute dei bambini. Loro, di solito, abitano altrove. In ville alberate fuori città. RESET.
Visto che li paghiamo noi devono iniziare a renderci conto delle loro azioni. Quanti morti per Pm10 produce l'incuria dei sindaci, dei presidenti di Regione e di Provincia? Quanti malati? Esiste la possibilità di portare in tribunale i nostri dipendenti? Voglio lanciare con l'aiuto dei Meetup una campagna prima di informazione, poi, se necessario, di incriminazione dei responsabili, dal nome: 'Polmoni puliti.' Riprendiamoci le città e la nostra salute.
27.11.06 19:05

RESET: SI CONTA!

Per una volta, una dannata volta, che nella Storia d'Italia abbiamo in mano le prove. Presunte, da accertare, ma sempre prove. Un mucchio di schede bianche che possono essere contate anche a campione. Qualche miserabile giorno di lavoro tra i miliardi di ore della Pubblica Amministrazione. Ecco, ce ne freghiamo, non verifichiamo. Chi lo dice? La Procura di Roma. Ma l'eventuale colpo di stato elettorale, perché di questo si deve parlare, è un problema politico. Un problema dei cittadini. Non solo dei giudici. È qualcosa che può sconvolgere tutti gli equilibri di questo Paese. Di questo hanno paura entrambi gli schieramenti. RESET: SI CONTA! Altrimenti non contiamo più un c..o!
Un blogger mi ha inviato un filmato. Alcune dichiarazioni di Nando Dalla Chiesa sulla notte delle elezioni. Ascoltatele.

"Caro Beppe,
nello stesso momento in cui veniva diffusa la notizia che la Magistratura non conterà le schede bianche, il Sottosegretario di Stato Nando Dalla Chiesa pronunciava, durante una conferenza a Milano, queste parole:

"[...]Forse abbiamo sbagliato noi, ma non credo...non credo...però è significativo che ci sia stato chiesto, a tutti, di andare nelle prefetture... questo è avvenuto alle 11 di sera. Poi che cos'è accaduto? Questa è la mia tesi: se è vero che c'è stata una manomissione delle schede bianche credo che il problema sia stato, infatti, cos'è accaduto dal momento in cui le prefetture hanno spedito i voti al momento in cui sono arrivati a Roma, lì è il mistero. E devo dire: avrebbero vinto loro se non ci fosse stata la vituperata forza del vecchio Partito Comunista; perché cos'hanno fatto? Quando vedevano che cominciavano a mangiare mezzo punto, mezzo punto, mezzo punto, mezzo punto e sono rimaste le 280-300 sezioni di cui dovevano arrivare i risultati, chi aveva l'organizzazione ha chiesto alle sezioni di trasmettere immediatamente i risultati dello spoglio, i risultati dello spoglio sono arrivati direttamente da quelli che avevano assistito a chi organizzava, dei Ds, il monitoraggio dello spoglio; a quel punto Prodi e Fassino hanno detto 'abbiamo vinto noi' e lì hanno rotto l'incantesimo. Per quello Berlusconi è impazzito, perché sono stati loro a dire 'abbiamo vinto', non l'ha detto il Ministro degli Interni, e Pisanu non si è sentito, sapendo che loro avevano i dati veri delle sezioni, non si è sentito di smentirli perché sapeva che avevano contato i voti veri di quelle sezioni e quei voti non erano passati attraverso il filtro possibile di manomissione informatica. Questo è stato quello che è accaduto, allora io credo che quello che è stato rimproverato a Prodi e a Fassino ci abbia salvati, cioè il fatto che loro sulla base dei dati ricevuti dai loro militanti siano andati a dire 'abbiamo vinto noi'; così questa vicenda si è chiusa, con Berlusconi che impazziva perché c'era stato un'altro modo di contare i voti."

Marco Canestrari
28.11.06 19:32

Porno & Fioroni

Giuseppe Fioroni, Ministro dell'Istruzione sul "giro di vite su Internet" alla Stampa:
"Una regolamentazione è un prerequisito di civiltà e spero che l'Italia per una volta possa diventare di esempio"
Giornalista: "Lo sa che nemmeno gli Usa hanno una norma simile?"
Fioroni: "Mi risulta che ci siano altri Paesi invece che sono riusciti a ottenere fior di filtri"
Giornalista: "Intende la dittatura di Pechino?"

Fioroni: "Sì. Anche se i nostri obiettivi sono diversi dai loro..."

È quindi solo una questione di obiettivi la differenza tra la dittatura e la democrazia. Del resto il fine giustifica i mezzi, forse la Margherita e forse anche la pornografia.
Il dipendente Fioroni aveva infatti, sino a ieri un blog. Letto a quanto sembra da accaniti spammer pornografi.
Che pubblicavano nel blog fiumi di link a siti porno. Se la Rete non ammette ignoranza per Google, non l'ammette neppure per il porno Fioroni.
Per evitare conseguenze dopo le segnalazioni di vari blogger, il suo blog è stato immediatamente oscurato...
Ma il contenuto del blog è stato salvato...
E si può vedere... (è meglio non cliccare sui link porno all'interno della pagina per evitare virus).
Anche Fioroni, per sua e nostra tutela, va cinesizzato. Come lui vuol fare con Google. Una censura preventiva. Le sue dichiarazioni siano prima validate da Rutelli. Approvate da Prodi. Corrette da Sircana. Se dirà ancora vaccate, almeno il Governo sarà corresponsabile.
29.11.06 19:48

Quant' è bello il manganello

In un'area di servizio sono stati fotografati in vendita robusti manganelli di legno di dimensioni tra i 60 e i 90 centimetri. Manganelli neri con il brand: il Duce con l'elmo da soldato. E una gamma di scritte a scelta per l'automobilista di passaggio. "Molti nemici, molto onore", "Me ne frego", "Dux Mussolini".
Fa parte del revisionismo storico in atto. Ci sono le magliette con scritto "Mafia - Made in Italy" e "Baciamo le mani" che vanno a ruba a Palermo tra i turisti stranieri. E in rete si comprano polo con la scritta: "Cosa Nostra" davanti e "affiliato" dietro.
È il nuovo Made in Italy. Legato alle nostre radici. Genuino e perciò internazionale, da esportazione. Si può già prevedere il rilancio dell'olio di ricino fascista come purgante da usare per risolvere ogni situazione di conflitto. Qualche bombetta anarchica, deviata dai servizi, o nera

autentica, a scelta dell'acquirente. Per un ritorno all'indimenticabile stagione delle stragi. Pullover delle Brigate Rosse con l'immagine di Curcio e della stella a cinque punte. Sciarpe con scritte revival: "Piazza Fontana for ever", "10, 100, 1000 Italicus", "Chi non salta Aldo Moro è!", "W Ustica", "Forza P2" (ma forse questa c'è già). Un business!
L'Italia è ricca di episodi storici sottovalutati. Sono una miniera. Nel mondo abbiamo una pessima reputazione. Sfruttiamola. Siamo un popolo di mafiosi, post fascisti, bancarottieri, piduisti, evasori fiscali, bombaroli? Basta vergognarcene! Andiamone fieri a testa alta. È un filone senza fine. Pensate solo a nuovi parchi di divertimenti "Dux" o a video games su come far saltare i giudici. Al caffé alla Sindona. A Tele Mafia. Un filone inesauribile.
30.11.06 19:36

'AZZO QUI É COME IN IRAQ...
ALMENO NON RISCHIAMO DI MORIRE DI NOSTALGIA!
KABUL
VAURO07

Dicembre

RESET Inceneritori!

Il 10 aprile al dipendente Romano Prodi fu chiesta l'abolizione dei finanziamenti agli inceneritori di rifiuti ed alle centrali a fonti fossili (carbone, olio combustibile, scarti della lavorazione petrolifera) tramite le nostre bollette Enel (voce A3). Questi impianti sono considerati, solo in Italia, fonti d'energia rinnovabile ed assimilate e hanno un contributo che dovrebbe andare alle vere rinnovabili: sole, vento, acqua. Nonostante l'Unione Europea lo vieti e sull'Italia vi sia una procedura d'infrazione.
Va ricordato al dipendente Prodi che il suo commissario all'Energia Loyola De Palacio affermò il 20.11.2003 che "La frazione non biodegradabile dei rifiuti non può essere considerata fonte di energia rinnovabile".
I finanziamenti vanno ai soliti noti. Alle multiutilities con inceneritori, all'Api con le sue centrali a Falconara e poi Edison, EniPower, Enel etc. Bruciando gli scarti delle lavorazioni petrolifere a Sarroch (Cagliari) e Priolo Gargallo (Siracusa), Moratti e Garrone si pagano le campagne acquisti di Inter e Sampdoria anche con le bollette della luce di milanisti e genoani. Dov'è la calcio condicio?
Leggete l'elenco di chi ha goduto dei finanziamenti Cip6 nel 2006 e dal sito ufficiale dell'Authority dell'Energia i consuntivi del 2003-2004 con le quote percentuali delle prime 10 società che si sono accaparrate contributi per fonti assimilate e false rinnovabili: troviamo: Asm Brescia, la multinazionale Fooster&Wheeler (che costruisce inceneritori tra le altre cose), Sarlux (petrolio, famiglia Moratti) Erg (petrolio, famiglia Garrone), Edison (gassificatori), ApiEnergia... (petrolio). Parliamo di un giro di finanziamenti pari a 3,1 miliardi di euro nel 2005 (2,4 miliardi nel 2004). Oltre ai Cip6 c'è la nuova frontiera i...'Certificati Verdi' ed a goderne sono sempre loro. Con i nostri soldi.
Tutto avviene alla faccia delle vere rinnovabili che ricevono solo una minima parte dei fondi.
Queste macchine da tumori stanno in piedi perché le finanziamo noi con un meccanismo illegale per la stessa Unione Europea. Le finanziamo con la bolletta della luce. Paghiamo rinnovabili e creiamo tumorifici.

Gli investitori della Borsa vogliono sempre più inceneritori, gassificatori, centrali a carbone 'pulito'. Naturalmente e solo grazie ai finanziamenti pubblici e coatti.
Ci prenotano l'aldilà anticipato per tutti ed intanto se la godono facendo i capitalisti con i nostri soldi.
In Parlamento c'è chi sta provando ad abolire questo meccanismo 'drogato' dei Cip6-Certificati Verdi, ma la lobby trasversale resiste. Da An ai Ds passando per Forza Italia, Margherita, Rosa nel Pugno, Udc.

Contro questo scandalo è iniziato un RESET Inceneritori:
1 - Per informare sui danni degli inceneritori sulle alternative possibili (strategie Rifiuti Zero, sistemi integrati con riduzione alla fonte, raccolta differenziata porta a porta, trattamento biologico 'a freddo') i Meetup di tutta Italia sabato 2 dicembre scenderanno in piazza in tantissime città italiane. Forza ragazzi!
2 - Sulla rete è partita una petizione online 'RESET Inceneritori' alla Commissione Europea ed al Governo italiano per chiedere la fine dei finanziamenti ad inceneritori e centrali a fonti assimilate
3 - L'acquisto del microscopio elettronico, manca poco...

Salviamo la nostra vita e quella dei nostri figli! RESET!
01.12.06 19:55

Ius primae noctis

Il diritto acquisito quando è acquisito in Italia lo è per sempre. Non si molla più. È una rendita a vita. Bersani parla (parla e basta) di liberalizzazioni. Io parlerei di guerra di liberazione. Il cittadino italiano vive in un immenso campo di concentramento. Al posto del filo spinato c'è la prevalenza dell'acquisito. L'acquisito è riconoscibile dall'arroganza nel difendere i suoi diritti acquisiti. Nell'essere monopolio o corporazione. Nel pretendere di essere pagato senza dare servizi. I primi acquisiti sono i politici, ormai ben saldi nella loro impunità corporativa.
C'era una volta lo ius primae noctis. Si esercitava per una notte e solo su un membro della famiglia. Oggi gli acquisiti fot..no tutto l'anno senza distinzioni sessuali o di parentela. I politici sono solo la punta

dell'iceberg. Quella su cui è seduta la democrazia. Ci sono anche gli altri. La parte acquisita del Paese. I monopolisti, i cartelli, le municipalizzate, i distributori, i supermercati, i notai, tutti gli ordini professionali, i pensionati con vent'anni di contributi e i pensionati d'oro e d'argento, i manager pubblici con milioni di euro di buonuscita, i prescritti per legge. Il diritto acquisito vale anche per l'illegalità. Per chi non rilascia lo scontrino, la fattura. Per chi non paga le tasse. Il posteggiatore abusivo. Il pizzo. La tangente. Tutto alla luce del sole. Tutto impunito. Tutto acquisito.
Gli acquisiti vivono grazie ai non acquisiti. E ai non acquisiti le palle cominciano ovviamente a girare. Iniziano a capire che l'informazione omertosa degli acquisiti è un'informazione acquisita. I non acquisiti stanno aumentando. E questo rappresenta un pericolo per il Sistema. Che non è confinato alla Campania come scrive Saviano in *Gomorra.* È un SISTEMA NAZIONALE. Una lotteria in cui gli acquisiti vincono sempre.
Ci sono alcuni milioni di giovani. Sono diplomati e laureati. Alcuni plurilaureati. Alcuni con un master. Sono tutti precari. Sono gli schiavi moderni che mantengono in piedi questo sistema fatiscente. Non hanno rappresentanza politica. È tutta già acquisita. La miccia è accesa. Non sentite odore di zolfo?
02.12.06 21:05

Il sabato delle salme

Sabato a Roma la Guardia di Finanza ha perso una grande occasione. Quella di circondare la folla oceanica di 2 miliardi di persone (la stima è di Forza P2) e di chiedere la dichiarazione dei redditi. Il debito pubblico sarebbe stato risanato. Una opportunità così non capiterà mai più.
I figuranti hanno ormai una certa età. Lo psiconano tirato a cera Liù sorreggeva Bossi con la mano destra astutamente dietro la sua schiena. Sorrideva a bocca chiusa come i migliori ventriloqui. E faceva parlare Bossi meglio di Provolino. La folla era in delirio. Lo psiconano ha poi gridato: "Non è il leader che sceglie il popolo, ma è il popolo che sceglie il leader". Se lui è il leader, non capisco allora perché ci abbia scelti. La vera opposizione stava a Palermo. Casini si è recato non a caso in terra

di Sicilia per marcare la differenza. Lì ha un sacco di amici. I famosi amici degli amici. Sabato ci ha consegnato un funerale allegro. Di letizia politica per il governo. Con questa opposizione può permettersi un indulto e una finanziaria ogni tre mesi. L'Unione ha un santo protettore da quasi vent'anni: San Berlusconi da Arcore. Una fortuna politica. Pinochet ha visto lo svenimento del suo collega italiano in diretta. È stato informato del motivo. Evitare l'udienza al tribunale di Milano mercoledì scorso. Allungare i tempi e puntare alla prescrizione. Quindi, dopo un consulto telefonico con Bondi, ha fatto uguale. Prescrizione più coccolone e la galera non c'è più.
03.12.06 21:10

Il Profumo dei soldi

Ci sono i banchieri semplici. Quelli ex carcerati come Fiorani. Quelli che in carcere non ci andranno mai come Geronzi. E i migliori tra i pari: i banchieri di sinistra. Il loro campione è Alessandro Profumo di Unicredit. Profumo ha rilasciato un'intervista al Corriere della Sera. E ha detto cose di sinistra. Meglio di D'Alema. Più di Fassino. Un po' meno del Banco dei pegni. Parole che vanno interpretate.

AP: "Alle banche non spetta il compito dello sviluppo del Paese. Il nostro dovere è quello di creare valore per gli azionisti"
va letto.
"Gli azionisti decidono la politica delle banche. Il Paese e i clienti vengono dopo..."

AP: "L'interesse nello sviluppo del Paese coincide con l'aumento del nostro giro d'affari"
va letto:
"Se il Paese non aumenta il nostro giro d'affari può anche andarsene a fan..o"

AP: "Se Autostrade facesse investimenti in Italia soltanto perché la proprietà è italiana, in realtà non sarebbe un servizio al Paese"
va letto:

"Unicredit è, insieme a Benetton, azionista di Autostrade. Se Autostrade facesse gli investimenti arretrati di circa due miliardi di euro in Italia non sarebbe un servizio a Unicredit e forse non potrebbe distribuire dividendi di quasi due miliardi di euro ai suoi azionisti e, ancora, non sarebbe un servizio a Unicredit"

AP: Con riferimento alla società Autostrade: "Se si cambiano ex post le regole, magari proprio sulle concessioni autostradali, il risultato è più generale: quello di distruggere la credibilità internazionale dell'Italia"
va letto:
"I profitti di Unicredit e la credibilità internazionale dell'Italia coincidono"

Spettacoloso Alessandro Magno. È uno e bino. Azionato e azionista. E sempre dalla parte giusta: quella degli azionisti.
04.12.06 23:22

Un ragazzino solo

Un ragazzino di nome Francesco è stuprato da un gruppo di pedofili a Barrafranca (Enna). Fotografato. Le immagini diffuse nella sua stessa scuola. Chi sapeva ha taciuto. Il ragazzino si ribella. Viene picchiato. Ucciso con una chiave inglese. 19 colpi. I presunti pedofili sono in carcere in attesa del processo. C'è un unico testimone. È un altro ragazzino che ha visto gli stupri e li ha denunciati. Oggi è isolato. È lui il colpevole. Colpevole di mancata omertà. Gli inquirenti denunciano: "Una grave situazione di pressione ambientale in atto nel piccolo comune di Barrafranca". Dove sono i 13.115 cittadini di Barrafranca? Dov'è il sindaco? Il parroco? La preside?
Il giudice ha trattenuto in carcere i presunti criminali. In Italia i criminali sono sempre presunti, qualche volta prescritti, di rado condannati. Lo ha fatto perché gli arrestati "potrebbero indurlo a ritrattare". Ma che paese è mai questo? Sono i presunti pedofili che dovrebbero aver paura a uscire dal carcere. Non il ragazzino a testimoniare.
Un articolo del Corriere spiega tutto. Anche troppo. È un resoconto dell'orrore. Qualcosa che non ti fa dormire e ti rende triste. Una tristez-

za rabbiosa verso un'umanità cupa, complice, ignobile. Non lasciamo solo questo ragazzino con il suo coraggio. Non potremo perdonarcelo.
05.12.06 23:20

Alitassametro

Numeri alati. Un privato per comprare Alitalia dovrebbe tirare fuori due miliardi di euro. Alitalia vale zero. A fine gennaio i soldi per pagare gli stipendi saranno finiti. Ha 20.575 dipendenti, metà sarebbero già troppi. Una flotta di aerei da terzo mondo. La battono solo i Tupolev. Un amministratore delegato con DUEMILIONISETTECENTOMILA EURO di stipendio all'anno. Il più pagato in Europa nel settore. Guadagna sei volte in più del suo collega di Air France.
Prodi vuol vendere. Ma chi compra? Le banche hanno messo le mani avanti. Cordero anche i piedi. L'Alitalia perde CINQUANTUNOMILA EURO all'ora. Fermiamo il tassametro. C'è una sola soluzione per mettere un tappo alle perdite: pagare due miliardi di euro Gheddafi perché la compri. I dipendenti dovranno trasferirsi a Tunisi. Il loro trasferimento coatto dovrebbe essere vincolante per la validità del contratto. 20.575 bocche da sfamare in meno per lo Stato, un affare. Anche se ci costasse qualcosina. Rimane il problema Cimoli. Cosa fare di un manager così stimato sia da Prodi che da Berlusconi? Se un manager è pagato bene per quello che vale, lui è pagato moltissimo per quello che perde. Peccato che i soldi che ha perso siano nostri. Peccato che i soldi che guadagna provengano dalle nostre tasche. Lui non è il solo colpevole. È un capro, ma non il solo espiatorio. Ma fino a quando sta lì, con quello stipendio, con quei risultati, con quel sorriso compiaciuto non c'è speranza. Prodi se lo assuma come maggiordomo. Che poi è il motivo per cui è ancora lì. Aria, aria fresca. Ma cosa ci vuole?
06.12.06 23:50

Il ciclista ignoto

Le città di Milano e di Nassirya si stanno gemellando. Letizia Moratti si recherà presto in Iraq in visita all'Eni. L'accompagneranno il marito pe-

troliere Gian Marco Moratti, il cognato petroliere Massimo Moratti e la cognata verde Milly Moratti. Le due città hanno in comune i caduti per il petrolio. In Iraq per difendere i pozzi. In Italia per difendere gli utili dei petrolieri e dello Stato. I caduti civili sono molti di più dei caduti in guerra. Nella sola Milano la contabilità da inizio anno è per i ciclisti 812 feriti e 11 morti. Per i pedoni 1.290 feriti e 26 morti. 37 morti in totale, ma manca ancora il periodo natalizio. Negli ultimi giorni una ragazza è stata uccisa da un autobus dell'Atm sulle strisce pedonali. Un signore in bicicletta è stato stritolato da un autotreno in pieno centro. Un ragazzo di 13 anni è stato travolto con la sua bici da un autocarro. Ma è gente così. Che ama il rischio. Altro che i parà. E chi rischia paga.
Il Comune dovrebbe intervenire, fare qualcosa. Obbligare ad esempio tutti i cittadini a dotarsi di automobile. Non per circolare, ma per proteggersi. Cintura, air bag, barre laterali sono fabbricati apposta. Il tempo di percorrenza sarebbe più lungo, ma la benzina andrebbe via come il pane. E si salverebbero molte vite. Rimarrebbe il pericolo per chi, testardamente, volesse andare a piedi fino alla fermata di un mezzo pubblico. La soluzione c'è: sottopassaggi. Direttamente dal portone di casa alla fermata dell'autobus o della metropolitana.
Il numero di ciclisti morti per incidente è raddoppiato in un anno a Milano. Bisogna affrontare subito il problema. Vietare le biciclette. E, a monito, mettere una lapide al ciclista ignoto in ogni città. Sponsorizzata dall'Eni e dalla Fiat.
07.12.06 23:16

Buone notizie

Forse qualcosa è cambiato. Non ero più abituato alle buone notizie. Quattro tutte insieme non capitavano da decenni.
Prima buona notizia: si ricontano le schede bianche. Forse Deaglio e il blog non avevano tutti i torti.
Seconda buona notizia: il Tar del Lazio ha dato ragione a Antonio Di Pietro contro Autostrade. Profumo, Gilberton e Chico Salvador Alemany Mas dos Abertis ci sono rimasti male. Erano abituati a Emmenthal Lunardi...
Terza buona notizia: Geronzi (Capitalia), Colaninno, Sacchetti (ex Uni-

pol) e Gronchi (Banca Popolare Italiana) sono stati condannati per bancarotta preferenziale. Ma l'indulto bipartisan Ds/Forza Italia li salverà.
Quarta buona notizia: abbiamo lasciato l'Iraq. Proprio adesso che incominciava la guerra... Un milione di email al Presidente della Repubblica non sono servite a niente. Però è comunque una soddisfazione.
Forse sentono che sta arrivando un Reset. Che sta cambiando il vento.
Ieri c'è stata la prima alla Scala. Stimo Zeffirelli e sono contento del suo successo. Non della sfilata anacronistica dei papaveri con signore e signorine. Non ne cito neppure i nomi. Dovrei usare la Pasta del Capitano per pulirmi la bocca. Precari in piazza e ricchi in smoking per celebrare Giuseppe Verdi. Un vero galantuomo, senatore del regno, che pagò sempre di tasca sua le spese per recarsi a Roma.
La frattura si allarga. Speriamo in altre buone notizie.
08.12.06 22:38

Arlecchino servitore di due padroni

I mezzi urbani sono in sciopero. Gli aerei sono in sciopero. I treni sono in sciopero. I vigili del fuoco sono in sciopero. Gli insegnanti sono in sciopero. Gli ospedali sono in sciopero. Chiunque sia dipendente pubblico prima o poi entra in sciopero. I cittadini, i loro datori di lavoro, sono sempre all'oscuro dei motivi. Sanno che c'è lo sciopero, ma non perché. Però sanno che l'astensione del lavoro avviene di preferenza il venerdì o nei giorni prefestivi. Un incentivo per il week end lungo.
Si mormora che gli scioperi dipendano dai mancati rinnovi dei contratti di lavoro. E che la trattativa si prolunghi sempre per molti anni. Anni di sciopero duro, non contro le amministrazioni, ma contro i cittadini. Quelli che pagano gli stipendi agli scioperanti con il costo del servizio e alle amministrazioni pubbliche, che negoziano con gli scioperanti, con le tasse.
Il cittadino paga due volte per un servizio, ma è escluso dalla trattativa. I dipendenti amministratori non cavano un ragno dal buco con i dipendenti scioperanti. Ci ritroviamo, da una settimana all'altra, senza treni, senza ricovero, senza scuola. Paghiamo plotoni di dipendenti perché ci servano (nel senso di servizio pubblico). Ma non abbiamo diritto di parola, di giudizio, di informazione, di veto durante le trattative. È ora

di cambiare musica. RESET!
Le trattative tra amministratori pubblici e sindacati devono prevedere la presenza di una rappresentanza dei cittadini. Che potranno capire e giudicare invece di aspettare come cretini per ore alla fermata dell'autobus.
Mentre scrivevo mi sono accorto che alcuni dipendenti non scioperano mai. I politici. Forse perché ci vogliono troppo bene? Forse perché li trattiamo troppo bene? Credo che sia ora di rivedere le loro condizioni contrattuali. La pensione a 30 mesi è solo l'antipasto. E se scioperano non ce ne accorgeremo.
09.12.06 19:40

Fuga dai Cpt

Francesco Caruso e Haidi Giuliani si sono autoreclusi nel Cpt di Sant'Anna a Isola Capo Rizzuto minacciando di uscire solo alla chiusura di tutti i Cpt. Ma, dopo aver capito dove si trovavano, hanno cambiato subito idea e sono usciti.
Il problema è reale. I Cpt vanno chiusi e i clandestini affidati a nuove strutture sul territorio. Alcuni extracomunitari, in Italia come rifugiati politici, hanno tracciato il solco. Facevano fuggire i clandestini dai Cpt. Li portavano in Centri di seconda accoglienza, i Cst. Ruderi all'aria aperta recuperati per l'occasione. Telefonavano a un parente del disgraziatoaccoltosequestrato già presente in Italia. Dopo il pagamento di cinque/seicento euro, un prezzo onesto, lo liberavano.
Un accordo con le diverse comunità di migranti per i Centri di seconda accoglienza risolverebbe il problema dell'accoglienza. Lo Stato si libera di ogni costo. In Finanziaria si potrebbe aggiungere una nuova tassa per gli accoltisequestrati con ritenuta alla fonte del 35%. Con l'ingresso di cinque/sei milioni di migranti il nostro debito pubblico sarà risolto. E con 7/800 milioni di migranti diventeremmo il Paese più ricco del mondo. Potremmo superare la Cina per popolazione.
Caruso è un genio. L'autoreclusione un'innovazione sociale. Berlusconi si autorecluderà nel Tribunale di Milano fino al suo abbattimento. Mastella lo ha già fatto autorecludendosi nel Ministero della Giustizia. Per la chiusura delle carceri in mancanza di ospiti. In Commissione

antimafia i due autoreclusicondannati Vito & Pomicino aspettano il suo scioglimento.
L'autoreclusione è una nuova risorsa a disposizione dei cittadini. Iniziamo dal Parlamento. Autorecludiamoci a Montecitorio. È un posto equivoco e resisteremo solo poche ore. Ma lanceremo un segnale per la sua chiusura.
10.12.06 20:25

Mille e una morte

L'Italia è un Paese pericoloso per chi lavora. Le mille possibili morti hanno il sapore del sangue e della tortura dell'Inquisizione spagnola. Sono delitti, non incidenti. Gli investimenti sulla sicurezza diminuiscono il fatturato. I caduti sul lavoro lo aumentano. Caduti di un'Italia piena di sindacati, di ispettori, di proclami, ma senza regole. Morti di profitto.
Come muore un lavoratore? I 246 morti nell'edilizia nel 2006 offrono un'ampia scelta:

- folgorato dall'alta tensione (Luigi Careddu, operaio, 29 anni)
- schiacciato dal camion (Luigi Cuomo, operaio, 40 anni)
- caduto da un'impalcatura (Michele Grauso, operaio, 55 anni)
- travolto dal treno (Victor Rotari, operaio, 48 anni)
- per il crollo di un balcone (Massimo Raffaele Pisacane, operaio, 22 anni)
- schiacciato da un nastro trasportatore (Salim Bedoui, operaio, 19 anni)
- schiacciato da un silos di malta (Francesco Casalicchio, operaio, 30 anni)
- inghiottito da uno smottamento (Carmelo Molino, operaio, 56 anni)
- colpito alla testa da una putrella (Nicolin Ndou, operaio, 42 anni)
- precipitato da un tetto (Davide Soldati, operaio al primo giorno di lavoro, 27 anni)
- per il crollo di una palazzina (Mircea Spiridon, operaio, 32 anni)
- schiacciato da un escavatore (Marco Cibin, operaio, 41 anni)
- schiacciato da un carico di lastre di granito (Daniele Tavarini, operaio,

43 anni)
- caduto dentro un silos per la lavorazione del cemento (Luigi Tunto, operaio, 53 anni)
- colpito dal braccio di una gru (Ye Hegen, carpentiere, 34 anni)
- precipitato nella tromba dell'ascensore (Pietro Novaldi, operaio, 50 anni)
- per un colpo di calore (C.Petru, operaio, 48 anni)
- schiacciato da una piattaforma di metallo (Maurizio Piteo, operaio, 37 anni)
- risucchiato dall'acqua piovana in un tombino (Bogdan Mihalcea, operaio, 24 anni)
- soffocata in un incendio di una fabbrica di materassi (Giovanna Curcio, operaia, 15 anni)
- per il crollo di un pilone autostradale (Antonio Veneziano, operaio, 25 anni)
- infilzato da un ferro (Andrea Cesario, operaio, 24 anni)
- stritolato dalle pale impastatrici di una betoniera (Salvatore Cordella, operaio, 33 anni)
- ferito alla testa da un chiodo sparato da una pistola (Luigi Bonis, operaio, 23 anni)
- caduto da una scala (Fernando Prete, imbianchino, 55 anni)
- investito da una barra di 10 quintali (Benedetto Saponaro, operaio, 28 anni)
- per inalazioni di gas (Gianni Truffa, operaio, 30 anni)
- sepolti vivi da una frana (Nuzio Minardi, 69 anni, Valentin Karri, 27 anni, operai)
- investito da un tronco d'albero (Maddalozzo Mauro, operaio, 35 anni)
- travolto da un carico di ghiaia (Marcello Tornado, imprenditore, 33 anni)
- colpito da una pala meccanica (Antonio Zeoli, operaio, 57 anni).

In Afghanistan e in Libano si rischia meno e si guadagna di più. E con una rapina in banca o al benzinaio (semplice o con omicidio) non si rischia addirittura nulla.
11.12.06 23:24

Pinochet e gli Inti Illimani

Pinochet è morto nel suo letto. Il giudice Garzòn provò a farlo morire in galera. Ottenne solo gli arresti domiciliari in un albergo di Londra per crimini contro l'umanità. Pinochet riuscì a rientrare in Cile per motivi di salute. Quando la sua carrozzella toccò il suolo cileno improvvisamente guarì e si alzò in piedi correndo. Da allora fu 'dead man walking'. Garzòn si dedicò in seguito allo psiconano con cui è confidente di avere maggiore fortuna.
Pinochet è responsabile della fine della democrazia in Cile, dell'uccisione di Allende, di migliaia di omicidi. Ma il suo delitto più grande è aver permesso la fuga in Italia degli Inti Illimani. Dal 1973 stazionano nelle nostre televisioni. Nelle feste dell'Unità. Da Pippo Baudo. Mi hanno fatto venire l'esaurimento nervoso. Sono dei reduci musicali a vita. La loro influenza politica è stata enorme. Spettacolo dopo spettacolo hanno esaltato ai nostri occhi l'operato di Pinochet. Creato una corrente giustificazionista per il regime. Per lo stadio-lager di Santiago.
Pinochet è stato un fallito. In Italia uno come lui non lo metterebbero neppure a rubare in una giunta provinciale. In 17 anni di dittatura ha portato a casa solo 150 milioni di euro. Una vergogna. Si fosse informato meglio dai socialisti sarebbero stati miliardi. In seguito imparò la lezione. Alcune consulenze di Previti gli evitarono il carcere. La tortura sugli oppositori politici è stata una sua specialità. Posti come Villa Grimaldi, Chacabuco e Pisagua rimarranno nella storia.
Pinochet-Pinocchio. Un mentitore professionista. Che mentì al suo capo Allende. Ai generali con cui attuò il colpo di Stato. Agli americani della Cia. A Nicola Pietrangeli per la finale di Coppa Davis del 1976.
Ha avuto le sue ammiratrici. La prima è Margaret Tatcher che cercò di emularlo nel famoso sciopero dei minatori in Gran Bretagna. In Italia gli ex piduisti tacciono per ragioni di opportunità politica. Ma lo piangono. E lo invidiano. Lui c'era riuscito. Loro no (per ora).
12.12.06 23:07

Un ragazzino solo/2

Il sindaco di Barrafranca ha risposto con una lettera aperta a molte mail che gli sono pervenute dopo la pubblicazione del mio post: 'Un ragazzino solo'. Uno dei destinatari mi ha inviato una copia che riporto. Nel post avevo citato un articolo del Corriere della Sera che riportava una valutazione degli inquirenti, di coloro che stanno accertando la verità: "una grave situazione di pressione ambientale in atto nel piccolo comune di Barrafranca", riferita al ragazzino testimone dei fatti. Sono felice che il sindaco abbia risposto anche se non mi riconosco nella sua lettera. Non intendevo criminalizzare i cittadini di Barrafranca. Ma solo coloro che stanno isolando, intimidendo un piccolo coraggioso testimone. Invierò una lettera al Presidente della Repubblica Giorgio Napolitano, che pubblicherò sul blog, per chiedere la medaglia d'oro al merito civile per il ragazzino che ha avuto il coraggio di testimoniare.
13.12.06 19:20

"Angelo" non è solo!

A seguito dell'articolo pubblicato dal *Corriere della Sera* (1.12.2006) e rilanciato da "Il Blog di Beppe Grillo" (5.12.2006) la casella di posta elettronica del Sindaco è stata inondata - in queste ore - di email da ogni parte di Italia e del mondo. Avrei voluto rispondere singolarmente ad ognuna delle migliaia di lettere, di inviti, di appelli, di moniti ma - per evidenti esigenze di immediatezza - permettetemi di farlo con questa mia unica lettera aperta.
Premetto che quanto pubblicato da "Il Blog di Beppe Grillo" non corrisponde alla verità e rappresenta, invece, una realtà che offende e diffama la cittadinanza barrese e le sue istituzioni. Premesso questo, vorrei ringraziare di cuore quanti, con modi ed espressioni diverse, hanno voluto incoraggiare il Sindaco a "fare qualcosa". Ringrazio tutti, anche quanti hanno usato, in buona fede e nella foga dei sentimenti, termini e frasi ingiuriose nei miei confronti ma, soprattutto, nei confronti della mia città e dei suoi abitanti. Ma capisco! Anch'io mi sarei comportato così leggendo lo scoop di Blog! Ma si può arrivare a distorcere la realtà

in maniera tanto violenta e subdola su una tragedia quale la morte di Francesco per un meschino interesse di bottega, per aumentare la tiratura dei giornali o per aumentare il numero dei visitatori del proprio sito?
Stiamo parlando di gossip, di calciomercato o di canzonette?
Che angoscia, che tristezza, che dolore leggere e rileggere quelle falsità che distorcono la realtà e deformano integralmente anche lo stesso articolo del Corriere della Sera a firma Giusy Fasano! (vi prego di rileggere attentamente l'articolo e di confrontarlo con "Il Blog"). Un'altra premessa: mi dimetto immediatamente se viene provato che non ho fatto niente, che non ho avuto coraggio, che ho coperto i presunti colpevoli, che ho lasciato solo il "testimone-bambino". Nessuno quanto me sa cosa abbiamo sofferto a Barrafranca!
Vi prego di avere la pazienza di conoscere, di sapere la verità prima di giudicare e di condannare. In quel tragico pomeriggio del 16 dicembre dell'anno scorso il Signor Questore di Enna mi avvisava telefonicamente che un bambino risultava scomparso e la famiglia aveva sporto denunzia. Mi recavo immediatamente presso la Caserma dei Carabinieri ove trovavo i genitori del bambino, diversi familiari e vari investigatori dell'Arma dei Carabinieri con i quali immediatamente partecipavo alle prime indagini, organizzavo e coordinavo le ricerche. L'indomani mattina alle ricerche partecipavano, in un grande spirito di altruismo e di generosità, centinaia e centinaia di cittadini, di volontari, di giovani barresi. Il caso ha voluto che Francesco venisse trovato da una pattuglia di volontari proprio dove io personalmente, conoscendo il territorio, avevo suggerito di cercare.
Il destino ha voluto che fossi io, insieme al Comandante della Compagnia di Piazza Armerina e al Comandante la Stazione dei Carabinieri di Barrafranca, a vedere per primo il corpo straziato di Francesco. Pensate cari amici, gentilissime mamme che potrò mai dimenticare - come uomo, come padre - l'immagine di quel bambino con gli occhi chiusi verso il cielo, con le braccia aperte, con la maglietta alzata, con il viso insanguinato, buttato accanto ai rottami di una vecchia lavabiancheria? Pensate voi che i "quaquaraqquà" del sud possano dimenticare lo straziante dolore del padre che - aggrappato a me - chiedeva di poter vedere suo figlio per l'ultima volta?
"Non solo la mamma, non solo il papà, ma tutti noi abbiamo perso un figlio": è quello che abbiamo gridato durante la messa in suffragio di

Francesco. Tutti noi abbiamo provato e proviamo ancora quel dolore silenzioso che non si grida mai sui giornali ma che solo la gente perbene si tiene dentro. Tutta Barrafranca ha pianto quel suo giovane figlio. Nessuno ha festeggiato il Santo Natale, il nuovo anno. Non sarebbe stato necessario neppure la proclamazione del lutto cittadino. Ognuno di noi aveva il lutto dentro. E ancora oggi lo manteniamo con compostezza, con dignità. In ogni ricorrenza, in ogni evento, in ogni occasione Francesco, il nostro Francesco è presente. Quando andiamo al cimitero a rendere omaggio ai nostri cari defunti, un fiore e una preghiera sono sempre riservati a Lui, sulla Sua tomba. Quei 13.115 cittadini che oggi vengono accusati di omertà, di complicità e di altre cose più orrende hanno partecipato - in attesa che l'Autorità Giudiziaria ci consegnasse la salma - pregando e piangendo ad una grande fiaccolata, a piedi per più di sette km e fino a quel maledetto posto. Non ci siamo fermati davanti a niente e a nessuno perché abbiamo giurato che mai più nessun innocente doveva così essere lapidato, mai più nessuna mamma doveva essere straziata da tanto dolore.
Abbiamo immediatamente - con manifesti murali, comunicati, interviste - espresso ferma e dura condanna nei confronti di quei mostri che avevano osato violare la innocenza di un bambino di soli 13 anni e invitato l'intera comunità a collaborare con la giustizia per la ricerca della verità. I giornali, le Tv e radio nazionali e lo stesso Corriere della Sera avevano messo in evidenza l'"anomalo" comportamento del Sindaco di Barrafranca che - nel profondo sud - rompeva ed infrangeva la "regola" del silenzio e dell'omertà invitando pubblicamente, chiunque sapesse o avesse visto, a parlare. Abbiamo organizzato varie assemblee con i genitori, con i giovani, con le associazioni, con l'Associazione METER di Don Fortunato Di Noto, con i parroci, con le forze dell'ordine e - alla presenza costante ed attiva del Vescovo di Piazza Armerina - abbiamo invitato ed incoraggiato la gente a parlare, ad aiutare la giustizia ad individuare gli efferati autori. Ma abbiamo anche difeso, e continueremo a farlo in tutte le sedi e con tutte le nostre forze, la comunità barrese dall'assalto morboso dei media che volevano rappresentare la città come luogo di mafia, di droga, di disagio sociale, di pedofilia. Ancor prima dell'individuazione dei presunti responsabili abbiamo dato mandato al Capo Settore Affari Legali di costituirci - accanto alla famiglia Ferreri - parte civile nel processo contro i mostri - chiunque essi fossero - responsabili della morte del nostro Francesco e degli

atti di pedofilia contro altri bambini. "Per non dimenticare" abbiamo intitolato a Francesco la piazza dove lui andava a giocare. Abbiamo promosso progetti contro la pedofilia, contro il disagio giovanile; abbiamo contribuito ad aprire uno Sportello METER; abbiamo firmato un Protocollo di intesa per la realizzazione di una Città dei Ragazzi con la Prefettura, con la Diocesi di Piazza Armerina, con il comune di Pietraperzia e con la Comunità FRONTIERA di Don Giuseppe Di Stefano; stiamo lavorando alla costruzione di un Laboratorio Artistico-Musicale per i giovani; abbiamo già appaltato il nuovo Centro di aggregazione giovanile per il recupero dei giovani in stato di disagio sociale; abbiamo promosso in questi giorni - in collaborazione con la Polizia di Stato, con le scuole, con le Parrocchie, con le Associazioni di volontariato- un progetto contro il bullismo "Povero Bullo!!!"; ecc.... Pensate voi che questo sia un paese dove vi è " una grave situazione di pressione ambientale "? Può questa comunità " alzare un muro di omertà e di ostilità"? Vi chiedete ancora "Dov'è il Sindaco? Dov'è il Parroco? Dov'è la Preside? Pensate voi che chi ha avuto il " coraggio", come noi, di dichiarare pubblicamente guerra alla droga, agli spacciatori, alla mafia, alla delinquenza organizzata che - come risulta da diverse indagini giudiziarie - ritiene il Sindaco Marchì un nemico, uno "sbirro" possa non avere il coraggio di difendere i propri figli, di difendere Francesco, di aiutare e sostenere il piccolo bambino-testimone? È vero, per fare il Sindaco ci vuole coraggio, ci vuole passione, ci vuole amore per la propria città e per la propria gente, ci vogliono i cd..... A qualcuno vorrei ricordare che i Sindaci (con la S maiuscola) non sono mai "dipendenti" ma servitori dello Stato, della propria Comunità. Il Sindaco non lo si fa mai per il misero "stipendio"! La Magistratura, la Prefettura e le Forze dell'Ordine sanno bene qual è stato il nostro personale impegno per la ricerca della verità e non vogliamo, neppure in questa occasione nella quale sarebbe legittimo - di fronte a tante ingiuste accuse - gridare, con tutta la rabbia in corpo, quanto abbiamo fatto per la ricerca della verità, per la individuazione dei "carnefici" di Francesco e per la tutela del piccolo bambino-testimone.

I Barresi non siamo "omertosi, mafiosi, conniventi o quaquaraqquà". Abbiamo forte il senso della famiglia, della difesa dei bambini, della vita. Quello che, purtroppo, è successo a Barrafranca è accaduto e accade, in questi giorni, in ogni parte d'Italia. Con la differenza che se lo stesso fatto succede a Barrafranca (piccolo centro della Sicilia) e la gen-

te non parla questa è omertosa; se, invece, un fatto analogo si verifica in altre parti "civili" d'Italia allora la gente non ha visto o non ha sentito. È solo questione terminologica o culturale? Nessuno ha alzato un muro di omertà e di ostilità! Siamo rispettosi del lavoro della Magistratura così come siamo ossequiosi del principio di presunzione di innocenza sancito dalla Costituzione. Subito dopo la chiusura delle indagini da parte della Magistratura e delle Forze dell'Ordine -alle quali va la nostra piena fiducia - è stata convocata una seduta straordinaria pubblica (trasmessa in diretta da varie emittenti) del Consiglio Comunale nel corso della quale il Signor Procuratore della Repubblica di Enna dr. Salvatore Cardinale - alla presenza del Sostituto Procuratore dei Minorenni di Caltanissetta, del Prefetto di Enna e dei massimi rappresentanti provinciali dei Carabinieri e della Polizia - dopo aver illustrato la particolare complessità delle indagini - ha dato atto dell'attivo contributo delle istituzioni locali e ha sensibilizzato l'intera cittadinanza a dare solidarietà e sostegno al piccolo "ANGELO" (così abbiamo voluto chiamare il nostro testimone-bambino) che aveva avuto il coraggio e la forza di aiutare la giustizia. La stessa Magistratura ha giustamente ritenuto - per ovvii motivi di riservatezza - di non diffondere la vera identità di "ANGELO" e nessuno, neppure il Sindaco, poteva e può commettere l'errore di pubblicizzare alcuna azione a sostegno del nostro "ANGELO" e della sua famiglia. Sappiamo bene quale significato e quale grande valore hanno il coraggio di "Angelo" e della sua famiglia. "ANGELO" non è e non sarà mai solo. Lui e la sua famiglia sanno che gli siamo accanto silenziosi, senza clamore, in questa difficile e coraggiosa ricerca della verità. Lo dobbiamo a lui, lo dobbiamo a Francesco, a tutte le mamme. Lo dobbiamo ai nostri figli e alla nostra coscienza. Lo dobbiamo a tutti i nostri bambini, lo debbo a quel bambino che, durante la fiaccolata per Francesco, prendendomi la mano mi disse: "Sindaco, aiutaci". Il 19 e 20 novembre scorso abbiamo organizzato la I° Giornata a difesa dell'Infanzia e dell'Adolescenza e "per non dimenticare..... Francesco" e con un preciso motto "Lasciateci giocare".
In questa occasione Barrafranca è stata "elevata" dal Presidente della Provincia a "capitale dei bambini" per tutta la provincia di Enna. Siatene certi che continueremo, anche con l'aiuto di tutti Voi, a sostenere incondizionatamente il nostro "ANGELO" e la Sua famiglia, a non farlo sentire solo. Accolgo con estremo piacere la proposta della Signora Roberta Veneto di mettere sul sito comunale, accanto al manifesto

"NO alla droga-Tutti insieme contro la droga " un altro appello "NO ALL'OMERTA': Per non dimenticare Francesco, per non lasciare solo ANGELO". Così come vi metterò a conoscenza - tramite il sito comunale- di tutte le iniziative e di tutte le azioni che porteremo avanti. Basta tutto questo? Non lo so! Sono un povero sindaco (ora si con la s minuscola) che, a volte, si sente impotente di fronte a casi molto più grandi di lui. Ma ogni giorno mi dà forza la consapevolezza che "Il sorriso di un bambino è il nostro bene più prezioso e difenderlo è la nostra arma più potente". Un sincero grazie a tutti voi per questa immensa e solidale partecipazione e con l'augurio che possiate conoscere ed ammirare la vera Barrafranca e la vera Sicilia. Buon Natale e Felice anno nuovo.
Dal Palazzo Municipale 06 dicembre 2006 Totò Marchì Sindaco di Barrafranca

N.B: Qualcuno sicuramente si starà chiedendo perché il Sindaco non quereli "Il Blog di Beppe Grillo" per le diffamanti offese ed ingiurie alla comunità barrese con conseguente richiesta di risarcimento dei danni e relativa devoluzione all'Associazione METER di Don Fortunato Di Noto che si occupa di lotta alla pedofilia? La risposta è No, non querelo nessuno. La mia guerra è dichiarata contro gli "orchi" e contro gli assassini non contro chi fa maldestramente solo "gossip"! Sono sicuro che "Il Blog " saprà apprezzare!
13.12.06 19:20

Prendi i dividendi e scappa

Ora sappiamo chi era il vero responsabile della Telecom. Era Tavaroli. A capo di Radar. Delle intercettazioni illegali di centinaia di banchieri, manager, politici e anche di familiari del tronchetto. Era Tavaroli. Muoveva centinaia di persone in Telecom. Spostava decine di milioni di euro. Tutto ai danni di Telecom. Spiava il fratello dell'Afef. Il presidente e l'amministratore delegato sono stati gli ultimi a sapere. Erano distratti dai dividendi. Era Tavaroli il burattinaio. Qui i casi sono due. I soliti due. I suoi capi erano inadeguati o collusi. Tavaroli farà la fine di Litvinenko? Sarà polonizzato o basterà la tazzina di caffè?

I politici che starnazzavano per la paura dei tabulati tacciono. La televisione tace. Un silenzio che conviene a tutti. Per passare insieme il Santo Natale. Tronchetti continua a gestire la Telecom attraverso l'amministratore srl teleguidato Buora. E ogni due per tre si cerca di far cassa. Vendere Tim Brasil. Aumentare il canone. Qui il pudore dell'Authority ha avuto la meglio. E Calabrò non ha fatto passare l'aumento. Che però è stato proposto. Se questa è la nuova linea, Rossi è uguale al tronchetto. Giusto un po' di trucco, un cosmetico, un Ross-etto.
L'anno prossimo spero di incontrarlo all'assemblea degli azionisti. E parlare del più e del meno. Di Skype ad esempio. La telefonia via Rete. Che costa nulla o quasi nulla. Il servizio che ha avuto la crescita più rapida nella storia. E gli chiederò perché gli italiani devono pagare una tassa chiamata canone. Una tassa che si riversa in dividendi miliardari per i soliti gruppi economici. Che si traduce negli stipendi milionari dei top manager di Telecom. Direttamente dalle nostre tasche. Dai cittadini ai soliti pochi. È il famoso bottom up. E il bottom è sempre il nostro.
Aboliamo il canone. RESET!
14.12.06 22:47

Le nuove pesti

Premessa sugli inceneritori:
- Causano tumori
- Danneggiano l'agricoltura e gli allevamenti
- Fanno crollare il valore delle case dove sono costruiti
- Non sono necessari.

La truffa dei Cip6-Certificati Verdi dei finanziamenti a inceneritori, centrali a carbone e scarti petroliferi 'assimilati' alle energie alternative continua. Soldi prelevati in presa diretta dalla nostra bolletta dell'Enel.
I dipendenti al Governo lavorano a tempo pieno per petrolieri, costruttori di inceneritori e di centrali a carbone. E dopo la parola 'assimilati' hanno creato un'altra magia, una nuova parola magica: 'autorizzati'.
Impianti 'autorizzati' fino al 31 dicembre 2006. Invece di 'costruiti' fino al 31 dicembre 2006, com'era prima.
La parola 'autorizzati' è stata inserita all'ultimo secondo dai lobbisti del

Governo nella Finanziaria. Gli accordi di maggioranza erano altri, come ricordato dai dipendenti Loredana De Petris e Tommaso Sodano. Gli accordi prevedevano i finanziamenti solo per gli impianti esistenti. Ed era già troppo per questi capitalisti con la bolletta dell'Enel.
Il dipendente presidente del Senato Franco Marini si è impegnato a ripristinare il testo originale entro fine anno. Per ricordarglielo mandiamogli una mail
Purtroppo, comunque vada, nei prossimi anni le varie Asm Brescia, Hera, Sarlux, Edison, Enel, Api... continueranno a fare bilancio e capitalismo in Borsa con i nostri soldi grazie agli impianti "autorizzati" e/o 'realizzati'. Uno schifo a norma di legge.

Da cineteca le dichiarazioni del dipendente ministro Ds Bersani:
" Gradirei essere consultato quando si fa una norma. Sono questioni molto complesse e ci sono dei meccanismi di incentivazione molto radicati sui quali le imprese hanno fondato parte dei loro bilanci. Ad eliminarli senza criterio si rischia di andare in tribunale e perdere le cause".
Caro dipendente Bersani, in un Paese civile in Tribunale per risarcire i cittadini (costo medio dei contributi erogati alla voce A3 della bolletta Enel: 60 euro annui) ci dovrebbero andare i politici come lei che hanno permesso i finanziamenti e le aziende, o ex municipalizzate, che ricevono i fondi e amano la politica diessina-diossina.
15.12.06 23:58

I marchettari

Quando è successo? In quale momento i giornalisti si sono trasformati in marchettari? I direttori di giornali in manager pubblicitari? Le redazioni in addetti stampa delle grandi aziende? È sempre stato così? L'informazione è sempre stata una grande puttana? O c'è un prima e un dopo? La notizia non è più una merce, ma un veicolo patogeno che contiene virus di marche automobilistiche, di acque minerali, di medicinali inutili. Ma per fortuna a proteggerci c'è qualcuno. Il Gigante buono dell'Authority. Un Gigante immobile. Che può intervenire solo su denuncia dei cittadini. Se nessuno facesse una denuncia, gli impiega-

ti dell'Authority potrebbero starsene sempre a casa.
Noi italiani siamo straordinari. Riusciamo a pagare per leggere la pubblicità occulta. Non è più l'azienda a pagare il giornale per le inserzioni. Siamo noi che paghiamo per leggere la pubblicità sotto forma di articoli. Quella più schifosa. Che ti trova indifeso. Una volta la marchetta il giornalista la faceva tra un servizio e l'altro. Sperando di non farsi notare. Adesso scrive il servizio tra decine di marchette. Sperando che qualcuno lo noti.
Gli editori hanno una sola cosa in testa. L'attenzione al cliente (dell'inserzionista). Non più lettore, ma consumatore. Circonvenzione di consumatore. Un'attenzione morbosa, pedogiornalismo. L'inserzionista è il datore di lavoro dei giornalisti, ma chi paga l'uno e gli altri siamo sempre noi. Paghiamo il giornale, la pubblicità occulta, il prodotto pubblicizzato.
E finanziamo i giornali con le nostre tasse. Perchè i giornali sono finanziati dallo Stato. Senza chiuderebbero. RESET. Aboliamo i finanziamenti ai giornali e ai loro direttori. Che tromboneggiano, debortoleggiano sullo sfondo con grande, intelligente distacco in ogni talk show.
Giuseppe Altamore ha scritto un libro di autodifesa: 'I padroni delle notizie' e ha rilasciato un'intervista per il blog a Piero Ricca. Guardate il video. Poi disdettate gli abbonamenti.
16.12.06 23:35

Lo sconto postumo

L'Italia è una nazione fondata sul debito pubblico. Ha fondamenta debitorie solide. Un alibi di ferro per le Finanziarie. Un alibi per nuove tasse, per l'aumento di quelle esistenti. La Finanziaria preserva il debito pubblico. Con un imponente debito pubblico le riforme non si possono fare. E tutto rimane com'è per la felicità dei nostri dipendenti. Nessun governo è intervenuto sulla spesa pubblica. Neppure il Ciclista e lo Sciupà. Se i costi corrono, le tasse aumentano e il debito tiene. Il debito è ormai una condizione dello spirito. È nell'aria. Indebitarsi è uno stile di vita. Chi vanta crediti è un fallito. Bisogna vantare debiti per essere qualcuno. Più il debito personale è grande, maggiori sono le opportunità. Si può diventare persino presidente del Consiglio o della Telecom.

Le parole... Accesso al credito rassicura, accesso al debito preoccupa. Diventiamo accreditati, non indebitati. Banche, finanziarie e grandi distributori sono in prima fila per la creazione della povertà attraverso il credito. Se avessi detto a mio padre che mi indebitavo con Taeg 20% per andare alle Antille mi avrebbe preso a calci nel c..o. E poi avrebbe denunciato la banca. Le banche pensano sempre ai nostri sogni. Li vogliono vedere realizzati insieme agli interessi bancari. A Natale è disponibile lo sconto se paghi dopo. Un mistero. Se si paga dopo sei mesi scatta lo sconto senza alcun interesse. Se paghi subito no. Un bel Tv Color Lcd costa circa 1200 euro. Se paghi dopo sei mesi in contanti ti costa il 20% in meno. Un affare. Ma se tra sei mesi ti dimentichi, non arriva il bollettino o non hai i soldi cosa succede? Con Tan 17,48%, Taeg 18,45% (ma possono essere superiori) per 1000 euro fanno 24 rate mensili da 53,40. Il risultato è di 1281,60. I grandi distributori guadagnano sul debito dei clienti. Assistiti dalle finanziarie.
RESET. Un ritorno alla cultura del risparmio. La pubblicità del debito va proibita. Come è avvenuto per il fumo. È un atto di oscenità sociale. Una istigazione a delinquere contro noi stessi. Per Natale fatevi un regalo. Comprate meno e solo quello che vi potete permettere.
17.12.06 22:42

Italia a carbone

A Porto Tolle qualcuno si sta battendo per noi. È Greenpeace. Il governo degli inceneritori e della Tav è rimasto a fine Ottocento, alle sorti progressiste e al sol dell'avvenire. E al carbone. I Verdi non sono pervenuti. Bisogna capirli sono verdi e rossi. Verdidiossinidiessini. Pecoraro, alza la voce una volta nella tua verde vita! Dì qualcosa di verde!
Riporto un comunicato di Greenpeace su Porto Tolle. Non lo troverete sui giornali finanziati dalla pubblicità dell'Enel. In pratica (quasi) tutti. Guardate le foto e i video.

"Arrampicati a 250 metri d'altezza da ieri notte. Una squadra di climber di Greenpeace è entrata in azione alla centrale di Porto Tolle (Rovigo) per protestare contro il ritorno al carbone promosso dal Governo. Alcuni climber si trovano ora sul camino della centrale e stanno dipingen-

do una scritta gigantesca, mentre altri sul tetto dell'edificio, dove hanno apposto una gigantesca coccarda con scritto 'Enel clima killer'.
La centrale di Porto Tolle, secondo il progetto dell'Enel attualmente in fase di autorizzazione, dovrebbe essere convertita a carbone per una potenza di 1.980 Megawatt e con un'emissione di CO_2 di oltre 10 milioni di tonnellate l'anno.
L'impianto sorge peraltro in un parco naturale definito patrimonio dell'Umanità dall'Unesco. I delta dei grandi fiumi sono ambienti che godono di particolare protezione in tutto il mondo: in Italia, invece, l'area vede la presenza di questa vecchia centrale a olio combustibile, pesante fonte di inquinamento, tanto che a marzo scorso è arrivata una condanna per i top manager dell'Enel.
La scomoda verità è che il ritorno al carbone non ci farà raggiungere gli obiettivi di riduzione delle emissioni di gas serra. L'accordo tra il Ministero dello Sviluppo Economico e quello dell'Ambiente prevede un tetto alle emissioni eccessivo rispetto alle linee guida europee: 209 milioni di tonnellate in totale al posto di 186. Non c'e posto per la centrale di Civitavecchia, tanto meno per quella di Porto Tolle. La Commissione Europea deve tagliare la proposta di Piano Nazionale di Allocazione dell'Italia. Oggi il carbone copre il 17 per cento della produzione elettrica nazionale ed è responsabile dell'emissione di oltre 40 milioni di tonnellate di CO_2. Con i progetti di espansione di Enel, Endesa, Tirreno Power e altri, queste emissioni sono destinate a raddoppiare. Il carbone è il combustibile con le più alte emissioni specifiche di CO_2, oltre il doppio del gas naturale.
Il programma politico dell'Unione indica obiettivi per lo sviluppo di fonti rinnovabili e per l'efficienza energetica, ma al momento nell'azione di Governo non c'è traccia di tutto questo. Chiediamo che vengano fissati obiettivi vincolanti e coerenti con gli impegni assunti in campo internazionale".
18.12.06 22:53

Bambini fantasma

I bambini scompaiono. Svaniscono come fantasmi. E talvolta non ritornano. Nell'anno 2006, fino al 7 dicembre, 1.687 minori (MILLE-

SEICENTOTTANTASETTEMINORI) “risultano ancora da cercare” in Italia secondo la Direzione Centrale Anticrimine della Polizia di Stato. 385 (TRECENTOTTANTACINQUE) sono tra gli 0 e i 10 anni di età, di cui 107 italiani (lo scorso anno 52) e 278 stranieri. È un fenomeno (un business?) in continua crescita dal 2004. E manca ancora il periodo natalizio. Al posto di Babbo Natale ci sarà l'Orco di Natale. Invece di portarti un triciclo ti asporta un rene.
Leggo le statistiche e le lettere di denuncia che ricevo e non capisco. I bambini sono sacri. E allora perché i media ne parlano solo in alcuni casi? La politica non si mobilita? Quando vedete un bambino solo che chiede la carità non voltatevi. Chiamate la polizia, i carabinieri, i vigili urbani. Questi numeri spaventano, anche se: “Circa l'80% dei bambini che ‘scompaiono’ rientrano nella categoria degli allontanamenti volontari o delle sottrazioni operate dai genitori stessi”.
Non riesco crederci. Datemi un aiuto. I dati vanno forse interpretati? La prima reazione è di rifiuto.
L'Italia non è tutta uguale. Nel 2006 i bambini perduti sono di più in Lazio (454), in Lombardia (205) e in Veneto (194). Uno in Molise, nessuno in Valle d'Aosta. Il ministro dell'Interno Giuliano Amato deve occuparsi di questo problema, certo già lo fa. Un messaggio da parte nostra con una email gli servirà da stimolo. Una sua risposta al blog forse non ci tranquillizzerà, ma sarà un segnale importante.
Buon Natale bambini.
19.12.06 23:55

Il fascicolo B.Grillo

Io voglio essere intercettato. Ma dai magistrati. Non dalle aziende. Non dalla Telecom. Non da Tavaroli. Non dai suoi capi. Chi erano i suoi capi? Sono ancora in libertà? Quelli che passano i week end a Portofino su barche da 40 metri. Il tronchetto e il suo aiutante Buora. La Repubblica scrive oggi che c'è un fascicolo a nome B.Grillo. Non sono io. Deve essere Bernardo Grillo. Battista Grillo. Benedetto Grillo. Che motivo avrebbe avuto la Telecom per spiarmi? Cosa ho detto di male? Il blog mi è testimone che l'ho tirata in ballo solo per qualche cosetta. Quanti sono i fascicoli aperti, le persone spiate? Gli spioni schifosi, i

giudici, i giornalisti. Tutti sono informati sui fatti. Tranne gli spiati. I magistrati devono informare chiunque sia stato intercettato. Subito. Ora. Cosa dobbiamo aspettare? Di saperlo dal telegiornale della sera o dal barbiere? Una intercettazione può essere già stata usata, venduta, fatta circolare contro l'intercettato. Che ha il diritto di sapere. E di denunciare la Telecom. Dopo la legge sulle intercettazioni approvata a settembre da tutti i partiti uniti, il silenzio. Ma i cittadini intercettati? I loro diritti? I nostri dipendenti hanno pensato alle loro intercettazioni. A pararsi il c..o. Lasciando allo scoperto il nostro.
Le feste natalizie mi spingono a un gesto estremo per un genovese. Offrire un compenso a chi mi farà avere delle intercettazioni sul tronchetto. Offro 500 euro.
20.12.06 23:05

I dossierati Telecom

C'è una nuova categoria di italiani: i dossierati Telecom. Marco Travaglio si è scoperto dossierato e mi ha scritto una lettera di solidarietà. Dossierati d'Italia unitevi in una class action contro gli spioni di Telecom. Io ci sono, Travaglio pure, l'associazione Antidigitaldivide anche. Chi, in qualità di dossierato, vuol partecipare mi scriva. Più siamo, più risparmiamo sugli avvocati.

"Caro Beppe,
ti scrivo in qualità di dossierato Telecom, quindi di collega. L'altro giorno il Corriere della Sera ha riportato il contenuto dell'interrogatorio di un ex giornalista di Famiglia Cristiana, Guglielmo Sasinini, il quale avrebbe confidato ai magistrati milanesi di avere realizzato, per conto dell'ex capo della sicurezza Telecom, una cinquantina di "report", alcuni orali, alcuni scritti. Il mio era scritto. Mentre si capisce fin troppo bene perché tu eri spiato dalla Telecom, visto che te ne occupi fin dai tempi in cui faceva capo alla Stet, non ho ancora ben capito a che scopo abbiano spiato me. Forse perché un capitolo del mio libro "Regime", scritto con Peter Gomez, raccontava come il Tronchetto, nel 2001, avesse soffocato La7 nella culla, pagando fior di miliardi di penale a Fabio Fazio e a Gad Lerner purché non facessero i programmi previsti

dai loro contratti che minacciavano di riscuotere ascolti altissimi e di sottrarre share e pubblicità alla Rai e soprattutto a Mediaset. Non contento, il Tronchetto completò l'opera regalando centinaia di miliardi a Berlusconi: rilevò a prezzo doppio la disastrata Edilnord di Paolo Berlusconi, sponsorizzò il Milan (essendo vicepresidente dell'Inter) e acquistò le decotte Pagine Utili fondate, anzi sfondate da Marcello Dell'Utri (l'Antitrust bloccò poi l'affare, visto che Telecom possedeva già le Pagine Gialle, ma Tronchetto pagò comunque al gruppo Fininvest una penale da capogiro). Con il mio avvocato, tenterò di capirne di più e, naturalmente, farò causa a Telecom, a Tavaroli e a Sasinini. Per prima cosa, chiederò di visionare il mio dossier: non si sa mai, metti che abbiano scoperto sul mio conto qualcosa che io stesso ignoro. Purtroppo però c'è un problema: il cosiddetto Ministro della Giustizia Clemente Mastella, con i voti di tutti i partiti di maggioranza e opposizione, ha fatto passare un decreto che ordina la distruzione di tutti i dossier illegali. È il decreto più demenziale del mondo: chi, come noi, non ha nulla da nascondere, ha tutto l'interesse alla conservazione dei fascicoli, per poter chiedere i danni a chi li ha realizzati. Chi non commette reati può essere spiato anche per trent'anni, ma di reati a suo carico non ne salteranno mai fuori. Chi invece li vuole distruggere ha una coda di paglia lunga così. È come se ci dicesse: visto che sono un maiale, chi mi spia scopre un sacco di porcherie, quindi bruciamo tutto. Ecco, sto studiando il modo di chiedere che quel decreto non si applichi al mio dossier, anzi che venga dichiarato incostituzionale. Visto che i dossierati Telecom sono parecchi, propongo di coalizzarci perché nessuno tocchi i nostri dossier. Chi vuole distruggere il suo, faccia pure. Ma lasci stare i nostri, che devono rimanere intatti finché gli spioni e i loro mandanti non saranno stati condannati e gli spiati risarciti".

Marco Travaglio
21.12.06 23:11

Stelle morenti

Ho deciso di parlare anch'io di Welby. Di fare anch'io la mia piccola pornografia della morte. Per permettere a tutti coloro che lo desiderano

di commentare una volta per tutte su Welby. Un commento come nei quaderni per i defunti nell'androne di casa. Poi lasciamolo in pace per sempre. Insieme a chi è nella sua condizione.
La televisione ha un nuovo reality, prodotto e diretto da Bonino & Pannella. Si chiama: 'Erano stati famosi'. Ci si iscrive in punto di morte. Si diventa star nel momento del trapasso. Stelle morenti. Stelle di una TV endoscopica. Migliaia di Piergiorgio Welby, esclusi dai provini, vedono che uno di loro, assediato dai media, è alla fine staccato dal respiratore. La morte assistita di Welby è un suicidio assistito, un omicidio del consenziente, un reato grave.
Ma i radicali sono come Lourdes... dove ci sono le sfighe ci sono pure loro.
Un mio amico, Primario di un reparto (con televisione) per pazienti in coma, ha due ricoverati come Welby. Mi ha detto che non sa più come fare! Non è facile dire che Welby non era depresso e anche il contrario. Ci vuole la fascia protetta per i disperati, potranno vedere solo la pubblicità e la messa della domenica mattina. La dignità è finita per sempre, da quando la morte ha perso la sua privacy.
22.12.06 18:12

Que viva Chile!

Mi scrive dal Cile Jorge Coulon degli Inti Illimani. È leggermente inc.... to con me per il post su Pinochet.
Jorge, io scherzavo. Sono un comico. So tutte le vostre canzoni a memoria.
Non sapevo che foste in Cile da 18 anni. Pensavo che foste ancora a Milano Marittima. La colpa è della televisione italiana che non aggiorna mai i programmi. Se tornate siete invitati a pranzo a casa mia. Ma senza chitarre. Perdonatemi se potete.
Que viva Chile!

"Beppe,
sono Jorge Coulon del gruppo Inti Illimani del Cile, dato il sapore più che leggermente xenofobo della tua battuta su di noi, voglio informarti che dal 1988, non appena si è aperta la possibilità di tornare in patria,

lo abbiamo fatto ed è da allora che viviamo nel nostro paese. Il motivo del nostro soggiorno in Italia è legato alla dittatura di Pinochet, e siamo riconoscenti dell'ospitalità degli italiani e ci scusiamo se la dittatura è durata più di quanto noi avremmo immaginato. Comunque abbiamo tolto il disturbo già da 18 anni e sono spiacente che la tua informazione su di noi sia così frammentaria che produca una battuta degna più di Bossi che del Beppe Grillo che abbiamo imparato ad ammirare nel nostro troppo lungo soggiorno italiano. Credimi che non me lo sarei aspettato di te".

Jorge Coulon
23.12.06 13:45

Regaliamoci le rinnovabili

Nessun giornale o televisione nazionale ne parla. La pubblicità dell'Enel, pagine e pagine di giornali e riviste, è più importante della nostra salute. Dei 3,1 miliardi di euro pagati ogni anno con le bollette dell'Enel. Di una notizia che riguarda il futuro delle energie rinnovabili.
Ma qualcosa si muove sullo scandalo Cip6-Certificati Verdi e i finanziamenti a inceneritori, centrali a carbone e scarti petroliferi.
Dopo le proteste dei dipendenti Tommaso Sodano (Prc) e Loredana De Petris (Verdi), che con i loro gruppi hanno minacciato di abbandonare i lavori del Senato, l'inca.....ra del dipendente Pecoraro Scanio (alleluia!), dopo oltre 23.000 firme elettroniche in pochi giorni sul blog e migliaia di vostre mail al dipendente Franco Marini, il Governo ha annunciato che mercoledì 27 dicembre si riunirà per togliere di mezzo le paroline 'impianti autorizzati'. Qui c'è il Comunicato di Palazzo Chigi agli atti al Senato. Bisogna comunque vigilare.
Infatti i piromani sono in fermento. Si agita Assoambiente-Confindustria presieduta da Pietro Colucci presidente di Waste Italia che costruisce anche inceneritori e finanzia con regolarissime fatture An, Forza Italia, Ds (minuto 39:45 del video di *Report*). Si agita il presidente di Federambiente (non fatevi ingannare dalla parola è l'associazione che riunisce tutte le ex municipalizzate ed aziende del settore) Daniele Fortini, che è anche co-presidente del Cewep, la Confederazione Euro-

pea dei gestori d'inceneritori. Preso dal nervosismo gioca a fare il John Wayne e con un comunicato spara: o le bollette o le tariffe - voi cittadini dovete pagare per gli inceneritori!
Ma che in assenza di contributi pubblici l'incenerimento di rifiuti fosse anti-economico i bolscevichi del Wall Street Journal lo scrivevano già l'11 agosto 1993.
Per il dipendente diessinodiossino di Torino Sergio Chiamparino (Ds) abolire i finanziamenti agli inceneritori "è una decisione improvvida". Disperato lancia una idea al suo amico Bersani per riavere i nostri soldi: "'Confido che il Governo saprà rimediare successivamente con un decreto del Ministro dell'Industria, per riportare il trattamento rifiuti nell'ambito delle biomasse, consentendo così di accedere agli incentivi stabiliti per le energie rinnovabili". Chiamparino chiede aiuti di Stato che drogano la libera concorrenza a livello europeo e spaccia per biomasse e fonti rinnovabili rifiuti non biodegradabili come le plastiche e materiali tossici vari (vietato dall'Ue).

Va spiegato ai piromani che esistono le alternative per evitare inceneritori e chiudere molte discariche:
- Riduzione alla fonte - tassare il doppio-triplo imballaggio, vendita prodotti alla spina
- Raccolta differenziata porta a porta con tariffa puntuale con microchip (più ricicli meno paghi) che può arrivare anche al 75-80% come dimostrano esperienze in provincia di Treviso
- Per il residuo non riciclabile il trattamento biologico a 'freddo' senza combustione. Metodo con impatti sanitari minimi rispetto all'incenerimento e decisamente più economico. Guardate il video e leggete i documenti degli incontri dei Meetup di Verona e Reggio Emilia con l'imprenditore Francesco Galanzino, vice presidente Consorzio Italiano Compostatori, ed il prof. Federico Valerio dell'Istituto Tumori di Genova.
- Strategie future 'rifiuti zero' votate nel maxiemendamento della Finanziaria (art. 1111). Nei prossimi anni dovranno essere raggiunti diversi obiettivi di raccolta differenziata pena il commissariamento dei consorzi di gestione territoriale.

Non molliamo! RESET. Per evitare scherzetti inviamo una mail ai dipendenti Prodi, Bersani, Pecoraro, Letta, Sircana ed in copia ai respon-

sabili della Comunità Europea perché non siano più finanziati più con i nostri soldi l'incenerimento di rifiuti e le centrali a fonti fossili. Facciamo un regalo di Natale a noi e ai nostri figli.
23.12.06 20:31

Santa Meteorite, tu scendi dalle stelle...

Un messaggio natalizio dal blog e da Stefano Benni.
Buon Natale. Beppe Grillo.

"Cara Meteorite,
gli scienziati hanno detto che distruggerai la terra entro il 2017. Io non so se è vero. So che sul nostro pianeta gli scienziati seri non sono quasi mai ascoltati, e poi si scopre che hanno ragione. Si ascoltano solo gli scienziati che dicono che questa economia e questa scienza sono le migliori possibili, e chi non è d'accordo con loro è un catastrofista e un ecoterrorista.
In effetti il 2017 è un po' presto, io contavo che la terra finisse nel 2046, come sostengono gli scienziati del riscaldo globale. Quindi a Natale regalerò solo dolci e cotechini, che vanno bene nel breve periodo.
Ora, cara Meteoritona, vorrei farti una richiesta. Io so che lassù nell'universo avvengono grandi trasformazioni e ribaltoni, miliardi di mondi che nascono e muoiono, stelle che scompaiono come i processi a Previti e buchi neri come i bilanci Tim. Perciò forse, in quel frastuono, non vi giunge la voce di grandi protagonisti cosmici come Mastella, Casini, Calderoli o Scaramella.
Quindi, se avete deciso di farci fuori come un birillo da bowling fate pure.
Forse il nostro paese se lo merita. Se lo merita il popolo dei no fiscal che piange miseria, e poi si scopre che le vacanze natalizie alle Maldive e ai Tropici sono aumentate del trenta per cento. Se lo merita questa destra che appena ha perso il potere è impazzita di rabbia, neanche sa cos'è la dignità dell'opposizione. Se lo merita questa sinistra molliccia che prende gli schiaffi senza reagire, patteggia e costruisce della finanziarie arroganti che poi deve smontare pezzo per pezzo. Se lo meritano i cosiddetti indecisi che solo perché gli mettono una tassa in più si pen-

tono di aver votato e dimenticano in un giorno cinque anni di governo di centro-destra corrotto, incapace e succube dei super-ricchi.
Un paese che insulta i partigiani, gli omosessuali, gli immigrati, e si inchina a qualsiasi grande ladrone. Un paese intriso di mafia non solo in una regione, ma in ogni dove, dalla grande economia al piccolo cantiere, dalle spartizioni televisive al campionato di calcio. Un paese che, proprio nel momento che l'ha mandato all'opposizione, dimostra di meritarsi Berlusconi e i suoi ispiratori. Ma anche se non ci credi, cara Meteorite, in questo paese ci sono tante persone che si prendono delle responsabilità, che aiutano gli altri, che lavorano e che pensano di essere cittadini con diritti e (orrore!) anche con doveri. Tante persone (ahimé non la maggioranza, e forse mai lo saranno) che non pensano che destra o sinistra siano la stessa cosa. E neanche che sia uguale scegliere onesto o ladro, aria o smog, guerra o diplomazia, progresso e sfruttamento.
Non chiedo una chance per loro: per scegliere quelli da salvare nascerebbero tremila commissioni e sotto-commissioni, ci sarebbero ribaltoni e alla fine arriveresti tu a risolvere la questione.
Io propongo: se noi ci organizziamo e prendiamo un milione di bambini e adolescenti, e li portiamo in Nuova Zelanda, non potresti tamponarci dall'altra parte, in modo che almeno loro sopravvivano e alla razza umanoide sia data una seconda possibilità? Una piccola chance, dai. Magari non ce la fanno, magari diventano carogne come noi, ma almeno lasciali provare.
Le ragioni sono quattro: tre importanti e, una meno. Le tre importanti sono:
Primo, vorrei vedere quanti chili e quante querele riesce a raggiungere Beppe Grillo.
Secondo, vorrei vedere una partita dove regalano un gol finto al Bologna contro la Juventus.
Terzo, ho un'assicurazione sulla vita e il capitale mi torna indietro nel 2018.
La quarta, meno importante, è questa, credo che questo mondo sia il migliore di tutti, perché non ne ho mai visto un altro.

Ti ringrazio, cara Meteorite, e ti auguro un buon viaggio, stai attenta perché quando arriverai nell'atmosfera terrestre troverai centomila rottami di satelliti, tonnellate di spazzatura intergalattica radioattiva,

cessi orbitanti, schizzi di polonio in libertà, e Montezemolo e Silvio che cercano di svignarsela col loro jet personale.
Comunque buon Natale anche a te, cara Meteorite, e se sei stanca, fermati pure a riposare".

di Stefano Benni (il lupo)
24.12.06 19:03

Supposta di Natale

Babbo Natale ci ha portato la Finanziaria. Invece delle renne ha usato la bicicletta. Romano Natale si è subito pentito e ha detto che non la farà più. Poi ha subito cambiato idea e ha detto che non si è pentito e la rifarebbe ancora. È stata una Finanziaria piena di sorprese. Una Finanziaria mutante. Una Finanziaria che gli studiosi ci spiegheranno solo tra qualche anno. Quando riusciranno a capire di cosa si tratta. Delle correlazioni e degli emendamenti. Delle puntualizzazioni e delle retromarce. Delle lobby e degli inciuci. È stata una Finanziaria estenuante. Ci ha preso per sfinimento. Prima della votazione finale Romano Natale poteva chiederci qualunque cosa, qualunque tassa, qualunque schifezza. Gli avremmo detto di sì pur di togliercelo dai piedi per il periodo natalizio.
Le cose che ho capito nella Finanziaria non mi sono piaciute. Non mi è piaciuto il tentativo di cancellare i reati contabili contro la Pubblica Amministrazione, non mi è piaciuta la modifica alla legge che eliminava i contributi ai nuovi inceneritori togliendoli alle energie rinnovabili. Le cose che non ho capito nella Finanziaria mi sono piaciute ancora di meno. Non ho capito perché si tolleri il conflitto di interessi, perché non siano state cancellate le leggi salva ladri Pecorella e ex Cirielli. Perchè non sia stata modificata la legge elettorale che ha creato delle consorterie a disposizione di BerlusconiBossiCasiniRutelliFassinoBertinotti eccetera eccetera. Perchè non sia stata abolita la legge Biagi. Perchè non siano stati toccati i monopolisti con le tariffe più care d'Europa e i servizi più scadenti. Perchè i mandanti delle intercettazioni telefoniche non siano in galera insieme agli esecutori. Perchè non sia stata avviata la riforma della televisione. Perchè Previti, corruttore di

giudici, sieda in Parlamento. Perchè siano stati eletti nella commissione antimafia due parlamentari condannati in via definitiva. Perchè questo Governo sia troppo uguale a quello dello nanobypassato. Perchè il programma dell'Unione, le indignazioni pre elettorali siano rimaste lì dove si trovavano, a prima del 9 aprile.
Fassino il cementificatore parla di Fase 2. Se vuol dire che si deve tornare a votare, cambiando prima la legge elettorale, sono d'accordo. Se intende invece lo sviluppo della Fase 1, il prossimo carico di supposte lo usi all'interno dei parlamentari dell'Unione. I cittadini hanno già dato.
25.12.06 23:05

Aldo Moro

Ricevo e pubblico una lettera di Maria Fida Moro.

"Gentile Signor Grillo,
mi permetto di scriverle, anche senza conoscerla personalmente, per chiedere il suo aiuto. Sono Maria Fida, la figlia maggiore di Aldo Moro. Questo è il 29° anno dalla tragica morte di mio padre ed il potere non si è ancora stancato della cortina fumogena creata ad arte al fine di adombrare la verità storica del caso Moro oscillando tra due poli: la congiura del silenzio (un silenzio assordante) da una parte e la memoria negata dall'altra. Ma il peggio del peggio è quando si mettono in scena film e spettacoli teatrali quasi sempre basati su fonti parziali o discutibili. Una vera apoteosi dell'ingiustizia! Leggo con raccapriccio che, in aprile, dovrebbe uscire su Canale 5 una fiction in due puntate su Aldo Moro. Orripilante, ma non basta. Standо alle indiscrezioni la sceneggiatura -come nel film di Bellocchio- si baserebbe su testi della Braghetti e di altri Brigatisti e su conversazioni avute con Francesco Cossiga. Intollerabile ed assurdo.
Questa non è libertà di pensiero e di espressione, ma un deliberato atto di violenza gratuita. Se è giuridicamente possibile farlo non significa che sia etico. Perché -mi chiedo io- persone che hanno cooperato, a vario titolo, al rapimento ed all'uccisione di mio padre dovrebbero avere competenza adeguata a tracciarne un profilo da affidare sic et simpliciter al giudizio dell'opinione pubblica che non sempre è in grado

di valutarne la attendibilità storica? E perché al contrario devono essere sempre tenute alla larga tutte le persone che gli hanno vissuto accanto e che lo amavano? La risposta è semplice, perché se si dovesse descrivere il vero Moro l'assurdità della sua morte ingiusta risalterebbe nitida invece nella mistificazione delle ipotesi a tema essa svanisce senza quasi lasciare traccia. Proprio come nel caso Welby in nome di diritti sacrosanti si opera contro l'amore. Per papà non valeva il diritto alla vita, per Welby il diritto a lasciare dignitosamente il suo corpo mortale. Entrambi sono stati accusati di strumentalizzazione. Ma quale? Forse quella di dire e rivendicare la verità, tutta la verità e niente altro che la verità?!
Papà, in nome di principi sanciti dalla Costituzione in favore dell'uomo, è stato sacrificato alla ragion di Stato (tranne che poi quando era troppo tardi tale riconoscimento è stato conclamato e reiterato mille volte).
Per il povero Welby si pretendeva che accettasse di finire soffocato sia pure in presenza della macchina dopo una interminabile agonia. Visto che la natura umana permette di conoscere veramente solo quello che si è sperimentato è evidente che sia nel caso Moro che nel caso Welby nessuno avesse davvero titolo per dettare giudizi. E sarebbe tanto bello se ci sforzassimo di diventare più amorevoli e misurassimo le cose con la ragione del cuore.
Mio padre se ne è andato ed è in salvo, proprio come Piergiorgio Welby, ma io esprimo ugualmente cordoglio e dolore lancinante per una fiction che trasformerà una tragedia greca in coriandoli di plastica. Non è giusto, non è giusto, non è giusto. Se non lo si vuole ricordare degnamente si faccia silenzio, un silenzio assoluto e compassionevole. Mi spiace ma io non riconosco ad Anna Laura Braghetti nessun titolo di merito (e lo dico io quella del perdono). Essere stata la carceriera di Moro non è una categoria di pensiero, né tantomeno un titolo accademico. Se era impietosita perché non lo ha lasciato andare o almeno non si è personalmente rifiutata di fargli da guardiana? In quanto all'emerito ex Presidente Senatore Francesco Cossiga, come già ho avuto occasione di scrivergli in privato, le lacrime non lavano il sangue innocente. Se come afferma spesso davvero provava affetto per Aldo Moro non lo ricordi attraverso una inutile fiction. Mi piacerebbe che cadesse un fulmine dal cielo e distruggesse tutte le copie della stessa o ancora meglio che gli italiani si opponessero, con forza e sdegno, a questa ulteriore ignominia. In migliaia mi hanno detto " Avremmo voluto fare qualcosa per salvarlo ". Adesso possono difenderne la memoria e lasciarlo

al ricordo di coloro che lo hanno amato e lo amano con tenerezza e struggimento. E possono altresì dare a noi, che abbiamo avuto la vita devastata dalla sua morte, un po' di pace.
Deve essere vietato togliere ad un uomo buono ed innocente oltre la vita anche la dignità. Che sulla valle delle lacrime scenda il silenzio. Con gratitudine per quanto vorrà e potrà fare".

Maria Fida Moro
26.12.06 19:13

Gas sotto casa

Cosa hanno in comune il Canton Ticino, l'articolo 67 della Costituzione Italiana e il più grande deposito d'Europa di gas naturale? Tutto e niente. Tutto perché alla fine si parla di democrazia. Niente, perché mentre il Governo del Canton Ticino ha approvato la revisione delle norme sull'ineleggibilità, sulla destituzione e sulla sospensione di persone condannate o perseguite per crimini o delitti contrari alla dignità della carica. Mentre questo succede in Svizzera, in Italia chi ha commesso un crimine fa carriera in Parlamento. E le decisioni sulla nostra vita, sull'ambiente, sulla salute vengono prese senza consultarci. Un vero esempio di Democrazia Indiretta. Una volta si chiamava più correttamente sopraffazione, forse dittatura. E l'articolo 67? Quello che dice: "Ogni membro del Parlamento rappresenta la Nazione ed esercita le sue funzioni senza vincolo di mandato"? È superato. I parlamentari rispondono ai capi partito. Non sono stati eletti da nessuno. Non hanno legittimazione popolare. E, spesso, si vantano pure di prendere scelte impopolari come per l'indulto. Come se fossero più belli, più intelligenti del corpo elettorale e non dovessero invece rendere conto delle loro scelte.
Pubblico una lettera di Nino da Mirandola (Modena) che descrive la considerazione in cui vengono tenuti i cittadini dai loro dipendenti.

"Ciao Beppe,
volevo segnalarti un caso interessante: Il più grande deposito di gas naturale d'Europa verrà costruito a Mirandola. Il Ministero ha dato le

concessioni per 40 anni nel 2004, i comuni interessati lo hanno saputo a marzo 2006 e solo ora la popolazione e' stata informata che avranno stivati sotto le loro case 3,2 miliardi di metri cubi di gas in un'area di 120 kmq.
Evidentemente già da alcuni anni (vedi tabella di autorizzazioni ministeriali del 2004 e sito della Independent Resources) si è deciso di fare sul nostro territorio uno stoccaggio di gas metano di 3 miliardi di metri cubi in acquifero, pompato con turbine giganti alla profondità di quasi 3.000 m. Lo stoccaggio è di proprietà della Indipendent Resources Plc che comprerebbe il gas dalla Gaz de France, stoccandolo in estate (quando il prezzo è basso) per poi riestrarlo x la vendita in inverno (a prezzi elevati). Lo stoccaggio avrà una estensione di più di 120 km_2 - la stazione di deposito sarebbe composta di 3 o 4 capannoni alti 40 mt, una candela a freddo alta 100 m e alcuni bruciatori alti circa 40 m...- di tutto ciò la cittadinanza è venuta a conoscenza circa un mese fa, tutto è stato fatto senza interpellare nessuno e il progetto è già in fase di approvazione dal Ministero delle Attività Produttive e dalla Regione.
Il Ministero e la Regione stanno valutando lo Studio di Impatto Ambientale presentato dall'azienda circa nove mesi fa. I comuni interessati sono stati avvertirti dalla Regione Emilia Romagna dal 3 marzo 2006 ma solo ora che sono iniziati i lavori di esplorazione hanno divulgato la notizia."

Nino
27.12.06 23:30

Calendario 2007

Oggi pubblico il calendario 2007 con gli eroi e i martiri d'Italia al posto dei santi. Chiunque può stamparlo liberamente o inviarlo a un amico. Non se ne può fare, ovviamente, uso di lucro. Può essere che tra le tante vittime qualcuna non sia stata citata. Inviate l'informazione e sarà aggiunta. Può essere che il calendario contenga qualche errore. Segnalatelo. Alcune volte le vittime erano più di una nella stessa data, ma solo una è stata citata. Leggendo i nomi dei caduti giorno dopo giorno l'Italia appare un teatro di guerra. Tra onesti e disonesti. Tra servitori dello Stato e criminali, terroristi e politici corrotti. Una guerra aperta a ogni soluzione. Una guerra in corso il cui esito non è scontato. Non è detto che vincano i nostri. Ed è anche difficile capire chi sono i nostri, chi i loro. E se questo Paese può ancora chiamarsi Stato di diritto.

Dall'introduzione del Calendario 2007:
" I santi ci accompagnano da sempre nel calendario. In caso di necessità ci proteggono. Chi non si è rivolto almeno una volta a Sant'Antonio o a San Francesco? I santi non si discutono. Infatti si bestemmia la divinità, mai il santo o la santa. Ma, pur nella loro grandezza, sono santi confessionali. Appartengono a una religione. Non a tutti gli italiani. L'Italia ha avuto i suoi santi laici. Ne sono morti a centinaia. Per proteggere lo Stato, la libertà di stampa, i nostri diritti, la vita dei cittadini. Ho pensato a un calendario per ricordarli. Per ringraziarli. Senza di loro il nostro Paese sarebbe lo zerbino dei potentati economici, delle mafie, della P2, degli estremisti. Può essere che lo sia comunque. Ma, in questo caso, la loro morte serve a ricordarci che l'uomo nasce libero e non servo. Coraggioso e non vigliacco. Vivere da vigliacchi e servi si può. È anche salutare..."
28.12.06 17:20

Cip6: una lettera di Pecoraro Scanio

Pecoraro Scanio mi ha inviato una lettera sul Cip6. Una grande vittoria per i cittadini italiani.
Voglio dire grazie a tutti coloro che seguono il blog e agli aderenti ai Meetup. Senza di voi i contributi agli inceneritori ci sarebbero ancora. Ma c'è chi, come i valorosi inceneritoristi, tavisti e mediapolisti diessinidiossini piemuntèis, non si arrende mai e lancia un grido di dolore con Chiamparino: "Il 2007 sarà l'anno decisivo per il progetto dell'Alta Velocità Torino-Lione. Anche alla luce dell'ennesima intervista del ministro Pecoraro Scanio sull'argomento mi pare evidente che si tratta sempre più di un problema politico. Per questo ritengo sarebbe necessario che le leadership politiche del centro-sinistra dicessero finalmente una parola chiara sul tema". Te la dico io Chiampa: "Piciu".
"Caro Beppe,

una buona notizia: la battaglia comune contro il Cip6 ha fatto un passo avanti. Il Consiglio dei Ministri ha ripristinato l'emendamento - scomparso al Senato - che esclude le fonti assimilate (tra queste gli inceneritori) dagli incentivi per le rinnovabili. Un successo, una buona notizia da far circolare. Insieme alla riapertura della Conferenza dei Servizi per il rigassificatore di Brindisi così da valutare in modo pieno ed esaustivo tutti i profili ambientali e alla decisione di aprire a marzo la Conferenza nazionale sull'energia e l'ambiente. Gli stimoli e le critiche che riceviamo sono utili, talvolta necessarie, ma è importante anche ricordare i risultati positivi e condividerli con chi si è battuto per ottenerli. Un incoraggiamento per chi come noi crede che un'altra economia sia possibile e che le proteste non vanno criminalizzate ma occorre raccogliere le tante proposte per l'innovazione che contengono. Dunque, alcune buone notizie di fine anno ma certo non ci accontentiamo. Approfitto di questi giorni di festa per augurare a te e a tutti gli amici del blog un buon 2007, ricco di soddisfazioni. E con gli auguri una breve riflessione. Leggo le vostre critiche che personalmente considero utili stimoli ad operare sempre più efficacemente. D'altro canto il tuo blog, così come l'attività dei movimenti che si battono sul territorio per l'ambiente e i diritti dei consumatori, sono preziosi alleati e occhi vigili per chi fa politica con l'obiettivo di realizzare una svolta nelle politiche in questo paese. Di questo parlammo anche nel nostro incontro al ministero nelle prime settimane di vita del governo. E, devo dirti, che in questi primi mesi di attività ho preferito 'parlare' con i fatti più che con i comunicati. Fatti e atti di governo certo migliorabili ma che sicuramente vanno nella direzione che tutti noi auspichiamo. Mi riferisco, ad esempio, al lavoro fatto per sottrarre il progetto Tav in Val di Susa dal perverso meccanismo della Legge Obiettivo e riportarlo nell'ambito delle procedure ordinarie o per togliere i finanziamenti al Ponte sullo Stretto e destinarli alle opere pubbliche davvero utili al Mezzogiorno o, ancora, per aver avviato la riforma totale della Legge Delega. Per aver inserito in Finanziaria più soldi alle energie rinnovabili, per l'efficienza e il risparmio, la mobilità sostenibile, la difesa del territorio da frane e alluvioni, per la lotta alle ecomafie e all'abusivismo edilizio, a favore dei parchi e la biodiversità. Un saldo positivo molto concreto rispetto alle precedenti Finanziarie verificabile da tutti e che ci fa ben sperare per il 2007".

Alfonso Pecoraro Scanio
29.12.06 19:30

Saddam

Uccidere un assassino è un assassinio? La punizione per un delitto può essere applicata con lo stesso delitto? Lo stupro con lo stupro, il furto con il furto, la morte con la morte? Condannare l'omicidio e poi applicarlo per legge è un incantesimo. Una contraddizione della mente umana. È vendetta, non legge. Saddam è stato impiccato. Condannato dagli iracheni. Ma non ci crede nessuno. Le mani del boia erano irachene, ma il cappio era di Bush.
Saddam andava condannato all'ergastolo. Doveva invecchiare in carcere. Perdere la sua spocchia. Con l'esecuzione gli è stata regalata una dignità che non aveva. Una grandezza made in Texas.
In morte di Saddam, ora martire, bisognerebbe ricordarsi della guerra con l'Iran finanziata dagli Usa. Del buon Saddam alleato dell'Occidente contro Khomeini. Del Saddam laico e filo occidentale. Poi si è messo in proprio e questo è stato un affronto intollerabile per la democrazia americana. Quella dei due milioni di carcerati e dei bracci della morte. E del controllo del Golfo Persico.
Se Saddam era un criminale, allora lo sono alcuni capi di Stato che siedono all'Onu. Perchè Saddam sì e loro no? Il petrolio. Il mondo intero ha dichiarato la prima guerra all'Iraq a causa dell'invasione del Kuwait e dei suoi pozzi di petrolio. Nel Darfur sono morte centinaia di migliaia di persone. Nessuno ha mosso un dito. In Cecenia non sono rimasti in piedi neppure i palazzi. Nessuno ha mosso un dito. L'ipocrisia della condanna a morte giusta, occidentale e petrolifera.
Saddam è stato un criminale? Ha sterminato i curdi con il gas? Ucciso i suoi oppositori? Sì, certo. Ma quando sarà finita la guerra in Iraq si potrà fare una contabilità dei morti. E saranno molti, molti di più di quelli attribuiti al regime di Saddam. Qualcuno sarà appeso a una corda per i quarantamortialgiornochenonfannopiùnotizia? Sarà condannato a pagare una multa, un'ammenda, dovrà chiedere scusa? Saddam ha pagato, con dignità, il suo conto. Hiroshima, i Gulag e il Tibet non li pagherà mai nessuno.
30.12.06 23:55

Cerchiamo Denise

Ricevo questa lettera da una mamma che chiede aiuto. Quello che scrive è grave non solo per il rapimento in sé. Ma anche per la mancanza di una legge che protegga i bambini. Tra indulti, prescrizioni, pecorelle ed excirielli non hanno avuto un attimo di tempo. Spero che almeno un parlamentare se ne voglia occupare e farcelo sapere.
Chiedo, chiedete, alle compagnie telefoniche mobili di inviare un Mms dei bambini scomparsi. Iniziando da Denise. Sembra che sia stato chiesto senza risultato. Preferiscono inviare messaggi promozionali...
Buon anno!

"Gentile signor Beppe Grillo,
chi le scrive è la signora Piera Maggio, mamma della piccola Denise Pipitone, sequestrata il 01-09-2004, a Mazara Del Vallo, (Tp) Sicilia, le indagini sul caso sono tutt'oggi in corso. So quanto lei sia sensibile a fatti anche gravi, che accadono nella nostra Italia, che di tutta risposta, a volte è l'indifferenza.
Da vari colloqui telefonici avuti a favore della diffusione delle immagini di Denise, e bimbi scomparsi, si deduce che non tutte le persone o aziende siano sensibili a questi casi, con varie strategie se ne escono fuori, la più banale risposta: non vogliamo creare precedenti.
La diffusione delle immagini dei bambini scomparsi è molto importante per le ricerche, per tenere alta l'attenzione, sensibilizzare le persone a stare attente. L'indifferenza è la peggiore cosa che possa esistere, molte persone vedono questi casi come una situazione che non gli appartiene lontana da loro, dalla propria famiglia, ma non è così, neanche io potevo immaginare che un bel giorno avrei preso la lotteria della disgrazia, catapultata in un'altra dimensione, eppure la sto vivendo.
Io ne so qualcosa, e da quando è stata sequestrata Denise sto lottando duramente, nonostante il dolore che ci affligge, per mantenere alta l'attenzione sul caso, affinché possa esserci una segnalazione seria, ho bussato a tante porte per delle iniziative a favore della ricerca, tanti me l'hanno aperta e ringrazio tanto, ma altrettanti me l'hanno sbattuta in faccia, purtroppo non esiste in Italia un ente che aiuti i genitori delle famiglie di scomparsi alla diffusione delle immagini o di quant'altro

possa servire, chi può lotta da sé.

Altro capitolo dolente in Italia, la pena per il sequestro di persona di minorenni ART. 605 del C.P, risulta una pena ridicola per un reato così grave ed odioso.
In data 23-11-06, ho incontrato il Ministro Clemente Mastella, per proporre nuove prospettive di riforma della legge per il sequestro di minorenni, non so il valore che daranno a questa proposta, ma segue il silenzio http://www.cerchiamodenise.it/denise/prospettivediriforma.htm.
Un grosso buco che risale ad una legge vecchia, dove i sequestri ART. 605 C.P. erano individuati come le scappatelle (fuitina), oggi i sequestri si fanno anche sui bambini.
Gentile signor Grillo, se lei si documenta con il materiale in allegato e da questo link: www.cerchiamodenise.it, e ritiene opportuno che facendo riflettere qualcuno possa aiutarci, allora ci aiuti, questo è quanto le chiedo. Distinti Saluti, e grazie per quanto potrà fare in aiuto a Denise e ai bambini".

Piera Maggio - Mazara Del Vallo, 29-12-06
31.12.06 19:39

Indice delle battaglie

Indice della battaglia

Parlamento pulito!

Basta! Parlamento pulito!
Chi è stato condannato in via definitiva non deve più sedere in Parlamento. Un parlamentare non può rappresentare i cittadini se è stato condannato dalla Giustizia Italiana in via definitiva.
07.06.05 18:58

Grazie
Ringrazio tutti quelli che hanno inviato ed invieranno la mail sulla pulizia in Parlamento a Barroso.
08.06.05 17:55

Basta! Parlamento pulito!... Epilogo
L'iniziativa intrapresa qualche settimana fa, per mettere a conoscenza il Parlamento Europeo e il suo Presidente della presenza di 23 parlamentari condannati in via definitiva dalla giustizia italiana, è giunta al termine.
13.07.05 16:26

Appello del blog beppegrillo.it: Parlamento pulito!
La sottoscrizione per Fazio vattene ha superato la somma richiesta. Come proposto i soldi avanzati saranno utilizzati, insieme ai nuovi versamenti, per pubblicare su un importante giornale straniero, in inglese, l'appello che segue: "Basta! Parlamento pulito".
08.09.05 17:56

Parlamento pulito! (IV puntata)
La sottoscrizione per Parlamento pulito continua. In ottobre uscirà su un giornale a livello mondiale.
23.09.05 14:58

Le dimissioni della democrazia
Oggi voglio chiedere le dimissioni della democrazia, di questa parola di cui ancora ci riempiamo la bocca e che non significa più nulla.
27.09.05 13:27

Etica e politica
Una lettera di Antonio Di Pietro in cui aderisce all'iniziativa di Parlamento Pulito e propone un codice etico per l'Unione.
29.09.05 13:23

Parlamento pulito! (V puntata)
L'iniziativa Parlamento Pulito ha raccolto ad oggi 49.000 euro. È stata proposta la pubblicazione a due grandi testate internazionali che hanno rifiutato per ragioni "editoriali" dopo una "attenta valutazione" per la quale ci è voluto molto del loro tempo.
14.10.05 18:48

Il delitto paga sempre
Giulio Andreotti è il testimonial della 3. Adesso aspettiamoci che i parlamentari condannati in via definitiva siano reclutati, a loro volta, dalle aziende come testimonial a suon di milioni di euro.
06.11.05 13:31

Stand up! Clean up! The Parliament
Finalmente esce la pagina internazionale sull'*International Herald Tribune* per l'iniziativa Parlamento Pulito.
22.11.05 08:53

Il curriculum vitae dei nostri dipendenti
I nostri dipendenti non sono stati del tutto d'accordo con la pagina Parlamento Pulito pubblicata sull'*International Herald Tribune.*
26.11.05 18:27

Radio Londra
La Bbc ha trasmesso oggi sulla radio, in tutto il mondo, un'intervista di Beppe Grillo su "Parlamento Pulito" in inglese.
09.12.05 18:38

Parlamento Pulito in India
Anupam Mishra segretario della Gandhi Peace Foundation di New Delhi in India ha scritto questa mail sull'iniziativa "Parlamento Pulito".
22.01.06 17:08

New entry in Parlamento Pulito
C'è una new entry nella lista di Parlamento Pulito. In realtà è vecchia, ma star dietro a tutti i condannati in via definitiva presenti in Parlamento non è facile.
23.01.06 19:06

Magistrati in attesa di giudizio
Il parto delle liste elettorali sta per concludersi. Se ci sono dei pregiudicati il blog ne darà visibilità per permettere a chiunque di scegliersi il pregiudicato che desidera.
26.02.06 18:51

Siamo tutti stallieri
L'elenco dei partiti senza condannati in via definitiva in lista, la mia indicazione di voto per avere almeno la speranza di un Parlamento Pulito e che riporterò su questo blog in un box da diffondere nel web.
23.03.06 15:27

...E poi, non ne rimase nessuno
Bisogna cancellare la Rosa nel Pugno dall'elenco, già peraltro esiguo, dei partiti che non candidano condannati alle elezioni del 9 - 10 aprile.
03.04.06 15:26

Diciassette uomini sulla cassa del morto...
Aggiornamenti sui pregiudicati in Parlamento. 8 sono stati eliminati e sono quindi ormai pregiudicati extra parlamentari, liberi di rifarsi una vita. 16 sono stati rieletti in quanto scelti dai segretari di partito che li hanno messi in lista. Uno si è fatto condannare dopo le elezioni per corruzione giudiziaria e non si sa bene se si sia dimesso o voglia partecipare alle sedute nelle due ore d'aria.
23.05.06 18:07

Tre new entry in Parlamento Pulito
È difficile star dietro a questo via vai di pregiudicati in Parlamento. Adesso siamo a venti.
10.06.06 16:17

Il banchetto degli dei
La Camera ha bocciato infatti la norma che escludeva dalla commissione Antimafia i parlamentari indagati per mafia.
08.07.06 19:25

I Magnifici Ottantadue
Marco Travaglio ha inviato una lettera di aggiornamento sulla contabilità dei condannati in Parlamento.
17.07.06 19:49

Cosa Loro
Hanno interrotto il dipendente del Consiglio Prodi durante gli Stati generali dell'antimafia. Mentre diceva che il governo sta adottando misure efficaci per combattere la mafia.
18.11.06 19:10

Previti nostro, che sei in Parlamento...
Speravamo che Bertinotti tra una comparsata da Fiorello e un viaggio sul monte Athos trovasse il tempo. O che i nostri dipendenti presi da un attacco di vomito lo cacciassero. Invece Previti, condannato per corruzione di magistrati, è ancora lì.
05.05.07 19:55

Indice della battaglia

No Tav

Tav, no grazie!

"Non vogliamo le milizie nelle valli" hanno scritto sui cartelli gli abitanti della Val di Susa militarizzata dopo la protesta degli abitanti dei piccoli comuni montani contro il progetto dell'Alta Velocità.

30.11.05 16:12

Io sono Valsusino!

La polizia ha sgomberato con la forza le persone nel presidio di Venaus, in Val di Susa.

06.12.05 12:13

La Voce della Val di Susa/1

Fino al 17 dicembre, data in cui si terrà la manifestazione a Torino contro il Tav, verrà pubblicato un post ogni giorno dedicato alla Val di Susa, oltre al post quotidiano.

07.12.05 12:58

La Voce della Val di Susa/2

Ieri sera Dario Fo ha partecipato alla trasmissione di Gad Lerner *L'infedele* dedicata alla Val di Susa.

08.12.05 12:14

La Voce della Val di Susa/3

La lettera di un francescano della Val di Susa, Beppe Giunti, è lunga, ma vale la pena di leggerla tutta.

09.12.05 12:23

La Voce della Val di Susa/4

Elenco una serie di luoghi comuni sulla Val di Susa con i commenti del comitato NO TAV.

10.12.05 13:06

La Voce della Val di Susa/5
Si continua a blaterare di traffici di merci mirabolanti attraverso la Val di Susa quando, tra 15 o 20 anni, sarà terminato il traforo.
11.12.05 12:09

Le indagini del giornalismo italiano
Il docente di un corso di "Analisi delle politiche pubbliche" ha discusso con gli studenti quello che è accaduto in Val di Susa e ha chiesto loro di analizzare l'informazione riportata dai tre principali quotidiani italiani.
11.12.05 18:01

La Voce della Val di Susa/6
Il blog sta sempre aspettando le ragioni dettagliate a favore della costruzione del tunnel in Val di Susa. Delle altre ragioni, quelle del NO TAV è invece piena la Rete.
12.12.05 14:20

La Voce della Val di Susa/7
In un'intervista all'Espresso Marco Ponti, professore al Politecnico di Milano, uno dei maggiori esperti di economia dei trasporti in Europa e consulente della Banca *Mondiale ha fatto alcune interessanti affermazioni.*
13.12.05 14:01

La Voce della Val di Susa/8
Una Lettera di Barbara Debernardi, Sindaco di Condove in Val di Susa, alla Presidente della Regione Piemonte Mercedes Bresso.
14.12.05 11:56

La Voce della Val di Susa/9
La Val di Susa non è sola, e i Valsusini lo sanno. La Val di Susa è un punto di partenza per un Paese che vuole riprendere il controllo della cosa pubblica attraverso la partecipazione diretta dei cittadini.
15.12.05 11:54

La Voce della Val di Susa/10
Il dipendente Pisanu aveva cominciato bene ieri in Parlamento: "Non ho alcuna difficoltà a scusarmi con i cittadini pacifici della Val

di Susa che hanno subito danni fisici in occasione dello sgombero del cantiere di Venaus"
16.12.05 12:06

Sarà dura!
Ieri, una bella giornata di sole a Torino. La gente in corteo (50.000, 100.000?), tanta, tantissima, era felice come possono esserlo i bambini in gita. Nessun incidente, nessuna vetrina rotta, nulla di nulla. Solo volontà di partecipazione.
18.12.05 12:44

CIDIELLEUNIONE
Mi domando a cosa serve protestare, argomentare, portare testimonianze di tecnici, economisti, vigili del fuoco, sindaci, cittadini della Val di Susa e perfino dei frati francescani.
14.02.06 12:35

Siamo tutti no global
I no global sono in aumento. Dopo agricoltori, valligiani, cittadini e consumatori, si sono aggiunti anche gli studiosi che scrivono per la rivista *Il Mulino* di Bologna.
03.03.06 19:43

No Tav sei mesi dopo
Zitta, zitta, la repressione No Tav sta arrivando in Val di Susa. Il blog vuole però riaccendere i fari sulla No Tav e darle voce.
11.05.06 23:35

La Voce della Val di Susa/11
Non volevo più parlarne. Speravo che dopo la rimozione del presidio tecnico di Venaus l'argomento Tav fosse chiuso per sempre. Ma dopo le esternazioni del ministro dipendente Bianchi...
23.06.06 13:26

La Voce della Val di Susa/12
Una bella lettera dal sindaco di Condove in Valle di Susa sulla vita a bassa velocità.
27.06.06 12:41

Corridoio 5, il flagello di Dio
In Italia sono passati i barbari, di danni ne hanno fatti molti. Potrebbe però non riaversi dal Corridoio 5 che trapanerà le Alpi, gli Appennini e la Pianura Padana per portare velocemente le mozzarelle da Kiev a Lisbona.
29.06.06 15:45

I marchesi del Grillo
Il Governo ascolta. È sempre in ascolto. E' un governo buono. Fa cose che non piacciono neppure ai suoi ministri. Che non piacciono agli italiani. Ma che piacciono molto agli americani, ai banchieri, agli pseudoindustriali, agli pseudogiornalisti, alla casa circondariale della libertà.
20.02.07 19:28

I costi della Tav
La sinistra di lotta e di governo ha capito perchè ha perso. Da sola non ci arrivava, c'è voluta una soffiata di Fini, il disinformato sui fatti. Fini ha spiegato che l'azzeramento della sinistra nel Nord è colpa dei no Tav.
31.05.07 18:43

Indice della battaglia

Gli scheletri nell'armadio Unipol

Appello del blog beppegrillo.it
Viene deciso di raccogliere l'invito di molti lettori del blog e di pubblicare con il loro aiuto una pagina sul *Corriere della Sera* con un appello per mandare a casa Fazio.
25.08.05 19:05

Gli scheletri dell'Unipol
L'Unipol è nella bufera. I suoi massimi dirigenti sono indagati per aggiotaggio con Giampiero Fiorani.
12.12.05 18:26

Balle spaziali
Antonio Fazio, governatore della Banca d'Italia:
"Va benissimo. Io non mi dimetto.
Ho la coscienza serena".
15.12.05 18:10

I cuculi aziendali
Anticipiamo il Banco di Bilbao: compriamo le azioni della Bnl e poi le rivendiamo, speculandoci sopra.
27.12.05 18:48

Marco Antonio Fassino
Cesare Salvi dei Ds ha rilasciato un'intervista alla *Stampa*.
30.12.05 14:31

Il meno peggio
A Fassino si possono imputare ingenuità politica e ignoranza, nel senso che probabilmente non sapeva.
05.01.06 16:49

Lettera aperta a Massimo D'Alema
Il Presidente della Repubblica non può avere ombre, né possibili

scheletri nell'armadio.
06.05.06 20:09

Insonnia da D'Alema
È mezzanotte, il nuovo presidente della Repubblica non è stato ancora eletto dopo due giorni di votazioni.
10.05.06 00:00

Indice della battaglia

Di chi è l'acqua?

L'oro azzurro
Da dove viene l'acqua e di chi è? L'acqua è un bisogno primario, dovrebbe essere di tutti, gestito dalle autorità pubbliche.
25.09.05 17:37

Acqua e censura
A Napoli durante la Notte Bianca non è stato censurato Beppe Grillo. È stata censurata l'acqua. I suoi comitati.
04.11.05 17:43

Acqua a mano armata
Ci hanno rubato l'acqua. Nel 1992 la legge Galli avvia la privatizzazione dell'acqua. Nascono 92 società di gestione a capitale misto: privato e pubblico...
07.03.07 17:12

L'acqua non è una merce
"L'acqua non è una merce." Ripetetelo allo specchio ogni mattina: vi darà consapevolezza. Parola di Walter Ganapini, Presidente Greenpeace Italia.
23.03.07 19:02

Indice della battaglia

Vaghe stelle della Borsa

Lo smilzo terrorizza anche l'occidente
La Ferrania S.p.A.,grande società storica italiana situata in Valle Bormida, che produce materiale fotografico, nel 2003 è stata messa in amministrazione straordinaria con i suoi 700 dipendenti e 70 milioni di debiti.
20.03.05 19:04

Pensionati rapaci
Una coppia di anziani "speculatori" verranno risarciti del loro investimento di 315.000 bond argentini.
25.03.05 16:31

The Ceo as statesman
Tra i 50 nomi più potenti del mondo citati dalla rivista Forbes non ci sono uomini di stato, né capi di governo. Ci sono solo manager: "The Ceo as statesman".
30.04.05 18:00

PARMALAT: vota NO!
Parmalat è stato il crack finanziario più grande della storia. La lettera ricevuta dall'avvocatessa Anna Campilii di Parma che difende un gruppo di piccoli risparmiatori.
25.06.05 13:45

I grandi debitori
In una tabella semplice-semplice il *Sole 24 Ore* ha riportato i debiti finanziari delle più importanti società italiane al 31 marzo del 2005.
13.08.05 15:13

Parmalat: da principi-obbligazionisti a rospi-azionisti
Il 6 ottobre gli obbligazionisti della Parmalat hanno smesso di essere tali. È così giunta a un giro di boa una vicenda amara, solo in parte simile a quella dell'Argentina. Infatti in quel caso gli investitori,

accettando il concambio, hanno ricevuto altre obbligazioni.
19.10.05 16:48

Cronaca giudiziaria
I titoli di *MF*, un giornale finanziario, di oggi.
13.12.05 18:58

Il risparmio tradito
Il risparmio è sacro! Si risparmia per essere risparmiati, ma le banche non risparmiano niente e nessuno.
07.02.06 18:24

Ave Cesare
Il settimanale *Time* il 3 maggio del 2004 dedicava un articolo a Geronzi. Bastava leggerlo per provvedere alla sua rimozione immediata da Capitalia.
25.02.06 17:47

Ridateci l'Iri
La Società Autostrade Concessioni e Costruzioni Spa viene costituita dall'Iri nel 1950 con l'obiettivo di partecipare, insieme ad altri grandi gruppi industriali, alla ricostruzione post bellica dell'Italia".
30.03.06 16:05

Edipo bond
Si discute in questi giorni della legittimità delle partecipazioni bancarie nelle aziende e viceversa.
27.04.06 19:43

Il conto delle Autostrade
Il bilancio di Autostrade: profitti spaventosi, intorno al miliardo di euro, debiti spaventosi, quasi nove miliardi di euro.
30.04.06 16:26

Covered warrants e così sia
Le banche sono in preda a un orgasmo da prodotti creativi per far tornare il budget.
09.05.06 19:01

Si può dare di più
La Borsa sta finalmente ripartendo. Nuove matricole e un plotone di aspiranti lo testimoniano.
13.06.06 22:59

Chi Vespa mangia le mele
Sergio Cusani ha inviato una lettera sulla quotazione in borsa della Piaggio.
19.06.06 20:19

Ménage à trois
Banche, imprese e media. Il terno al lotto italiano. Le banche possiedono le imprese o più spesso i loro debiti.
19.07.06 17:10

Più Stato e meno mercato delle vacche
Il Ministro dipendente Tommaso Padoa Schioppa ha detto: "Se un'impresa resta pubblica e dà lauti dividendi, ma poi ci fa pagare più care le tariffe, può giovare ai conti dello Stato, ma non allo sviluppo dell'economia".
21.07.06 23:58

È peggio il Gilbertòn del buso
I Benetton attraverso la società Schemaventotto vogliono fare causa al Governo e alla società Fintecna da cui avevano rilevato nel 1999 la concessione di parte delle autostrade italiane.
08.10.06 19:01

La Mappa del Potere
La Borsa è una grande famiglia. I consiglieri di amministrazione si conoscono tra loro come vecchi amici. E hanno il dono dell'ubiquità.
24.03.07 19:25

Dalla Borsa con livore
"Il capitalismo italiano è a un estremo d'impresentabilità", ha spiegato Bertinotti, "come d'altronde la vicenda Telecom ci dice." La Confindustria ha replicato parlando di "livore anti-industriale".
19.04.07 19:56

Le Primarie dei cittadini

Primarie dei cittadini: energia
Fino ad oggi le primarie le hanno fatte i nostri dipendenti.
È arrivato il momento che le primarie le facciano i datori di lavoro.
08.01.06 16:12

Primarie dei cittadini: energia. Pecoraro Scanio
Le primarie dei cittadini lanciate da questo blog hanno ricevuto la prima adesione da parte di un segretario di partito.
Ecco le valutazioni di Alfonso Pecorario Scanio dei Verdi sulla proposta per l'energia.
11.01.06 14:38

Primarie dei cittadini: energia. Antonio Di Pietro
Le primarie dei cittadini lanciate da questo blog hanno ricevuto la seconda adesione da parte di un partito. Ecco le valutazioni di Antonio Di Pietro, presidente di Italia dei Valori, sulla proposta per l'energia.
13.01.06 10:10

Primarie dei cittadini: energia. Fausto Bertinotti
Le primarie dei cittadini lanciate da questo blog hanno ricevuto un'ulteriore adesione da parte di un partito. Ecco le valutazioni di Fausto Bertinotti, segretario di Rifondazione Comunista sulla proposta per l'energia.
14.01.06 14:16

Primarie dei cittadini: energia. Le vostre indicazioni
Il riepilogo delle vostre (tante) indicazioni sul programma dell'energia per le Primarie dei Cittadini.
27.01.06 17:32

Primarie dei Cittadini: energia. Marco Pannella
Marco Pannella ha inviato questa lettera sulle Primarie dei Cittadini sull'energia. In realtà è dedicata all'eccessiva natalità e ai pericoli che ne

derivano per il nostro futuro.
13.02.06 17:14

Primarie dei cittadini: sanità
È arrivato il momento che le primarie le facciano i datori di lavoro. Oggi pubblichiamo una bozza di proposta sulla sanità.
15.02.06 18:32

Primarie dei Cittadini: sanità. Antonio Di Pietro
Le Proposte per la Sanità per le Primarie dei cittadini hanno avuto molti contributi, sia su questo blog, che sul sito www.partecipasalute.it
Antonio Di Pietro è stato l'unico a rispondere alle Proposte per la Sanità.
06.03.06 13:22

Primarie dei cittadini: sanità. Marco Cappato
Marco Cappato, segretario dell'Associazione Luca Coscioni, a nome della Rosa nel Pugno mi ha inviato questa lettera per le Primarie sulla Sanità.
15.03.06 17:22

Primarie dei cittadini: informazione
Una serie di proposte legate all'informazione che saranno integrate con i commenti dei lettori del blog e che segue quelle sull'energia e sulla sanità.
04.04.06 17:22

Primarie dei Cittadini: economia
Ecco le proposte per le Primarie dei Cittadini sull'economia che saranno integrate con i commenti dei lettori.
08.04.06 16:21

Il dipendente Prodi riceve i risultati delle Primarie dei Cittadini
Oggi, ore 12, a Palazzo Chigi, Roma, Beppe Grillo ha presentato nelle mani del dipendente del Consiglio Romano Prodi le proposte discusse su questo blog attinenti a Energia, Salute, Informazione, Economia e riferite come: "Primarie dei Cittadini".
08.06.06 12:26

Sì, però...
È passata una settimana dall'incontro a Palazzo Chigi. Il dipendente Prodi ha sicuramente avuto modo di leggere le proposte nate dalle Primarie dei Cittadini.
15.06.06 17:26

Indice della battaglia

Fazio vattene!

Arbitro venduto
Un post scritto da Marco Travaglio: le scalate all'Antonveneta e alla Bnl nelle mani dei giudici. I campionati di calcio di serie A, B, C nelle mani dei giudici. Il presidente del Consiglio e i suoi cari, tanto per cambiare, nelle mani dei giudici.
28.07.05 17:18

Fazio "cubista"
Tutti parlano di Fazio in questi giorni e così per non deluderlo ne parla un po' anche il blog, anche se non è necessario: la sua fisiognomica da quadro cubista parla per lui.
04.08.05 16:45

Conati
Due persone perbene, Clemente e Castaldi, direttori della Vigilanza della Banca d'Italia, esprimono a luglio parere fortemente contrario alla Opa della Banca Popolare Italiana di Fiorani sulla Antonveneta e informano i magistrati della situazione facendo fallire l'operazione.
24.08.05 10:40

Appello del blog beppegrillo.it
Viene deciso di raccogliere l'invito di molti lettori del blog e di pubblicare con il loro aiuto una pagina sul *Corriere della Sera* con un appello per mandare a casa Fazio.
25.08.05 19:05

Fazio vattene!
Dalla relazione del governatore Fazio davanti al Comitato interministeriale per il credito ed il risparmio...
27.08.05 23:39

I proprietari della Banca d'Italia
La Banca d'Italia è una società per azioni, anche se con uno statuto un po' particolare riguardo ai diritti e al tipo di partecipazione dei soci. Le quote sono di varie banche e, in misura minore, di compagnie d'assicurazioni e dell'Inps.
28.08.05 17:31

Siete straordinari!
È straordinario che persone come i lettori del blog siano uscite di casa, andate in banca, fatto un bonifico di 5 euro per pagarne 3 di commissioni, per finanziare la pubblicazione dell'appello sulla Repubblica.
01.09.05 11:44

La fine dei vecchi media
Tutti i media, tranne la Rete, hanno ignorato la pagina di *Repubblica*.
04.09.05 13:13

Il maître à penser
Nel suo usuale attacco alla magistratura, il Ministro della Giustizia Roberto Castelli, ha dichiarato: "Il pericolo è di assistere ancora una volta alla supplenza del potere politico da parte di altri poteri presenti nel Paese: la stampa, la magistratura, poteri economico-finanziari ben identificati e, dulcis in fundo, comici aspiranti a maîtres à penser".
05.09.05 15:41

Appello del blog beppegrillo.it: Parlamento pulito!
La sottoscrizione per Fazio vattene ha superato la somma richiesta. Come proposto i soldi avanzati saranno utilizzati, insieme ai nuovi versamenti, per pubblicare su un importante giornale straniero, in inglese, l'appello che segue: "Basta! Parlamento pulito".
08.09.05 17:56

Tiriamo la catena del cesso
"Fazio è quel mostro istituzionale, extra repubblicano, perché qualcuno gli permette di esserlo". L'ha detto un Ministro della Repubblica, anzi un ex Ministro, Domenico Siniscalco, che ha rassegnato le dimissioni dal governo.
22.09.05 10:17

Un futuro da disoccupati europei
Un consiglio alla Bce: cacciare Fazio invece di aumentare i tassi di interesse. A pranzo con il Nobel Joseph Stiglitz.
21.11.05 18:08

La società dei magnaccioni
Fazio ha organizzato una due giorni il 24 e il 25 novembre per i dipendenti della Banca d'Italia in occasione del Trentennale di Lavoro. Ospite d'onore e relatore, insieme a Fazio, sarà Giulio Andreotti, senatore prescritto a vita.
23.11.05 15:58

Regalo di Natale per Fazio
La Commissione Europea inizierà un'azione legale contro Fazio prima di Natale.
25.11.05 18:57

The Fazio's yellow submarine
Siamo un Paese in apnea informativa. Le notizie scomode vanno e vengono, ma soprattutto vanno. Sono come i sottomarini, stanno un po' in superficie, poi si inabissano per sempre in qualche Fossa delle Marianne dei tg e dei quotidiani.
05.12.05 18:14

Balle spaziali
Antonio Fazio, governatore della Banca d'Italia: "Va benissimo. Io non mi dimetto. Ho la coscienza serena".
15.12.05 18:10

Fazio e gli impotenti
Berlusconi prima e Buttiglione dopo hanno dichiarato di essere

impotenti a far dimettere Fazio.
17.12.05 19:12
Stiamo mantenendo tutti gli impegni!
Noi qualche obiettivo comunque, a differenza dei nostri dipendenti, lo abbiamo raggiunto: un po' in ritardo, ma Fazio si è tolto dalle p..e !
19.12.05 16:38

Indice della battaglia

Indulto selvaggio

Il mercato degli indulti
L'indulto è il tema del giorno. I giornali ne parlano poco e malvolentieri, nonostante possa farci tornare alle urne a primavera.
20.07.06 20:20

Una lettera del Ministro Di Pietro
Domani Unione e Cdl voteranno a favore di una legge, quella sull'indulto, che non era prevista nel programma dell'Unione.
23.07.06 21:48

Linkaggio morale
Fausto Bertinotti ha detto che ieri è stata "Una bella giornata perché quando le istituzioni sono capaci di atti di clemenza che alleviano anche una pena supplementare a quella comminata dal giudice, visto il sovraffollamento delle carceri, è la dimostrazione che vince la natura dello stato di diritto".
28.07.06 18:28

Domani è un altro giorno si vedrà
Un centrosinistra che era stato votato per eliminare le leggi ad personam. E che lo ha fatto a modo suo: con una sola legge ha risolto il problema, per il passato e per il futuro.
29.07.06 20:01

L'indulto secondo Fassino
Una ragazza, Sabrina, ha chiesto spiegazioni sull'indulto a Piero Fassino

che ha prontamente risposto.
08.08.06 19:30

Palombella marrone
Travaglio ha deciso di aggiungere il suo commento ai vostri sulle parole di Fassino.
09.08.06 16:29

I funerali di Berlinguer
I meet up di Beppe Grillo di Pavia e Milano insieme a Piero Ricca sono andati alla Festa dell'Unità per discutere dell'indulto. Ecco come è andata.
20.09.06 18:50

Indice della battaglia

Riprendiamoci Telecom

Tronchetti Provera/Concorrenza vera
Il *Corriere della Sera* di lunedì 14 marzo 2005 ha ospitato un contributo del dott. Marco Tronchetti Provera, detto il tronchetto dell'infelicità, dal titolo: "Altro che rifugio, le telecomunicazioni sono concorrenza", richiamato in prima pagina con un box "Telecomunicazioni, concorrenza vera".
17.03.05 20:30

Telecom Italia nella Top Ten Mondiale
In tema di spamming tra i peggiori del mondo L'Italia è riuscita a piazzarsi all'ottavo posto con la società www.interbusiness.it, cioè Telecom Italia.
30.03.05 11:03

La sicurezza... per chi?
Alla fine del 2000 una signora di Rovigo riceve un premio fedeltà da Tim. Motivazione: 522 utenze attivate a suo nome.
04.04.05 17:18

Chi frena lo sviluppo dell'Italia?
L'associazione Anti Digital Divide ha denunciato in sede europea Telecom Italia con l'accusa di praticare prezzi più svantaggiosi in Italia rispetto a Francia e Germania, e di non garantire la copertura della banda larga in molte zone del nostro Paese.
06.04.05 17:03

Mister 7,2 milioni di euro
Riccardo Ruggiero, amministratore delegato di Telecom Italia ha rilasciato una trionfale dichiarazione al Corriere della Sera di martedi 12 aprile sotto il titolo: RUGGIERO: INTERNET AD ALTA VELOCITÀ, ITALIA LEADER.
14.04.05 14:27

Ipse dixit
Per una volta sono d'accordo con la Fiom.
05.05.05 19:21

Etica della repressione
Reporters sans frontières, ha inviato una lettera a Marco Tronchetti Provera lo scorso anno per una sua presa di posizione sulla partecipazione di Telecom Italia nell'operatore cubano delle telecomunicazioni Etec Sa, società grazie alla quale il governo cubano esercita la repressione della libertà di informazione in Internet e persegue gli oppositori.
26.05.05 13:38

Fascio-capitalismo
Il Voip non è una tecnologia di proprietà della Telecom. Tronchetti vuole guadagnare su una tecnologia che non è sua.
01.06.05 18:42

Interviste in ginocchio
Alcuni giornalisti italiani sono specializzati in interviste in ginocchio. Un dialogo in cui l'intervistato dice ciò che vuole grazie (credo) alle pagine pubblicitarie che paga al giornale.
25.07.05 16:21

Il Supertelefono
Telecom Italia ha lanciato il Supertelefono hi-tech che funzionerà su linea fissa e su linea mobile.
29.10.05 19:01

Il monaco di Monza
L'Espresso di questa settimana scrive, a proposito di Telecom, che "Grillo aveva avvertito tutti" che "Grillo ha anticipato il motivo con cui gli analisti finanziari hanno spiegato l'ondata di vendite del settore delle telecom".
25.01.06 18:06

L'Industriale
Quanto credete che sia la proprietà di Telecom del tronchetto dell'infelicità? È un pochino di più dello 0,8%.
24.02.06 16:48

La Telecom nel pineto
Telecom Italia ha pubblicato una pagina a pagamento sui principali giornali italiani (pagata dai suoi clienti) dal titolo: "A proposito di intercettazioni" che riporto integralmente.
20.03.06 19:05

Gli ultimi saranno i primi
E poi dicono che siamo sempre ultimi... Quando si tratta di costo del lavoro siamo imbattibili. I manager italiani guadagnano infatti più di tutti in Europa, forse perchè sono i più bravi.
12.04.06 13:26

Telecom al servizio del Paese
Telecom Italia veglia su di noi. Giorno e notte, in ufficio o in barca a vela il tronchetto pensa al bene della nazione. Ciò che più gli preme è il nostro futuro.
03.05.06 16:47

L'Italia disconnessa
Il tronchetto dell'infelicità ha scritto a 85.000 dipendenti una lettera.
28.05.06 17:24

Lettera a Paolo Gentiloni
L'Associazione Anti Digital Divide ha inviato questa lettera. Il blog chiede al dipendente Ministro delle Comunicazioni Paolo Gentiloni di scrivere al blog per dare la sua valutazione sullo scorporo della rete di Telecom Italia
02.06.06 19:19

C'è un telegramma per te...
Allarme. Stop. Un'azienda privata spia gli italiani da anni. Stop.
17.06.06 15:35

Vaselina d'autore
I giornalisti vivono di parole, di quelle che non dicono e di quelle che dicono cambiandone il significato. Il loro punto di osservazione, lo stesso dei principali inserzionisti, trasforma le parole, le rende digeribili, fluide, meglio del confetto Falqui.
04.07.06 18:44

Chi tocca il Radar muore
E così Adamo Bove, 43 anni, il responsabile del sistema Radar di Telecom Italia, si è buttato, o lo hanno buttato, o lo hanno costretto a buttarsi da un ponte a Napoli. Un volo di 40 metri che non poteva lasciare scampo.
22.07.06 23:25

Il cavalcavia fa 90
Adamo Bove e il suo volo dal cavalcavia sono scomparsi, citati solo in alcuni articoli della Stampa.
22.08.06 21:40

Opa alla genovese
La Telecom è scalabile. Il suo valore in Borsa vale circa la metà di quando arrivò Tronchetti.
03.09.06 17:18

Il rigattiere
Rigattiere. Persona che esercita il commercio di compravendita di roba usata [dal fr. Regrattier, affine a grattare] Devoto-Oli.
09.09.06 19:50

Share action, proviamoci
Di chi è la Telecom? E chi l'ha costruita anno dopo anno con le tasse se non generazioni di italiani? E allora proviamo a riprendercela.
12.09.06 21:20

Parole cinesi
Prodi è andato in Cina per occuparsi finalmente di Telecom. Per non rischiare troppo tra un viadotto dell'autostrada e l'altro. Sotto la protezione dei servizi segreti cinesi ha potuto finalmente esprimersi. Non parlava così da anni.
18.09.06 23:29

L'orgia della Borsa
I consigli dei consiglieri di Telecom Italia non l'hanno portata molto lontano. Non hanno la stoffa di Robert Duvall nel Padrino.
21.09.06 18:50

Telecom: una storia italiana
L'iniziativa 'share action' ha raccolto finora 1750 adesioni per un totale di circa 4.800.000 azioni.
26.09.06 18:02

Giochi di Borsa
Immaginate di avere delle azioni. E che dopo cinque anni queste azioni valgono la metà. E che queste azioni vi consentono di mantenere il controllo della più grande azienda italiana...
22.10.06 23:25

Prendi i dividendi e scappa
Ora sappiamo chi era il vero responsabile della Telecom. Era Tavaroli. A capo di Radar.
14.12.06 22:47

Il fascicolo B.Grillo
Io voglio essere intercettato. Ma dai magistrati. Non dalle aziende. Non dalla Telecom. Non da Tavaroli. Non dai suoi capi.
20.12.06 23:05

I dossierati Telecom
C'è una nuova categoria di italiani: i dossierati Telecom. Marco Travaglio si è scoperto dossierato e ha scritto una lettera di solidarietà.
21.12.06 23:11

L'ora degli spioni
Beppe Grillo ha deciso di querelare chi ha costruito un dossier su di lui. Di agire contro i vermi che hanno spiato me e gli italiani negli ultimi anni.
20.01.07 19:47

A casa il tronchetto dell'infelicità e il suo scudiero!
La farsa all'italiana è durata anche troppo. In una qualunque società dell'importanza di Telecom Italia il vertice si sarebbe dimesso immediatamente dopo lo scandalo delle intercettazioni.
13.02.07 10:29

Il nano tronchetto
Il blog ha commesso un errore con il tronchetto dell'infelicità. L'ha sopravvalutato. Credevamo che controllasse la più grande azienda italiana con lo 0,8%. Quasi nulla, ma sempre qualcosa. Non è così.
13.03.07 22:47

Tronchetto 0(virgola)08
La Consob ama Beppe Grillo. Da quando ha lanciato l'iniziativa 'share action' gli scrive regolarmente per chiedere consigli. Lui non si tira indietro e corrisponde.
03.04.07 19:27

Il suk e gli zerovirgola
Guido Rossi: "Questo mercato non è un vero mercato, ma è un suk e chi lo invoca è in malafede."
05.04.07 16:26

La Consob, Di Pietro e la share action
Ricevo una lettera da Antonio Di Pietro che ha ricevuto dalla Consob una lettera informativa su di me e sulla share action.
11.04.07 18:29

Lettera aperta a Carlos Slim
Sono trascorsi 40 anni dalla morte del principe Antonio De Curtis, in arte Totò. Beppe Grillo riprende una sua celebre lettera per scrivere a Carlos Slim Helù, L'uomo più ricco del Sudamerica, il secondo più ricco del mondo con 53 miliardi di dollari, padrone di America Movil che vuole comprare Olimpia.
14.04.07 23:54

Beppe Grillo da Rozzano
I video dell'intervento.
16.04.07 13:20

Intervento di Grillo all'Assemblea Telecom
Una semplice analisi dei bilanci di questi anni dimostra che la privatizzazione di Telecom Italia ha spogliato la società di miliardi di euro di ricavi, di decine di migliaia di posti di lavoro e ha trasferito nelle scatole cinesi gran parte dei suoi profitti attraverso i dividendi.
16.04.07 18:02

Il lavoratore dell'anno
Gli antichi romani avevano panem et circenses. Oggi ci sono rimasti solo i circenses. Il primo maggio dovrebbe essere dedicato al lavoratore dell'anno. Uno lo si troverà.... Per il 2007 il titolo lo vince a mani basse il tronchetto.
01.05.07 20:20

Indice della battaglia

Schiavi Moderni

I nuovi poveri
Anna, operatrice di call center della Cosmed del gruppo Cos (che ha migliaia di addetti call center in Sicilia) a Misterbianco, Catania, ha guadagnato in un mese 109 euro.
10.06.05 13:30

Sognando la California!
L'Italia perde i suoi cervelli. I nostri ragazzi quando escono dalle Università hanno ormai come prospettiva: la disoccupazione; lavori sottopagati; l'emigrazione.
22.12.05 17:18

Gli schiavi moderni
Insomma sono tutti d'accordo: legge Biagi = tutela dei deboli, occupazione permanente, flessibilità e risultati straordinari.
20.02.06 17:35

Gli schiavi moderni/2
Il post "Gli schiavi moderni" ha raggiunto i 3227 commenti. Le testimonianze più importanti saranno rese disponibili gratuitamente sotto forma di libro on line con il titolo: *Gli Schiavi Moderni*.
08.03.06 18:55

Gli schiavi moderni/3
L'iniziativa "Gli schiavi moderni" continua con questa lettera di Mauro Gallegati della Facolta' di Economia Giorgio Fuà dell'Università' Politecnica delle Marche.
21.03.06 17:59

Gli schiavi moderni/4
Il premio Nobel per l'economia Joseph E. Stiglitz mi ha inviato questa analisi sul mercato del lavoro in Italia.
25.04.06 19:45

Fantozzi è vivo e lotta con noi
Una lettera da uno dei tanti schiavi moderni. Lavorava 56 giorni (di otto ore) al mese, belin. Ma questa è fantascienza, fantalavoro, fantacapitalismo.
12.07.06 15:21

Gli schiavi moderni/5
La legge Biagi è uno scandalo, perchè il Governo non ci ha messo mano nei primi 100 giorni?
26.08.06 18:36

McJob
In onore della MacDonald è stato creato un neologismo: MacJob. Inserito nei dizionari inglesi. Il significato? "Attività sottopagata, senza stimoli, con pochi benefici. Richiede scarse competenze, è spesso temporanea e offre pochi o nulli benefici e opportunità di promozione."
06.04.07 22:50

Indice della battaglia

Il tramonto degli inceneritori

L'incantesimo degli inceneritori
Ieri sera ero a Trento per parlare dell'inceneritore insieme a degli esperti come Bettini, Masullo, Montanari, Zecca, Nervi e Pallante.
10.02.06 19:08

L'inceneritore di Reggio Emilia
Martedì e mercoledì scorso, nel corso dei due spettacoli al Palapanini di Modena è intervenuto Stefano Montanari, il ricercatore modenese che, insieme con la moglie Antonietta Gatti, ha studiato gli effetti sull'organismo delle particelle inorganiche prodotte da tutti i tipi di combustione.
02.03.06 18:30

Il tramonto degli inceneritori
La giustizia oltre che essere divina, qualche volta è anche umana. Paolo Scaroni è stato condannato per disastro ambientale.
01.04.06 18:09

Il tramonto degli inceneritori/2
Tanta gente così nel Consiglio Comunale di Reggio Emilia non si era mai vista nella storia repubblicana di questa città.
14.04.06 15:44

Il medico di famiglia e gli inceneritori
I medici di famiglia hanno espresso la loro opinione sugli inceneritori.
24.06.06 17:34

Le SuperBalle di SuperQuark
Piero Angela e suo figlio (o suo figlio e Piero Angela...) sono simpatici. Il figlio più del padre perchè si rivolge anche al pubblico dei non udenti quando spiega.
23.09.06 22:18

Premio fai da te degli inceneritori
La verità sta nell'onestà delle persone che ci portano l'informazione. Secondo Repubblica una "commissione indipendente" ha premiato l'Asm di Brescia per il miglior inceneritore del mondo.
08.11.06 20:07

Un bel respiro profondo
La Regione Veneto e l'Istituto Oncologico Veneto con il Registro dei Tumori del Veneto, il Comune e la Provincia di Venezia hanno pubblicato uno studio: 'Rischio di sarcoma in rapporto all'esposizione ambientale a diossine emesse dagli inceneritori'.
16.11.06 21:51

RESET Inceneritori!
Il 10 aprile al dipendente Romano Prodi fu chiesta l'abolizione dei finanziamenti agli inceneritori di rifiuti ed alle centrali a fonti fossili tramite le nostre bollette Enel.
01.12.06 19:55

Le nuove pesti
La truffa dei Cip6-Certificati Verdi dei finanziamenti a inceneritori, centrali a carbone e scarti petroliferi 'assimilati' alle energie alternative continua. Soldi prelevati in presa diretta dalla nostra bolletta dell'Enel.
15.12.06 23:58

Regaliamoci le rinnovabili
Nessun giornale o televisione nazionale ne parla. La pubblicità dell'Enel, pagine e pagine di giornali e riviste, è più importante della

nostra salute. Dei 3,1 miliardi di euro pagati ogni anno con le bollette dell'Enel. Di una notizia che riguarda il futuro delle energie rinnovabili.
23.12.06 20:31

Cip6: una lettera di Pecoraro Scanio
Pecoraro Scanio mi ha inviato una lettera sul Cip6. Una grande vittoria per i cittadini italiani.
29.12.06 19:30

Indice della battaglia

Via dall'Iraq

In guerra con la bandiera della pace
A Milano i guerrafondai raccolgono voti anche con simboli (falsi) pacifisti e dei verdi.
31.01.05 15:13

Il Papa è infallibile? Si, tranne quando si sbaglia.
La Chiesa cattolica è contemporaneamente per la pace e per la guerra.
31.01.05 15:33

Anche gli Usa in "missione umanitaria" in Iraq?
Da notare i missili a testata bianca, sono per missioni particolarmente umanitarie.
01.02.05 17:05

Non ce la facciamo più
Una dichiarazione del Presidente della Commissione degli Esteri della Camera Selva.
02.02.05 17:00

Come muore un Italiano
Ieri sera il militare italiano Nicola Calipari si è buttato sulla "non incorporata" Giuliana Sgrena per proteggerla dalla mitraglia statunitense.
05.03.05 19:15

Falluja, mon amour
L'Iraq è stato invaso dagli Stati Uniti e dai loro alleati perché accusato di nascondere armi di sterminio. Le armi di distruzione di massa non sono state trovate. Gli americani non si sono scoraggiati e hanno usato le loro.
10.11.05 14:26

A

Africa Alitalia An Giulio Andreo

Comunicazioni Autostrade Gianni Baget Bozzo Bagnaia Banca Antonv

Benetton Gilberto Benetton Stefano Benni Silvio Berl

Bologna Sandro Bondi Vito Bonsignore Mario Borghezio Umberto Bossi Brasile Brescia Merc

Campania Capitalia Gian Carlo Caselli Pier Ferdinando Casini Cassazione Roberto Castelli

europea Comunità europea Fedele Confalonieri Consob Giovanni Consorte Corriere della Sera

Marcello Dell'Utri Antonio Di Pietro Ds The Economist Enel Eni L'Espresso Europa Piero Fassi

Francia Legge Gasparri Maurizio Gasparri Antonietta Gatti Genova Paolo Gentiloni Germania Cesare Gero

Internet Iraq Israele Italia dei valori Lino Jannuzzi Kyoto Giorgio La Malfa La7 Lazio Lega Nord Gianni Letta Lib

Il Messaggero Messina Milano Benito Mussolini Napoli New York Olimpia Olivetti Onu P2 Palermo M

Pisanu Polo delle Libertà Presidente della Repubblica Cesare Previti Romano Pro

comunista Roma Rosa nel Pugno Russia Francesco Rutelli Sardegna Paolo Scaroni Senato

Svezia Svizzera Calisto Tanzi Tar del Lazio Tav Giuliano Tavaroli Telecom

Tronchetti Provera L'Unità Usa

Vincenzo Visco Vodafone Wall Street Journal Wikipe

a Australia Authority delle

a Banca Intesa Banca popolare italiana José Manuel Barroso Bbc

i Massimo Maria Berruti Pier Luigi Bersani Fausto Bertinotti Legge Biagi Bnl

ra George W. Bush Rocco Buttiglione Roberto Calderoli Camera dei Deputati

Cimoli Cina Legge ex Cirielli Paolo Cirino Pomicino Cirio Roberto Colaninno Commissione

Cosa Nostra Costituzione Bettino Craxi Salvatore Cuffaro Massimo D'Alema Danimarca Dc

azio Fiat Gianfranco Fini Fininvest Giampiero Fiorani Firenze Dario Fo Forza Italia

Carlo Giovanardi Emilio Gnutti Google Governo Gran Bretagna Guardia di Finanza Adolf Hitler Ibm Ici Inter

nbardia Londra Margherita Roberto Maroni Clemente Mastella Mediaset Meetup Enrico Mentana

arlamento Parlamento Europeo Parmalat Alfonso Pecoraro Scanio Piemonte Pirelli Giuseppe

ai Reggio Calabria Reggio Emilia Report Repubblica Rete Piero Ricca Stefano Ricucci Rifondazione

arbi Sicilia Sky Skype Il Sole 24 Ore Spagna La Stampa Lucio Stanca Francesco Storace

im Torino Marco Travaglio Giulio Tremonti Trieste Marco

icano Walter Veltroni Venezia Verdi Bruno Vespa Luciano Violante

losé Luis Rodriguez Zapatero

Indice dei nomi

Come usare il blog

Il mio blog (www.beppegrillo.it) è uno spazio all'interno del quale ogni giorno scrivo un articolo, chiamato "post". Oltre a poter leggere quello che io scrivo, i visitatori del blog possono anche commentare i miei articoli, dando la loro opinione, aggiungendo informazioni e aumentando il livello di conoscenza di tutti.

Il blog è suddiviso in tre aree:

A - area centrale
B - menu orizzontale superiore
C - barra destra laterale

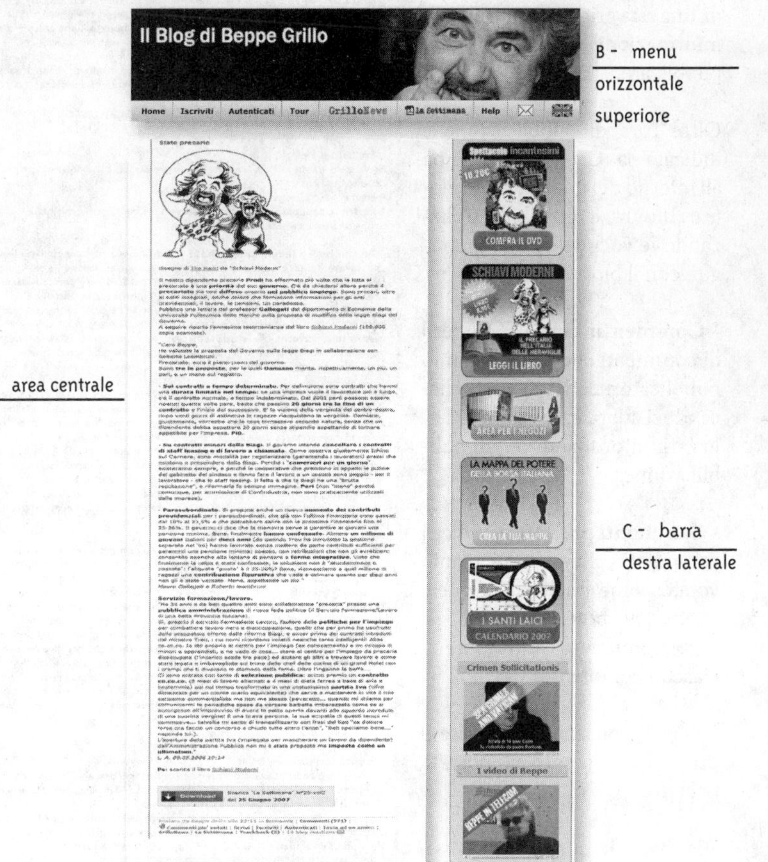

A. Area centrale.

L'area centrale è utilizzata per la pubblicazione degli articoli più recenti e dei commenti. Il "post" è caratterizzato da una data, un titolo, immagine e testo.

Può riguardare fatti di attualità o essere una riflessione su tematiche legate alla nostra vita. Al termine del "post", separate da una riga grigia, ci sono alcune informazioni relative all'articolo pubblicato.

Oltre l'ora di pubblicazione è indicata la Categoria, il tema all'interno del quale il post rientra. Inoltre è possibile, utilizzando le voci del menu, interagire con il blog:

- **Commenti:** indica il numero di commenti che i lettori hanno pubblicato relativi al post, cliccandoci sopra è possibile visualizzarli in ordine di ora di pubblicazione;

- **Commenti più votati:** indica i commenti che i lettori hanno votato come migliori tra quelli relativi al post, cliccando su "vota commento" al termine di ciascun commento;

- **Scrivi:** consente di inserire il proprio commento al post in oggetto;

- **Iscriviti:** in quest'area è possi-

Stato precario

disegno di The Hand da "Schiavi Moderni"

Il nostro dipendente precario **Prodi** ha affermato più volte che la lotta al precariato è una **priorità** del suo **governo.** C'è da chiedersi allora perchè il **precariato** sia cosi **diffuso** proprio **nel pubblico impiego**. Sono precari, oltre ai soliti insegnati, anche coloro che forniscono informazioni per gli enti previdenziali, il lavoro, le pensioni. Un paradosso.
Pubblico una lettera del professor **Gallegati** del dipartimento di Economia della Università Politecnica delle Marche sulla proposta di modifica della legge Biagi del Governo.
A seguire riporto l'ennesima testimonianza dal libro Schiavi Moderni (100.000 copie scaricate).

"*Caro Beppe,*
Ho valutato la proposta del Governo sulla legge Biagi in collaborazione con Roberto Leombruni.
Precariato, ecco il piano-piano del governo.
Sono **tre le proposte**, per le quali **Damiano** merita, rispettivamente, un più, un pari, e un meno sul registro.

- **Sui contratti a tempo determinato.** Per definizione sono contratti che hanno una **durata limitata nel tempo**: se una impresa vuole il lavoratore più a lungo, c'è il contratto normale, a tempo indeterminato. Dal 2001 però possono essere ripetuti quante volte pare, basta che passino **20 giorni tra la fine di un contratto** e l'inizio del successivo. E' la visione della verginità del centro-destra, dopo venti giorni di astinenza le ragazze riacquistano la verginità. Damiano, giustamente, vorrebbe che le cose tornassero secondo natura, senza che un dipendente debba aspettare 20 giorni senza stipendio aspettando di tornare appetibile per l'impresa. **Più**.

- **Su contratti minori della Biagi**. Il governo intende **cancellare i contratti di staff leasing e di lavoro a chiamata**. Come osserva giustamente Ichino sul Corriere, sono modalità per regolarizzare (garantendo i lavoratori) prassi che esistono a prescindere dalla Biagi. Perché i "**camerieri per un giorno**" esisteranno sempre, e perché le cooperative che prendono in appalto le pulizie del gabinetto del sindaco e fanno fare il lavoro a un cococò sono peggio - per il lavoratore - che lo staff leasing. Il fatto è che la Biagi ha una "brutta reputazione", e riformarla fa sempre immagine. **Pari** (non "meno" perché comunque, per ammissione di Confindustria, non sono praticamente utilizzati dalle imprese).

- **Parasubordinato**. Si propone anche un nuovo **aumento dei contributi previdenziali** per i parasubordinati, che già con l'ultima Finanziaria sono passati dal 18% al 23,5% e che potrebbero salire con la prossima Finanziaria fino al 25-26%. Il governo ci dice che la manovra serve a garantire ai giovani una pensione minima. Bene, finalmente **hanno confessato**. Almeno **un milione di giovani** Italiani per **dieci anni** (da quando Treu ha introdotto la gestione separata nel '96) hanno lavorato senza mettere da parte contributi sufficienti per garantirsi una pensione minima; spesso, con retribuzioni che non gli avrebbero consentito neanche alla lontana di pensare a **forme integrative**. Visto che finalmente la colpa è stata confessata, la soluzione non è "scurdammoce o passato": l'aliquota "giusta" è il 25-26%? Bene, riconosciamo a quel milione di ragazzi una **contribuzione figurativa** che vada a colmare quanto per dieci anni non gli è stato versato. Meno, aspettando un più."
Mauro Gallegati e Roberto leombruni

Servizio formazione/lavoro.
"Ho 34 anni e da ben quattro anni sono collaboratrice "precaria" presso una **pubblica amministrazione** di rossa fede politica (il Servizio Formazione/Lavoro di una bella Provincia toscana).
Sì, proprio il servizio Formazione Lavoro, fautore delle **politiche per l'impiego** per combattere lavoro nero e disoccupazione, quello che per primo ha usufruito delle scappatoie offerte dalla riforma Biagi, e ancor prima dei contratti introdotti

bile iscriversi, inserendo la propria email, all'invio della segnalazione di nuove pubblicazioni. Ogni volta che un nuovo post è pubblicato viene inviata un'email a tutti gli iscritti con un breve riassunto e il link per leggerne la versione integrale;

- **Invia ad un amico:** con questo strumento è possibile segnalare via email il post in oggetto a conoscenti e amici che possono essere interessati all'argomento;

- **Grillonews:** questa sezione, creata per accedere più velocemente a post non di giornata, raccoglie gli articoli più recenti suddivisi per categoria e il numero di commenti relativi fatti dai visitatori (indicanti l'interesse suscitato dall'articolo);

- **La Settimana:** "La Settimana" è il magazine, pubblicato ogni lunedì, che raccoglie i post della settimana precedente. Nell'area è disponibile in formato pdf per il download e la stampa;

- **Trackback:** consente agli autori di un blog di segnalare un proprio post che tratta lo stesso tema di quello scritto da Beppe, tramite un link da www.beppegrillo.it;

- **Blog reactions:** reazioni al post da parte di altri blogger censite dal motore di ricerca specializzato Technorati. La funzionalità è simile al trackback, con la differenza che le segnalazioni sono automatiche.

B. Menu orizzontale superiore.

Per navigare nelle diverse sezioni del blog è possibile utilizzare il menu orizzontale che si trova sotto l'intestazione. Le aree sono:

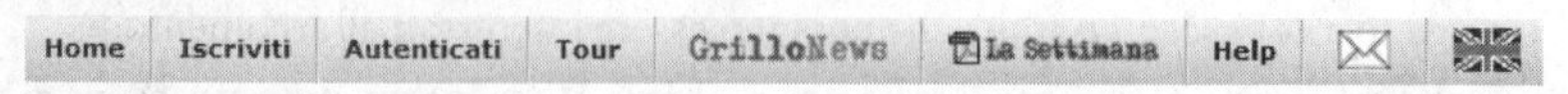

- **Home:** utilizzando questo bottone, in qualsiasi pagina del blog, si ritorna alla pagina iniziale;

- **Iscriviti:** in quest'area è possibile iscriversi, inserendo la propria email, all'invio della segnalazione di nuove pubblicazioni. Ogni volta che un nuovo post è pubblicato viene inviata un'email a tutti gli iscritti con un breve riassunto e il link per leggerne la versione integrale;

- **Autenticati**: in quest'area sono contenute le informazioni per essere autenticati, quando si scrivono i commenti sul blog, si vogliono modificare i dati o fare log in;

- **Tour:** in questa sezione sono contenute le date e le località delle tappe, in tutta Italia, della Tournée;

- **Grillonews:** vedi sopra;

- **La settimana**: vedi sopra;

- **Help:** Contiene tutte le informazioni necessarie per comprendere e utilizzare al meglio tutte le funzionalità del blog;

- **Busta email**: in quest'area è possibile scrivere per segnalare problemi, errori o per inviare segnalazioni sui temi di interesse;

- **Bandierina inglese/italiana:** Questo bottone consente di passare alla versione del Blog in inglese, se si sta consultando la versione italiana, e viceversa.

C. Barra laterale destra.

La colonna destra del Blog contiene gli oggetti di interazione con il blog e le diverse iniziative in corso.

- **Banner di presentazione:** tramite questi banner è possibile accedere all'area dove sono descritti i miei dvd e i miei libri o altre iniziative speciali come La mappa del potere della Borsa italiana, Il calendario 2007 dei Santi Laici ecc. Da qui è possibile effettuare il download gratuito o l'acquisto on line;

- **I video di Beppe** : tramite i banner è possibile visualizzare miei interventi video su temi particolari;

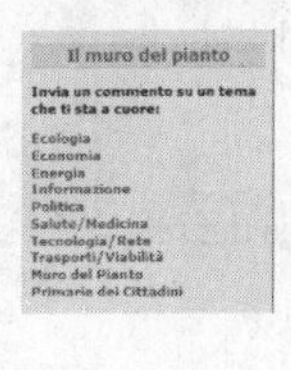

- **Il muro del pianto**: tutti i post pubblicati quotidianamente sono suddivisi per categorie: Ecologia, Economia, Energia, Informazione, Politica, Salute/Medicina, Tecnologia/Rete, Trasporti/Viabilità, Muro del Pianto , Primarie dei Cittadini. Attraverso l'area Muro del pianto è possibile accedere all'archivio dei post, ordinati cronologicamente, in base al tema di interesse. Le "Primarie dei cittadini" è una sezione speciale dove sono raccolte in un documento le proposte e le idee di cittadini e di esperti su un determinato tema (energia, salute, ambiente, ecc). Tale documento dovrebbe essere sottoscritto dai partiti al governo e costituire il loro programma di Governo;

- **Cerca**: questa sezione consente di ricercare all'interno dei post determinate parole chiave;

- **Gli amici di Beppe Grillo**: area di accesso ai Meetup, i gruppi di persone che condividono le idee di Beppe Grillo e che portano avanti iniziative sul territorio, suddivisi per città e zona di azione. È possibile accedere anche alla "mappa mondiale dei meetup" che mostra la distribuzione territoriale dei diversi gruppi;

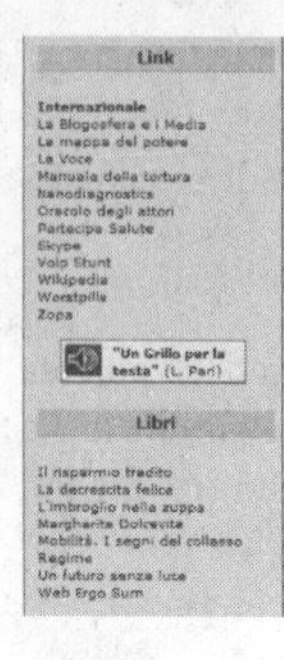

- **Link:** sezione che raccoglie alcuni link suggeriti per documentarsi, raccogliere informazioni attendibili o accedere a servizi in rete gratuiti;

- **Libri:** sezione che raccoglie alcuni libri consigliati sui temi affrontati nel Blog, scritti dagli esperti che costituiscono le fonti di Beppe Grillo sulle diverse tematiche;

- **Iniziative:** quest'area raccoglie le iniziative che nel corso del tempo sono state attuate dal Blog. Ognuna è rappresentata da un piccolo banner e cliccandoci sopra si accede all'area relativa;

- **Final countdown:** conteggia secondo per secondo il tempo mancante alla pensione dei parlamentari attualmente in carica;

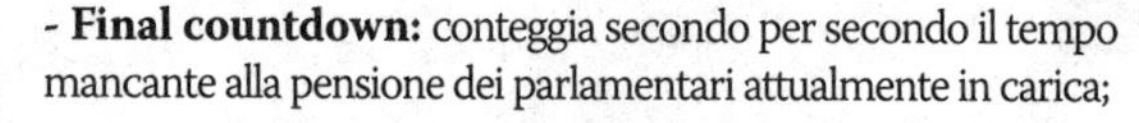

- **Share action:** riprendiamoci Telecom: raccolta delle deleghe per l'assemblea di Telecom Italia per licenziare il Cda;

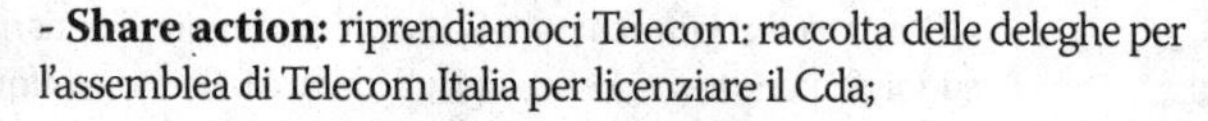

- **Parlamento Pulito:** appello perché i condannati in via definitiva non possano più rappresentare i cittadini in Parlamento;

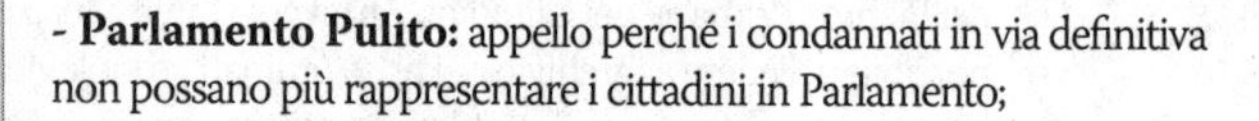

- **Gli schiavi moderni:** raccolta di tutti i commenti inviati dalle migliaia di persone che vivono oggi una situazione di lavoro precaria;

- **Tango Bond:** area che contiene le indicazioni su come fare per poter richiedere il risarcimento delle perdite causate dal crack dei Bond Argentini;

- **Via dall'Iraq (obiettivo raggiunto):** area per scrivere al Presidente della Repubblica un'email per richiedere il ritiro delle truppe italiane dall'Iraq;

- **Onorevoli Wanted:** area per scaricare il volantino, realizzato dal meetup di Milano, che contiene le foto e le sentenze dei parlamentari condannati in terzo grado;

- **La ricerca imbavagliata (obiettivo raggiunto)**: area con le istruzioni per effettuare una donazione per acquistare un microscopio a scansione ambientale per due ricercatori di Modena per portare avanti la ricerca sulle nanopatologie;

- **Archivio**: archivio dei post pubblicati da gennaio 2005 in ordine cronologico;

- **Syndication:** area con le istruzioni per poter integrare le informazioni disponibili sul blog www.beppegrillo.it all'interno del proprio sito o blog.

Glossario

Atom. È un formato di documento basato su XML per la distribuzione, la diffusione e la sottoscrizione dei contenuti delle pagine web su diversi canali. È un'evoluzione dell'RSS.

Audioblog. Blog i cui post sono prevalentemente vocali inviati spesso insieme a SMS da cellulari.

Blog (o Web log). Il termine **blog** è la contrazione di *web log*, ovvero "traccia sulla rete". Il blog è uno spazio corrispondente ad un indirizzo http sulla Rete dove una persona può pubblicare il suo diario personale in modo multimediale. Nella maggior parte dei casi, chiunque può commentare quello che viene scritto.

Blogger. L'autore e curatore di un blog.

Blogosfera. L'insieme dei blog con elementi comuni appartenenti ad un certo insieme. Ad esempio per includere la globalità dei blog italiani, si usa il termine *blogosfera italiana*.

Blogchalk. Brevi informazioni fornite da un visitatore che lo descrivono a favore degli altri utenti. Solitamente contiene dati come il nickname, età, sesso, interessi ecc.

Blogroll. La lista dei link ad altri blog, presenti in un determinato blog. E' un modo per segnalare la qualità dei contenuti di un altro blog o per esprimere la relazione di appartenenza con un altro blogger.

Blogstorm (blog swarm). Pubblicazione di un enorme numero di post sullo stesso argomento in un breve periodo di tempo. Fenomeno legato a eventi di rilevanza mondiale.

Blogstar. I blogger più conosciuti ed influenti. Solitamente hanno un numero di interconnessioni maggiore rispetto alla media della blogosfera e una base di lettori fidelizzati.

Broadcasting. Diffusione pubblica e indifferenziata di un messaggio.

Captcha. Da "Completely Automated Public Turing test to tell Computers and Uman Apart", è un programma in grado di generare dei test che possono essere superati dagli esseri umani, ma non dalla maggior parte dei programmi di computer. Il Captcha è utilizzato ad esempio per impedire l'accesso a programmi per la registrazione automatica di email account.

Claiming. Funzione dei motori di ricerca specializzati che consente di associare un blog con l'identità del suo autore.

Click fraud. Frode che avviene con l'uso di programmi che imitano il comportamento del browser di una persona per cliccare al suo posto e ripetutamente su una pubblicità on line.

Commento. Messaggio inserito dagli utenti di un blog, con riferimento ad uno specifico post, per comunicare con l'autore e gli altri lettori.

Corporate Blog. Blog aziendali in cui sono pubblicate notizie e informazioni inerenti alla propria azienda. Possono essere visibili all'interno e/o all'esterno dell'azienda.

Creative Commons. La possibilità di acquisire e riutilizzare il contenuto dei siti visitati con alcune restrizioni, dette licenze (www.creativecommons.com).

Copyleft. L'opposto di copyright, rappresentato con la lettera "C" rovesciata. Indica il riuso di un contenuto senza alcuna restrizione.

Discussione (Thread). Serie di commenti che hanno in comune lo stesso oggetto, identificabili come serie cronologica di contributi indirizzati reciprocamente.

Fake blog. Blog creati da programmi. All'apparenza, sembrano reali con numerosi post su un determinato argomento. I fake blog hanno come scopo i click fraud.

Feed. Documento basato su XML che contiene un riassunto dei contenuti più recenti di un sito o di un blog.

Feed reader (aggregatore). Un feed reader è un programma in grado di effettuare il download di dati/informazioni dalla Rete in diverse modalità, ad esempio RSS e da siti diversi. È sufficiente che si indichi al programma l'indirizzo web del feed per acquisire in tempo reale nuovi dati/informazioni.

Flame. Commenti ostili, offensivi, provocatori o promozionali, spesso di natura personale. Chi ne fa uso ricorrente è detto Troll.

Flickr. Sito che consente la condivisione di foto. Le immagini possono essere riutilizzare secondo licenza Creative Commons. Utilizzato nei blog per condividere gallerie fotografiche o reperire immagini a corredo del testo rispettando le leggi sul diritto d'autore.

Folksonomy. Categorizzazione di parole chiave su base spontanea e collaborativa in Rete, senza un controllo centrale. È spesso proposta in Rete come alternativa alla tassonomia classica basata su categorie predefinite.

Forum. Gruppo di discussione online dove è possibile ricevere assistenza su temi specifici.

Friendblog. Blog composto da post scritti da persone con simili interessi.

Hyperlink. Collegamento ipertestuale all'interno di pagine web tramite testi e immagini, spesso evidenziati. Il collegamento può riferirsi a pagine web interne o esterne al sito.

Incoming link. Link, o collegamenti, a un sito o a un blog.

Indicizzazione. L'inserimento di un sito web o di un blog nel database di un motore di ricerca attraverso parole chiave.

Influenza (autorevolezza). L'influenza di un blog è in funzione del numero di siti o blog che lo "linkano", che hanno quindi uno o più riferimenti al blog.

Legge di potenza. Descrive una modalità di distribuzione, secondo la quale all'aumentare esponenziale dei valori diminuisce la loro frequenza.

Keyword stuffing. La reiterazione di una stessa parola chiave nei Meta Tag delle pagine web, o anche nel testo delle pagine web, allo scopo di renderle visibili ai motori di ricerca.

Link farm. Un gruppo molto esteso di pagine web create da computer con collegamenti, o link, tra loro o ad una specifica pagina.
Le link farm sono create in prevalenza per aumentare la popolarità di una pagina, ingannando i motori di ricerca.

Long tail. Proprietà legata a una particolare distribuzione statistica nella quale un'alta frequenza di un particolare evento è seguita da una sua frequenza bassa e graduale.

Meta Tag. I Meta tag sono parole chiave associate a una pagina web per qualificarne i contenuti.

Microformat. Un set di formati di dati condivisibili in Rete, open data, costruiti sugli standard più diffusi.

MSM (Main stream Media). I media tradizionali come radio, televisione o quotidiani, preesistenti alla Rete. Gli MSM tendono a mantenere la loro struttura di comunicazione anche on line.

Narrowcasting. Diffusione mirata di un messaggio, a livello di gruppo o individuale.

O.T. (Off Topic). Commento non inerente al tema del post in cui è inserito.

Pay per click advertising. La presenza di pubblicità su un sito, la cui remunerazione è associata al numero di click.

Ping. Segnale automatico inviato a un blog per segnalare la pubblicazione di un un link a un suo post da parte di un altro blog.

Permalink. Il permalink (contrazione della frase inglese "permanent link") è un indirizzo URL che si riferisce ad un specifico post.

Podcasting. Possibilità attraverso le tecnologie RSS di distribuire contenuto audio su device mobili e personal computer.

Post. I pensieri, i testi e le immagini pubblicati dall'autore (o autori) del blog.

Nofollow. Il nofollow indica che l'indirizzo del link a cui è riferito non deve essere valutato dai motori di ricerca. Un caso tipico di nofollow sono i link associati ai commenti nei blog.

Rank. È la posizione in classifica determinata sulla base di indici come il numero di link da altri blog in un determinato periodo di tempo determinandone l'influenza.

RSS, Really Simple Syndication. Formato standard basato su XML per la distribuzione, la diffusione e la sottoscrizione dei contenuti delle pagine web su diversi canali. RSS è lo standard de facto per l'esportazione di contenuti Web. Numerosi siti di informazione, quotidiani online, fornitori di contenuti, e soprattutto blog, lo hanno adottato.

Syndication. Servizio che mette la sezione di un sito a disposizione di altri. In particolare sono resi disponibili documenti (feed) che riassumono i contenuti più recenti utilizzando standard come RSS o Atom.

Social Network. Il social network studia le relazioni esistenti all'interno di diversi gruppi sociali. Tipicamente analizza reti rappresentate in forma di nodi e di link (connessioni tra nodi).

Spam blog (splog). Blog creati allo scopo di influenzare i risultati dei motori di ricerca con l'inserimento automatico di post.

Tag. Se riferito ai post di un blog indica la loro categoria di appartenenza, ad esempio ecologia o politica.

Technorati. Technorati è un motore di ricerca che, in tempo reale, traccia l'evoluzione della blogosfera mondiale, quindi dell'insieme di tutti i blog presenti in Rete.

Trackback. Il TrackBack è un sistema che permette la comunicazione automatica tra blog attraverso i post pubblicati. Un blog che vuole fare riferimento ad un articolo pubblicato su un altro blog deve inviare un segnale automatico, chiamato *ping*, per segnalarlo.

Trackback spam. L'utilizzo del meccanismo di trackback per l'inserimento di link indesiderati nei blog. Filtri di protezione contro il trackback spam sono presenti in molti sistemi di pubblicazione dei blog.

Troll. Termine utilizzato per definire chi inserisce ripetutamente commenti non inerenti al post, offensivi, pubblicitari o promozionali di un certo tema. I troll utilizzano spesso vari pseudonimi e provocano discussioni insultando gli altri commentatori. Da qui il detto "Don't feed the troll"; non rispondere ai troll per lirnitarne lo spazio.

URL (Uniform Resource Locator). L'indirizzo globale di documenti e di altre risorse nel World Wide Web.

Vlog. Un vlog è un blog che pubblica prevalentemente, o solo, video. I post video nei vlog sono di solito associati a testi, immagini e ad altri meta dati relativi al contenuto del video.

XML. L'eXtensible Markup Language è un insieme di regole, sviluppato dal World Wide Web Consortium (W3C), per definire dei file in formato testo che permette di strutturare i dati indipendentemente dalla piattaforma utilizzata e quindi di renderne univoca !'interpretazione del contenuto.

YouTube. Sito che consente agli utenti di caricare e condividere filmati digitali. È utilizzato dai vlog per condividere i post in forma video vista la facilità con cui è possibile inserire i filmati nel corpo del blog.

Ringraziamenti

Aldo Albenga
Claudio Abbado
Fausto Bertinotti
Laura B.
Lester Brown
Rita Borsellino
Stefano Benni
Alberto Cairo
Andrea Colasio
Dario Ciapetti
Giulietto Chiesa
Jorge Coulon
Marco Canestrari
Marco Cappato
Mariadele Cipolla
Riccardo Cocco
Sergio Cusani
Antonio Di Pietro
Barbara Debernardi
Gianni Di Giovanni
LucaDeMaio
Massimo De Angelis
Alberto Fortunati
Dario Fo
Paolo Ferrero
Mauro Gallegati
Domenico Leggiero
Norberto Lenzi
Roberto Leombruni
Anupam Mishra
Maria Fida Moro
Piera Maggio
Alfonso Pecorario Scanio
Antonio Puddu
Fabrizia Pratesi
Francesco Pansera
Marco Pannella
Franca Rame
Francesco Ricatti
Piero Ricca
Gino Strada
Joseph E. Stiglitz
Roberto Saviano
Marco Travaglio
Alex Zanotelli
Antonella e Valeria degli Amici di Beppe Grillo di Milano
Associazione Anti Digital Divide
Claudio per il Comitato Contro il Corridoio 5
Daniele, Beppe e Andrea
Emanuele
Giuseppe G.
Gli amici della Lipu - Sez. di Gravina in Puglia (Ba)
I lavoratori della Birreria Pedavena
I lavoratori disperati della Finmek Solutions
Lorella L.
Luigi L.
Marcel
Marco
Nadia B.
Nino
Stefania
Stefano T.

www.tealibri.it

Visitando il sito internet della TEA potrai:

- **Scoprire subito le novità dei tuoi autori e dei tuoi generi preferiti**
- **Esplorare il catalogo on-line trovando descrizioni complete per ogni titolo**
- **Fare ricerche nel catalogo per argomento, genere, ambientazione, personaggi... e trovare il libro che fa per te**
- **Conoscere i tuoi prossimi autori preferiti**
- **Votare i libri che ti sono piaciuti di più**
- **Segnalare agli amici i libri che ti hanno colpito**
- **E molto altro ancora...**

Finito di stampare nel mese di maggio 2011
per conto della TEA S.p.A.
da Reggiani S.p.A. - Brezzo di Bedero (VA)
Printed in Italy